Gehirne und Personen

Herausgegeben von
Martina Fürst, Wolfgang Gombocz, Christian Hiebaum

Band 1

Gehirne und Personen

Beiträge zum 8. Internationalen Kongress
der Österreichischen Gesellschaft für
Philosophie in Graz

Band 1

Herausgegeben von
Martina Fürst
Wolfgang Gombocz
Christian Hiebaum

ontos
verlag

Frankfurt I Paris I Lancaster I New Brunswick

Bibliographic information published by Die Deutsche Bibliothek
Die Deutsche Bibliothek lists this publication in the Deutsche Nationalbibliographie;
detailed bibliographic data is available in the Internet at http://dnb.ddb.de

North and South America by
Transaction Books
Rutgers University
Piscataway, NJ 08854-8042
trans@transactionpub.com

United Kingdom, Ireland, Iceland, Turkey, Malta, Portugal by
Gazelle Books Services Limited
White Cross Mills
Hightown
LANCASTER, LA1 4XS
sales@gazellebooks.co.uk

Livraison pour la France et la Belgique:
Librairie Philosophique J.Vrin
6, place de la Sorbonne ; F-75005 PARIS
Tel. +33 (0)1 43 54 03 47 ; Fax +33 (0)1 43 54 48 18
www.vrin.fr

©2009 ontos verlag
P.O. Box 15 41, D-63133 Heusenstamm
www.ontosverlag.com

ISBN: 978-3-86838-014-9

Printed on acid-free paper
ISO-Norm 970-6
FSC-certified (Forest Stewardship Council)
This hardcover binding meets the International Library standard

Printed in Germany
by buch bücher **dd ag**

Inhalt

Vorwort

Mit den jüngsten Fortschritten in der Hirnforschung haben einige der klassischen Fragestellungen der Philosophie wieder neue Aktualität erhalten und das Interesse einer breiteren Öffentlichkeit auf sich gezogen. Außerhalb der Neurophysiologie haben zunächst freilich weniger die einschlägigen wissenschaftlichen Ergebnisse (und ihre Visualisierung) Aufsehen erregt als vielmehr die metaphysischen und bewusstseinsphilosophischen Schlussfolgerungen, die einige Forscher gezogen haben. Sie betreffen vor allem Fragen nach dem Verhältnis von Körper und Geist, der Freiheit des Willens und dem, was gemeinhin Selbst oder Ich genannt wird. Vieles, was wir im Alltag spontan als gegeben unterstellen (bei anderen genauso wie bei uns selbst), soll demnach eine Illusion sein.

Für die meisten Philosophinnen und Philosophen ist dies jedoch keineswegs ausgemacht, zumal sich die Frage stellt, worin genau die Illusion überhaupt bestehen soll, die hier vorgeblich als solche entlarvt wird, und ob die Illusion (sowie in weiterer Folge ihre Entlarvung) einen Unterschied in der wissenschaftlich beschreibbaren Wirklichkeit macht. Nicht einmal jene, die immer schon die eine oder andere Spielart des Monismus oder des Physikalismus vertreten haben, finden die Argumente der anti-cartesianischen Naturwissenschaftler durchwegs überzeugend – ganz zu schweigen von denen, die an raffinierteren Versionen des Dualismus arbeiten, als sie seit einiger Zeit in den Feuilletons attackiert werden.

Das Interesse an diesen Kontroversen wäre natürlich viel geringer, dürfte man nicht vermuten, dass mittelbar oder unmittelbar auch praktisch, ja sogar politisch, etwas von der Bestimmung des Verhältnisses zwischen Gehirnen und Personen abhängt. Jedenfalls beschränkt sich die Diskussion nicht auf die Metaphysik, die Ontologie und die Erkenntnistheorie. Auch Handlungstheorie, Ethik und Sozialphilosophie sehen sich erneut szientistischen Herausforderungen gegenüber. Was bedeuten etwa Autonomie, Verantwortlichkeit und Rationalität unter der Bedingung neuronaler Determinierung? Bedeuten sie etwas anderes als unter Bedingungen neuronaler Nicht-Determinierung? Welche Rolle spielen Gefühle bei der Erklärung und Rechtfertigung von Handlungen? Sind sie nur auf der kausalen oder motivationalen Ebene wirksam oder haben sie auch eine kognitive Funktion? Mit der Übersetzung neurophysiologischen Wissens in Technologie drängen sich schließlich noch einige konkretere bio- und sozialethische Fragen auf, etwa nach den Grenzen der Steigerung kognitiver Fähigkeiten mittels Gehirnimplantate.

Die Neurobiologie hat aber nicht nur alte Debatten wiederbelebt und neue große Fragen aufgeworfen, sondern auch zahlreiche Anstöße zu interdisziplinären Kooperationen gegeben. Die ohnehin verhältnismäßig jungen Grenzen zwischen Biologie, Psychologie, Soziologie, Ökonomik und Philosophie werden immer öfter überschritten und verschoben, nicht zuletzt wenn es gilt, Modelle für die Erklärung menschlichen Verhaltens in mehr oder weniger komplexen sozialen Konstellationen zu entwickeln.

Die Beiträge zum vorliegenden Band gehen allesamt auf Vorträge zurück, die auf dem 8. Kongress der Österreichischen Gesellschaft für Philosophie von 7. bis 9. Juni 2007 in Graz gehalten wurden. Teil 1 umfasst die Plenarvorträge, Teil 2 Referate der theoretisch-philosophischen und Teil 3 jene der praktisch-philosophischen Schwerpunktsektion.

Martina Fürst
Wolfgang Gombocz
Christian Hiebaum

Teil 1

Es gibt kein Ich, doch es gibt mich[1]

ANSGAR BECKERMANN

1. Gehirn und Ich

Siegmund Freud hat von drei „Kränkungen ihrer naiven Eigenliebe" gesprochen, die „die Menschheit im Laufe der Zeiten von der Wissenschaft
[hat] erdulden müssen."

> Die erste, als sie erfuhr, daß unsere Erde nicht der Mittelpunkt des Weltalles ist,
> sondern ein winziges Teilchen eines in seiner Größe kaum vorstellbaren Welt-
> systems. Sie knüpft sich für uns an den Namen Kopernikus, obwohl schon die
> alexandrinische Wissenschaft ähnliches verkündet hatte. Die zweite dann, als
> die biologische Forschung das angebliche Schöpfungsvorrecht des Menschen
> zunichte machte, ihn auf die Abstammung aus dem Tierreich und die Unver-
> tilgbarkeit seiner animalischen Natur verwies. Diese Umwertung hat sich in un-
> seren Tagen unter dem Einfluss von Ch. Darwin, Wallace und ihren Vorgän-
> gern nicht ohne das heftigste Sträuben der Zeitgenossen vollzogen. Die dritte
> und empfindlichste Kränkung aber soll die menschliche Größensucht durch die
> heutige psychologische Forschung erfahren, welche dem Ich nachweisen will,
> daß es nicht einmal Herr ist im eigenen Hause, sondern auf kärgliche Nachrich-
> ten angewiesen bleibt von dem, was unbewusst in seinem Seelenleben vorgeht.
> (Freud 1917, 294f.)

Heute ist oft von einer weiteren grundlegenden, vermutlich letzten Kränkung des Selbstwertgefühls des Menschen die Rede. Denn Neurobiologie
und Neurophilosophie hätten, so etwa Siefer und Weber (2006, 252), gezeigt, dass das Ich nicht nur nicht Herr im eigenen Haus ist, dass es vielmehr gar kein Ich gibt. Das Ich sei nichts als eine Illusion. Auf welche Befunde gründet sich diese These? Halten wir uns an einen Gewährsmann
von Siefer und Weber – Gerhard Roth. Roth schreibt in *Fühlen, Denken,
Handeln*:

> [Die] erlebte Welt wird von unserem Hirn in mühevoller Arbeit über viele Jahre
> hindurch konstruiert und besteht aus den Wahrnehmungen, Gedanken, Vorstel-

---

[1] Dieser Beitrag erscheint auch in: Crone, K., Schnepf, R., Stolzenberg, J. (Hg.)
(2009): *Über die Seele*, Frankfurt/Main: Suhrkamp. Eine ausführlichere Version
dieses Aufsatzes findet sich in Beckermann (2008, Kap. 2).

lungen, Erinnerungen, Gefühlen, Wünschen und Plänen, die unser Gehirn hat. Innerhalb dieser Welt bildet sich […] langsam ein Ich aus, das sich zunehmend als vermeintliches Zentrum der Wirklichkeit erfährt, indem es den Eindruck entwickelt, es „habe" Wahrnehmungen (d.h. dass Wahrnehmungen auf es bezogen sind), es sei Autor der eigenen Gedanken und Vorstellungen, es rufe aktiv die Erinnerungen auf, es bewege den Arm, die Lippen, es besitze diesen bestimmten Körper, und so fort. Selbstverständlich ist dies eine Illusion, denn Wahrnehmungen, Gefühle, Intentionen und motorische Akte entstehen innerhalb der Individualentwicklung lange bevor das Ich entsteht. (Roth 2003, 395f.)

Da ist sie also – die These, das Ich sei nichts als eine Illusion. Oder? Wenn man genau hinschaut, sieht man, dass Roth gar nicht behauptet, dass das Ich eine Illusion ist. Vielmehr vertritt er zwei verwandte Thesen: a) Das Ich selbst bildet sich erst langsam in der erlebten Welt aus, die von unserem Gehirn konstruiert wird. b) Es ist eine Illusion anzunehmen, dieses Ich „‚habe' Wahrnehmungen […], es sei Autor der eigenen Gedanken und Vorstellungen, es rufe aktiv die Erinnerungen auf, es bewege den Arm, die Lippen, es besitze diesen bestimmten Körper, und so fort".

Aber was besagt die zweite These eigentlich? Auch wenn es kein *Ich* gibt, scheint es doch *mich* zu geben. Also können Sätze wie

- Ich sehe den blauen Himmel
- Ich erinnere mich an meine erste Liebe
- Ich bewege meine Hand
- Ich schreibe jetzt diesen Text

durchaus wahr sein. Aber Roth sagt, es sei falsch anzunehmen, das Ich habe Wahrnehmungen, sei Autor der eigenen Gedanken und Vorstellungen, rufe aktiv die Erinnerungen auf, bewege den Arm, die Lippen, besitze diesen bestimmten Körper etc. Und er scheint das ernst zu meinen. Seiner Meinung nach ist es eigentlich das Gehirn, das Wahrnehmungen, Gedanken, Vorstellungen, Erinnerungen, Gefühle, Wünsche und Pläne hervorbringt und zugleich hat. D.h., er scheint sagen zu wollen, dass die gerade angeführten Sätze alle falsch sind und dass es richtig heißen müsste:

- Mein Gehirn sieht den blauen Himmel
- Mein Gehirn erinnert sich an meine erste Liebe
- Mein Gehirn bewegt meine Hand
- Mein Gehirn schreibt jetzt diesen Text

Dass dies nicht nur äußerst befremdlich klingt, sondern so auch nicht stimmen kann, zeigt sich aber schon an dem Ausdruck „mein Gehirn". Denn wie kann, wenn man Roth folgt, ein Gehirn *mein* Gehirn sein? Und was heißt es, dass es *meine* Hand bewegt?

Wenn Roth tatsächlich sagen will, dass der Satz „Ich bewege meine Hand" immer falsch und dass statt dessen höchstens der Satz „Mein Gehirn bewegt meine Hand" wahr ist, dann ist das nur zu verstehen, wenn man davon ausgeht, dass Roth einerseits den Rahmen des cartesischen Dualismus akzeptiert, andererseits aber Descartes' These ablehnt, dass die menschliche Seele auf den Körper kausal einwirkt.

Descartes zufolge besteht jeder Mensch aus einem biologischen Körper und einer immateriellen Seele, die das eigentliche Selbst (Ich) des Menschen ausmacht. Wie stellte sich Descartes das Zusammenwirken von Körper und Seele vor? Der Mensch muss sich in seiner Umwelt orientieren; also muss er seine Umwelt wahrnehmen. Dabei spielt der Körper mit seinen Sinnesorganen und dem Gehirn eine wichtige Rolle; doch das eigentliche Wahrnehmen geschieht in der Seele.

> Wenn wir zum Beispiel ein Tier auf uns zukommen sehen, malt das Licht, das von seinem Körper reflektiert wird, zwei Bilder von ihm, eines in jedem unserer Augen. Diese beiden Bilder bilden davon zwei weitere mittels der optischen Nerven auf der Innenwand des Gehirns ab. Von da aus strahlen diese Bilder durch Vermittlung der Lebensgeister, von denen diese Kammern erfüllt sind, derart gegen die kleine Drüse, welche von Lebensgeistern umgeben ist, daß die Bewegung, die jedem Punkt von einem jeden dieser Bilder darstellt, auf denselben Punkt der Drüse zielt, den die Bewegung, die den Punkt des anderen Bildes wiedergibt, anzielt, und so denselben Teil des Tieres darstellt. Dadurch bilden die beiden Bilder im Hirn nur ein einziges auf der Drüse ab, das unmittelbar auf die Seele einwirkt und sie die Gestalt des Tieres sehen läßt. (Descartes 1984, 59ff.)

Beim Sehen werden also die durch das vom wahrgenommenen Tier reflektierte Licht hervorgerufenen beiden Netzhautbilder mittels des *nervus opticus* ins Gehirn weitergeleitet; dort werden sie in einem weiteren neuronalen Prozess zu einem einzigen Bild auf der Zirbeldrüse vereint. Dieses Bild wirkt auf die *Seele* und lässt *dort* den Wahrnehmungseindruck eines auf uns zu kommenden Tieres entstehen. Dies ist das eigentliche Sehen. Sehen setzt voraus, dass in der Seele ein Wahrnehmungseindruck entsteht.

Und wie geht es weiter? Wie können wir uns das Verhalten eines Menschen erklären? Bei reflexhaftem Handeln kann man wohl davon aus-

gehen, dass das Bild auf der Zirbeldrüse im Gehirn selbst unmittelbar bewirkt, dass Lebensgeister über die efferenten Nerven zu bestimmten Muskeln geleitet werden, was seinerseits bewirkt, dass sich unsere Glieder auf
eine bestimmte Weise bewegen – dass wir uns z.B. herumdrehen und vor
dem Tier weglaufen. Bei überlegtem Handeln ist das nach Descartes anders; das Gehirn kann nicht überlegen, das kann nur die Seele. Die Seele
betrachtet also den Wahrnehmungseindruck, versucht die Szene einzuschätzen (Ist das herannahende Tier bedrohlich?), überlegt, was zu tun ist,
und kommt schließlich zu einer Entscheidung. Diese Entscheidung mündet
in einen immer noch seelischen Willensakt, der nun seinerseits in der Lage
ist, die Zirbeldrüse im Gehirn ein bisschen zu drehen. Aufgrund dieser
Bewegung der Zirbeldrüse werden wieder Lebensgeister zu bestimmten
Muskeln geleitet, was dazu führt, dass sich unsere Glieder auf eine bestimmte Weise bewegen.

Für Descartes gibt es also eine klare Unterscheidung, ja sogar eine
Konkurrenz zwischen Gehirn und Seele. Wenn eine Bewegung allein
durch neuronale Prozesse hervorgerufen wird, dann hat die Seele mit dieser Bewegung nichts zu tun. Erst wenn Bewegungen auf neuronale Prozesse zurückgehen, die ihrerseits durch seelische Willensakte verursacht sind,
kann man sagen, dass die Seele selbst etwas bewirkt hat.

Roths Überlegungen beruhen auf einer völlig analogen Annahme der
Konkurrenz zwischen Gehirn und Ich. Alle meine Wahrnehmungen, Gedanken, Vorstellungen, Erinnerungen, Gefühle, Wünsche und Pläne werden durch mein Gehirn hervorgerufen; also können sie nicht auf mein Ich
zurückgehen, also kann mein Ich nicht der „Autor" meiner Gedanken und
Vorstellungen sein, Erinnerungen aktiv aufrufen, den Arm oder die Lippen
bewegen. Im Zusammenhang mit seiner Diskussion des Willensfreiheits-
problems verwendet Roth genau dieselbe Argumentationsfigur. Frei sind in
seinen Augen nur Handlungen, die durch immaterielle Willensakte hervorgerufen werden. Besonders die Libet-Experimente zeigen aber, dass alle
Handlungen durch Hirnprozesse und nicht durch Willensakte verursacht
werden; denn die entsprechenden Willensakte treten immer erst auf, *nachdem* das Hirn schon angefangen hat, die Handlung zu initiieren. Sie kommen also zu spät. Sie verursachen keine Hirnprozesse (und keine Handlungen), sondern sind selbst Wirkungen dieser Hirnprozesse. Dies ist eine
epiphänomenalistische Position. Der Epiphänomenalist bestreitet nicht,
dass der Mensch eine cartesische Seele hat; er bestreitet nur, dass das, was
in der Seele stattfindet, irgend einen kausalen Einfluss hat auf das, was in
der physischen Welt vorgeht.

Doch der Epiphänomenalismus ist genau so verfehlt wie der cartesische Interaktionismus. Es gibt eine ganze Reihe gewichtiger Gründe, die gegen die Annahme sprechen, dass wir eine immaterielle Seele besitzen, die kausal mit unserem Körper interagieren kann:[2]

- Es gibt auch nicht den kleinsten *empirischen* Hinweis auf das Eingreifen einer immateriellen Seele in die neuronalen Prozesse in unseren Hirnen.
- Es gibt keine befriedigende Antwort auf die Frage, wie materielle Körper und immaterielle Seelen überhaupt kausal aufeinander einwirken können. Was bestimmt den Ort der Einwirkung der Seele auf den Körper? Wie verträgt sich diese Einwirkung mit den Erhaltungssätzen der Physik? Wie kommt eine immaterielle Seele zu der Energie, die sie benötigt, um physische Wirkungen erzielen zu können?
- Descartes' Vorstellung von Wahrnehmen, Denken und Handeln sieht im Kern so aus: 1. Der Körper versorgt über die Sinnesorgane die Seele mit Wahrnehmungseindrücken, also mit Informationen über die Außenwelt. 2. Die Seele ordnet diese Eindrücke, macht sich ein Bild von der Umwelt, überlegt und fällt dann eine Entscheidung. 3. Diese Entscheidung wird über die Zirbeldrüse und die Nerven an die Muskeln weitergegeben, die am Ende die entsprechenden Bewegungen ausführen. Alles was zwischen der Aufnahme von Sinneseindrücken und der Ausführung von Bewegungen liegt, ist also Aufgabe der Seele. Warum haben wir dann aber ein so großes Gehirn, das im Wesentlichen ebenfalls damit beschäftigt zu sein scheint, zwischen sensorischem Input und motorischem Output zu vermitteln?
- Dem Cartesianismus zufolge können immaterielle Seelen auch ohne einen Körper existieren. Aber wie hat man sich das Leben solcher reiner Geister vorzustellen, wenn sie sich vom Körper getrennt haben? Was können sie wahrnehmen? Wie kommunizieren sie miteinander und mit uns? Wie kann man verschiedene reine Geister voneinander unterscheiden? Kann sich ein reiner Geist in seiner Identität irren? Kann er unter Amnesie leiden? Alle diese Fragen zeigen, dass die Idee immaterieller Geist inkohärent ist.

Diese Punkte sprechen dafür, dass die Annahme, es gäbe cartesische Seelen, zu einer Unzahl unlösbarer Rätsel, wahrscheinlich sogar zu Widersprüchen führt. Mir scheint daher, dass wir Darwin und den ihm folgenden

---

[2] Vgl. zum Folgenden Beckermann (2008, Kap. 1).

Naturwissenschaften in einem zentralen Punkt Recht geben sollten: Auch Menschen sind durch und durch natürliche Wesen. Es wäre schon sehr merkwürdig, sich die Evolution als einen Prozess vorzustellen, bei dem sich nach und nach aus komplizierten Makromolekülen immer komplexere Lebewesen entwickeln, dass aber Menschen erst entstehen, wenn den am höchsten entwickelten Lebewesen zusätzlich eine immaterielle Seele eingehaucht wird. Nichts spricht für diese Annahme. Menschen sind ebenfalls Produkte der Evolution; alles, was sie zu Menschen macht, hat eine rein biologische Grundlage.

Aber was ist, wenn der cartesische Dualismus falsch ist? Folgt dann nicht erst recht, dass unsere Seele, unser Ich niemals etwas bewirken kann und dass Sätze wie „Ich bewege meine Hand" daher immer falsch sind? Sicher würde das folgen, wenn das Ich nichts weiter wäre als eine cartesianische Seele in anderer Verkleidung – ein immaterieller Personkern, der, wenn es gut geht, unser Wollen und Tun bestimmt. Aber das Ich ist nichts dergleichen; dieses Ich gibt es in der Tat nicht. Salopp gesagt, es gibt kein Ich; es gibt nur mich. Und wenn es mich gibt, kann ich auch meinen Arm heben, nachdenken und mich erinnern.

Um zu verstehen, wie das möglich ist, müssen wir uns endgültig aus dem Griff der cartesianischen Bilder befreien. Für einen Cartesianer ist klar: Der Satz „*Ich* bewege meine Hand" ist genau dann wahr, wenn meine Seele, mein Ich – vermittels eines Willensaktes – *kausal bewirkt*, dass sich meine Hand bewegt. Für den Anticartesianer kann das nicht die richtige Antwort sein. Er muss deshalb versuchen, alternative Wahrheitsbedingungen für diesen Satz zu finden. Bevor wir uns dieser Aufgabe zuwenden, sind aber zunächst einige Bemerkungen zur Grammatik und Semantik des Ausdrucks „ich" nötig, die besonders in der philosophischen Diskussion immer wieder missverstanden werden.

2. Die Semantik von „ich" und „selbst"

In der Philosophie der letzten vier Jahrhunderte ist es bedauerlicherweise üblich geworden, die Ausdrücke „Ich" und „Selbst" als Gattungsnamen für bestimmte Arten von Entitäten zu gebrauchen wie etwa „Tier" oder „Zahl". Jeder Mensch hat einen Körper; und er hat, so sagt man, auch ein „Ich" oder ein „Selbst". Das so verstandene Ich oder Selbst ist eine bestimmte Art von „Gegenstand". Und von dieser Art von Gegenstand kann man dann natürlich fragen, ob es ihn gibt oder nicht. Diese Entwicklung beginnt wohl mit René Descartes; aber richtig voran kommt sie erst mit

John Locke. Descartes versucht in den *Meditationen* zu beweisen, dass zumindest er selbst existiert, d.h., dass der Satz „Ich bin" notwendigerweise wahr ist, solange er ihn denkt. Nachdem dies erreicht ist, stellt Descartes aber sofort die nächste Frage: Was ist das für ein Ding, dessen Existenz ich da gerade bewiesen habe? Und diese Frage drückt er an mehreren Stellen so aus:

> Ich bin mir aber noch nicht hinreichend klar darüber, wer denn Ich bin – *jener Ich*, der notwendigerweise ist. (Nondum vero satis intelligo, quisnam sim *ego ille*, qui jam necessario sum [...].) (Descartes 1986, 78f. – meine Hervorh.)

> Ich weiß, daß ich bin, und ich frage mich, was *dieser Ich* sei, den ich kenne. (Novi me existere; quaero quis sim *ego ille* quem novi.) (Descartes 1986, 84f. – meine Hervorh.)

„Ego ille" – eine sprachliche Entgleisung mit schrecklichen Folgen. „Jener Ich". Oder vielleicht sogar „jenes Ich"? Descartes ist meines Wissens der erste, der das Wort „ich" mit einem Demonstrativpronomen verbindet, und das muss in den Ohren seiner Zeitgenossen genau so schief geklungen haben, wie für uns die Verbindung „jener Ich" noch heute klingt. Von da war es aber nur noch ein kleiner Schritt bis zur Verbindung von „ich" mit einem Artikel – „das Ich" oder „ein Ich". Dass dies in höchstem Maße sprachwidrig ist, wird geflissentlich übersehen; aber es ist so – man kann ein Personalpronomen weder mit einem Demonstrativpronomen noch mit einem Artikel verbinden.

Was Descartes mit dem Wort „ich" anstellt, tut Locke dem Wort „selbst" an. Im zweiten Buch des *Versuchs über den menschlichen Verstand* schreibt er:

> Self is that conscious thinking thing, (whatever Substance made up of whether Spiritual or Material, Simple or Compounded, it matters not), which is sensible, or conscious of Pleasure and Pain, capable of Happiness or Misery, and so is concern'd for it *self*, as far as that consciousness extends. (Locke 1975, II, xxvii, 17)[3]

---

[3] Bemerkenswert die deutsche Übersetzung: „Das *Ich* ist das bewußt denkende Wesen, gleichviel aus welcher Substanz es besteht (ob aus geistiger oder materieller, einfacher oder zusammengesetzter), das für Freude und Schmerz empfindlich und sich seiner bewußt ist, das für Glück und Unglück empfänglich ist und sich deshalb

Der linguistische Hintergrund dieser ungewöhnlichen Verwendung von „self" ist offenbar die Tatsache, dass man früher im Englischen Wörter wie „my self" oder „it self" auseinander schreiben konnte, was natürlich die Vermutung zumindest begünstigt, es gäbe da so etwas wie mein Selbst. Dass „self" kein Substantiv ist, hätte Locke aber durchaus bemerken können. Schließlich schreibt er selbst „concern'd for it *self*" und nicht „concern'd for its *self*". Trotzdem, das Englische begünstigt hier ein sprachliches Missverständnis, das z.B. im Lateinischen unmöglich gewesen wäre. Descartes wäre nie auf die Idee gekommen „ipse" mit „ille" zu verbinden. Das wäre nun wirklich zu ungrammatisch gewesen. Und wenn er schreibt „Nunquid *me ipsum* non tantum multo verius, multo certius, sed etiam multo distinctius evidentiusque, cognosco?", dann meint er natürlich „[S]ollte ich nicht *mich selbst* nicht nur viel wahrer und gewisser, sondern auch viel deutlicher und evidenter erkennen?" (Descartes 1986, 94f. – meine Hervorh.). Und nicht etwa, wie man in einer neueren englischen Übersetzung lesen kann: „Surely my awareness of *my own self* is not merely much truer and more certain but also much more distinct and evident."[4]

Dass „ich" und „selbst" keine Ausdrücke sind, die Dinge einer bestimmten Art bezeichnen, wird sofort deutlich, wenn man sich klar macht, was man alles sagen könnte, wenn sie es wären. „Ich komme heute Abend zur Party; aber ob mein Ich mitkommt, weiß ich nicht." „Natürlich wird die Bundeskanzlerin selbst kommen; aber ihr Selbst lässt sie zu Hause." Wenn „ich" und „selbst" keine Ausdrücke sind, die Dinge einer bestimmten Art bezeichnen, welche Bedeutung haben diese Ausrücke dann? Das Wort „selbst" hat überhaupt keine eigenständige Bedeutung. Es bezeichnet nichts; es ist, technisch gesprochen, ein synkategorematischer Ausdruck. Im Zusammenhang mit anderen Wörtern hat es aber eine Vielzahl sehr verschiedener Funktionen. Als Fokuspartikel kann „selbst" dazu dienen, bestimmte Teile eines Satzes ins Zentrum der Aufmerksamkeit zu bringen, wobei diese Teile gegenüber anderen Möglichkeiten hervorgehoben oder eingeschränkt werden. („Alle amüsierten sich. Selbst seine sonst so mürrische Tochter hat gelacht." „Selbst ein Wunder hätte ihm nicht mehr helfen können.") Als Demonstrativpronomen kann „selbst" eingesetzt werden, um

---

soweit um sich selber kümmert, wie jenes Bewußtsein sich erstreckt." (Hervorh. im Original)

[4] Descartes, René *Selected Philosophical Writings* (86 – meine Hervorh.). In der Ausgabe von Haldane und Ross aus dem Jahre 1911 hieß es noch: „[D]o I not know *myself*, not only with much more truth and certainty, but also with much more distinctness and clearness?" (156 – meine Hervorh.).

anzugeben, dass nur das Wort gemeint ist, auf das sich „selbst" bezieht; andere oder anderes sind ausdrücklich ausgeschlossen. („Der Fahrer selbst blieb unverletzt.", „Importe aus dem Land selbst", „Das hat er sich selbst zuzuschreiben.") Schließlich können mit „selbst" Reflexivpronomina verstärkt werden. („Er rasiert sich." – „Er rasiert sich selbst." „Sie adressieren den Brief an sich." – „Sie adressieren den Brief an sich selbst.")

Anders als „selbst" gehört „ich" zu den Ausdrücken, die etwas bezeichnen, aber es steht – im Gegensatz zu den Wörtern „Tier" und „Zahl" – nicht für eine bestimmte Art von Dingen. Um die Semantik von „ich" zu verstehen, muss man zunächst sehen, dass dieses Wort ein indexikalischer Ausdruck ist. Indexikalische Ausdrücke sind Ausdrücke, die keinen feststehenden Bezug haben, deren Bezug sich vielmehr in Abhängigkeit vom Äußerungskontext ändert. „Sokrates" bezeichnet (wenn man einmal davon absieht, dass es viele Menschen gibt, die „Sokrates" heißen) den Philosophen, der mit Xanthippe verheiratet war und der 399 v.Chr. den Schierlingsbecher trinken musste. Der Satz „Sokrates wurde 399 v.Chr. zum Tode verurteilt und hingerichtet" ist daher immer wahr, unabhängig davon, in welchen Umständen er geäußert wird. Und der Satz „Sokrates war der Lehrer von Alexander dem Großen" ist immer falsch. „Sokrates" ist kein indexikalischer Ausdruck; er bezeichnet immer dieselbe Person.

Wenn ich dagegen sage „Dieser Tisch ist rund", dann hängt die Wahrheit einer Äußerung dieses Satzes davon ab, welchen Tisch „dieser Tisch" bezeichnet; und das hängt von der Situation ab, in der der Ausdruck geäußert wird. Wenn ich den Satz äußere, während ich auf den runden Tisch vor mir zeige, wenn „dieser Tisch" also den vor mir stehenden runden Tisch bezeichnet, ist die Äußerung wahr. Wenn der Tisch, auf den ich zeige, aber quadratisch ist, ist sie falsch. „Dieser Tisch" ist ein indexikalischer Ausdruck, der seinen Bezug ändert, wenn er in unterschiedlichen Situationen geäußert wird. Ebenso sind die Wörter „ich" und „du" indexikalische Ausdrücke. Wenn ich sage „Ich bin 1,83 m groß", ist dieser Satz wahr; wenn jedoch Angela Merkel diesen Satz äußert, ist er falsch. Wenn jemand, an mich gerichtet, sagt „Du hast nur noch wenige Haare", hat er Recht. Wenn er dies zu Angela Merkel sagen würde, hätte er Unrecht. Auch „ich" und „du" ändern also, je nach Äußerungskontext, ihren Bezug. Und dabei gilt offenbar: „ich" bezieht sich immer auf den, der diesen Ausdruck äußert, während „du" die Person bezeichnet, an die eine Äußerung adressiert ist. Wir können also festhalten: „ich" und „selbst" sind keine Gattungsnamen, die irgendwelche mysteriösen Entitäten bezeichnen. „ich" ist ein indexikalischer Ausdruck, der jeweils die Person bezeichnet, die diesen Ausdruck äußert, und „selbst" ist eine Partikel, die gar nichts bezeichnet, sondern eine Vielzahl sehr unterschiedlicher semantischer und pragmatischer Funktionen besitzt. Auch der Ausdruck „Selbstbewusstsein" steht nicht für ein Wissen, das ich von meinem Selbst habe, sondern einfach für ein Wissen *von mir selbst*.[5]

3. Die Wahrheitsbedingungen von „Ich hebe meinen Arm"

Damit haben wir eine erste Antwort auf die Frage, was es denn heißen kann, dass ich etwas denke oder tue. Wenn Almut sagt „Ich habe meinen Arm gehoben", dann bezieht sie sich mit dem Personalpronomen „ich" nicht auf ihre immaterielle Seele, auf ihren Personenkern, auf ihr Ich, sondern schlicht auf sich selbst – die Person, das Lebewesen, die bzw. das sie ist. Der von Almut geäußerte Satz ist also wahr, wenn Almut selbst ihren Arm gehoben hat. Doch was heißt das, wenn es nicht heißt, dass Almuts Selbst das Heben des Arms verursacht hat? Kann es auch dann wahr sein, dass Almut ihren Arm gehoben hat, wenn die Bewegung ihres Arms letzten Endes auf neuronale Prozesse in ihrem Gehirn zurückgeht? Wann kann man überhaupt sagen, dass eine Person etwas tut und nicht eines ihrer Organe?

Ohne Frage hat das Gehirn sehr viel mit dem zu tun, was wir wahrnehmen, denken und fühlen. Aber ist es wirklich das *Gehirn*, das wahrnimmt, denkt und fühlt? Autoren wie Gerhard Roth ist immer wieder vorgeworfen worden, so zu reden sei ein Kategorienfehler. Und dieser Vorwurf ist berechtigt. Das Gehirn ist, das wird wohl niemand bestreiten, ein Organ eines Lebewesens so wie das Herz, die Leber oder der Magen. Manchmal sagen wir, dass *das ganze Lebewesen* etwas tut: „Der Hund jagt die Katze", „Hans hat Frieda etwas zugeflüstert". Manchmal sagen wir, dass *ein Organ* etwas tut: „Sein Herz schlägt unregelmäßig", „Seine Hände zittern". Und manchmal sagen wir, dass *in einem Organ* etwas geschieht: „In der Niere wird das Blut von Giftstoffen gereinigt", „In der Lunge nimmt das Blut Sauerstoff auf". Sätze der zweiten Art haben immer etwas Merkwürdiges an sich. Sie sind nicht sprachwidrig; aber der Sache nach stellt sich jedes Mal die Frage, ob Organe tatsächlich zu der Kategorie von Dingen gehören, die selbstständig handeln können. Ist es wirklich das

---

[5] „Selbstbewusstsein" ist hier natürlich im philosophischen Sinne gemeint; es geht nicht darum, dass wir Personen, die ein besonderes Selbstvertrauen oder eine besondere Selbstsicherheit an den Tag legen, „selbstbewusst" nennen.

Herz, das schlägt? Sind es wirklich die Hände, die zittern? Oder ist es nicht vielmehr auch in diesen Fällen so, dass mit dem Herzen bzw. mit den Händen etwas passiert?

Doch lassen wir diese Frage beiseite und fragen: Wie ist es mit dem Wahrnehmen, Erinnern, Denken und dem Sich-Bewegen? Ist es das Gehirn, das wahrnimmt, sich erinnert, denkt und Bewegungen ausführt? Oder ist es nicht doch das ganze Lesewesen, dem wir diese Tätigkeiten zuschreiben müssen. Einige Dinge sind klar: Es sind nicht die Beine, die laufen, sondern das Lebewesen, das mit Hilfe seiner Beine läuft; es ist nicht das Auge, das sieht, sondern das Lebewesen, das mit Hilfe seiner Augen sieht. Und genauso ist es auch mit dem Gehirn. Es ist nicht das Gehirn, das sich erinnert, sondern das Lebewesen, das sich mit Hilfe seines Gehirns erinnert; nicht das Gehirn, das überlegt, sondern das Lebewesen, das mit Hilfe seines Gehirns überlegt. Im Gehirn laufen neuronale Prozesse ab, ohne die wir nicht wahrnehmen, uns erinnern, denken oder unsere Hand bewegen können. Aber das bedeutet nicht, dass es das Gehirn selbst ist, das wahrnimmt, sich erinnert, denkt oder meine Hand bewegt. Wahrnehmen, Erinnern, Denken und sich Bewegen sind Tätigkeiten des ganzen Lebewesens und nicht Tätigkeiten eines seiner Organe.

Doch beantwortet dies schon die Frage, ob Sätze wie „Ich denke nach", „Ich erinnere mich an meine erste Liebe", „Ich bewege meine Hand" und „Ich schreibe jetzt diesen Text" jemals wahr sein können? Bisher haben wir nur gesehen, dass es Tätigkeiten gibt, die nur ganzen Lebewesen und nicht ihren Organen zugeschrieben werden. Noch haben wir aber keine Antwort auf die Frage, was einen Satz wie „Hans hat Simon geschlagen" wahr macht. Wann können wir sagen, dass es wirklich die Person (das Lebewesen) selbst ist, die (das) etwas tut? Dies ist letzten Endes die Frage nach der Unterscheidung zwischen Aktiv und Passiv, zwischen dem, was ein Wesen tut, und dem, was ihm widerfährt. Diese Unterscheidung ist so fundamental für unser Weltverständnis, dass sie zum grundlegenden Bestandteil der Grammatik unserer Sprache geworden ist. Aber was liegt ihr zugrunde?

Schon bei Tieren unterscheiden wir zwischen dem, was das Tier tut, und dem, was ihm zustößt. Wir unterscheiden den Fall, dass ein Hund ein Kaninchen jagt, von dem, dass er an der Leine von seinem Lieblingsbaum weggezogen wird. Manchmal bewegt sich der Hund selbst, manchmal wird er von etwas oder jemand anderem bewegt. Genauso bei Menschen. Wenn jemand meine rechte Hand fasst und nach oben zieht, dann bewegt sich mein rechter Arm nach oben; nicht ich bewege in diesem Fall meinen Arm, er wird bewegt – von jemand anderem. Auf der anderen Seite kann ich ihn aber auch selbst bewegen. Ich kann meinen rechten Arm heben, und zwar *direkt*, ohne dass ich etwa mit der linken Hand meine rechte Hand fasse und nach oben ziehe. Was ist der Unterschied zwischen diesen Fällen? Wenn ich von etwas anderem bewegt werde, wird meine Bewegung von diesem anderem verursacht. Deshalb liegt es nahe zu sagen, dass, wenn *ich mich selbst* bewege, *ich selbst* es bin, der diese Bewegung *kausal hervorruft*. Doch dieses – wieder cartesianische – Bild ist unangemessen. Dies wird sofort klar, wenn wir uns zunächst auf den Fall von Tieren konzentrieren. Nehmen wir an, mein Hund läuft zu seinem Lieblingsbaum, und zwar von sich aus, ohne dass ihn jemand schubst oder zerrt. Ist es vernünftig anzunehmen, dass dies genau dann der Fall ist, wenn die Bewegungen des Hundes durch *ihn selbst* und durch niemand anderen verursacht werden? Was sollte es überhaupt heißen, dass *der Hund selbst* etwas verursacht? Man wird kaum bezweifeln können, dass, auch wenn der Hund von sich aus zu einem Baum läuft, die Bewegungen der Beine des Hundes durch neuronale Prozesse in seinem ZNS verursacht werden und dass diese neuronalen Prozesse selbst ganz natürliche Ursache haben. In diesem Verursachungsprozess kommt an keiner Stelle *der Hund selbst* (oder das *Selbst* des Hundes) vor, der (das) in der Lage wäre, von sich aus bestimmte neuronale Prozesse in Gang zu setzen. Bei Tieren kommt uns diese Vorstellung ganz absurd vor. Aber das ändert nichts daran, dass wir auch bei Tieren *berechtigterweise* zwischen Fällen unterscheiden, in denen das Tier selbst etwas tut und in denen es – wir sagen sogar: gegen seinen Willen – bewegt wird.

Dafür dass wir bestimmte Bewegungen mancher Wesen als etwas klassifizieren, was sie selbst tun, ist zunächst zentral, dass diese Bewegungen nicht auf äußere Kräfte zurückgehen. Wenn ich meinen Hund an der Leine ziehe oder ihm einen Schubs gebe, dann wirken äußere Kräfte auf ihn, und seine Bewegungen sind nichts, was ihm zugerechnet werden kann. Genau so, wenn ein Eisenstück von einem Magneten angezogen wird. Auch hier wird die Bewegung durch eine äußere Kraft hervorgerufen; also kann man eigentlich nicht sagen, dass das Eigenstück *sich* bewegt, vielmehr wird es bewegt. Sehr viele Bewegungen von Tieren gehen aber nicht in diesem Sinne auf äußere Kräfte zurück. Tiere verfügen über eigene Energiequellen und setzen die so gewonnene Energien ein, um sich zu bewegen. Wesen mit der Fähigkeit zur Selbstbewegung müssen also über eigene Energieressourcen verfügen.

Hinzu kommt ein zweiter Punkt: Wesen, die selbst etwas tun können, handeln in der Regel nicht reflexhaft; vielmehr verfügen sie über mehrere Handlungsoptionen, zwischen denen eine Wahl getroffen werden muss. Ein Hund, der von einem anderen Hund angegriffen wird, kann sich dem Kampf stellen, er kann aber auch weglaufen. Also muss eine Entscheidung getroffen werden; und da gibt es zwei Möglichkeiten. Entweder wird das Wesen, das eine Entscheidung zu treffen hat, fremdgesteuert; oder es verfügt über einen *internen Entscheidungsmechanismus.* Paradigmatische Beispiele für fremdgesteuerte Wesen sind Marionetten, aber auch ferngesteuerte Kleinflugzeuge oder Schiffe. Tiere sind nicht in diesem Sinne fremd- oder außengesteuert. Niemand gibt ihnen durch direkte Manipulation oder Fernsteuerung ein, was sie tun sollen. Sie verfügen über einen internen Steuerungsmechanismus, der die zu treffenden Entscheidungen fällt. Gerade weil Tiere nicht reflexhaft handeln, ist vor jeder Handlung eine Entscheidung nötig. Auf irgendeine Weise muss ja bestimmt werden, welche der möglichen Handlungen unter den gegebenen Umständen ausgeführt wird. Zu sagen, dass interne Steuerungsmechanismen Entscheidungen fällen, heißt also nichts anderes, als dass sie dafür sorgen, dass diese und keine andere Handlung initiiert wird. Wenn die Tatsache, dass ein Tier eine bestimmte Handlung ausführt, auf dem dafür zuständigen inneren Steuerungsmechanismen beruht, sagt man: Das Tier selbst hat diese Entscheidung gefällt. Wenn jedoch jemand von außen – zum Beispiel durch Funksignale oder andere Manipulationen – eingreift und so eine Entscheidung herbeiführt, dann handelt es sich um eine fremdbestimmte Entscheidung, die das Wesen nicht selbst getroffen hat. Wenn die Tatsache, dass ein angegriffener Hund sich nicht dem Kampf stellt, sondern wegläuft, auf neuronale Vorgänge in seinem Gehirn zurückgeführt werden kann, bedeutet das also *nicht,* dass es *nicht* der Hund war, der diese Entscheidung getroffen hat. Denn die Entscheidung ist nicht fremdgesteuert; vielmehr ist im Gehirn des Hundes genau die Art von internem Entscheidungsmechanismus realisiert, der für eine Eigensteuerung sorgt. Dass, wie man bei manchen Neurobiologen lesen kann, die Entscheidung wegzulaufen, vom „Gehirn des Hundes getroffen wurde", heißt also nicht, dass sie nicht vom Hund getroffen wurde. Ganz im Gegenteil: Da diese Entscheidung weder auf direkter Manipulation noch auf Fernsteuerung beruht, da diese Entscheidung also nicht fremdbestimmt ist, handelt es sich gerade deshalb um eine Entscheidung des Hundes selbst.

In der Konsequenz heißt das: *Es gibt keine Konkurrenz zwischen meinem Gehirn und mir.* Mein Gehirn ist in der Regel weder von außen manipuliert noch fremdgesteuert. In meinem Gehirn ist der interne Entscheidungsmechanismus realisiert, der dafür sorgt, dass das, was ich tue, von mir ausgeht; wenn mein Handeln in geeigneter Weise auf diesen Entscheidungsmechanismus zurückgeht, werde ich weder durch äußere Kräfte bewegt noch werden mir meine Entscheidungen von außen eingeflößt. Wenn mein Handeln auf diesem Entscheidungsmechanismus beruht, bin ich es, der handelt. In diesem Fall können meine Handlungen mir zugerechnet werden. Mit anderen Worten: Wenn sich der Arm von Hans hebt und wenn diese Bewegung durch den internen Entscheidungsmechanismus hervorgerufen wird, der in seinem Gehirn realisiert ist, dann ist es Hans, der seinen Arm hebt.

Ein letzter Punkt: Kognitive Wesen sind Wesen, die in der Lage sind, sich ein Bild von ihrer Umwelt zu machen, d.h., ihre Umwelt intern zu repräsentieren. Wenn solche Wesen nicht nur ihre Umwelt repräsentieren (in der sich in der Regel auch andere kognitive Wesen aufhalten), sondern auf eine bestimmte Art und Weise auch *sich selbst in dieser Umwelt*, verfügen sie über die Art von Selbstbewusstsein, die Voraussetzung dafür ist, dass sie über sich reden können, indem sie den indexikalischen Ausdruck „ich" verwenden. Wenn wir dies mit den vorhergehenden Überlegungen verbinden, ergibt sich Folgendes: Wenn ein mit Selbstbewusstsein ausgestattetes kognitives Wesen von sich sagt „Ich habe meinen Arm gehoben", dann ist das wahr, wenn es selbst seinen Arm gehoben hat. Und dies wiederum ist wahr, wenn die Bewegung seines Arms nicht auf äußere Kräfte zurückgeht und auch nicht auf Manipulation und Fremdsteuerung beruht, sondern auf einem unabhängigen internen Entscheidungsmechanismus. Also: Wenn sich der Arm von Hans hebt und wenn diese Bewegung durch den internen Entscheidungsmechanismus hervorgerufen wird, der in seinem Gehirn realisiert ist, dann ist es wahr, wenn Hans sagt „Ich habe meinen Arm gehoben". Es gibt also eine Analyse der Wahrheitsbedingungen von Sätzen wie „Ich hebe meinen Arm", der zufolge diese Sätze auch wahr sein können, wenn es nicht mein Ich ist, das meine Armbewegung kausal hervorruft.

4. Being No One

Mit diesem Ergebnis erledigt sich auch die recht mystische Spekulation, wir seien eigentlich niemand; denn das Ich sei nichts als ein Produkt unseres (!) Gehirns. Diese These ist in letzter Zeit besonders von Thomas Metzinger (1993, 2003) vertreten worden, hat aber auch unter Wissenschaftsjournalisten einige Anhänger gefunden (siehe etwa Siefer/Weber 2006).[6] Bei Siefer/Weber wird der Punkt, um den es geht, besonders dramatisch formuliert. Gleich auf der ersten Seite im Vorwort „Warnung vor Nebenwirkungen" kann man lesen:

> Wer bin ich, warum bin ich so und nicht anders? Auf diese uralten Fragen gibt unser Buch Antworten. Es ist eine Reise zum Mittelpunkt des Menschen, zu unserem Selbst. Dorthin, wo ein jeder nicht mehr ist als nur noch ein Ich. Doch Vorsicht! Dieser Ort heißt Nirgendwo. Und diesmal ist das keine besonders kitschige Phrase aus einem deutschen Schlager.
> Denn: Sie sind Niemand! Kein Ich, nirgends. Sie erfinden sich, jetzt, in diesem Augenblick, da Sie diesen Text lesen. Hinter Ihren Augen ist ein Nichts. (Siefer/Weber 2006, 7)

Schon auf den ersten Blick ist die Absurdität dieser Formulierung mit Händen zu greifen. Ich bin eine bloße Erfindung; als Fiktion gibt es mich nicht mehr als Sherlock Holmes oder Adrian Leverkühn. Doch wer ist der Erfinder? Nach Auskunft von Siefer/Weber: ich. Wenn ich etwas erfinde, muss es mich aber geben (s. Lenzen 2006, 163). Wenn ich niemand wäre, könnte ich auch nichts erfinden, nicht einmal mich.

Besonders bemerkenswert ist der Kontrast zu Descartes' Überlegungen am Anfang der zweiten Meditation – dem berühmten cogito-Argument, in dem Descartes ganz wesentlich von den semantischen Eigenschaften des Wortes „ich" Gebrauch macht.[7]

> Aber ich habe in mir die Annahme gefestigt, es gebe gar nichts in der Welt, keinen Himmel, keine Erde, keine Geister, keine Körper: also bin doch auch ich nicht da? Nein, ganz gewiß war Ich da, wenn ich mich von etwas überzeugt habe. Aber es gibt irgendeinen sehr mächtigen, sehr schlauen Betrüger, der mit Absicht mich immer täuscht. Zweifellos bin also auch Ich, wenn er mich täuscht; mag er mich nun täuschen, soviel er kann, er wird doch nie bewirken können, daß ich nicht sei, solange ich denke, ich sei etwas. Nachdem ich so alles genug und übergenug erwogen habe, muß ich schließlich festhalten, daß der Satz, *Ich bin, ich existiere*, sooft ich ihn ausspreche oder im Geiste auffasse, notwendig wahr sei. (Descartes 1986, 79)

Die Pointe dieser Passage ist nicht, wie oft geglaubt wird, dass die Überzeugung, dass ich existiere, aus der Überzeugung, dass ich denke, *erschlossen* oder *abgeleitet* wird (cogito, *ergo* sum). Die Pointe ist eine ganz

---

[6] Eine sehr hilfreiche Analyse und Kritik dieser These findet sich in Lenzen 2006.
[7] Vgl. zu den nächsten Abschnitten Beckermann 2004, 216ff.

andere, wie sich besonders an dem Satz zeigt: „[M]ag er mich nun täuschen, soviel er kann, er wird doch nie bewirken können, daß ich nicht sei, *solange ich denke, ich sei etwas*". Worauf Descartes offenbar hinaus will, ist der *selbstverifizierende Charakter* der Überzeugung, dass ich existiere. Selbstverifizierend sind Überzeugungen, die wahr sein müssen, wenn (und solange) man sie hat. Ist die Überzeugung, dass ich existiere, wirklich selbstverifizierend? Gibt es überhaupt selbstverifizierende Überzeugungen und Gedanken? Offensichtlich ja; denn der Gedanke *Ich denke* ist ganz offenkundig selbstverifizierend. Ich kann diesen Gedanken einfach dadurch wahr machen, dass ich ihn denke. *Wenn* und *solange* ich denke, dass ich denke, ist es notwendig wahr, dass ich denke. Für den Gedanken *Ich existiere* liegen die Dinge etwas komplizierter; doch auch dieser Gedanke ist tatsächlich selbstverifizierend.

Wir haben schon gesehen, dass sich das Wort „ich" immer auf die Person bezieht, die einen Satz äußert, der dieses Wort enthält, oder einen entsprechenden Gedanken denkt. Wenn jemand denkt *Ich bin reich*, dann kann das, was er denkt, falsch sein; denn es kann sein, dass er nicht reich ist. Es ist aber unmöglich, dass sich das Wort „ich" in diesem Gedanken auf nichts bezieht. Denn es bezieht sich automatisch auf den, der diesen Gedanken hat. Wenn jemand denkt *Ich existiere*, kann er sich somit überhaupt nicht irren. Denn das Wort „ich" in diesem Gedanken bezieht sich, wie gesagt, automatisch auf den, der diesen Gedanken hat – also auf etwas, das existiert. Auch der Gedanke *Ich existiere* garantiert somit seine eigene Wahrheit. Mit anderen Worten: Schon aus semantischen Gründen muss der Satz „Ich bin niemand" falsch sein, wenn ihn jemand äußert. Und genau deshalb ist die These, wir seien niemand, von vornherein absurd.

Allerdings hat Wolfgang Lenzen (2006, 162) darauf hingewiesen, dass die Metzingersche These vielleicht gar nicht wörtlich gemeint ist. Vielleicht will Metzinger nur sagen, dass wir im ‚Inneren' kognitiver Wesen, so tief wir auch vordringen mögen, niemals eine Seele oder ein Selbst finden werden. Dabei wäre ihm natürlich aus vollem Herzen zuzustimmen. Ich habe ja selbst dafür argumentiert, dass es keine Seelen, ‚Iche' oder ‚Selbste'[8] gibt, die sozusagen den eigentlichen Wesenskern denkender und handelnder Wesen ausmachen.

---

[8] Dass man im Deutschen diese Plurale nicht bilden kann, ist ein deutliches Indiz, dass mit dem zuvor kritisierten Verständnis der Worte „ich" und „selbst" etwas nicht stimmt.

Allerdings: Ein System, das in der Lage ist, den Gedanken zu fassen, dass es selbst existiert, kann sich in diesem Gedanken nicht irren. Wenn es denkt „Ich existiere", dann existiert es auch, dann ist es also etwas. Ich z.b. bin nicht nichts und auch nicht niemand; *ich* bin Ansgar Beckermann, 1945 in Hamburg geboren, 1,83 m groß, *ich* bin ein Mensch und Professor für Philosophie an der Universität Bielefeld. Wer wollte bestreiten, dass all das wahr ist?

LITERATUR

Beckermann, A. (2004): René Descartes: Die Suche nach den Grundlagen sicherer Erkenntnis. In: A. Beckermann und D. Perler (Hg). *Klassiker der Philosophie heute*. Stuttgart: Philipp Reclam jun., 208–229.
Beckermann, A. (2008): *Gehirn, Ich, Freiheit*, Paderborn: mentis.
Descartes, R. (1986): *Meditationes de prima philosophia. Meditationen über die erste Philosophie*. Lateinisch-Deutsch. Übers. und hrsg. von Gerhart Schmidt. Stuttgart: Reclam.
Descartes, R. (1984): *Les passions de l'âme. Die Leidenschaften der Seele*. Französisch-Deutsch. Herausgegeben und übersetzt von Klaus Hammacher. Hamburg: Felix Meiner.
Descartes, R. (1977): *The Philosophical Works of Descartes. Vol. I.* Transl. by E.S. Haldane & G.R.T. Ross. Cambridge: Cambridge University Press [11].
Descartes, R. (1988): *Selected Philosophical Writings.* Transl. by J. Cottingham, R. Stoothoff & D. Murdoch. Cambridge: Cambridge University Press.
Freud, S. (1917): *Vorlesungen zur Einführung in die Psychoanalyse.* In: S. Freud *Gesammelte Werke, Band 11* (1969), Frankfurt/M.: Fischer Verlag.
Lenzen, W. (2006): Auf der Suche nach dem verlorenen „Selbst" – Thomas Metzinger und die ‚letzte Kränkung' der Menschheit, in: *Facta Philosophica* 8, 161–192.
Locke, J. (1975): *An Essay Concerning Human Understanding*, ed. by P.H. Nidditch, Oxford: Clarendon Press. (Dt. (1981) *Versuch über den menschlichen Verstand*. 4., durchgesehene Auflage in 2 Bänden. Hamburg: Felix Meiner)
Metzinger, T. (1993): *Subjekt und Selbstmodell – Die Perspektivität phänomenalen Bewußtseins vor dem Hintergrund einer naturalistischen Theorie mentaler Repräsentation*, Paderborn: Schöningh.
Metzinger, T. (2003): *Being No One – The Self-Model Theory of Subjectivity*, Cambridge MA: MIT Press.
Roth, G. (2003): *Fühlen, Denken, Handeln. Neue, vollständig überarbeitete Ausgabe*. Frankfurt/M.: Suhrkamp.
Siefer, W. & C. Weber (2006): *Ich – Wie wir uns selbst erfinden*. Frankfurt/M.: Campus.

Historische, soziale und biologische Bestimmtheit und moralische Bestimmung

Zu einigen kultur- und naturwissenschaftlichen Befunden und ihrer Bedeutung für die philosophische Anthropologie

KARL ACHAM

Einleitung

Das menschliche Verhalten zu erklären und vorherzusagen ist ein uraltes Bedürfnis. Dieses zu erfüllen fällt umso leichter, je deterministischer jenes Gefüge geartet ist, in dem sich dieses Verhalten ereignet. In einer Zeit, in der sich, wie man glaubte, die göttliche Allmacht und Allwissenheit vor allem auch in der Konstellation der Gestirne manifestierte, haben Astronomie, Astrologie und Theologie in Symbiose miteinander gelebt. Weit davon entfernt, aus der Bestimmtheit der Gestirnskonstellationen auf die moralische Bestimmung des Menschen schließen zu wollen, hat auch der größte je in Graz wirksam gewesene Wissenschaftler, Johannes Kepler, der kosmologischen Alltagsmetaphysik des ausgehenden 16. Jahrhunderts Rechnung getragen. In Graz hat ihm der astrologische Glaube geholfen, seinen Lebensunterhalt zu sichern: Neben der Lehrtätigkeit als Mathematiker an der protestantischen Landschaftsschule erstellte er die beliebten Jahreskalender, welche angeblich "günstige" sowie "kritische" Tage voraussagten. Er selber bekundete, dass er von diesem Teil seines Werks nicht viel halte, warnte also in gewisser Weise seine Leserschaft. Zudem meinte er in Anspielung auf sein spärliches Gehalt, dass für ihn die Astrologie das „närrische Töchterlein" sei, das für den Unterhalt seiner Mutter, der Astronomie, die Grundlage schaffe (vgl. Pinter 2007).

Sah man zu Keplers Zeit – man denke nur an Kaiser Rudolf II. oder an Wallenstein – die menschliche Natur als weitgehend durch die Gestirne bestimmt an, so haben sich die populären Vorstellungen bezüglich der das menschliche Wesen bestimmenden Merkmale und der dafür maßgeblichen Kräfte in der Neuzeit entscheidend gewandelt: Die das menschliche Verhalten erklärenden Faktoren wurden aus dem Bereich der Astrophysik in den der Gesellschaft, des Psychischen und des Biotischen verlagert. Es waren vor allem Helvétius, Marx, Darwin und Freud, die mit ihren Ideen das Bild vom Menschen veränderten: Helvétius durch seine Lehre von der prägenden Wirkung der gesellschaftlichen Umwelt und ihrer Institutionen auf den Einzelnen; Marx mit seinem Konzept des Individuums als des Elements einer Klasse, dessen Wesen durch seine Funktion im Produktionsprozess erfahrbar werde; Darwin durch seine Bestimmungen des menschlichen Verhaltens als des Resultats einer langen phylogenetischen Entwicklung; Freud durch seine Analysen der Triebstruktur des Individuums und den Versuch, diese auch der Erklärung von Massenphänomenen zugrunde zu legen. Der gemeinte Sinn individuellen Handelns wurde durch diese Erklärungen nicht selten zum bloßen Schein oder auch zu einer vordergründigen „Rationalisierung" des angeblichen Wesens oder der eigentlichen Motive des Menschen umgedeutet. Ähnliche Deutungen kennt man heute von bestimmten Endokrinologen, Gehirnforschern und Molekularbiologen, wenn diese in den Hormonen, im Gehirn oder in den Genen das intentionale Handeln gleichermaßen wie das reaktive Verhalten der Individuen auf eine Weise verankern, dass die Hormone, das Gehirn oder die Gene als die für die Natur oder das Wesen des Menschen zentralen Instanzen erscheinen. Zu den naturwissenschaftlichen Wesensbestimmungen der Menschen gesellen sich heute immer wieder kulturwissenschaftliche Essentialismen, welche in der Nachfolge des Historismus die Natur des Menschen als ein durch ethnisch-kulturelle Bedingungen geformtes Produkt verstehen (vgl. Taguieff 2000). Der Einzelne erscheint hier als das Ergebnis eines langen, die Gemeinschaft sowie die in ihr lebenden Einzelnen in ihren Wertorientierungen, Motiven und Absichten prägenden Geschichtsprozesses.

Was diese exemplarisch erwähnten genetischen oder funktionalen Erklärungen zur Ideologie machte und macht, ist nicht ihr methodischer Rigorismus und erst recht nicht ihre mitunter heuristisch fruchtbare methodische Einseitigkeit. Zur Ideologie werden sie durch das Bestreben, andersartige Erklärungsweisen als angeblich der „Sache" unangemessen zu exkludieren, mithin durch ihren monistischen Erklärungsanspruch, hinter dem meistens auch eindeutige handlungspragmatische Orientierungen zu liegen kommen. Im Folgenden wird es darum gehen, einige dieser Fehldeutungen und epistemischen Irrwege kurz zu schildern und sich dabei zugleich zu fragen, auf welche Weise deren Kritik für die philosophische Anthropologie fruchtbar werden kann.

I. Einige Vorbemerkungen zum Begriff der Person

Alle soeben erwähnten Vorstellungen von der Natur des Menschen oder dem doch für sie besonders Charakteristischen haben damit zu tun, dass sie das für signifikant erachtete anthropologische Merkmal entweder innerhalb des Menschen (als Triebe oder genetische Disposition) oder außerhalb desselben (in den sozialen, ökonomischen oder geschichtlich-kulturellen Umständen) verankern. Diese Kontraposition ist so alt wie die menschliche Zivilisation, und Gleiches gilt für die Versuche ihrer Überwindung. So ist bereits im Neuen Testament, im Gleichnis vom Sämann (Matthäus 13,1 bis 30), davon die Rede, dass die Frucht nicht allein vom Samen abhängig ist, da die Saat nur aufgehen könne, wenn sie auf gutes, fruchtbar gemachtes Land fällt. Trotz allem war, wie später noch gezeigt werden soll, bis herauf in die jüngste Vergangenheit der Streit zwischen Nativisten und Milieutheoretikern aktuell, welche ihre Erklärung der menschlichen Person und ihrer Eigenart jeweils mit einem Exklusivitätsanspruch verbunden haben.

Für uns stellt sich aber zunächst einmal die Frage, unter welchen Bedingungen von einer „Person" gesprochen wird. Der Begriff der Person weist, neben einer nicht ganz geklärten Etymologie – wahrscheinlich stammt er jedoch aus dem etruskischen *phersu*, Maske –, eine Mehrzahl an Definitionen auf und ist hierin Begriffen ähnlich, mit denen er sich verschiedentlich bedeutungsmäßig überschneidet: Mensch, Individuum, Persönlichkeit, Selbst.[1]

Im philosophischen Sinn bezeichnet „Person" den Menschen, insoweit ihm eine gewisse Freiheit der Entscheidung und

---

[1] Naturgemäß würden sich hier klare nominaldefinitorische Bedeutungsfestlegungen als günstig erweisen. So schlägt der Kulturanthropologe und Ethnologe Wilhelm Mühlmann vor, den Begriff der Person von demjenigen der Individualität abzugrenzen. Sein mir fruchtbar erscheinender Definitionsvorschlag lautet: „Die Individualität ist der einzigartige Bestand eines menschlichen Organismus an erblichen Anlagen. Sie steckt die Grenzen ab, innerhalb deren ein Mensch sinnvoll auf die Reize der Umwelt zu antworten vermag; sie gibt ein Rahmengesetz seines Verhaltens. Die Ausfüllung dieser Grenzen selber in ihrem zeitlichen Ablauf macht den Inhalt dessen aus, was wir ‚Person' nennen. Wir möchten Person als die zeitliche Variation eines menschlichen Lebewesens innerhalb der durch die Individualität (erblich) gesteckten Grenzen definieren. In dieser Begriffsfassung kommen Erblichkeit und Umwelt gleichermaßen zu ihrem Recht." (Mühlmann 1962, 7)

Verantwortlichkeit für sein Handeln zugeschrieben werden kann. So meint Peter Singer, dass zwischen Mensch und Person zu unterscheiden sei, da als Person nur jener Mensch zu gelten habe, der in der Lage ist, sich im Diskurs zu äußern, wohingegen Kritiker wie Robert Spaemann die Unterscheidung zwischen Mensch und Person in Frage stellen. Da für sie die biologische Zugehörigkeit zum Menschengeschlecht als alleiniges Kriterium für Personalität gilt, die Existenz des Menschen aber mit dem Zeitpunkt der Zeugung beginne, sei auch eine Graduierung zwischen „etwas" und „jemandem" im Sinne Singers unmöglich (vgl. Singer 1994 und Spaemann 2006). So verstanden ist der Mensch an sich schon immer Person und soll es im vollen Sinne insofern werden, als er in die Lage versetzt wird, von seiner Freiheit Gebrauch zu machen und sich innerhalb der ihm auferlegten Grenzen selbst zu bestimmen.

Wann ist nun aber – zeitlich verstanden – ein Mensch eine Person, oder ganz grundsätzlich: Ab wann ist ein Mensch ein Mensch? Diese Frage kann phylogenetisch, aber auch ontogenetisch verstanden werden. Wo beginnt also – zunächst phylogenetisch betrachtet – der Mensch?

Die Emergenz des Wesens Mensch aus einem doch recht andersartigen menschenäffischen Vorfahren heraus hat unter anderem die erkenntnistheoretisch unangenehme Konsequenz, dass die in synchroner Betrachtung so klar erscheinende Unterscheidbarkeit der Spezies in der diachronen Betrachtung völlig verschwimmt. Abhängig davon, woran wir die Unterscheidung zwischen Tier und Mensch definitorisch festmachen – irgendwann vor zwei Millionen oder auch erst vor 200.000 Jahren – erscheint für uns ein bestimmtes Merkmal oder eine Gruppe von Merkmalen als dafür bestimmend, was als Mensch gelten soll. Nicht die Natur selber ist es, welche die Unterscheidung von Tier und Mensch vornimmt, sondern der ordnende, klassifizierende und Merkmale bestimmende Mensch ist dies.

Sogleich stellt sich nun auch die für unseren Zusammenhang noch wichtigere Frage: Wann beginnt – ontogenetisch betrachtet – der Mensch? Wie bekannt, ist mit der Vereinigung der beiden Vorkerne von Ei- und Samenzelle die genetische Identität des neu entstandenen Lebens, auch des menschlichen, eindeutig bestimmt.[2] Aber nicht alle Biologen, Moraltheologen und Philosophen sind damit einverstanden, dem

---

[2] Damit wird – im Unterschied zu verschiedenen Anwälten des Potentialitätsarguments – das Potential zu einer individuellen Entwicklung nicht als bereits der Ei- und Samenzelle innewohnend angesehen, sondern erst nach der Verschmelzung der beiden Vorkerne für gegeben erachtet.

embryonalen Vorläufer des geborenen Menschen bereits zum Zeitpunkt der Befruchtung die Bezeichnung „Mensch" zu verleihen. Denn es ist ein Streit darüber entbrannt, ob bereits die Zygote ganz und gar Mensch ist, das heißt: mit voller unantastbarer Menschenwürde und allen unveräußerlichen Menschenrechten, oder ob das erst für den Embryo nach der Nidation, also nach der Einnistung in die Gebärmutter einer Frau, der Fall ist.[3]

Gewiss ist die Befruchtung ein entscheidender Zeitpunkt, aber erst mit der Einnistung in den Uterus der Mutter, so betont Christiane Nüsslein-Volhard, hat der Embryo das volle Entwicklungsprogramm. Erst während dieser Symbiose wird das Programm der Menschwerdung ausgeführt: „Das Programm des Embryos ist zwar vollständig, was die genetische Ausstattung betrifft. Jedoch bedarf es zusätzlicher erheblicher und unersetzbarer Beiträge durch den mütterlichen Organismus, in dem der Embryo sich entwickelt. Zum Programm gehören nämlich nicht nur Gene, sondern auch zytoplasmatische Faktoren, die die Aktivität der Gene während der Entwicklung steuern, sowie Nährstoffe, die Wachstum und Differenzierung ermöglichen und anderes mehr. Die befruchtete Eizelle alleine aber kann nicht mehr als eine Blastocyste – ein Bläschen aus wenig mehr als hundert menschlichen Zellen – bilden. Dazu reicht die Information in ihrem Zytoplasma aus – aber nicht weiter." (Nüsslein-Volhard 2005, 105) Beim Säugetier weiß man wenig Genaues von dem, was der mütterliche Organismus an Informationen zur Entwicklung beiträgt. Wie Nüsslein-Volhard feststellt, ist es jedoch durchaus möglich, dass jene stofflichen Faktoren und Signale bei Säugetieren von den umgebenden Zellen des mütterlichen Organismus im Uterus beigesteuert werden, die bei bestimmten Nicht-Säugetieren, wie etwa Hühnern oder Fliegen, als Orientierungshilfen bereits dem Ei selber mitgegeben werden (vgl. ebd., 106).

Gene, so scheint es in der Tat, sind nicht alles, was der Mensch zur Menschwerdung braucht, und so ist es wohl voreilig, die Identität eines Menschen mit dem individuellen Chromosomensatz einer menschlichen Zelle gleichzusetzen.[4] Aber im selben Sinn sind, wie im Folgenden gezeigt werden soll, auch Geschichte und Gesellschaft nicht alles. Vorschnelle Identifizierungen oder der Wille zu diesen war es, der immer wieder eine

---

[3] Ich lasse hier die Frage beiseite, ob dies etwa gar erst für den Dreimonatsfötus gelten soll, der bereits ein entwickeltes Zentralnervensystem aufweist.
[4] So allerdings exemplarisch geschehen in Wisser 2001.

Teil-Identität des Menschen – die historische, die soziale, die biologische – ins Zentrum der anthropologischen Bestimmungen rückten. Bestimmte Auffassungen des Historismus, der soziologischen Milieu- und Verhaltenstheorie sowie des Nativismus fanden seit dem 18. und frühen 19. Jahrhundert immer wieder starken Zuspruch. In der Folge erschien Freiheit im Sinne der Möglichkeit der Wahl unterschiedlicher Handlungsoptionen oft nur als Trugbild, als die „höchste Potenz des Fatums" (Nietzsche). Die Gegenkritik blieb nicht aus. Deren Anwälte meinten, nicht darüber belehrt werden zu müssen, dass all unser Tun in historische, gesellschaftliche und biologische Zusammenhänge eingebettet ist, ohne die es weitgehend unverständlich bliebe. Doch der Mensch als Person verschwinde, wenn sein Handeln zur Ausführung von geschichtlich wirksamen Faktoren, von sozialen Verhaltensmustern sowie zu einer genetisch präformierten Reaktion auf Reize aus der sozialen oder natürlichen Umwelt herabsinke. – Betrachten wir nun kurz die drei erwähnten Denkweisen des Historismus, des Soziologismus und des Nativismus.

II. Historismus und historische Kontingenz

Kant unterscheidet in der *Einleitung in die Metaphysik der Sitten* zwischen psychologischer und eigentlich persönlicher Identität: „*Person* ist dasjenige Subject, dessen Handlung einer *Zurechnung* fähig ist. Die *moralische* Persönlichkeit ist also nichts anders, als die Freiheit eines vernünftigen Wesens unter moralischen Gesetzen (die psychologische aber bloß das Vermögen, sich der Identität seiner selbst in den verschiedenen Zuständen seines Daseins bewusst zu werden), woraus dann folgt, daß eine Person keinen anderen Gesetzen als denen, die sie (entweder allein, oder wenigstens zugleich mit anderen) sich selbst gibt, unterworfen ist." (Kant 1968a, 223) Und mit Rücksicht auf den die Menschen als Vernunftwesen charakterisierenden Glauben führt er 1786 in der Schrift „Was heißt: Sich im Denken orientieren?" aus: „Ein reiner Vernunftglaube ist [...] der Wegweiser oder Compaß, wodurch der speculative Denker sich auf seinen Vernunftstreifereien im Felde übersinnlicher Gegenstände orientieren, der Mensch von gemeiner, doch (moralisch) gesunder Vernunft aber seinen Weg sowohl in theoretischer als praktischer Absicht dem ganzen Zwecke seiner Bestimmung völlig angemessen vorzeichnen kann; und dieser Vernunftglaube ist es auch, der jedem anderen Glauben, ja jeder Offenbarung zum Grunde gelegt werden muß." (Kant 1968b, 142)

Das war, kurz gefasst, das Programm der Aufklärung, worin die Vernunft für die Fragen der Ethik und Religionslehre als zureichendes Organ in Anspruch genommen wurde. Aber schon einige Jahrzehnte später hatte sich die Szene dramatisch verändert: Die Vernunft selbst war als ein historisches Produkt erkannt worden. Und was auch immer die Triebkräfte in oder hinter der Geschichte sein mochten – ob wie bei Schopenhauer und Nietzsche der Wille, bei Marx die Produktivkräfte und Klassenverhältnisse, bei Darwin der Kampf ums Dasein oder bei Pareto und Freud die Instinkte oder Triebe –, die Geschichte war es, in der alle Strukturen den Charakter von Prozessen annehmen sollten und deren prägender Wirkung, wie man meinte, sich weder Kollektive noch Individuen entziehen konnten.

Von wesentlicher Bedeutung ist hier die Tatsache, dass seit dem 19. Jahrhundert die Geschichte von zahlreichen philosophischen, geistes- und sozialwissenschaftlichen Diagnostikern ihrer Zeit nicht als ein bloßes Abenteuer, sondern als ein *Schicksal* aufgefasst wurde, dem das Individuum nicht entrinnen kann und das seine Persönlichkeit nachhaltig formt. Noch 1967 sagte Alfred Stern von seinen Zeitgenossen: „Wenn sie die Bedeutung des Geschichtsverständnisses erkennen, so handelt es sich weniger um vergangene als um gegenwärtige Geschichte, weniger um die *historia rerum gestarum* als um Geschichte als *res agendae*, als die Gesamtheit der kollektiven Kräfte, die wirken und uns dabei verschlingen. Ihrer Erfahrungen in zwei Weltkriegen eingedenk [...], versteht meine Generation die Geschichte im Sinne eines dauernden kollektiven Werdens, dem jedes Individuum – freiwillig oder ungewollt – sich fügen muß." (Stern 1967, 14) Die Geschichte als Geschehen sowie als Tat und die Geschichte als retrospektiver Lagebericht sowie als imaginatives Nacherleben beeinflussen einander in erheblichem Maße. Beides jedoch, also die Geschichte in dem Doppelsinn von *res gestae* und *historia rerum gestarum*, von Ereignis und Ereignisbericht, erscheint als Schöpfung des kollektiven Menschen: „Sie ist ein Produkt von Rousseaus ,*volonté générale*‘, von Hegels ,*Weltgeist*‘ und seinen ,*Volksgeistern*‘, von Renans ,*nation*‘, Durkheims ,*âme collective*‘ oder Royce's ,*collective soul*‘, von Le Bons ,*foules*‘ oder Marxens ,Klassen‘. Welchen Namen wir auch wählen mögen, um jene Kraft zu bezeichnen, die die Geschichte als Wirklichkeit schafft, sie ist in jedem Falle vom individuellen Ich verschieden." (Ebd., 94) Diese kollektive Kraft übt auf den Einzelnen jenen Zwang aus, der nach Durkheim das typische Kennzeichen aller gesellschaftlichen Tatsachen ist.

Es macht einen großen Unterschied, ob man die historisch erkennende Person selbst als geschichtlich *bedingt* oder aber als geschichtlich *determiniert* ansieht. Bekannt ist Hegels Diktum aus seiner *Philosophie des Rechts*: „Was das Individuum betrifft, so ist ohnehin jedes ein Sohn seiner Zeit; so ist auch die Philosophie ihre Zeit in Gedanken erfaßt. Es ist ebenso töricht zu wähnen, irgendeine Philosophie gehe über ihre gegenwärtige Welt hinaus, als ein Individuum überspringe seine Zeit [...]." (Hegel 1928, 35) Die Frage ist hier allein, auf welche Weise und in welchem Maße jemand ein Kind seiner Zeit ist. Denn so gewiss es ist, dass kein Philosoph, aber auch kein Wissenschaftler jemals die absolute Wahrheit erfassen kann, da der Fortschritt der Erkenntnis so etwas unmöglich macht, so folgt doch daraus nicht schon historischer Fatalismus oder Opportunismus. Gegen Hegels Diktum: „was vernünftig ist, das ist wirklich; und was wirklich ist, das ist vernünftig" (ebd.), wandte sich der junge Nietzsche in seiner *Zweiten unzeitgemäßen Betrachtung*, weil ihm der darin angelegte Defaitismus im Erkennen und Handeln unvertretbar erschien. Nietzsches Kritik des Hegelschen Historismus versucht, sowohl die großen Kämpfer gegen die Geschichte moralisch zu unterstützen als auch den geistigen Widerstand gegen das ein für allemal als richtig und wichtig Angesehene. Für ihn waren die großen Denker der Vergangenheit *mehr* als ihre Zeit in Gedanken erfasst. Obschon stets in ihrer Zeit wurzelnd, dachten die Größten unter ihnen immer wieder über ihre Zeit hinaus und damit oft auch gegen sie.

Natürlich kann auch hier mit einiger Hegelscher Dialektik diese Ansicht relativiert werden. Denn, so kann man sagen – ohne damit allerdings die Intention von Nietzsche zu treffen –, dass auch eine revolutionär gegen ihre eigene Zeit handelnde, aber auch eine den dominanten Ideen ihrer Zeit gegenüber kritisch eingestellte Person immer noch den Lebens- und Denkformen ihrer Zeit verbunden bleibt: auch sie repräsentiere in ihrem Handeln und Denken nur die durch die *Thesen* ihrer Zeit bedingten *Antithesen*. Auf diese Art ließen sich Nietzsches Thesen gegen den Historismus deuten „als die Antithesen der Thesen dieser Zeiten und somit als *Töchter* ihrer Zeiten, als Kinder der Geschichte, die ihre Mutter hassen" (Stern 1967, 196). Ungeachtet des in ihnen nachweisbaren Erkenntnisgehalts suchte man mit derartigen ins Sophistische gehenden Wendungen oft nur die Desavouierung des Unbequemen zu bewerkstelligen. Sie funktionieren ganz nach Art des Arguments vom Wohltäter als einem Narziss, der nur altruistisch erscheine, jedoch selbst dann letztlich ein Egoist sei, wenn er anonym bleiben möchte.

III. Soziologismus und gesellschaftliche Kontingenz

Georg Simmel bezeichnete es in seiner *Soziologie* als eine triviale Feststellung, „daß jedes Element einer Gruppe nicht nur Gesellschaftsteil, sondern außerdem noch etwas ist". Erläuternd fügt er hinzu: „Als soziales Apriori wirkt dies, insofern der der Gesellschaft nicht zugewandte oder in ihr nicht aufgehende Teil des Individuums nicht einfach beziehungslos neben seinem sozial bedeutsamen liegt, nicht nur ein Außerhalb der Gesellschaft ist [...], sondern daß der einzelne mit gewissen Seiten nicht Element der Gesellschaft ist, bildet die positive Bedingung dafür, daß er es mit der andern Seite seines Wesens ist: die Art seines Vergesellschaftet-Seins ist bestimmt oder mitbestimmt durch die Art seines Nicht-Vergesellschaftet-Seins." (Simmel 1908, 25 f.) Dieser nach Simmel triviale Tatbestand müsste nicht ausdrücklich formuliert werden, hätte nicht auch schon zur Zeit Simmels eine fühlbare Tendenz dahingehend bestanden, den Menschen oder doch das an ihm für wesentlich Erachtete auf ganz bestimmte gesellschaftliche Merkmale zurückzubeziehen. Es waren vor allem zwei Reduktionsschritte, auf welche im Folgenden kurz Bezug genommen werden soll: die Zurückführung auf den Durchschnittstypus, wie er in der Sozialstatistik sichtbar wird (1), und die Reduktion auf den für die psychologische und soziologische Verhaltens- oder Lerntheorie als grundlegend angesehenen Steuerungsmechanismus von Lust und Leid (2).

1. Der Durchschnittsmensch als Maß des Menschlichen

Der später noch zu erörternden Antithese „Erbanlage *versus* Umwelt" entspricht in der älteren Soziologie jene von „Individuum *versus* Gesellschaft". Im Hinblick auf diese hat der belgische Astronom und Soziologe Adolphe Quételet mit seinem Konzept des *homme moyen* einen für die Analyse gesellschaftlicher Phänomene bedeutsamen Brückenschlag versucht, und zwar durch die Gleichsetzung des „maßgebenden" mit dem „mittleren" oder Durchschnitts-Menschen. Diese Betrachtungsweise, welche man mit Fug und Recht als eine Art von demokratischer Ideologie bezeichnen kann, hat der Autor in seinem 1869 erschienenen Buch *Physique sociale* formuliert. Da er die Werte der statistischen Normalverteilung als das auch im werthaften Sinne Normale auszuzeichnen suchte, weil dieses beispielsweise zwischen den Extremwerten groß und klein, dick und dünn, feig und mutig, höflich und

27

rüpelhaft zu liegen komme, erfolgte durch ihn eine Gleichsetzung der *statistischen Norm* und der *Sollensnorm*. Wie Wilhelm Mühlmann zeigte, hat die theoretische Inthronisierung des Durchschnittsmenschen einen realsoziologischen Hintergrund in den Ereignissen der Epoche: Quételet ist nur ein Exponent verbreiteter kollektiver Strömungen seiner Zeit und insofern ein lebender Beweis für seine eigene Theorie (vgl. Mühlmann 1962, 11). Dass der *homme moyen* vielen als Verkörperung der Mediokrität erschien, ist allerdings nicht unplausibel.

2. Der Mensch als Reiz-Reaktions-Bündel

Die auf Locke und Helvétius zurückgehende Verhaltenstheorie, für welche Lust und Leid, Lohn und Strafe die wesentlichen Mittel der Sozialisierung sind, stellt einen weiteren Versuch der Bestimmung des menschlichen Wesens dar. Fragte man im Anschluss an Quételet immer weniger danach, was als normal angesehen werden sollte, sondern danach, ob es (statistisch) normal für einen Menschen bestimmten Alters ist, dies zu denken und das zu tun (vgl. Acham 1995, 266-291), so fragte man unter dem Einfluss der behavioristischen Lernpsychologie nach den positiven oder negativen Reizen, welche angeblich für Form und Wirkungsweise unseres Denkens und Handelns bestimmend sind. Dabei blieb vor allem in deren auf John B. Watson zurückgehenden älteren Formen außer acht, dass Lernen und Handeln an Sinn gebunden bleiben und dass insofern nichts Beliebiges gelernt werden kann, wenn es bloß mit Lohn und Strafe verbunden wird. Die wesentlichen Prozesse des sozialen Lernens und des Aufbaus der Person sind, wie Friedrich Tenbruck schon 1962 kritisch feststellte, behavioristisch nicht zu ermitteln: „Die Verinnerlichung, von der die Soziologie im Zusammenhang mit der Sozialisierung spricht, wird hier zur bloßen Gewohnheit degradiert. Die Vorstellungen, Normen, Werte und Zwecke, aus denen menschliches Handeln entspringt, sind nichts als erworbene Reflexe, und daß der Handelnde sie ernst nimmt, ist allein seine Selbsttäuschung über diese Tatsache. [...] Wie auf diese Weise Gefühle und Bedeutungen, Vorstellungen und Werte erworben und wie gar eine dauerhafte Struktur der Person und eines sinnhaften Handelns aufgebaut werden soll, bleibt bei diesem Ansatz völlig offen." (Tenbruck 1986, 113)

   Der Mensch, so findet Tenbruck, verschwindet als Person, „wenn Handeln zur Ausführung von Rollen, Erziehung zur Sozialisation, Sozialisation zur Einübung von Verhaltensmustern, Verbindlichkeiten zu sozialen Normen, Gewissen und Verantwortung zu gesellschaftlichen Verkehrsregeln, Verfehlungen zu abweichendem Verhalten herabsinken." Dann fehle das, „wodurch der Mensch solchen gesellschaftlichen Zusammenhängen immer voraus ist: sein eigenes Wollen" (ebd., 234). Eine solche Soziologie appelliert, wie Tenbruck feststellt, an Menschen, die dem Zwang zur inneren Stellungnahme durch eine Gesetzeswissenschaft zu entkommen hoffen, welche Vorhersagen darüber gestattet, wie sich die Dinge auch ohne Zutun der Menschen entwickeln.

IV. Zwischenbetrachtung: Zum Konzept der personalen Identität

Wie in einigen Spielarten des Historismus die Wirkkräfte der Geschichte, so üben gemäß bestimmten Varianten des Soziologismus das Kollektiv oder die gesellschaftlichen Umstände einen geradezu zwanghaften Charakter auf den Einzelnen aus. Nun ist nicht zu leugnen, dass es soziale Situationen gibt, in denen das Verhältnis von Person und Kollektiv antithetisch gesehen werden kann – man denke nur an die vielgestaltigen Konflikte, welche etwa Gegenstand der dramatischen Literatur sind und in denen es darum geht, zu zeigen, in welchem Maße es den Menschen möglich ist, notfalls die Bande zwischen sich und dem Kollektiv zu zerschneiden oder sich in ihnen rettungslos zu verfangen. Wenn man jedoch sagt, dass Person und Kollektiv einander beeinflussen, so wird nicht selten die Person als eine exklusive Entität vorausgesetzt, die zum Kollektiv in einer antithetischen Beziehung steht. Dem ist entgegenzuhalten, dass die Person nichts Festes und Unveränderliches ist, sondern etwas Wandelbares: eingespannt einerseits in sehr unterschiedliche und wechselnde Beziehungen zu anderen Mitmenschen, andererseits eingefügt in den temporalen Zusammenhang von der Vergangenheit über die Gegenwart zur Zukunft hin. – Hier erscheint es angebracht, kurz auf Erkenntnisse und Forschungsdirektiven Bezug zu nehmen, die im Bereich der phänomenologischen oder verstehenden Psychologie und des soziologischen Interaktionismus um 1900 und kurz danach entwickelt wurden und die das Konzept der personalen Identität auf zum Teil neue und anregende Weise entwickelten.

Nietzsche hatte bereits im Ersten Teil des *Zarathustra*, und zwar in dem Abschnitt „Vom Freunde", zwischen dem „Ich" und dem „Mich" einer Person unterschieden und damit einer Terminologie vorgearbeitet, die uns später in englischer Übersetzung als „I" und „Me" bei George

Herbert Mead entgegentritt. Hier steht jener Unterschied von Selbstbild und Fremdbild, von Auto- und Heterostereotyp in Betracht, der auf exemplarische Weise von Charles Horton Cooley in seinem Buch *Human Nature and the Social Order* (1902) dargelegt wurde. Gemäß Cooleys Konzept des „Spiegel-Ichs" (*„looking-glass self"*) hat jeder Mensch ein bestimmtes Bild von sich und den ihn seiner Meinung nach kennzeichnenden Merkmalen; Cooley nennt dies die *„self-idea"*. Dessen Idee ist besonders nützlich, um den heute so modischen, ja inflationär zur Anwendung kommenden Begriff der Identität zu explizieren, vor allem wenn man seine Darlegungen um jene wechselseitige Bestimmung von Vergangenheitsdeutung und Zukunftsentwurf erweitert, die schon Diltheys geschichtstheoretisches Interesse auf sich zog.[5] Cooley und Dilthey, deren Auffassungen auch in späteren entwicklungspsychologischen Werken, wie etwa in denjenigen von Erik H. Erikson (vgl. Erikson 1973 und 1992) wiederkehren, erlauben eine doppelte Identifizierung zum Zwecke des Abbaus kognitiver Dissonanzen durch das reflektierende Subjekt: sowohl eine zwischen Selbstbild und Fremdbild als auch eine andere zwischen Selbstbild und Wunschbild.

Die Herstellung eines Selbstbildes besteht in der Nennung von Merkmalen, von denen das jeweilige Individuum meint, dass sie in seinem Denken, Fühlen und Wollen als Elemente einer bestimmten Erkenntnis-, Wert- und Handlungsorientierung eine besondere Rolle spielen – zum Beispiel politische, religiöse, wirtschaftliche und soziale Merkmale. Dieses Selbstbild stimmt nun, wie derjenige, der es von sich hat, erfahren kann, nicht immer mit den Bildern überein, die sich andere von ihm machen. Das Selbstbild stimmt aber auch nicht immer mit dem Wunschbild überein, das der Einzelne vor Augen hat und in dem zumeist andere als die für das jeweilige aktuelle Selbstbild bestimmende Merkmale eine besondere werthafte Bedeutung erlangen. Dieser Einzelne neigt nun dazu, sowohl Selbstbild und Fremdbild als auch Selbstbild und Wunschbild miteinander zur Deckung zu bringen (oder doch wenigstens miteinander verträglich zu machen) und eben dadurch emotional belastende Inkongruenzen zwischen diesen Bildern abzubauen. Gelingt die Herstellung einer

---

[5] Vgl. Diltheys Wort aus dem 7. Band seiner *Gesammelten Werke*, demzufolge einerseits unser Zukunftsentwurf als konstitutiv für die Feststellung der Kulturbedeutung der Vergangenheit anzusehen ist, andererseits aber ein bestimmtes Verständnis der Vergangenheit als konstitutiv für die Art unseres Zukunftsentwurfs: „Was wir unter Zukunft als Zweck setzen, bedingt die Bestimmung der Bedeutung des Vergangenen." (Dilthey 1927, 233)

Deckungssynthesis (oder immerhin einer plausiblen Konsistenz) zwischen Selbstbild und Fremdbild sowie zwischen Selbstbild und Wunschbild, so können wir von jemandem sagen, er sei im Prozess der reflektierenden Selbstbesinnung zu personaler Identität gelangt.

Dass dieser Prozess der Herstellung von Identität kein einfacher ist, wird durch die Tatsache bezeugt, dass sich die Selbstvorstellung des Menschen mit den sozialen Beziehungen wandelt. Wie er sich selbst und wie er die Verbindung zwischen seinem Selbst und seinen Handlungen versteht, hängt von den Beziehungen ab, die überhaupt für den Einzelnen in der jeweiligen Gruppe möglich sind und Reaktionen als Einstellungen zu anderen bewirken. Robert Musil hat diesem Sachverhalt in seinem Tagebuch folgendermaßen Ausdruck verliehen: „Man ist wahrhaftig nicht so oder so, sondern wenn man mit anderen Menschen in Berührung tritt, so schlägt dieser andere Mensch in einem einen ganz bestimmten (oder ganz unbestimmten) Ton an – und so ist man dann." (Musil 1976, 72)[6]

Aber nicht nur die Vorstellung von unserem eigenen aktuellen Zustand, sondern auch das Bewusstsein von dem zeitlichen Zusammenhang, in welchem sich unsere Identität bildet, wird, wie Friedrich Tenbruck gezeigt hat, konkret von der sozialen Dimension her verständlich: „Wir erfahren unsere zeitliche Identität im Spiegel der Gruppe, welche bestimmte Handlungen von uns aufbewahrt und uns vorhält und andere nicht. Durch diese sind wir für sie in der Erinnerung festgelegt. Das macht unsere Identität aus. Wo die Gruppe das nicht leistet, zerfällt uns unser Dasein in Stücke bloßer Erinnerung, so wie uns unser Charakter in ein bloßes Konglomerat von Möglichkeiten zerstäubt, wenn die Gruppe uns kein umrissenes Selbstbildnis mehr zu liefern vermag." (Tenbruck 1986, 170) So mag es dann sein, dass man entweder nostalgisch auf sein vergangenes Leben zurückblickt oder aber melancholisch in die Zukunft, ganz im Sinne des Sören Kierkegaard zugeschriebenen Worts: „Wehmütig grüßt der, der ich bin, den, der ich sein möchte."

V. Nativismus und biologische Kontingenz

Die Suche nach den Hauptfaktoren der Persönlichkeitsentwicklung und den damit verbundenen Verhaltensweisen hat im Laufe der Zeit dazu geführt, den Primat sehr unterschiedlichen Kräften zuzuschreiben: der Geschichte (wie in einer bestimmten Spielart des Historismus), der Politik (wie Napoleon, der diese als „unser Schicksal" bezeichnete), der

---

[6] Die Tagebuchnotiz entstand in den Jahren um 1900.

Wirtschaft (der Walter Rathenau dieselbe Eigenschaft zusprach wie Napoleon der Politik), der Gesellschaft (wie die verschiedenen Varianten des Soziologismus), oder aber der Natur (wie eine Reihe von nicht nur populärwissenschaftlichen Autoren im Anschluss an Darwin und Mendel bis herauf in die Gegenwart). Unser Interesse soll im Folgenden dem zuletzt erwähnten Problembereich gelten. Verschiedene philosophisch gemeinte Erörterungen des Zusammenhangs von Determinismus und Zwang, Indeterminismus und Freiheit, wie sie insbesondere im Blick auf die jüngsten Entwicklungen der Molekularbiologie angestellt wurden, verlangen hier eine Stellungnahme in zweierlei Hinsicht: einerseits in Bezug auf Erkenntnistheorie und Methodologie (1), andererseits hinsichtlich der aus den molekularbiologischen Befunden abgeleiteten Konsequenzen für die Freiheit oder Unfreiheit menschlichen Handelns (2).

1. Erkenntnistheoretisch-methodologische Aspekte der Nativismus-Diskussion

Deterministen gehen bekanntlich davon aus, dass alles in der Welt streng nach dem Kausalprinzip determiniert ist. Mit anderen Worten: Wenn jetzt irgendwelche Gesetze und Randbedingungen vollständig bekannt wären, so folgte daraus das Eintreten (sowie die Kenntnis) der Umstände des nächsten Augenblicks mit Notwendigkeit. Wenn aber dieses Prinzip auch für menschliches Handeln gilt, so müssen dessen Resultate in jedem Augenblick vollständig durch die menschliche Natur bestimmt sein, welche wiederum von der genetischen Disposition abhängig ist.

Dazu ist, erstens, zu bemerken, dass die profilierten Vertreter der Naturwissenschaft bereits seit der sogenannten probabilistischen Revolution des 19. Jahrhunderts, aber vor allem auch wieder im Anschluss an die Sequenzierung des Humangenoms der Ansicht sind, dass keineswegs in der gesamten Natur eine strenge Kausalität im Sinne der für bestimmte Raum-Zeit-Bereiche geltenden Nahwirkungsgesetze herrscht. Zweitens macht sich in den meisten Fällen, in denen die Naturgesetze als im Widerspruch zur Willens- oder Handlungsfreiheit stehend angesehen werden, eine Unklarheit der Sprechweise bemerkbar, die mit der Übertragung des juridischen Gesetzesbegriffs auf denjenigen der Naturwissenschaften zu tun hat. Moritz Schlick macht auf die erkenntnislogische Problematik dieser doppelten Unklarheit in der philosophischen Sprechweise aufmerksam, wenn er zur Kontraposition des

Satzes „Der Mensch ist gezwungen" zum Satz „Der Mensch ist frei" bemerkt: „Es werden erst die Naturgesetze mit Staatsgesetzen verwechselt und dann der Zwang mit Naturnotwendigkeit, also Allgemeinheit; weiter wird dann verwechselt die Freiheit als Gegensatz zum Zwang mit dem Gegensatz zur Naturnotwendigkeit, also dem Fehlen von Gesetzen." (Schlick 1986, 177)

Da die Philosophen oftmals behaupteten, der Mensch sei nur dann frei, wenn er nicht den Naturgesetzen unterworfen ist, stellt sich die Frage, was es heißen würde, wenn der menschliche Wille von Kausalität frei, also akausal wäre. Dazu muss man nach Schlick feststellen, was Kausalität oder Akausalität mit Verantwortlichkeit zu tun hat: „Den Menschen zur Verantwortung ziehen oder nicht zur Verantwortung ziehen heißt [...], ihn als Gegenstand nehmen, auf den man einwirken kann, um bestimmte Handlungen zu verhindern oder hervorzurufen [...]. Würde [...] der Wille des Menschen nicht dem Kausalprinzip unterliegen, so müßte man einen solchen Menschen auch von jeder Verantwortung freisprechen. Verantwortlich ist nur ein Mensch, den man beeinflussen kann. [...] Der Begriff der Freiheit im Sinne des Nichtunterworfenseins unter die Kausalität widerspricht also sogar dem Begriffe der Moral und der moralischen Freiheit." (Ebd., 178 f.)

Es scheint, dass eine eigentümliche Ersetzung der Theologie als der Wissenschaft von Gott durch die Wissenschaft von der Natur sowie die Ersetzung der Gesetze Gottes durch die Gesetze der Natur dazu führte, einen Widerspruch im Bestehen von Kausalität auf der einen, und der menschlichen Entscheidungsfreiheit auf der anderen Seite zu sehen. Solche Deifizierungen bestimmten den sich über Jahrhunderte erstreckenden Prozess der Säkularisierung. Waren es zunächst die Gesetze der *äußeren* Natur, welche die Gottheit ersetzen sollten, so war es etwa bei Hegel und Marx die Geschichte, welche wiederum die Gottheit der Natur ersetzte. Nicht Gott, sondern die Geschichte ist schon seit Friedrich Schiller das „Weltgericht" – und danach waren dies abwechselnd die Politik und die Wirtschaft. In der Abfolge dieser Deifikationen spielt derzeit die Vergottung unserer *inneren*, der biologischen Natur eine besondere Rolle.

2. Zum Sachgehalt der Nativismus-Diskussion: Genom und Willensfreiheit

Als am 26. Juni 2000 Präsident Bill Clinton und Premierminister Tony Blair in einem gemeinsamen Fernsehauftritt verkündeten, die chemische Struktur des gesamten menschlichen Genoms sei aufgeklärt, schwirrten allerlei Hoffnungen und Befürchtungen durch die von Fernsehen und Rundfunk mehr oder weniger informierte Öffentlichkeit. Durch die Dechiffrierung des Genoms als der Gesamtheit aller Erbanlagen einer Zelle – also all ihrer Gene, die in den fadenförmigen DNS-Molekülen niedergeschrieben sind – wurde der Reichtum unseres biologischen Erbes sichtbar: Unser Genom besteht aus 3,2 Milliarden Buchstaben, entsprechend einer 50 Meter langen Bücherreihe. Jede unserer Körperzellen enthält zwei Exemplare dieser Bücherreihe – ein Exemplar von der Mutter und eines vom Vater. Wie der Molekularbiologe Gottfried Schatz bemerkt, können wir unser Genom zwar lesen, verstehen aber den größten Teil des Gelesenen noch nicht, so dass wir unter anderem auch noch nicht wissen, wie viele verschiedene Proteine unsere Zellen theoretisch herstellen können – vielleicht sind es 100.000, vielleicht sind es mehr (vgl. Schatz 2005, 116). Der Reichtum unseres Genoms liege aber nicht nur in seiner Größe, sondern ebenso sehr in der Meisterschaft unserer Zellen, dieses Genom in vielen Variationen lesen zu können: „Unsere Zellen ähneln dabei einem Musiker des 17. und 18. Jahrhunderts, der dank seiner Phantasie aus *einem* vorgegebenen Generalbaß viele verschiedenartige Musikstücke hervorzaubern kann. Die Größe eines Genoms ist also kein verläßliches Maß für den biologischen Informationsgehalt. Einige Pflanzen und Amphibien haben Genome mit wesentlich mehr Buchstaben als wir, haben aber trotzdem nicht mehr, sondern sehr wahrscheinlich weniger genetische Information als wir." (Ebd.)

Der Informationsgehalt des Genoms bestimmt die Stellung eines Organismus in der Hierarchie des Lebens, wobei, wie Schatz ausführt, nichts unerbittlicher ist als die „Tyrannei des kleinen Genoms": „Es verbietet jede biologische Freiheit, jede Individualität. Je informationsreicher ein Genom, desto größer die Freiheit, desto größer die Möglichkeit zur Individualität." (Ebd., 117) Der Reichtum des Genoms sei daher ein wichtiges Maß für die Würde eines Lebewesens. Wichtig seien in diesem Zusammenhang die Umwelteinflüsse, insbesondere die Wechselwirkung mit anderen Menschen, die die Anheftung von Phosphorsäuregruppen an die von den Gehirnzellen produzierten Proteine, wenn nicht sogar die Produktion dieser Proteine beeinflussen. „Das Variationspotential unserer Zellen steigt damit", wie Schatz ausführt, „ins Unermeßliche, so daß jeder von uns ein unverwechselbares Individuum ist. Dies gilt selbst für eineiige Zwillinge. Ein eineiiger Zwillingsbruder von Roger Federer würde zwar Roger ähnlich sehen, könnte aber ohne weiteres nur ein mäßiger Tennisspieler sein. Der Informationsreichtum unseres Genoms ist die Gnade, die jedem von uns Einmaligkeit schenkt." (Ebd.)

Schatz, der selbst als junger Forscher an der Entdeckung des Genoms der Mitochondrien, also der Verbrennungsmaschinen unserer Zellen, mitwirkte, sieht auch die hohe philosophische Bedeutung, welche der Informationsfülle unseres Genoms zukommt. Sie eröffne uns neue Möglichkeiten, um darüber nachzudenken, wie unsere Individualität, aber auch unsere Entscheidungsfreiheit mit der Tatsache vereinbar sind, dass jeder von uns letztlich „eine biochemische Maschine" ist: „Diese intellektuelle Herausforderung hat viele große Denker beschäftigt, bis herauf zu Henri Bergson. Die Überlegungen dieser Denker haben heute viel von ihrer Überzeugungskraft verloren, denn keiner von ihnen konnte ahnen, wie komplex die Materie ist, aus der wir bestehen. Alle uns bekannten Naturgesetze gelten nur innerhalb bestimmter Grenzen; außerhalb dieser Grenzen versagen sie. Newtons mechanische Gesetze, die Gesetze der Thermodynamik, und selbst das Axiom der Kausalität versagen in der Welt subatomarer Teilchen oder im Bereich der Lichtgeschwindigkeit. Warum sollte Ähnliches nicht für unsere Zellen gelten, deren Komplexität so viel größer ist als alles, was wir bisher gekannt haben?" (Ebd.)

In der Tat könnte es ja durchaus sein, dass wir beim quantitativen Studium unserer Zellen Gesetzmäßigkeiten entdecken, die nur für hochkomplexe Systeme gelten, für deren Analyse die heutigen Ansätze zur Chaostheorie nur einen Anfang darstellen. Unsere Zellen sind jedenfalls nach Auskunft kompetenter Fachwissenschaftler so komplex, dass wir sie mit unseren heutigen Methoden als Gesamtsystem noch nicht hinreichend präzise analysieren können. Denn die Zellen werden in jedem Augenblick mit äußeren Reizen bombardiert, welche die menschliche Intelligenz nicht im Vorhinein erkennen kann: „Jeder dieser Vorgänge kann Kaskaden von mikroskopischen Geschehnissen nach sich ziehen, die jeweils zu wieder völlig neuen Nervenmustern führen. Ein Computer, der diese Folgeerscheinungen aufspüren könnte, müßte von gewaltigen Ausmaßen sein und außerdem in der Lage, Operationen durchzuführen, die noch um ein Vielfaches komplexer sind als die des Gehirns." (Wilson 2000, 162) Eben deshalb ist es den Menschen möglich, weiterhin leidenschaftlich an ihren eigenen freien Willen zu glauben. Und wenn wir Wilson glauben dürfen, ist dies auch ein Glück: „Denn das Vertrauen auf freien Willen führt zu biologischer Anpassung. Hätten wir es nicht, würde sich der im

Fatalismus gefangene Verstand verlangsamen und schließlich abbauen."
(Ebd., 162 f.)

VI. Gehirn, Person, moralische Zurechnung

Vorhin, im Zusammenhang der Ausführungen über die Grundmerkmale
der personalen Identität, war die Rede davon, dass einerseits das Selbstbild
und das Fremdbild, andererseits das Selbstbild und das Wunschbild
miteinander zur Deckung gebracht, mithin „identifiziert" werden können.
Diese Bestimmung der personalen Identität ist charakterisiert durch die
Einbeziehung des Anderen, also der sozialen Dimension, aber auch durch
die Bezugnahme auf eine in die Zukunft verlagerte und als konkretisierbar
angesehene Vorstellung seiner selbst. Was aber, wenn das Selbst, welches
die verschiedenen Bilder: das Selbst-, das Fremd- und das Wunschbild, zur
Deckung zu bringen sucht, scheitert, weil es nicht *ein* Ich, sondern *mehrere*
Ichs gibt, deren mitunter heterogene Bestrebungen sich gar nicht
synthetisieren lassen?

Wie die Pathologie zeigt, muss das Gehirn nicht von vornherein als
ein individuelles, also unteilbares System verstanden werden, sondern kann
als ein durchaus teilbares aufgefasst werden: als „Dividuum, als teilbares
System" (Linke 2006, 12), und nicht als Individuum. So kann man bei
Patienten, denen der Balken durchtrennt oder denen er aufgrund eines
Geschwürs oder einer Blutung zerstört wurde, eine Dissoziation von
Handlungen nachweisen, welche – voneinander isoliert – von
verschiedenen Hirnhälften gesteuert werden. Wie Detlef Linke in diesem
Zusammenhang ausführt, kann es so etwa passieren, „daß ein derartiger
Patient mit einer Hand einen Liebesbrief schreibt und mit der anderen
unwillentlich den Bleistift zerbricht oder daß er mit einer Hand einen
Pullover anzuziehen versucht, während die andere Hand den Pullover auf
den Tisch zurückzulegen versucht." Dieses Phänomen der *„alien hand"*
belegt nach Ansicht des Autors die Trennbarkeit von Willensimpulsen und
spricht klar „gegen das interaktionistische und dualistische Modell [...],
demzufolge der Geist als eine Art unzerstörbarer Klavierspieler gegenüber
einem wohl zerstörbaren Klavier gedeutet werden soll." (Ebd.) Die
Hirnforschung zeige uns, dass – metaphorisch gesprochen – nicht nur das
Klavier, sondern auch der Klavierspieler inhomogen und gespalten sein
kann.

Die das Ich pluralisierende Auffassung könnte in der Tat zu einer
Verabschiedung des Ich führen, weil die Neurowissenschaften bei ihren

Analysen eher erfolgreich sind, wenn sie nicht von einem homogenen und unteilbaren Ich ausgehen, als wenn sie eine derartige Ich-Funktion für die kognitiven Prozesse ansetzen. Das muss jedoch nicht auch auf die Abschaffung des Begriffs der Person oder des Selbst hinauslaufen – und zwar auch dann nicht, wenn der Versuch scheitert, die Ichs miteinander kompatibel zu machen. Man sollte nicht übersehen, dass die *Person* auf der Ebene der moralisch-politischen Kategorisierung eine andere Rolle spielt als das *Ich* auf der neurobiologischen Ebene. Denn auf jener Ebene geht es um die Formulierung der Rechte von Einzelnen – beispielsweise auch von *„alien hand"*-Patienten –, es geht um Menschenrechte – beispielsweise auch von solchen schizophrener Personen. Noch immer ist in diesem Zusammenhang John Lockes Konzept der Person von Interesse, da Locke diesen Begriff letztlich nicht auf die biologische Ebene – bei ihm sind dies die Beziehungen zwischen Lust und Leid – reduziert, sondern mit den Vorstellungen von Bewusstsein und Jurisdiktion verknüpft. Dies macht es möglich, Fragen der moralischen und der juridischen Zurechnungsfähigkeit zu stellen und dabei auch verschiedene Formen von Anomalien und Abnormitäten, wie zum Beispiel multiple Persönlichkeiten oder psychopathische Zwanghaftigkeit, unter dem leitenden Gesichtspunkt der möglichen (oder nicht möglichen) moralisch-rechtlichen Verantwortung zu begreifen. Lockes in dieser Hinsicht aufschlussreichste Formulierung findet sich im zweiten Buch seines *Essay concerning human understanding*: „Person, as I take it, is the name for this self. Where-ever a Man finds, what he calls himself, there I think another may say is the same Person. It is a Forensick Term appropriating Actions and their Merit; and so belongs to intelligent Agents capable of a Law, and Happiness and Misery." (Locke 1975, B. II, 27 f.)[7] In ähnlichem Sinne hat die Weisheit der Welt schon immer die moralische Zurechenbarkeit von Handlungen an Personen als ein identitätsstiftendes Merkmal derselben begriffen.

Schlussbemerkungen

Angesichts verschiedener durchaus ideologischer Spielarten des Nativismus regt sich vereinzelt wieder eine oft nicht minder ideologische milieutheoretische Gegenbewegung. Es soll nicht übersehen werden, dass dieser oftmals ein humanitäres Engagement zugrunde liegt, das sich mit der Vorstellung eines besseren und glücklicheren Menschen verbindet, wie er durch Bildung und soziale Zuwendung herangezogen werden könne.

---

[7] Vgl. dazu Brandt 1991 und 2006.

Gewisse Vertreter der Milieutheorie (des Environmentalismus) sind der Meinung, dass die wissenschaftliche Akzeptanz von angeborenen Verhaltensdispositionen letztlich zum Fatalismus führen müsse, da gegen Angeborenes nichts zu unternehmen sei. Davon kann natürlich nach dem vorhin Ausgeführten gleich wenig Rede sein wie beispielsweise von der allgemeinen und vollständigen Resistenz einmal erfolgter Ausformungen der biologischen Disposition gegenüber der sozialen Umwelt.

In diesem Vortrag sollte an exemplarischen Fällen gezeigt werden, dass ganz allgemein nicht von einer zwingenden Wirkung geschichtlicher, sozialer und biologischer „Umstände" oder „Faktoren" auf unser Handeln auszugehen ist, dass aber auch nicht schon jeder Rekurs auf die unsere denkmöglichen Handlungsoptionen einschränkenden Bedingungen als ein Beitrag zur Abschaffung von moralischer Verantwortung anzusehen ist. Kommt die erstgenannte Position einem Reduktionismus gleich, der sich nach Ansicht der meisten seriösen Geschichtstheoretiker, Sozialwissenschaftler und Biologen nicht halten lässt, so scheint deren hier ebenfalls kritisierte Gegenposition auf eine geradezu unendliche Vielfalt möglicher Handlungsoptionen, somit aber auf die Idee eines unbeschränkten „Menschen überhaupt" fixiert zu sein. Die Situation ist hier ähnlich wie im Fall der Sprache: Zweifellos sind wir auch beim Sprechen an das recht starre Regelsystem der Grammatik gebunden und an den uns im Wesentlichen durch die Tradition vorgegebenen Wortschatz. Auch die neurophysiologischen Voraussetzungen sind hier in Betracht zu ziehen, da Schädigungen des Sprechzentrums gleichermaßen den Sprachgebrauch beeinträchtigen oder verhindern können wie die Verletzung oder Zurückweisung der grammatikalischen und syntaktischen Regeln. Verletzen wir die Regeln, gebrauchen wir die Worte falsch, dann wird man uns, wie Irenäus Eibl-Eibesfeldt in diesem Zusammenhang bemerkt, „sprachliche Inkompetenz" vorwerfen. „Dennoch zweifelt wohl keiner, daß man im Rahmen der strengen Regeln der Grammatik und mit dem vorgegebenen Wortschatz Aussagen formulieren und Gedichte schreiben kann, die noch nie zuvor gemacht wurden. Ja, erst das internalisierte Instrumentarium der Sprache erlaubt es, höhere gedankliche Operationen durchzuführen." (Eibl-Eibesfeldt 1988, 131)[8]

Selbstbestimmung der Persönlichkeit oder Autonomie – im Leben, in der Kunst und in der Wissenschaft – gibt es nur auf der Grundlage gewisser das Selbst beschränkender Regeln. Für die Besonderheit einer

---

[8] Analoges gilt auch für das Regelwerk der Musik, die von Nikolaus Harnoncourt als „Klangrede" verstanden wird.

Persönlichkeit ist es charakteristisch, dass diese in gewissen Handlungssituationen etwas Bestimmtes tut, damit aber anderes *nicht* tut. Diese Person tut das Eine und unterlässt das Andere, weil sie eine bestimmte Geschichte, eine bestimmte Sozialisation, eine bestimmte Prädisposition mitbringt, die zusammen den Rahmen ihrer Erwartungen und Handlungsziele bestimmen. Aber dieses historische, soziale und biologische Erbe gestattet im Regelfall keineswegs nur die Verwirklichung einer einzigen Handlungsmöglichkeit, vor allem wenn das Individuum in der Lage ist, in einer durch Einsicht in die Genese und Wirkungen eigenen Verhaltens gewonnenen Stellungnahme zur Selbstbesinnung zu gelangen und eine entsprechende Handlungsbereitschaft zu entwickeln. Diese Überzeugung beruht auf empirischen Befunden, die mit einer Idee der Person kompatibel sind, welche in einer Anthropologie jenseits der Dichotomie von Voluntarismus und Zwanghaftigkeit ihren Ursprung hat.

LITERATUR

Acham, K. (1995): *Geschichte und Sozialtheorie. Zur Komplementarität kulturwissenschaftlicher Erkenntnisorientierungen*, Freiburg-München.
Brandt, R. (1991): Locke und Kant, in: Thompson, M. P. (Hg.): *John Locke und Kant. Historische Rezeption und gegenwärtige Relevanz*, Berlin, 87-108.
Brandt, R. (2006): "Personal identity" by John Locke, in: *Philosophia practica universalis. Festschrift für Joachim Hruschka zum 70. Geburtstag*, Berlin, 45-61.
Dilthey, W. (1927): *Der Aufbau der geschichtlichen Welt in den Geisteswissenschaften*, Leipzig-Berlin (= Gesammelte Schriften, Band VII).
Eibl-Eibesfeldt, I. (1988): *Der Mensch - das riskierte Wesen. Zur Naturgeschichte menschlicher Unvernunft*, München.
Erikson, E. H. (1973): *Identität und Lebenszyklus. Drei Aufsätze*, 2. Aufl., Frankfurt a.M.
Erikson, E. H. (1992): *Der vollständige Lebenszyklus*, 2. Aufl., Frankfurt a. M.
Hegel, G. W. F. (1928): *Grundlinien der Philosophie des Rechts oder Naturrecht und Staatswissenschaft im Grundrisse*, Stuttgart (= Sämtliche Werke, Band 7).
Hook, S. (1951): *Der Held in der Geschichte. Eine Untersuchung seiner Grenzen und Möglichkeiten* (aus dem Amerik. übersetzt von G. Pilzer), Regensburg.
Kant, I. (1968): Die Metaphysik der Sitten (1797), in: *Kants Werke* (Akademie-Textausgabe. Unveränderter photomechanischer Abdruck des Textes der von der Preußischen Akademie der Wissenschaften 1902 begonnenen Ausgabe von Kants gesammelten Schriften), Band VI, Berlin, 203-494 (zitiert als Kant 1968a).
Kant, I. (1968): Was heißt: Sich im Denken orientieren? (1786), in: *Kants Werke* (Akademie-Textausgabe. Unveränderter photomechanischer Abdruck des Textes der von der Preußischen Akademie der Wissenschaften 1902

begonnenen Ausgabe von Kants gesammelten Schriften), Band VIII, Berlin, 131-148 (zitiert als Kant 1968b).

Linke, D. B. (2006): *Das Gehirn*, 4. Aufl., München (= Beck'sche Reihe, Band 2121).

Linke, D. B. (2006): *Die Freiheit und das Gehirn. Eine neuro-philosophische Ethik*, Reinbek b. Hamburg (= rororo science, Band 62122).

Locke, J. (1975): *An Essay Concerning Human Understanding*, hg. von Nidditch, P. H., Oxford.

Mühlmann, W. E. (1962): Die Entdeckung des „mittleren Menschen", in: Ders.: *Homo Creator. Abhandlungen zur Soziologie, Anthropologie und Ethnologie*, Wiesbaden, 5-11.

Nüsslein-Volhard, Ch. (2005): Wann ist ein Tier ein Tier, ein Mensch kein Mensch?, in: Acham, K. (Hg.): *Vermächtnis und Vision der Wissenschaft. Über deren Ziele, Folgen und Folgenabwehr*, Wien (= Zeitdiagnosen. Studien zur Geschichts- und Gesellschaftsanalyse, Band 7).

Pinter, Ch. (2007): Das närrische Töchterlein, in: *Wiener Zeitung* vom 26. Mai 2007, extra-Beilage, 8.

Schatz, G. (2005): Genomforschung und die Würde des Lebens, in: Acham, K. (Hg.): *Vermächtnis und Vision der Wissenschaft*, Wien, 113-121 (= Zeitdiagnosen. Studien zur Geschichts- und Gesellschaftsanalyse, Band 7).

Schlick, M. (1986): *Die Probleme der Philosophie in ihrem Zusammenhang. Vorlesung aus dem Wintersemester 1933/34*, hg. von Mulder, H./Kox, A. J./Hegselmann, R., Frankfurt a. M. (= Suhrkamp-Taschenbuch Wissenschaft, Band 580).

Simmel, G. (1908): Soziologie. Untersuchungen über die Formen der Vergesellschaftung, Leipzig.

Singer, P. (1994): *Praktische Ethik*, 2. Aufl., Stuttgart.

Spaemann, R. (2006): *Personen. Versuche über den Unterschied zwischen ‚etwas' und ‚jemand'*, 3. Aufl., Stuttgart.

Stern, A. (1967): *Geschichtsphilosophie und Wertproblem*, München-Basel.

Taguieff, P.-A. (2000): *Die Macht des Vorurteils. Der Rassismus und sein Double*. Aus dem Französischen von A. Geese, Hamburg.

Tenbruck, F. H. (1984): *Die unbewältigten Sozialwissenschaften oder Die Abschaffung des Menschen*, Graz-Wien-Köln (= Herkunft und Zukunft, Band 2).

Tenbruck, F. H. (1986): *Geschichte und Gesellschaft*, Berlin. (Bei diesem Buch handelt es sich um die Veröffentlichung von Tenbrucks unveränderter Habilitationsschrift aus dem Jahre 1962.)

Wilson, E. O. (2000): *Die Einheit des Wissens*. Aus dem Amerik. von Y. Badal, München.

Wisser, J. (2001): Einzigartig und komplett. Der Embryo aus biologischer Sicht, in: *Frankfurter Allgemeine Zeitung* vom 20. Juli 2001, 44.

Wie frei ist der Mensch?

Zum Dialog zwischen Hirnforschung und theologischer Ethik

EBERHARD SCHOCKENHOFF

Es gehört zur Grunderfahrung des Menschen, dass er sich als frei erlebt und sein Handeln auf die Selbstbestimmung seines eigenen Willens zurückführt; sofern wir keinem äußeren oder inneren Zwang unterliegen, erfahren wir uns selbst als Urheber unserer Handlungen. Obwohl die Erfahrung der Freiheit unbezweifelbar in unserem Selbsterleben verankert ist, bleibt sie ein zweideutiges Phänomen, da wir uns in unseren Willensentscheidungen von vielfachen inneren und äußeren Faktoren abhängig fühlen. Inmitten einer komplexen Gemengelage von Wünschen, Empfindungen, Triebregungen, emotionalen Ich-Zuständen und Umwelteinflüssen, lässt sich das „Ich selbst" meiner Entscheidungen und Willensakte oftmals nicht eindeutig ausmachen.

1. Die Willensfreiheit in den neurowissenschaftlichen Theorien der Gegenwart

1.1 Ergebnisse der modernen Hirnforschung

Aufgrund ihrer unbestreitbaren Fortschritte ist es den Neurowissenschaften gelungen, immer speziellere Strukturen und Funktionsabläufe im Gehirn zu unterscheiden, die für das subjektive Erleben und die Bewusstseinsvorgänge des Menschen von hoher Bedeutung sind. Neurobiologische Theorien sind heute in der Lage, die neuronalen Korrelate bestimmter mentaler Phänomene mit hoher Genauigkeit zu beschreiben; insbesondere können visuelle Wahrnehmungen wie das Farberleben, Speicherungs- und Gedächtnisleistungen sowie das Schmerzempfinden mit großer Wahrscheinlichkeit synchron ablaufenden neuronalen Oszillationen in einzelnen oder mehreren Hirnregionen zugeordnet werden. Dem limbischen System gilt in der Debatte um die menschliche Willensfreiheit insofern besondere Aufmerksamkeit, als es diejenigen Zentren umfasst, die im Gehirn an der Steuerung des Gedächtnisses, an der emotionalen Bewertung der Folgen unseres Handelns und an der Vorbereitung von Entscheidungen beteiligt sind. Ebenso sind wir über die Funktion der cortiko-thalamischen Schleifen und ihre Entkoppelungs- und Rückkoppelungsprozesse recht gut unterrichtet; die Bedeutung dieser Erkenntnisse für die Vorgänge der Informationsverarbeitung im Gehirn und die Unterscheidung von Schlaf-, Wach- und Traumphasen kann nicht mehr ernsthaft bezweifelt werden. Den so genannten Rückkoppelungsschleifen kommt hohe Bedeutung für die Steuerung unserer Empfindungen und Gefühle beim Aufbau der zeitübergreifenden Identität der Person zu; durch sie werden die Empfindungen, Wünsche und Erwartungen, die unser Verhalten unbewusst prägen, daran gemessen, ob sie zum Gesamtkonzept der Person passen oder nicht.

Die Hirnforschung beschränkt sich längst nicht mehr darauf, unser Erleben und Bewusstsein global im Gehirn zu lokalisieren, sondern es gelingt ihr inzwischen, bestimmte Teilleistungen mit hoher Evidenz immer spezifischeren Bereichen zuzuordnen. Dabei geht sie davon aus, dass die Bewusstseinserlebnisse nicht durch eine zentrale Instanz im Gehirn hierarchisch reguliert werden (Homunkulus-Theorie), sondern durch parallele Verschaltungen verschiedener Hirnareale von höchster Komplexität zustande kommen. Die bildgebenden Verfahren (die so genannte Positronen-Emissions-Tomographie [= PET] und die Kernspintomographie) können die Stoffwechselprozesse (z.B. den Glukose- und Sauerstoffverbrauch) sichtbar machen, die mit der erhöhten Aktivität von Nervenzellen in den betreffenden Hirnregionen einhergehen. So entstehen farbige Bilder, die den Eindruck erwecken, wir könnten unserem Gehirn gewissermaßen beim Denken zuschauen und den Prozess begreifen, wie aus Hirnaktivität Bewusstsein, Geist und Freiheit hervorgehen (vgl. dazu Roth 2003, 9-29).

Der Gebrauch von technomorphen Metaphern – in popularwissenschaftlichen Darstellungen ist vom „Feuern" der Neuronen und von einer Art „Blitzlichtgewitter" im Gehirn zu lesen – zur Charakterisierung der Hirnaktivität tut ein Übriges, um diesen Eindruck zu verstärken. Ebenso suggeriert die Rede von einer topographischen Karte, die über die Verknüpfung neuronaler Netzwerke in bestimmten Hirnarealen und ihre Zuordnung zu genau definierten Erlebnisqualitäten und Bewusstseinsvorgängen Aufschluss gibt, wir wüssten nunmehr wenigstens im Groben, wie unser Bewusstsein funktioniert und das, was wir „Freiheit" nennen, zustande kommt. Manche Neurowissenschaftler verbinden mit dieser Entwicklung die Hoffnung, in naher Zukunft durch immer engmaschigere Zuschreibungen das menschliche Bewusstsein in seiner Entstehung und spontanen Tätigkeit vollständig erklären zu können, wobei sie unter „erklären" die Zurückführung mentaler Phänomene auf neuronale Vorgänge verstehen. Die Auseinandersetzung mit dieser radikalen Variante eines so genannten „reduktiven Physikalismus" ist für die philosophische und theologische Ethik von besonderer Bedeutung, weil hier die Grenzen einzelwissenschaftlicher Forschung überschritten und aus empirischen Befunden weltanschauliche Folgerungen gezogen werden.

1.2 Kritische Auseinandersetzung mit dem Modell eines reduktiven Physikalismus

Ethisch relevante Handlungen, die wir in unserer Alltagssprache auf die rationale Selbststeuerung der Person und ihre moralische Verantwortung zurückführen, sollen in einer wissenschaftlich exakteren Beschreibungssprache als neuronale Ereignisse interpretiert werden, die zwar *im* Handelnden lokalisierbar sind, ihm aber nicht mehr in der Weise der verantwortlichen Urheberschaft zugeschrieben werden können. Das Verhältnis der Person zu „ihren" Handlungen wird dabei in der Weise gedeutet, dass sie als Instanz sittlicher Verantwortung hinter dem „Ort" verschwindet, an dem die neurophysiologischen Prozesse ablaufen, die der Gehirnforschung empirisch zugänglich sind. Die Rede von der moralischen Verantwortung und vom freien Willen des Menschen soll dadurch als eine Illusion entlarvt werden, die uns unser Gehirn vorspielt. Während wir uns aufgrund dieser undurchschauten Selbsttäuschung einbilden, die Ausführung unserer Handlungen durch einen Willensentschluss selbst ins Werk zu setzen, verhält es sich tatsächlich genau umgekehrt. Sobald sich im Gehirn die notwendigen Erregungsmuster gebildet haben und das Bereitschaftspotential zu solchen Handlungen aufgebaut ist, erfolgt ihre Auslösung durch einen Mechanismus, den wir uns selbst durch die ihn begleitende Willensäußerung nur sekundär zuschreiben.

a. Die Unterscheidung von Ursachen und Gründen

Wie problematisch diese Überlegung aus der Sicht einer systematischen Ethik ist, lässt sich anhand der erstmals von Plato entwickelten Unterscheidung von Ursachen und Gründen verdeutlichen, die für eine philosophische Handlungstheorie unverzichtbar bleibt (vgl. Plato, Phaidon 98 d, 99b; vgl. dazu Schockenhoff 2000). Auf die Frage: „Warum floh Sokrates nicht aus dem Gefängnis?" sind zwei Arten von Antworten denkbar: Der erste Antworttypus (A) lautet: Weil seine Sehnen und Knochen sich nicht bewegten. Er fragt nach den Ursachen, welche die Tatsache, dass Sokrates nicht aus dem Gefängnis floh, wie ein beliebiges anderes Ereignis in der physikalischen Welt erklären können. Der zweite Typus (B) dagegen erforscht die Gründe, die Sokrates bewogen. In dieser Frageperspektive kann die Antwort heißen: weil er seinem Daimonion folgen und den Gesetzen des Staates gehorchen wollte. Gründe „bestimmen" menschliche Handlungen, aber sie „verursachen" sie nicht. Was menschliche Handlungen von physikalischen Ereignissen unterscheidet, ist die Struktur ihrer Intentionalität; Menschen handeln um der Ziele willen, die sie durch ihr Handeln erreichen wollen. Ein erkanntes und bewusst gewähltes Ziel „verursacht" ihr Handeln jedoch nicht, denn es bleibt ihnen die Möglichkeit, auch anders zu handeln.

Es ist von hoher Bedeutung für unser Selbstverständnis als handelnde Subjekte, dass die Unterscheidung von Ursachen und Gründen nicht auf einer Illusion beruht und wir uns in der Annahme nicht täuschen, unser Handeln durch vernünftige Gründe bestimmen zu lassen. Wenn „Gründen" nur insofern Wirksamkeit im Handeln zugestanden wird, als sie mit wissenschaftlich erkennbaren „Ursachen" konvertibel sind, wird das Phänomen des Handelns und somit die Fragestellung der Ethik bereits durch die Wahl einer solchen wissenschaftlichen Beschreibungssprache eliminiert. Wollten wir auf die Frage, warum Sokrates nicht aus dem Gefängnis floh, antworten: weil sich in seinem Gehirn kein Bereitschaftspotential aufgebaut hatte, so wäre dies zweifellos ein erheblicher wissenschaftlicher Erkenntnisfortschritt gegenüber dem trivialen Hinweis auf die Mechanik des menschlichen Bewegungsapparates. Trotz ihres höheren wissenschaftlichen Elaborierungsgrades müsste eine solche Auskunft aber noch immer zu dem Antwort-Typus A gezählt werden, in dessen Geltungsbereich die Frage nach den Gründen, die Sokrates bestimmten, als sinnvolle Frage überhaupt nicht gestellt werden kann.

b. Die ungeklärten Prämissen der naturalistischen Basisontologie

Das Programm eines naturalistischen Reduktionismus verdankt seine Attraktivität in hohem Maß dem Umstand, dass es grundlegenden methodologischen Prinzipien der modernen Naturwissenschaften zu entsprechen scheint. Oftmals suggerieren bereits die wissenschaftliche Fragestellung und eine entsprechend formalisierte Beschreibungssprache, unter der moralische Alltagsphänomene dargestellt werden, die theoretische Überlegenheit der dargebotenen Erklärung. Hinzu kommt die tief sitzende Überzeugung vieler Forscher vom nicht-metaphysischen oder gar ontologiefreien Charakter wissenschaftlicher Erklärungsversuche, während ihnen Grundbegriffe der philosophischen Handlungstheorie wie Intentionalität, Absichtlichkeit und Zurechenbarkeit gerade aufgrund ihrer ontologischen Implikationen obsolet erscheinen.

c. Die Elimination des Subjekts aus der wissenschaftlichen Beschreibungssprache

Die implizite Option vieler neurowissenschaftlicher Erklärungsmodelle für eine ereignisontologische Deutung der kleinsten wissenschaftlich erfassbaren Entitäten sowohl des physikalischen Bereichs wie der mentalen Sphäre bringt für die Ethik eine besondere Schwierigkeit mit sich: Werden die Handlungen von Personen ebenso wie ihre Überzeugungen, Wünsche und Absichten auf die univoke Vorstellung neuronaler Ereignisse reduziert, so löst sich nicht nur der Begriff eines komplexen Handlungsgefüges, sondern auch die ihm zugrunde liegende Vorstellung einer in ihrem Handeln präsenten Person und ihrer Lebensgeschichte auf. Eine „Handlung" wäre demnach in der wissenschaftlich erfassbaren Welt nur als Sequenz kausal verknüpfter neuronaler Ereignisse, aber nicht mehr als ein intentionaler Zusammenhang gegeben. Dass eine wissenschaftliche Theorie zu solchen aus der Sicht der Ethik und unserer lebensweltlich plausiblen Alltagsannahmen kontraintuitiven Konsequenzen führt, qualifiziert sie nicht von vornherein als falsch. Angesichts der weit reichenden Konsequenzen, die sich aus ihren ontologischen Annahmen ergeben, trägt sie jedoch die Beweislast für diese Implikationen.

Aufgrund der methodischen Verschleierung ihrer eigenen ontologischen Voraussetzungen kommen die meisten neurowissenschaftlichen Theorien, die menschliche Handlungen als eine Unterart der Klasse natürlicher Ereignisse verstehen, dieser Argumentationsverpflichtung in keiner Weise nach. Vielmehr bewegt sich die reduktionistische Erklärung menschlicher Handlungen, Überzeugungen und Zielsetzungen immer schon in zirkulären Annahmen. Wenn Handlungen nur als Unterklasse von Ereignissen statt als Alternativbegriff zu ihnen eingeführt werden, dann ist in dieser definitorischen Beschreibung bereits jene unpersönliche Ontologie wirksam, welche durch die wissenschaftliche Analyse des Handlungsphänomens erst begründet werden sollte. Die handlungstheoretische Eliminierung der subjektiven Perspektive des Handelnden ist nur möglich, wenn die Vorentscheidung zugunsten einer verdinglichten Ereignisontologie bereits gefallen ist (vgl. Runggaldier 1996, 30f. und Ricœur 1996, 77ff.).

d. Die innere Widersprüchlichkeit des reduktionistischen Programms

Neben diesen Vorbehalten lässt sich aus prinzipiellen Gründen bezweifeln, ob die reduktionistische Rückführung mentaler Überzeugungen, praktischer Intentionen oder emotionaler Erlebnisgehalte auf physikalische Basisentitäten im Rahmen einer neurophysiologischen Theorie des Gehirns überhaupt leistbar ist. Eine wissenschaftliche Theorie, die mentale Phänomene aus neuronalen Gegebenheiten erklären möchte, ist selbst ein mentales Phänomen, denn der Vorgang des wissenschaftlichen Erklärens spielt sich im Bewusstsein ab. Insofern beruht eine reduktive Theorie des Bewusstseins, die dessen Eigenständigkeit durch die Rückführung auf basale Vorgänge oder Ereignisse auflösen möchte, auf einer *petitio principii,* die das zu Erklärende (das menschliche Bewusstsein) im Vollzug des Erklärens (durch das Aufstellen einer reduktionistischen Theorie) als Bedingung seiner Möglichkeit bereits voraussetzt. Das Bewusstsein ist der Ausgangspunkt, nicht das Ergebnis des Erklärens; es kann daher auch nicht „wegerklärt" oder auf noch ursprünglichere Phänomene zurückgeführt werden. Eine wissenschaftliche Theorie, die einen solchen Versuch unternimmt, zerstört ihre eigenen Voraussetzungen; sie endet in einem Selbstwiderspruch, da sie ihre notwendigen Entstehungsbedingungen nicht mitreflektiert, sondern nachträglich wieder aufhebt.

Die Widersprüchlichkeit einer reduktiven Deutung von Bewusstsein und Freiheit lässt sich auch durch ein aktuelles Gedankenexperiment aufzeigen. Angenommen es käme im gegenwärtigen Streit um die Willensfreiheit zu einem Zusammentreffen der besten Köpfe auf beiden Seiten. In einem Fachgespräch hinter geschlossenen Türen, das eher einer mittelalterlichen Disputation als einer modernen Talkshow vor medialem Publikum ähnelt, werden Argumente ausgetauscht und Standpunkte abgeklärt. Am Ende gelingt es den Neurobiologen und Hirnforschern, nach deren Annahmen die Perspektive der Freiheit nur ein fiktionales „als ob" darstellt, die eingefleischten Vertreter der alteuropäischen Ethiktradition, von ihrem wissenschaftlichen Standpunkt zu überzeugen. Ihre empirischen Forschungsergebnisse waren einfach durchschlagend, ihre Erklärungen besser, ihre Argumente überzeugender, so dass den Freunden Platos und Kants keine andere Wahl blieb, als ihre Überzeugung zu revidieren. Die Hintergründigkeit dieses Gedankenexperiments liegt darin, dass eine derartige Situation, sollte sie jemals eintreten, paradoxerweise nicht die Moralisten der alten Schule, sondern die radikalen Protagonisten der Hirnforschung ins Unrecht setzte. Es wäre ihnen zwar gelungen, ihre wissenschaftlichen Gesprächspartner von der Richtigkeit ihrer neuen Theorie zu überzeugen, aber sie könnten – grausame List der Vernunft – eine solche Bekehrung der Vernunft auf der Basis ihrer hirnphysiologischen Annahmen selbst nicht erklären. Wenn Argumenten, Überlegungen und rationalen Erwägungen keine eigenständige Wirksamkeit in den Orientierungsversuchen des Menschen zukommt, wird auch der Versuch sinnlos, Andersdenkende durch die Beibringung von Gründen überzeugen zu wollen. Die Teilnahme an der Wissenschaftspraxis wird selbst widersprüchlich, wenn unsere mentalen Überzeugungen sich nicht mehr nach der Beweiskraft von Gründen, sondern nach der unterschiedlichen Intensität der beim Denken auftretenden Hirnaktivität richten sollen.

e. Die existentielle Priorität der Erste-Person-Perspektive

Eine weitere Unklarheit betrifft die Gegenüberstellung von Erste-Person-Perspektive und Dritte-Person-Perspektive, die dazu dienen soll, den Konflikt zwischen dem subjektiven Erleben der Freiheit und der Annahme einer durchgängigen kausalen Determiniertheit menschlicher Handlungen zu überbrücken. Diese Unterscheidung soll die Nicht-Eliminierbarkeit der subjektiven Weltperspektive untermauern, in der unsere Selbsterfahrung als handelnde Personen und das Bewusstsein der Freiheit verankert sind. Obwohl auch von naturwissenschaftlicher Seite betont wird, dass es sich dabei um zwei gleichwertige Erkenntnisperspektiven handle, die nicht aufeinander zurückgeführt werden dürfen,[1] sind andere Aussagen geeignet, Zweifel daran zu wecken, ob die subjektive Teilnehmerperspektive am Ende nicht doch den scheinbar objektiven Naturbeschreibungen der Wissenschaft untergeordnet werden soll. Werden nämlich die empirisch beobachtbaren neuronalen Korrelate unserer Bewusstseinserlebnisse unter dem Vorzeichen eines reduktiven Physikalismus interpretiert, ist es um ihre Unableitbarkeit und Eigenständigkeit allen entgegengesetzten Beteuerungen zum Trotz geschehen. Noch immer gibt es unter Naturwissenschaftlern einen naiven metaphysischen Realismus, der den „objektiven" Naturbeschreibungen der Wissenschaft ganz selbstverständlich einen höheren Realitätsgehalt als dem „nur" subjektiven Erleben der Freiheit zuspricht. Nur solange man diese zumeist unreflektierte ontologische Prämisse teilt, ist es

---

[1] Schon Planck bezeichnet die Innen- und Außenperspektive der Welt als zwei notwendige Betrachtungsweisen, die „von vornherein gleichberechtigt nebeneinander stehen" (Leipzig 1936, 23).

möglich, ein Phänomen wie die Willensfreiheit, das eine unleugbare Tatsache unseres Bewusstseins ist, als subjektives Konstrukt zu betrachten, während die Wirksamkeit kausaler Netze problemlos als objektiv und real angesehen wird.[2] Wenn der in der gegenwärtigen Wissenschaftssprache eingebürgerte Begriff der „Konstruktion" im interdisziplinären Dialog zwischen Geistes- und Naturwissenschaften Verwendung finden soll, muss er gleichermaßen auf beide Beschreibungssprachen anwendbar sein. Ein Naturwissenschaftler sollte sich deshalb der Erkenntnis nicht verschließen, dass auch die Aussagen über das subjekte (doch gleichwohl reale) Erleben der Freiheit, die er in seiner empirischen Beschreibungssprache trifft, Konstruktionen sind. Als solche hängen sie von methodischen Basisannahmen ab, deren ontologischer Status nicht im Sinne eines schlichten und naiven Realismus mit dem allein Wirklichen gleichgesetzt werden darf. Tatsächlich gilt der wissenschaftstheoretische Grundsatz, nach dem wir ursprünglich gegebene Phänomene unseres Bewusstseins oder der Natur nur mittels von „Konstruktionen" erfassen, von den „objektiven" Beschreibungen der Naturwissenschaft nicht anders als von philosophischen oder theologischen Reflexionen auf die Erscheinungen des menschlichen Geistes, ohne dass damit eine Vorentscheidung über die ontologische Priorität eines Wirklichkeitsbereichs gegenüber dem anderen verbunden wäre.

Die erkenntnistheoretische Unterscheidung zwischen einer subjektiven Binnenperspektive der ersten Person und einer objektiven Außenperspektive der dritten Person führt zur Einsicht in die Gleichwertigkeit und Eigenständigkeit beider Betrachtungsweisen. Daher entspricht der wissenschaftlichen Erklärung subjektiver Phänomene keine ontologische Reduktion, die deren ursprünglichen Realitätsgehalt auflösen könnte.[3] Wenn vom subjektiven Erleben der Freiheit im Gegensatz zur objektiven Beschrei-

---

[2] Vgl. zu diesem blinden Fleck im Wahrnehmungshorizont vieler Naturwissenschaftler Rosenberger 2006, 57 und Rager 2006, bes. 136f.

[3] Darauf hat innerhalb der analytischen Philosophie des Geistes vor allem J.R. Searle hingewiesen: Auch die psychischen Phänomene sind reale Bestandteile unserer Welt und nicht Täuschungen oder Einbildungen. Sie existieren auf einer ontologisch höheren Ebene als die sie begleitenden neuronalen Prozesse. Beachtet man den notwendigen Unterschied zwischen einer kausalen und einer ontologischen Reduktion, so kann man sogar sagen, dass Bewusstsein durch Hirnaktivität verursacht wird und dennoch als eine höherstufige Systemeigenschaft des Gehirns den neuronalen Prozessen gegenüber ontologisch eigenständig ist, weshalb Bewusstseinszustände auch ihrerseits eine kausale Funktion in der Welt ausüben können (vgl. Searle 2006, 130f., 169 und 221ff.).

bung von Naturprozessen – etwa der gleichzeitig mit unseren Willensre-
gungen ablaufenden neuronalen Aktivität des Gehirns – die Rede ist, darf
das Subjektive deshalb nicht in einem herabsetzenden Sinn von „unsicher",
„fragwürdig" oder „illusionär" im Gegensatz zu der harten, beweisbaren,
unangefochtenen Realität des Empirischen gebracht werden. Das Subjektive und Mentale bezeichnet nicht eine ontologisch abkünftige Modalität des
Realen, die sich wie der Schaum einer Welle als abgeleitetes Epiphänomen
einer anderen Realität (der Materie oder des objektiven Seins der Natur-
dinge) begreifen ließe. Das Subjektive und Mentale bildet vielmehr selbst
den unhintergehbaren Ausgangspunkt auch einer naturwissenschaftlichen
Welterklärung; es kennzeichnet eine eigenständige ontologische Dimension der Welt, denn es ist die transzendentale Voraussetzung des menschlichen Existenzvollzuges schlechthin, die Bedingung der Möglichkeit unseres Daseins als erkennende und eigenverantwortliche Wesen.

Aus einer alle menschlichen Existenzvollzüge umgreifenden Perspektive zeigt sich auch das wissenschaftliche Beobachten, Messen und
Vergleichen als eine Form des menschlichen In-der-Welt-Seins, das den
Subjektstandpunkt des Denkens immer schon voraussetzt. Wissenschaft
und Naturforschung sind in ontologischer Hinsicht überhaupt nur möglich,
weil das menschliche Dasein eine, gegenüber der Seinsart von Steinen,
Gegenständen und technischen Apparaten, ursprünglichere Modalität des
Seins bildet; wäre dies anders, könnten wir uns nicht erkennend auf die äußere Welt beziehen, wie es im naturwissenschaftlichen Experiment oder
dem Versuch der wissenschaftlichen Erklärung von Naturvorgängen geschieht. Die naturwissenschaftliche Betrachtungsweise der Welt gründet
daher ontologisch in dem durch Subjekthaftigkeit, Verantwortung und
Freiheit gekennzeichneten menschlichen Dasein und nicht umgekehrt.
Weil Erkennen und Freiheit, Denken und Handeln Bedingungen des einen
menschlichen Existenzvollzuges in der Welt sind, würde ein Naturwissenschaftler, der die eigenständige Wirklichkeit des Geistigen bestreiten wollte, den Ast absägen, auf dem er selber sitzt (vgl. dazu Welte 1989, 20ff.,
40).

Die Unhintergehbarkeit des erkennenden Selbst als der Ursprungsin-
stanz unserer Freiheit lässt sich auch durch folgende Überlegung aufzeigen: Wenn etwas als Illusion durchschaut oder als Fata Morgana entlarvt
werden soll, handelt es sich um einen Vorgang mit zwei Referenzen: zum
einen uns selbst, die wir ein bestimmtes Phänomen als Fata Morgana erkennen und die äußere Welt, als deren Bestandteil wir dieses Phänomen
wahrnehmen. Dabei kann jedoch nur eine der beiden Referenzen als Fata

Morgana durchschaut werden; die entlarvende Instanz selbst kann nicht illusionär sein. Daraus folgt: „Was also als Illusion bezeichnet wird, ist eine falsche Vorstellung vom Selbst, nicht das Selbst als solches." (Rager 2000, 43)

Daraus ergibt sich eine weitere, für das Verständnis der Freiheit höchst bedeutsame Konsequenz: Weil das wissenschaftliche Erkennen und Beschreiben seiner Möglichkeit nach ontologisch im menschlichen Dasein gründet (es ist eine ausgezeichnete Form des menschlichen Sich-Verhaltens gegenüber der Welt) und diese Relation unumkehrbar ist, kann der Mensch das eigene Subjektsein in objektivierender Betrachtung nicht vollständig einholen. Er kann sich von sich selbst nicht restlos distanzieren, so wie er sich den Dingen der äußeren Welt gegenüber unbeteiligt geben kann. Die Realität der Freiheit kann daher durch verobjektivierende Beschreibungen psychischer Prozesse weder erwiesen noch bestritten werden; es bleibt immer ein Rest unmittelbarer Selbstgegebenheit, der das subjektive Erleben der Freiheit dem vollständigen Begreifen-Können von außen entzieht. Da der ursprüngliche Freiheitsvollzug auch seiner thematischen Bewusstwerdung durch die eigene Selbstreflexion noch vorausliegt, bleibt der letzte Ursprung der Freiheit auch für den einzelnen Menschen selbst geheimnisvoll und dunkel. Er kann sich selbst und das eigene Subjektsein nicht so begreifen, wie er Naturvorgänge begreifen kann.

Was für die Freiheit als ausgezeichnete Weise des menschlichen In-der-Welt-Seins gilt, lässt sich ebenso vom Subjektsein und jeder Bewusstseinstätigkeit des Menschen überhaupt sagen. Das Ich als denkendes, fühlendes und sich verhaltendes Selbst kann als der Ursprung seines Verhaltens (zu den Dingen oder zu sich selbst) nicht restlos vergegenständlicht und auf den bloßen Status eines gedachten Objektes reduziert werden. Daher stellt der Freiburger Religionsphilosoph *Bernhard Welte* fest: „Der innerste Punkt, als welcher der Mensch er selbst ist, kann nie Objekt werden." (Welte 1989, 74)

2. Freiheit als praktische Aufgabe des Menschen: die philosophische Perspektive

Die Frage nach der Freiheit des Menschen benennt nicht eine unter vielen anderen philosophischen Problemstellungen, sondern die ethische Grundfrage, mit der alles Nachdenken über das moralische Handeln des Menschen seinen Anfang nimmt. Ob der Mensch frei ist oder nicht, das entscheidet sich nicht zuerst in der theoretischen Philosophie oder im Bereich empirischer Einzelwissenschaften, um dann im Bereich des Handelns wie eine technische Erfindung „umgesetzt" oder „angewandt" zu werden. Die Antwort auf die Grundfrage der Ethik, ob und inwiefern der Mensch frei ist, wird vielmehr auf dem Feld des menschlichen Handelns selbst gegeben. Weil der Mensch nicht einfach vorhanden ist wie ein Ding, ist auch seine Freiheit nicht einfach als empirisches Faktum konstatierbar. Die Rede von der Freiheit bedeutet demnach zuallererst: Der Mensch *soll* frei sein. Freiheit und Selbstbestimmung sind nicht natürliche Gegebenheiten seines Daseins, sondern ein Ziel und ein Auftrag, unter dem sein Leben steht. Freiheit ist deshalb kein *empirischer* und *deskriptiver*, sondern ein eminent *praktischer* Begriff. Streng genommen dürfen wir das Wort „frei" gar nicht in der Weise des „ist"-Sagens als Prädikat verwenden. Als Naturwesen ist der Mensch ja gerade *nicht* frei, sondern auf vielfältige Weise determiniert.

Dass Freiheit dem Menschen nicht als Naturanlage, sondern als sittliche Aufgabe gegeben ist, hat *Immanuel Kant* (1724-1804) in seiner Auflösung der Antinomie von Freiheit und Notwendigkeit in paradigmatischer Weise herausgestellt. Die Einsicht, durch die Kant den gordischen Knoten des Freiheitsproblems zerschlägt, ist im Grunde sehr einfach: Freiheit meint nicht eine Leerstelle des allgemeinen Kausalzusammenhangs in der empirischen Welt, gewissermaßen ein offen gelassenes „Loch" der Natur, sondern eine neue Form von Kausalität, durch die sich der Mensch als Vernunftwesen ansieht und durch das Vernunftgesetz bestimmen lässt.

Der theoretische Streit zwischen Behauptung und Leugnung der Freiheit lässt sich nur dadurch lösen, dass der Mensch sein Leben unter verschiedenem Blickwinkel betrachtet. Als Naturwesen, so weit er zur Welt der Erscheinungen gehört, weiß der Mensch sich unfrei; auf dieser Ebene wird er seiner selbst gleichsam von außen gewahr, als Teil der Natur, so als wäre er nichts anderes als ein Gegenstand unter anderen Gegenständen. Daneben gibt es aber eine zweite Ebene: Der Mensch kann sich auch von innen heraus, aufgrund seiner eigenen Selbsterfahrung betrachten. Unter diesem Gesichtspunkt entdeckt er in sich die Möglichkeit ja oder nein zu sagen zu dem, was auf ihn zukommt. Er erfährt sich als Urheber seines Handelns, er versteht sich in seiner eigenen Selbsterfahrung so, dass *er* es war, der dies getan hat, dass *er* Schuld und Reue empfindet, und dass er auch anderen vorwirft, was *sie* getan haben. In der Sprache Kants heißt dies: Der Mensch sieht sich nicht nur als *homo phainomenon*, als Naturwesen, an; als *homo noumenon*, als sittliches Wesen, versteht er sich darüber hinaus als Glied der übersinnlichen Welt, die eine Welt der Freiheit und

Unbedingtheit ist: Der Mensch denkt sich als frei und *eo ipso* ist er frei. Das ist eine souveräne Antwort auf Hume's deterministische Theorie der Willensfreiheit, die einerseits der empirischen Betrachtungsweise auf der Ebene der Natur ihr Recht belässt und andererseits den Standpunkt der Freiheit durch den Wechsel auf eine andere Betrachtungsebene aus eigenem Recht kraftvoll zur Geltung bringt. Doch der Preis, den Kant dafür bezahlen muss, dass er den Determinismus durch den triumphalen Selbsterweis der Freiheit in die Schranken weisen kann, ist hoch. Er besteht in einem Dualismus zwischen *homo noumenon* und *homo phainomenon*, einem Hiatus, der sich insofern im Menschen auftut, als dieser sich als Bürger zweier Welten denken muss, ohne dass er in seiner Selbsterfahrung eine Brücke findet, die von der einen zur anderen hinüberführt. (vgl. Ritzenhoff 2000, 138) Aus der Sicht einer theologischen Ethik, die sich ihrer eigenen, durch die philosophische Anthropologie des 20. Jahrhunderts bestätigten Tradition eines ganzheitlichen Denkens verpflichtet fühlt, führt dies zu einer kritischen Anfrage an Kant: Ist der Aufweis der Freiheit durch den Dualismus nicht zu teuer erkauft?

Diese kritische Gegenfrage an das kantische Freiheitsdenken zielt darauf, ob ein weniger emphatischer Freiheitsbegriff, der sich mit den Problemstellungen empirischer Einzelwissenschaften leichter vermitteln lässt, nicht auch für die eigenen Zwecke der Ethik ausreichen könnte. Werden nämlich Freiheit und Vernunft im Sinne ihrer aristotelisch-thomanischen Auffassung nicht als Gegeninstanzen zur Natur, sondern als spezifische Momente – des rationalen Erwägens, des Mit-sich-selbst-Zuratgehens, des Abwägens und Überlegens – *im* naturhaften Streben des Menschen verstanden, wäre nicht nur der missliche Dualismus hinsichtlich der handlungstheoretischen Grundlagen der Ethik vermieden, sondern auch eine bessere Anschlussfähigkeit des ethischen Freiheitsdiskurses an die Fragestellungen gegenwärtiger Hirnforschung gewährleistet.

Die Fähigkeit des Menschen, in der Verfolgung der eigenen Strebensziele Selbstdistanz einzunehmen und eine rationale und emotionale Bewertung möglicher Handlungsfolgen vorzunehmen, wird von der gegenwärtigen Hirnforschung durch ihre Einsicht in die Funktion der so genannten Rückkoppelungsschleifen auf eindrucksvolle Weise bestätigt. Die vorauslaufende Kontrolle von Handlungsplänen anhand von Bildern, die im episodischen Gedächtnis gespeichert sind, das Monitoring zukunftsgerichteter Eigenaktivitäten, die Fähigkeit des Menschen, zwischen dem Auftreten eines Bedürfnisses und seiner Befriedigung, eine durch Überlegung und Erwägung angeratene Pause einzulegen – all diese Facetten des menschlichen Freiheitsvollzugs finden in den Ergebnissen gegenwärtiger Hirnforschung eine überraschende Bestätigung (vgl. Pöppel 1997, 43-49 und Spitzer 2004). Der bessere Einblick in neurowissenschaftliche Zusammenhänge, den uns die Hirnforschung ermöglicht, muss daher keineswegs zwangsläufig in dem Versuch enden, die Willensfreiheit als Illusion oder bloßes kulturelles Konstrukt zu entlarven. Wenn sich Hirnforschung und Ethik jeweils mit bescheideneren Ansprüchen begegnen, könnte der interdisziplinäre Dialog über die Willensfreiheit von der konfrontativen in eine konstruktive Phase übergehen.

LITERATUR

Planck, M. (1936): *Vom Wesen der Willensfreiheit*, Leipzig.
Pöppel, E. (1997): *Grenzen des Bewusstseins. Wie kommen wir zur Zeit, und wie entsteht die Wirklichkeit*, Frankfurt a. M.
Rager, G. (2000): Hirnforschung und die Frage nach dem Ich, in: ders., *Ich und mein Gehirn. Persönliches Erleben, verantwortliches Handeln und objektive Wissenschaft*, Freiburg – München, 13-51.
Rager, G. (2006): Neuronale Korrelate von Bewusstsein und Selbst, in: ders., *Die Person. Wege zu ihrem Verständnis*, Freiburg i. Ue., 125-163.
Ricœur, P. (1996): *Das Selbst als ein anderer*, München.
Ritzenhoff, S. (2000): *Die Freiheit des Willens. Argumente wider die Einspruchsmöglichkeit des Determinismus*, München.
Rosenberger, M. (2006): *Determinismus und Freiheit. Das Subjekt als Teilnehmer*, Darmstadt.
Roth, G. (2003): *Aus Sicht des Gehirns*, Frankfurt a. M.
Runggaldier, E: (1996): *Was sind Handlungen? Eine philosophische Auseinandersetzung mit dem Naturalismus*, Stuttgart.
Schockenhoff, E. (2000): Wer oder was handelt? Überlegungen zum Dialog zwischen Neurobiologie und Ethik, in: Rager, G. (Hg.) *Ich und mein Gehirn. Persönliches Erleben, verantwortliches Handeln und objektive Wissenschaft*, Freiburg – München, 239-287.
Searle, J.R. (2006): *Geist. Eine Einführung*, Frankfurt a. M.
Spitzer, M. (2004): *Selbstbestimmen, Gehirnforschung und die Frage: Was sollen wir tun?* Heidelberg – Berlin.
Welte, B. (1989): *Determination und Freiheit*, Frankfurt a. M.

Kann Willensschwäche rational sein?

SABINE A. DÖRING

Einleitung

Nachdem Mark Twains Protagonist Huckleberry Finn seinem Freund Jim zur Flucht aus der Sklaverei verholfen hat, überkommen ihn Gewissensbisse, und er entschließt sich, Jim den Sklavenjägern auszuliefern. Doch als sich ihm die Gelegenheit dazu bietet, sieht er sich genau das Gegenteil tun: statt Jim zu verraten, lügt Huck, um seinen Freund zu beschützen. Es ist Hucks Mitgefühl für seinen Freund, das ihn dazu bewegt, seinem Urteil zuwiderzuhandeln. Dieses und weitere Beispiele werden in der gegenwärtigen Diskussion in Anschlag gebracht, um die verblüffende These zu verteidigen, dass Willensschwäche rational sein kann (vgl. McIntyre 1990; Arpaly 2000; 2003; Tappolet 2003; Jones 2003). Immerhin vermittelt uns der Erzähler, dass sein Protagonist das Richtige tut und dass ihm sogar moralisches Lob gebührt, auch wenn Huck selbst seinem Gefühl nicht vertraut, sondern sich für seine Schwäche geißelt.[1]

Genauer soll Willensschwäche dann manchmal – nicht immer – rational sein, wenn sie durch Gefühle verursacht wird. Zur Verteidigung dieser These berufen sich ihre Vertreter auch auf jüngste Ergebnisse der empirischen Forschung. Von der Neurowissenschaft über die Psychologie bis hin zu den Wirtschafts- und Sozialwissenschaften werden zunehmend Stimmen laut, die behaupten, dass es im Falle eines Konflikts zwischen wohlüberlegtem Urteil und Gefühl nicht zwangsläufig das Gefühl sein müsse, das fehlgeht. Ebenso gut könne das Urteil falsch liegen. Genau das illustrierten Beispiele wie das von Huckleberry Finn.

Ich werde im Folgenden der These widersprechen, dass gefühlsbedingte Willensschwäche rational sein kann. Um des Argumentes willen werde ich voraussetzen, dass Huck, indem er seinen Freund vor den Sklavenjägern beschützt hat, objektiv betrachtet richtig gehandelt hat (obwohl er etwa gelogen hat). Mein Einwand lautet also, dass selbst dann,

---

[1] So lautet zumindest eine mögliche Lesart des Romans. Ob sie tatsächlich Twains Intention entspricht, lasse ich hier offen; darauf kommt es nicht an.

wenn es einen objektiven Grund gibt, Jim nicht auszuliefern, Huck nicht rational gehandelt hat. Jedoch verbirgt sich hinter dieser These eine wichtige Einsicht. Diese besteht darin, dass wir als rationale Akteure Konflikte zwischen Gefühl und Urteil manchmal in Kauf nehmen müssen. Solche Konflikte sind, obwohl keine Kontradiktionen, rationale Konflikte, die produktiv sein können. Im Zuge produktiver Konflikte, so meine These, können unsere Gefühle unsere Urteile eines Besseren belehren, weil Gefühle uns Informationen über die Welt vermitteln können und diese Funktion manchmal besser erfüllen als unsere Urteile. Das ist der Fall, wenn das Gefühl epistemisch angemessen und das Urteil epistemisch unangemessen bzw. falsch ist. Wer Willensschwäche für rational erklärt, vermengt epistemische Angemessenheit mit praktischer Rationalität als der Kontrolle durch Gründe, die der rationale Akteur über seine Gefühle und die durch sie bedingten Handlungen ausübt. Zugleich verstellt er den Blick darauf, dass rationales Akteursein sich in Kontrolle nicht erschöpft. Ein rationaler Akteur muss zunächst erkennen, was er Grund hat zu tun, und dabei erweisen ihm seine Gefühle manchmal – nicht immer – einen besseren Dienst als seine Urteile.[2]

Die *Guidance Condition*

Nach einer gängigen Definition handelt jemand willensschwach dann, wenn er urteilt, dass es für ihn hier und jetzt besser wäre, eine alternative Handlung y statt einer Handlung x auszuführen, und er dennoch absichtlich x ausführt, obwohl er sich imstande sieht, y auszuführen (vgl. Davidson 1970, 22; vgl. kritisch weiterführend Tappolet 2003). Die handelnde Person scheint zu „schwach", um ihrem „besseren Urteil" als dem, was sie „eigentlich will", faktische Handlungswirksamkeit verschaffen zu können. Damit scheitert die Person daran, ihr Handeln zu beherrschen, und eben das werfen wir ihr vor. Die willensschwache Handlung ist irrational, insofern sie nicht der Kontrolle der handelnden Person untersteht. Dies deutet schon das griechische Wort an, das Aristoteles für das in Frage stehende Phänomen prägt, nämlich das Wort „akrasia", das auch als „Unbeherrschtheit" übersetzt wird.

---

[2] Ich habe mich mit den Gefühlen und ihrer kognitiven Rolle bereits in anderen Publikationen beschäftigt: vgl. vor allem Döring 2003; 2007; 2008 und Döring/Peacock 2002. Der in diesen Schriften entwickelte rationalitätstheoretische und metaethische Ansatz bildet den Hintergrund meines Arguments in diesem Beitrag, vgl. vor allem Döring 2003; 2007; 2008 und Döring/Peacocke 2002.

Gegründet ist der Vorwurf der Unbeherrschtheit oder mangelnden Kontrolliertheit auf das normative Bild, das wir von uns selbst als rationalen Akteuren haben. Wir sehen uns nämlich nicht als bloßen Spielball von Ursachen, sondern halten uns für fähig, unsere Handlungen durch Gründe selbst zu bestimmen. Exemplarisch sei hier R. Jay Wallace zitiert, der die folgende Bedingung für rationales Akteursein als die *guidance condition* einführt:

> It is important to our conception of persons as rational agents ... that [their] motivations and actions ... are guided by and responsive to their deliberative reflection about what they have reason to do. Unless this guidance condition (as we may call it) can be satisfied, we will not be able to make sense of the idea that persons are genuine agents, capable of determining what they shall do through the process of deliberation. (Wallace 1999, 219)

Damit die *guidance condition* erfüllt wird, muss es uns möglich sein, aus Gründen zu handeln (und nicht bloß „in Übereinstimmung" mit diesen, wie sich mit Kant sagen lässt). Handeln aus Gründen wiederum erfordert die Fähigkeit zur Reflektion. Die handelnde Person muss den Grund *als Grund* anerkennen. Das heißt, dass sie einen Begriff von sich selbst haben muss sowie den Begriff eines Grundes als etwas, das eine Handlung rechtfertigt (und nicht bloß verursacht). Die komparative Natur praktischer Rechtfertigung verpflichtet sie darauf, bessere Gründe schlechteren vorzuziehen.

Die *guidance condition* impliziert eine Unterscheidung zwischen objektiven und subjektiven Handlungsgründen als dem, was tatsächlich ein Handlungsgrund ist, und dem, was die handelnde Person gerechtfertigterweise dafür hält (vgl. Kolodny 2005). Wir sind bestrebt, das zu tun, wofür tatsächlich ein Grund besteht, und im Idealfall ist unser subjektiver Handlungsgrund zugleich ein objektiver. Aber der einzige Zugang zu objektiven Handlungsgründen verläuft über die subjektive Einschätzung, und es kann sehr wohl vorkommen, dass ein Akteur etwas als einen Handlungsgrund ansieht und hierin sogar gerechtfertigt ist, ohne dass sein subjektiver Handlungsgrund zugleich ein objektiver ist (subjektive Handlungsgründe können, aber müssen nicht zugleich objektiv sein). Aufgrund der *guidance condition* muss eine Theorie praktischer Rationalität auf der Basis der subjektiven Handlungsgründe des Akteurs formuliert werden: ein Akteur ist rational in dem Maße, in dem er durch seine subjektiven Gründe geleitet wird.

Ebendies veranschaulicht das Beispiel von Huckleberry Finn: Für jedermann einsichtig liefern ihm die moralischen Standards der Sklavenhaltergesellschaft am Mississippi, durch die Twains Protagonist geprägt ist, einen normativen Handlungsgrund, und dieser besteht aus Hucks subjektiver oder Erste-Person-Perspektive ungeachtet dessen, was objektiv richtig ist. Hucks Irrationalität im Sinne der Unbeherrschtheit seines Handelns wird davon nicht berührt, dass nicht sein Urteil, sondern sein Gefühl der Situation angemessen ist, so dass er aus der Dritte-Person-Perspektive eines objektiven Beobachters das Richtige tut. Sogar wenn Huck selbst nachträglich einsehen sollte, dass es richtig war, Jim nicht zu verraten, machte dies sein Verhalten nicht zu einer beherrschten Handlung. Denn in der Situation handelt er nicht aus dem Grund, dass er seinem Mitgefühl vertraut, sondern er wird von diesem gleichsam blind angetrieben. In der Situation erkennt er sein Mitgefühl nicht als Grund an, oder betrachtet es jedenfalls als einen vergleichsweise schlechten Grund.

Um gefühlsbedingte Willensschwäche als rational zu erweisen, reicht es demnach nicht aus festzustellen, dass unsere Gefühle uns manchmal bessere Gründe geben als unsere Urteile. Die handelnde Person muss sich dessen bewusst sein und ihr Gefühl als Grund anerkennen. Wer dies bezweifelt, ignoriert entweder unser Selbstbild als rationale Akteure, die aus Gründen handeln, oder er stellt dieses Bild gezielt in Frage. Um eine Unterscheidung aufzugreifen, die die kanadische Philosophin Karen Jones (2003) eingeführt hat, betrachtet der Skeptiker uns als bloße *reason-trackers* im Unterschied zu den *reason-responders*, als die wir uns selbst sehen. Ein *reason-tracker* ist ein Wesen, das passiv Inputs („Stimuli") aus seiner Umgebung aufnimmt und verarbeitet, so wie ein Thermostat auf Temperaturveränderungen reagiert. Dagegen setzt sich ein *reason-responder* zu den Informationen, die er über seine Umwelt erlangt, aktiv ins Verhältnis und behandelt sie als Gründe für seine Überzeugungen und Handlungen.

Weil wir in unserem Selbstverständnis nicht Thermostaten gleichen, nicht bloß *reason-trackers* sind, sondern beanspruchen, *reason-responders* zu sein, lässt sich die Möglichkeit der Rationalität gefühlsbedingter Willensschwäche auch nicht einfach durch den empirischen Nachweis begründen, dass unsere Gefühle ein kognitives Subsystem bilden, das beim Registrieren und Verarbeiten von Reizen in manchen Fällen besser funktioniert als unser Urteilssystem. Auch die elaborierteste neurowissenschaftliche, psychologische oder sonstige naturwissenschaftliche Theorie trägt hier nichts aus. Freilich könnte man argumentieren, dass unsere normative Selbstkonzeption sich empirisch nicht begründen lässt und daher nicht den Tatsachen entspricht. Doch das hieße, sich eine schwere Beweislast aufzubürden. Es wäre nämlich zu zeigen, dass wir in weiten und wichtigen Teilen unserer Praxis – z. B. in unserem gesamten Rechtssystem – einem Irrtum aufsitzen, und zu erklären, warum wir dies tun. Darüber hinaus muss, wer unser Selbstbild als rationale Akteure leugnet, sich darüber im Klaren sein, dass, wenn er behauptet, Willensschwäche könne rational sein, er nicht über Willensschwäche spricht, wie sie normalerweise verstanden wird. Vor allem schließlich ist es keineswegs unplausibel anzunehmen, dass die beschriebene normative Selbstkonzeption Wesen unserer Verfasstheit in ihrer Umwelt einen Vorteil beim Erreichen ihrer praktischen Ziele verschafft (worin auch immer diese Ziele bestehen mögen). Es könnte sich empirisch zeigen lassen, dass wir bessere *reason-tracker* sind, weil wir *reason-responder* sind. Unsere Fähigkeit, (objektive) Handlungsgründe „aufzuspüren", könnte sich dadurch verbessern, dass wir danach streben, aus Gründen zu handeln, indem dieses Streben uns dazu bewegt, die erforderlichen Fähigkeiten zu kultivieren und zu trainieren.

Jones' Ansatz

Die eben schon erwähnte Karen Jones (2003) stützt sich genau auf dieses instrumentelle Argument, um unser normatives Selbstbild aufrechtzuerhalten und gleichwohl eine mit den Einsichten der Naturwissenschaften kompatible Analyse von Willensschwäche vorzuschlagen. Zwar soll die Norm der praktischen Rationalität, die Willensschwäche in jedem Fall verbietet, verabschiedet werden. Aber zugleich soll unserer normativen Selbstkonzeption Rechnung getragen werden. Dazu müsste es allerdings gelingen, in Fällen angeblich rationaler Willensschwäche die Dritte-Person-Perspektive des objektiven Beobachters mit der Erste-Person-Perspektive des Akteurs zu versöhnen: Kann eine Handlung, für die es einen objektiven Grund gibt, aus diesem Grund getan werden, auch wenn die Handlung dem zuwiderläuft, was die handelnde Person subjektiv für richtig hält? Wir haben gesehen, dass es dafür nicht genügt, dass ein objektiver Beobachter wahrheitsgemäß urteilt, dass die handelnde Person entgegen ihrer eigenen Einschätzung das Richtige getan hat. Dem stimmt Jones zu. Jedoch greift es in ihren Augen ebenfalls zu kurz, ausschließlich das Urteil des Akteurs zum Zeitpunkt der Handlung als Grund gelten zu lassen. Handeln aus Gründen, wie Jones es versteht, umfasst das langfristige Kultivieren und die Übung aller

Fähigkeiten, die einen rationalen Akteur ausmachen, und dazu gehört nach Jones auch etwa die Fähigkeit, Mitgefühl für andere zu empfinden. Insbesondere soll unser Urteilssystem nur ein Gründe gebendes System neben anderen solcher Systeme bilden. Das heißt, dass unser Urteilssystem im Geben von Gründen keine privilegierte Stellung einnimmt, sondern sich diese Rolle mit anderen Subsystemen wie neben den Gefühlen auch z. B. den sinnlichen Wahrnehmungen teilen muss. Daher hält Jones es nicht für erforderlich, dass ein Gefühl wie jenes, das Huckleberry Finn für seinen Freund Jim empfindet, durch ein Urteil allererst sanktioniert werden muss, um einen Handlungsgrund bereitstellen zu können. Dieser Forderung hält Jones entgegen, dass es für Handeln aus Gründen ausreicht, wenn die handelnde Person ein beliebiges Subsystem als ein im Normalfall Gründe gebendes System anerkennt. Die Kontrolle, die der rationale Akteur über seine Handlungen ausübt, besteht dann darin, dass er die verschiedenen Gründe gebenden Subsysteme überwacht, um sie gegebenenfalls, nämlich wenn sie nicht richtig arbeiten, zu kalibrieren (nachzujustieren).

Es ergibt sich damit ein drittes Bild des rationalen Akteurs, das weder dem traditionellen, von Jones als „intellektualistisch" gegeißelten Bild entspricht noch umstandslos der Beschreibung des objektiven Beobachters Recht gibt. Im Rahmen dieses Bildes wird Hucks Willensschwäche deshalb als rational angesehen, weil sein Mitgefühl ihm einen Handlungsgrund und sogar seinen besten Handlungsgrund gibt. Nach Jones ist dies möglich, weil Huck Mitgefühl als Gründe gebend anerkennt. Nur funktionieren zum Zeitpunkt der Handlung seine bewussten Reflektions- und Selbstüberwachungsfähigkeiten leider nicht akkurat, so dass Huck sich darüber täuscht, welches Subsystem ihm den besseren Handlungsgrund gibt. Irrigerweise vertraut er seinem Urteil statt seinem Gefühl. Mit anderen Worten handelt Huck aus seinem besten Grund und täuscht sich bloß über seine wahren Handlungsgründe. Dieser kognitive Fehler soll aber der Rationalität seines Handelns im Sinne der Kontrolliertheit durch Gründe keinen Abbruch tun. Denn schließlich ist es ja der beste Grund, der seine Handlung bestimmt.

Wird so der *guidance condition* für rationales Akteursein tatsächlich Genüge getan? Das Hauptproblem von Jones' Lösungsvorschlags scheint mir darin zu bestehen, dass völlig im Dunklen bleibt, wie ein Akteur im Falle des Konflikts zweier Subsysteme, die er beide als Gründe gebend anerkennt, entscheiden kann, welchem Subsystem der Vorzug zu geben ist. Wenn Huck sich in dem Beispiel irrt: wie hätte er den Irrtum vermeiden können? Offensichtlich ist es nicht damit getan, dass er anerkennt, dass er sich im Allgemeinen auf seine Gefühle verlassen kann. Selbst wenn die Gefühl im Allgemeinen verlässlich sein sollten, bedeutet das nicht, dass sie dies in jedem besonderen Fall sind. Was Huck wissen will, ist aber gerade, ob er hier und jetzt seinem Gefühl oder besser doch seinem Urteil folgen soll.

Dieses Problem ist tieferen Ursprungs. Es rührt letztlich daher, dass Jones eine Explikation des Begriffs des Grundes schuldig bleibt (in welchem Sinne lässt sich etwa sagen, dass ein Thermostat nach „Gründen" spürt?). Der Intellektualist kann diesbezüglich sagen, dass jemand genau dann einen Grund für eine Handlung hat, wenn er urteilt, dass die Handlung hier und jetzt die beste Wahl ist. In der traditionellen Sichtweise geben uns normative Urteile wie „Es ist für mich hier und jetzt besser, y statt x zu tun" bzw. „y ist für mich hier und jetzt richtig" notwendigerweise Handlungsgründe. Normative Urteile haben danach einen Inhalt, der eine bestimmte Handlung fordert, indem er sie als richtig beschreibt. Durch das Fällen des Urteils wird dieser Inhalt vom Subjekt als wahr und damit die Forderung als berechtigt anerkannt. Anders als Jones stimme ich dieser Auffassung zu. Wie sollen dagegen die übergeordneten Reflektions- und Selbstüberwachungsfähigkeiten Gründe geben, die Jones an die Stelle des Willens setzt? Wenn sie nicht wiederum aus Urteilen bestehen: von welcher Form sind sie dann? Was soll es heißen, dass nicht-urteilsförmige mentale Zustände und speziell Gefühle Gründe geben? Können Gefühle überhaupt Gründe geben?

Praktische Rationalität versus epistemische Angemessenheit

Wenn Jones voraussetzt, dass Gefühle Gründe geben, kann sie sich schwerlich auf eine reine Empfindungstheorie des Gefühls berufen. Wären Gefühle reine Empfindungsqualitäten – also allein dadurch definiert, wie es ist, sie zu erleben –, könnte Hucks Mitgefühl seine willensschwache Handlung zwar verursachen, sie aber nicht rational machen. Zu sagen, dass Huck Jim vor den Sklavenjägern beschützt hat, „weil" er Mitgefühl für ihn empfand, ist zweideutig. Das „weil" kann hier nämlich entweder eine rein kausale oder eine rationalisierende Erklärung der Handlung meinen. Die zweite Möglichkeit hängt davon ab, dass das Mitgefühl auf Jim als seinem „intentionalen Objekt" gerichtet ist und ihn in der Situation als in bestimmter Weise seiend repräsentiert. Um es rational zu machen, Jim zu beschützen, muss Hucks Mitgefühl irgendwie die Information beinhalten, dass Jim seines Schutzes bedarf, dass es grausam wäre, ihn den

Sklavenjägern auszuliefern. Andernfalls wäre das Mitgefühl nicht mehr als ein „blinder Antreiber", und es wäre für Huck ebenso rational, würde er dieses Gefühl durch ein Medikament oder eine Droge betäuben, statt es in seinem Denken und Handeln zu berücksichtigen.

Wie oben schon deutlich wurde, sind typische Kandidaten für mentale Zustände, die Gründe geben, Urteile. Indem Huck urteilt, dass es richtig ist, Jim auszuliefern, hat er zumindest aus seiner subjektiven Perspektive einen Grund für die entsprechende Handlung. Wie kann ihm sein Gefühl einen besseren Grund geben? In Jones'scher Lesart darf es dazu ja nicht selbst wieder ein Urteil sein, sondern soll als nicht-urteilsförmiger Grund dem Urteil überlegen sein. Wenn dazu aber ein Gefühl auch keine reine Empfindung sein darf: was ist es dann?

Die überzeugendste und auch im Hinblick auf das Argument Jones' aussichtsreichste Antwort auf diese Frage lautet, dass Gefühle sich in Analogie zu sinnlichen Wahrnehmungen verstehen lassen (vgl. Döring 2007; 2008). In Begründungsrelationen – und darauf kommt es hier an – spielen sie eine der sinnlichen Wahrnehmung analoge Rolle. Das setzt voraus, dass Gefühle einen intentionalen und genauer einen repräsentationalen Inhalt haben (vgl. Peacocke 1992; Döring & Peacocke 2002). Indem sie die Welt als in bestimmter Weise seiend repräsentieren, unterliegen sie einer Korrektheitsbedingung, die sie manchmal auch erfüllen. So repräsentiert z. B. Furcht ihren Gegenstand (ihr intentionales Objekt) als gefährlich, und die Repräsentation ist dann korrekt, wenn die Gefahr tatsächlich besteht. Eine emotionale Repräsentation entspricht dabei grundsätzlich einer Bewertung ihres Gegenstandes (z. B. als gefährlich). Ein Hauptargument gegen die These, dass Gefühle damit schlicht Wert*urteile* sind oder jedenfalls beinhalten, beruft sich auf ein Charakteristikum, das Gefühle mit sinnlichen Wahrnehmungen teilen (vgl. Döring 2003; 2007; 2008; de Sousa 1987; Roberts 1988; 2003; Goldie 2000; 2006; Tappolet 2000; 2003; Helm 2001; 2006; Prinz 2004). Wie sinnliche Wahrnehmungen müssen Gefühle im Lichte besserer Urteile nicht notwendigerweise verschwinden. Das klassische Beispiel hierfür stellt David Hume im *Treatise* bereit: Angesichts eines tiefen Abgrunds kann die Furcht vor dem Fallen auch dann bestehen bleiben und die Situation als gefährlich repräsentieren, wenn man urteilt und sogar weiß, dass man in Sicherheit ist. Konflikte zwischen Gefühl und Urteil wie dieser sind unmittelbar einsichtig und treten nur allzu oft auf. Beschrieben wird hier nicht etwa ein pathologischer Fall von Höhenangst, sondern eine ganz normale Reaktion ganz normaler Menschen. In Konflikten dieser Art spielt das Gefühl eine psychologische und logische Rolle, die der der Wahrnehmung im Fall von Sinnestäuschungen gleicht. Wie in Humes Beispiel die Furcht vor dem Fallen, so bleibt z. B. in der berühmten Müller-Lyer-Täuschung die Wahrnehmung der beiden Linien als verschieden lang auch dann bestehen, wenn man weiß, dass sie in Wahrheit gleich lang sind.

Zu Konflikten der beschriebenen Art kommt es nicht etwa nur im Fall von basalen Gefühlen wie Furcht, sondern auch im Fall von kognitiv hochentwickelten Gefühlen wie beispielsweise Empörung, Reue, Scham oder Mitgefühl. Dies betont nicht erst Jones, sondern schon Adam Smith stellt in seiner *Theory of Moral Sentiments* fest, dass Mitgefühl sich gegenüber dem, was man für richtig hält, als äußerst hartnäckig erweisen kann.

Entscheidend für die Wahrnehmungsanalogie ist dabei weniger das psychologische Phänomen. Vielmehr geht es um die logische Möglichkeit eines „Konfliktes ohne Kontradiktion", wie ich den beschriebenen Konflikt andernorts benannt habe (Döring 2007). Konflikte zwischen Gefühl oder Wahrnehmung auf der einen und besserem Urteil auf der anderen Seite sind rationale Konflikte und doch unterscheiden sie sich von Konflikten zwischen Urteilen dadurch, dass sie keine Kontradiktionen sind. Selbst wenn dies psychologisch möglich sein sollte, wäre es klarerweise eine Kontradiktion, wollte jemand urteilen, dass er in Gefahr ist, während er gleichzeitig urteilt, dass er sich in Sicherheit befindet (nicht in Gefahr ist). Dagegen ist es nicht kontradiktorisch, Furcht zu empfinden und so die Situation als gefährlich zu erleben, während man gleichzeitig urteilt, dass man sich in Sicherheit befindet. Die Möglichkeit des Konfliktes ohne Kontradiktion ist ein Beleg dafür, dass Gefühle ebenso wie Wahrnehmungen von Urteilen dadurch abweichen, dass sie nicht in Schlussfolgerungs- bzw. inferentiellen Beziehungen zu anderen Zuständen stehen (vgl. ausführlich Crane 1992; Döring 2007). Wie Wahrnehmungen begründen Gefühle andere Zustände und Handlungen unmittelbar bzw. nichtinferentiell.

Auf dieses und weitere Argumente für eine Analogie zwischen Gefühlen und sinnlichen Wahrnehmungen im Punkt der Nichtinferentialität könnte Jones sich berufen, wenn sie behauptet, dass Gefühle in Begründungsrelationen eintreten können und doch von Urteilen verschieden sind. Insofern die Rolle, die Gefühle in solchen Relationen spielen, von der von Urteilen in charakteristischer Weise abweicht, lassen die Gefühle sich als ein eigenständiges kognitives System interpretieren.

Von einer Sinnestäuschung unterscheidet sich das Huckleberry Finn-Beispiel in der Hinsicht, dass es hier das Urteil ist, das fehlgeht. Hucks Gefühl täuscht ihn gerade nicht. So wie das Beispiel konstruiert ist, gibt Hucks Mitgefühl nicht bloß vor, die Situation korrekt zu repräsentieren, sondern es verhält sich tatsächlich so, dass er Jim vor den Sklavenjägern schützen sollte. Dieser Unterschied ist für die von Jones behauptete Rationalität von Willensschwäche wesentlich. Die Analogie zu Sinneswahrnehmung bleibt davon unbeschadet, zumal ja auch aus einem Konflikt zwischen Wahrnehmung und Urteil die Wahrnehmung als Sieger hervorgehen kann. Zudem ist diese Analogie insofern aufschlussreich, als sie zeigt, dass unser prinzipielles Vertrauen in die sinnliche Wahrnehmung als eine zuverlässige Quelle der Erkenntnis dadurch nicht erschüttert wird, dass sie uns manchmal täuscht. Im Gegenteil verlassen wir uns im Normalfall auf unsere Wahrnehmungen. Im Normalfall kommt es uns nicht in den Sinn zu fragen, ob die Bedingungen, unter denen wir wahrnehmen (etwa die Lichtverhältnisse), normal sind. Ein analoges Bild lässt sich mit Jones von unserem Umgang mit den Gefühlen zeichnen. Im Normalfall behandeln wir diese als epistemisch zuverlässig und stellen beispielsweise die Freude über die Geburt des Kindes, die Trauer über den Tod des Freundes oder das Mitgefühl mit einem Menschen oder einem Tier in Not nicht in Frage. So wie es nicht gegen die Erkenntniskraft der Sinneswahrnehmung spricht, wenn sie uns manchmal täuscht, schränken gelegentliche Täuschungen auch die Erkenntniskraft des Gefühls nicht ein. Zudem ist eine kognitive Stärke beider Arten mentaler Zustände genau dadurch bedingt, dass wir uns im Normalfall unmittelbar auf sie verlassen können. Selbst wenn man das Urteil, dass der grimmig dreinschauende Stier, auf dessen Weide man beim Spaziergang versehentlich geraten ist, eine Gefahr für Leib und Leben darstellt, auch mit inferentiellem Mitteln erlangen könnte, zeichnen sich sinnliche Wahrnehmungen und Gefühle dadurch aus, dass ein sich auf sie berufendes Urteil die Anwendung solcher Mittel nicht abzuwarten braucht. Unabhängig davon, ob sich das Urteil überhaupt inferentiell begründen ließe, besteht ein typisches Begründungsverfahren darin, dass wir uns prinzipiell auf unsere sinnlichen Wahrnehmungen und Gefühle verlassen. Bei Gefühlen erstreckt sich dieses Verfahren auch die Begründung von Handlungen, die durch sie unmittelbar motiviert werden (wie etwa das Davonlaufen vor dem Stier).

Bis zu diesem Punkt stimme ich mit Jones überein: Gefühle haben kognitive Kraft und können andere Zustände und Handlungen nicht bloß verursachen, sondern auch rechtfertigen. Reicht das aber aus, um gefühlsbedingte Willensschwäche in Fällen wie dem von Huckleberry Finn rational zu machen? Um diese Frage beantworten zu können, muss zunächst die Rede von der „Rationalität" des Gefühls disambiguiert werden, um dann die relevanten Bedeutungen auf die oben eingeführte Unterscheidung zwischen objektiven und subjektiven Handlungsgründen zu beziehen (ich lasse hier offen, wie sich die verschiedenen Arten von Rationalität zueinander verhalten). In der gegenwärtigen Diskussion bezieht sich die Rede von der „Rationalität" des Gefühls erstens auf ihre „strategische Rationalität". So verstanden ist ein Gefühl rational in dem Maße, in dem seine erwarteten (kausalen) Wirkungen nützlich sind, insofern irgendein Zweck des Subjekts realisiert wird (vgl. de Sousa 1987, 164). Beispielsweise könnten subjektive Präferenzen erfüllt werden, oder das Subjekt könnte einen adaptiven Vorteil erlangen. Ohne auf ein beliebiges Modell der strategischen Rationalität der Gefühle näher einzugehen, lässt sich indes sagen, dass es nicht Hucks adaptiver Vorteil oder sonst wie gearteter Nutzen ist, den wir im Auge haben, wenn wir sein Mitgefühl für Jim als rational ansehen. Statt dessen geht es darum, dass dieses Gefühl Huck Jim ungeachtet seiner Hautfarbe als einen ebenbürtigen Menschen mit einem Anrecht auf Freiheit sehen lässt, ob dies nun für Huck vorteilhaft oder nachteilig ist.

Das heißt, dass es die „kognitive Rationalität" (de Sousa 1987, 164) des Gefühls ist, die hier in Frage steht. Unter dieser zweiten Interpretation der „Rationalität" des Gefühls ist ein Gefühl dann rational, wenn es die Welt als in bestimmter Weise seiend repräsentiert und die Repräsentation korrekt ist. Mit „Rationalität" ist hier also die mögliche epistemische Angemessenheit eines Gefühls gemeint, die der epistemischen Angemessenheit von Wahrnehmungen oder auch der Wahrheit von Urteilen vergleichbar ist.

Drittens schließlich bezieht sich die Rede von der „Rationalität" des Gefühls darauf, inwieweit ein Gefühl vom Subjekt beherrscht wird und dessen rationaler Kontrolle untersteht. Streng genommen geht es dabei nicht um die Rationalität von Gefühlen selbst, sondern um die Rationalität des Umgangs mit Gefühlen. In Frage steht die praktische Rationalität von Personen als rationalen Akteuren, zu der es gehört, Gefühle zu überwinden oder zu unterdrücken, wenn sie für unangemessen gehalten werden, und sie als Handlungsmotiv zuzulassen, wenn sie für angemessen gehalten werden. Vorausgesetzt, dass Gefühle einen repräsentationalen Inhalt haben, können sie objektive Gründe geben, wenn sie kognitiv rational bzw. epistemisch angemessen sind. Im Unterschied dazu gibt ein Gefühl einem Akteur einen subjektiven Handlungsgrund, wenn der Akteur die Repräsentation für bare Münze nimmt und sein Handeln entsprechend bestimmt. Wie dargelegt, geht es bei praktischer Rationalität um subjektive Handlungsgründe, und ein Akteur kann sogar irrational sein, wenn er einem objektiven Handlungsgrund folgt. Prima facie verhält es sich dergestalt im Fall von Huckleberry Finn: Sein Mitgefühl ist epistemisch angemessen, aber Huck scheitert daran, dies zu erkennen, so dass der objektive Handlungsgrund sich nicht als subjektiver Handlungsgrund qualifiziert.

Dem widersprechend scheint Jones behaupten zu wollen, dass in Fällen gefühlsbedingter und vermeintlich rationaler Willensschwäche die praktische Rationalität des Akteurs unmittelbar aus der epistemischen Angemessenheit des Gefühls folgt. Das fehlende Verbindungsglied zwischen epistemischer Angemessenheit und Kontrolle durch Gründe soll dadurch gegeben sein, dass der Akteur seine Gefühle als im Normalfall epistemisch zuverlässig einstuft. Wird dadurch tatsächlich gefühlsbedingte Willensschwäche rational?

Nein, denn der Konflikt ohne Kontradiktion, der bei gefühlsbedingter Willensschwäche zwischen Gefühl und besserem Urteil auftritt, zeigt gerade, dass die Anerkennung der epistemischen Zuverlässigkeit der Gefühle im Normal- oder allgemeinen Fall nicht ausreicht, damit diese sich im Einzelfall als praktischer Grund gegen ein Urteil behaupten können. Wie im Fall der Müller-Lyer-Täuschung tritt im Huckleberry Finn-Beispiel deshalb kein logischer Widerspruch (keine Kontradiktion) auf, weil das Mitgefühl mit Jim ebenso wenig wie die Wahrnehmung der beiden Linien als verschieden lang begrifflich impliziert, dass der repräsentationale Inhalt vom Akteur unterschrieben wird. Es scheint Huck zwar falsch, Jim den Sklavenjägern auszuliefern, aber damit hält er dies nicht schon für wahr (vgl. Roberts 1988; 2003; Döring & Peacocke 2002; Döring 2007). Fürwahrhalten erfordert vielmehr das Fällen eines Urteils. Zu urteilen, dass Huck den Sklavenjägern ausgeliefert werden soll, heißt im Ergebnis, dass der Inhalt „Huck soll den Sklavenjägern ausgeliefert werden" für wahr gehalten wird. Indem dies für den Inhalt von Hucks Mitgefühl nicht gilt, kann das Gefühl gleichzeitig mit dem Urteil bestehen bleiben, ohne dass sich ein logischer Widerspruch ergibt.

Damit soll nicht in Abrede gestellt werden, dass Gefühle Handlungen begründen können, ohne dass dazu der Akteur in jedem Einzelfall das Gefühl durch ein Urteil autorisieren muss. Jedoch ist an den rationalen Akteur die Bedingung zu stellen, dass er das Gefühl durch ein Urteil autorisiert *hätte*, hätte sich ihm die Gelegenheit dazu geboten, bzw. dass er auf Nachfrage seinem Gefühl auch bewusst zustimmen *würde*. Damit ein Gefühl hier und jetzt einen Handlungsgrund geben kann, muss der Akteur es zumindest hypothetisch durch ein entsprechendes Urteil autorisieren; sonst ist jede mögliche durch das Gefühl bewirkte Handlung irrational, und zwar auch dann, wenn das Gefühl, indem es epistemisch angemessen ist, einen objektiven Grund für sie bereitstellt. Diese Bedingung ist bei Huckleberry Finn nicht erfüllt. Seine willensschwache Handlung ist und bleibt irrational.

Produktive Konflikte

Gleichwohl ist aber Hucks Mitgefühl kraft seiner epistemischen Angemessenheit für ihn als rationalen Akteur bedeutsam. Insoweit Handlungsmotive nicht, wie exemplarisch in der Hume'schen Fassung des *belief-desire*-Modells, „blinde Antreiber" bzw. arationale „Wünsche" sind, sondern epistemisch angemessen und unangemessen sein können, erschöpft sich rationales Akteursein nicht in der Vernunftkontrolle des Handelns. Rationales Akteursein umfasst auch die langfristige Kultivierung und Verbesserung von Handlungsgründen durch Erkenntnis. So könnte Huck dank seines hartnäckigen Mitgefühls nachträglich zu der Erkenntnis gelangen, dass sein Urteil falsch war. Rückblickend könnte er einsehen, dass es richtig war, Jim zu schützen, auch wenn er sich darüber zum Zeitpunkt der Handlung nicht im Klaren war. Huck kann also nachträglich einsehen, dass es sein Gefühl und nicht sein Urteil war, das ihm die Welt korrekt dargestellt hat. Da dies aus den moralischen Prinzipien, die er zum Zeitpunkt der Handlung hat, offensichtlich nicht folgt, kann sein Mitgefühl Huck so dazu bewegen, neue, bessere und umfassendere Moralprinzipien zu formulieren.

Eine entsprechende epistemische Rolle kann jedes Gefühl spielen, und zwar auch schon zum Zeitpunkt seines ursprünglichen Auftretens. Dazu müssen sich die Gefühle der Kontrolle des Akteurs bis zu einem gewissen Grad entziehen. Genauer muss sich das *Auftreten* der Gefühle der Kontrolle entziehen. Praktische Rationalität als die subjektive Kontrolle von Gefühlen und gefühlsbedingten Handlungen durch Gründe hat zwei Bedeutungsdimensionen. Einerseits bezieht sie sich auf die Kontrolle des Auftretens von Gefühlen: Für unangemessen befundene Gefühle sollen unterdrückt und als angemessene betrachtete Gefühle zugelassen werden. Andererseits geht es um Kontrolle dergestalt, dass Gefühlen ein begründeter Platz im Denken und Handeln zugewiesen wird: Gefühle, die man für unangemessen hält, soll man daran hindern, sein Denken und Handeln zu bestimmen, und umgekehrt soll man Gefühle, die man für angemessen hält, kohärent in sein Denken und Handeln integrieren. Es ist erstens nur bedingt nötig, vom Akteur zu fordern, dass er für unangemessen befundene Gefühle an ihrem Auftreten hindert; zweitens kann er dies ohnehin nur bedingt; drittens wäre diese Forderung als eine unbedingte sogar kontraproduktiv. Hier sei ein letztes Mal die Analogie zur sinnlichen Wahrnehmung bemüht: Wenn jemand die beiden Linien der Müller-Lyer-Täuschung auch dann noch als verschieden lang sieht, wenn er erkannt hat, dass sie gleich lang sind, beschreiben wir ihn nicht als irrational, sofern er den unabweisbaren Wahrnehmungsinhalt nicht sein Denken und Handeln bestimmen lässt. Analog dazu ist es erstens nicht irrational, Mitgefühl oder Furcht oder Verliebtheit oder ein beliebiges anderes Gefühl zu empfinden, wenn man urteilt und weiß, dass es unangemessen ist; man darf sich durch das Gefühl nur nicht beherrschen lassen. Zweitens sind Gefühle wie sinnliche Wahrnehmungen bis zu einem gewissen Grad „unabweisbar". Man hat ihr Auftreten gar nicht in der Hand. Drittens muss das sogar so sein, damit es wie bei Huckleberry Finn zu produktiven Konflikten zwischen Gefühl und Urteil kommen kann, in denen das Gefühl am Ende als Sieger hervorgeht und den Akteur mit neuen und besseren Handlungsgründen versieht. Nur ein allwissender Akteur könnte sich stets durch seine Urteile leiten lassen, aber als Menschen müssen wir Konflikte zwischen Gefühlen und Urteilen aushalten, so wie wir Konflikte zwischen Wahrnehmungen und Urteilen aushalten müssen, um offen für neue und bessere Gründe zu sein.

LITERATUR

Arpaly, N. (2000): On Acting Rationally against One's Best Judgement, *Noûs* 13, 173-96.
— (2003): Unprincipled Virtue. An Inquiry into Moral Agency, Oxford: Blackwell..
Bennett, J. (1974): The Conscience of Huckleberry Finn, *Philosophy* 49, 123–34.
Crane, T. (1992): The Nonconceptual Content of Experience, in: T. Crane, ed., *The Contents of Experience: Essays on Perception*, Cambridge: Cambridge University Press, 136–57.
Davidson, D. (1970): How is Weakness of the Will Possible? in: *Essays on Actions and Events*, Oxford: Clarendon 1980, 21–42.
De Sousa, R. (1987): *The Rationality of Emotion*, Cambridge, Mass.: MIT Press.
Döring, S. (2003): Explaining Action by Emotion, *The Philosophical Quarterly* 211, 214–30.

— (2007), Seeing What to Do: Affective Perception and Rational Motivation, in: *Dialectica* 61, 363-394.

— (2008): *Gründe und Gefühle: Zur Lösung „des" Problems der Moral*, Berlin/New York: de Gruyter 2008 (als Teil der Reihe IDEEN & ARGUMENTE, hrsg. von Wilfried Hinsch und Lutz Wingert).

Döring, S. and Peacocke, Ch. (2002): Handlungen, Gründe und Emotionen, in: *Die Moralität der Gefühle*, hrsg. von Sabine Döring und Verena Mayer, Sonderband der Deutschen Zeitschrift für Philosophie, 81–103.

Goldie, P. (2000): *The Emotions. A Philosophical Exploration*, Oxford: Oxford University Press.

Greenspan, P. (1988): *Emotions & Reasons: an Inquiry into Emotional Justification*, New York: Routledge.

Helm, B. (2003): *Emotional Reason. Deliberation, Motivation, and the Nature of Value*, Cambridge: Cambridge University Press.

Jones, K. (2003): Emotion, Weakness of Will, and the Normative Conception of Agency, in: *Philosophy and the Emotions*, hrsg. von A. Hatzimoysis, Cambridge: Cambridge University Press (Royal Institute of Philosophy Supplement 52), 181-200.

Kolodny; N. (2005): Why Be Rational?, in: Mind 114, 509-563.

Peacocke, Ch. (1992), *A Study of Concepts*, Cambridge, Mass.: MIT Press.

Prinz, J. (2004): *Gut Reactions: A Perceptual Theory of Emotion*, New York: Oxford University Press.

Roberts, R. (1988): What an Emotion Is: a Sketch, *The Philosophical Review* 97, 183-209.

— (2003), *Emotions: An Essay in Aid of Moral Psychology*, Cambridge: Cambridge University Press.

Tappolet, Ch. (2000): *Émotions et valeurs*, Paris: Presses Universitaires de France.

— (2003): Emotions and the Intelligibility of Akratic Action, in: *Weakness of Will and Practical Irrationality*, hrsg. von S. Stroud and Ch. Tappolet, Oxford: Clarendon, 97-120.

Wallace, J. R. (1999): Three Conceptions of Rational Agency, in: *Ethical Theory and Moral Practice* 2, 217-242.

Lebensweltliche Gewissheit versus wissenschaftliches Wissen?

Oder welches Menschenbild sollte unseres sein?[1]

Lutz Wingert

Sind Personen Gehirne, oder *haben* Personen ein Gehirn? Die Überlegungen, die die Teilnehmer und Teilnehmerinnen des Kongresses der *Österreichischen Gesellschaft für Philosophie* unter dem Titel „Gehirne und Personen" im Juni 2007 in Graz anstellten und diskutierten, kreisen zum Teil um diese Frage. Außerhalb der Akademiemauern und der Labore dürfte die Antwort der meisten Zeitgenossen lauten: Personen haben zwar ein Gehirn, sie sind aber nicht ein Gehirn. Die Antwort dürfte mehrheitlich zu Beginn des 21. Jahrhunderts *noch* so ausfallen. Aber ist sie die richtige Antwort? Um das sagen zu können, muss man eine andere allgemeinere Frage bedenken: Was ist das richtige Verhältnis von Wissenschaft und menschlichem Selbstverständnis? Eine naheliegende Antwort darauf lautet: Unser Selbstverständnis soll sich nach den wissenschaftlich begründeten Aussagen über uns als Menschen richten. Das richtige Menschenbild ist ein Menschenbild, das mit den Ergebnissen der Wissenschaften vom Menschen vereinbar ist. Diese Antwort liegt für uns nahe, wenn mit „uns" wir Angehörige einer verwissenschaftlichen Alltagskultur gemeint sind. Es ist unstrittig, dass wir als Bürger demokratischer Rechtsstaaten, in denen noch ein recht hohes Maß an Meinungs- und Wissenschaftsfreiheit herrscht, und als Mitglieder von OECD-Gesellschaften in einer wissenschaftlich geprägten Alltagskultur leben. Schon der Blick auf die Mineralwasserflasche neben dem Konferenztisch, im Gepäcknetz des Kinderwagens oder im Rucksack macht das klar. Das Etikett der Wasserflasche gibt Auskunft über die

---

[1] Für hilfreiche Kommentare oder Hinweise danke ich insbesondere Logi Gunnarsson, Michael Hampe und wie immer Jürgen Habermas sowie Ansgar Beckermann, Martin Carrier, Carl Friedrich Gethmann, Christian Hiebaum, Felicitas Krämer, Achim Lohmar, Josef Mitterer, Julian Nida-Rümelin, Johannes Roggenhofer, Jay Rosenberg, Gregor Schimank, Holmer Steinfath, Dieter Sturma, Holm Tetens und Wilhelm Vossenkuhl. Der Text ist in einer geringfügig veränderten Fassung unter dem Titel *Lebensweltliche Gewisheit versus wissenschaftliches Wissen?* in der *Deutschen Zeitschrift für Philosophie* 55 (2007), S. 911-927 erschienen.

chemischen Stoffe, unter anderem über den Natrium- und den Magnesium-chloridgehalt. Es soll auf diese Weise darüber informieren, was für wen gesund ist. Gesund ist nicht einfach, was schmeckt, sondern was der Lebensmittelchemiker und die Ernährungswissenschaftlerin sagen. Etiketten auf Lebensmitteln, Lacktattests bei Fußballspielern, pränatale Diagnostik bei Schwangeren, steuerfinanzierte Universitäten oder ein bundesdeutsches Bruttosozialprodukt, das angeblich zu 25% mit dem Einsatz von Techniken auf der Basis der Quantentheorie erzielt wird[2], sind nur einige wenige Anzeichen für eine verwissenschaftlichte Alltagskultur. Diese Kultur ist auch durch die Anerkennung eines Vorrangs wissenschaftlicher Überzeugungen gegenüber nicht-wissenschaftlich gebildeten Überzeugungen über die Natur, über die soziale Welt und über uns gekennzeichnet. Dieses Vorranggebot besagt, dass nicht-wissenschaftlichen Überzeugungen über uns vereinbar sein sollen mit wissenschaftlich begründeten Aussagen über uns.

Das Vorranggebot lässt sich augenscheinlich damit rechtfertigen, dass wissenschaftliche Aussagen ein besseres Verständnis von uns verschaffen als solche Aussagen, die nicht mit wissenschaftlichen Methoden gewonnen und begründet werden. Wir können uns mit Hilfe der Wissenschaften ein überzeugenderes Bild in allen Dimensionen unserer Existenz machen, weil wissenschaftliche Überzeugungen die besten Kandidaten für berechtigte Wissensansprüche sind. Und wissenschaftliche Überzeugungen sind die besten Kandidaten, weil sie am strengsten geprüft werden.

Allerdings ist das Verhältnis zwischen wissenschaftlichen Überzeugungen und lebensweltlichen Überzeugungen auch in einer verwissenschaftlichten Alltagskultur nicht spannungsfrei. Lebensweltliche Überzeugungen werden nicht einfach nach Maßgabe ihrer Vereinbarkeit mit wissenschaftlich begründeten Aussagen beibehalten, preisgegeben oder modifiziert.

So äußerte der Bremer Hirnforscher Gerhard Roth vor einiger Zeit die Prognose: „Bald werden nicht nur die Hirnforscher (sondern wir alle, L.W.) einsehen müssen, dass es die traditionelle Willensfreiheit überhaupt nicht gibt." (Roth 2000, 75, 1. Spalte) Das war vor mehr als sieben Jahren, und die prognostizierte Einsicht ist ersichtlich ausgeblieben. Man könnte einwenden: Sieben, acht, neun Jahre sind keine Zeit. Aber wer Ciceros Schrift *De Fato* (*Vom Schicksal*) in Erinnerung hat, weiß, dass auch dort mit frappierend ähnlichen Argumenten von einer Seite der Glaube an die Willensfreiheit verworfen wird (Cicero 2000, 57 ff.). Und in der Zeit von

---

[2] Vgl. die als Vermutung qualifizierte Angabe bei Kiefer 2002, 3. Weitere Beispiele bei Broers 2005.

Cicero (106 - 43 v.Chr./v.u.Z.) bis Roth ist unser wissenschaftliches Wissen von den kausalen Faktoren gewachsen, die den Menschen in seinem Fühlen, Urteilen und Handeln ohne dessen Wille und Bewusstsein beeinflussen. So scheint es zumindest.

Eine lebensweltliche Überzeugung wie die, dass wir bisweilen in dem, was wir wollen und in dem, was wir willentlich tun, frei sind, erweist sich als widerspenstig gegenüber einer vermeintlich wissenschaftlich begründeten, gegenteiligen deterministischen Überzeugung über uns. Was soll man von dieser Widerspenstigkeit lebensweltlicher Überzeugungen gegenüber wissenschaftlichen Wissensansprüchen halten? Genauer: Was sagt diese Resistenz über den erkenntnismäßigen Status lebensweltlicher Überzeugungen aus? Sind diese Überzeugungen Irrtümer von Laien? Sind sie im Alltag eingeschliffene, unbegründete Gewissheiten, deren Gehalt nicht wirklich klar ist? Oder sind sie Einsichten, wenn auch nicht auf wissenschaftlichem Weg gewonnene Einsichten? Kurz, was sagt die augenscheinliche Unbeeinflussbarkeit bestimmter lebensweltlicher Überzeugungen durch die Wissenschaften vom Menschen über den epistemischen (erkenntnismäßigen) Status solcher Überzeugungen aus? Bevor ich diese Frage behandele, sollen die hier verwendeten Begriffe der lebensweltlichen Überzeugung, des Wissens, der Gewissheit sowie des wissenschaftlichen Wissens knapp erläutert werden.

Zum Begriff der lebensweltlichen Überzeugungen

Zu lebensweltlichen Überzeugungen zähle ich das, was beispielsweise in Aussagen wie den folgenden ausgedrückt wird:

1. Erwachsene, gesunde Menschen können für ihr Tun so verantwortlich sein, dass sie dafür Lob und Tadel, Wertschätzung und Verachtung verdienen.[3]

2. Menschen haben bisweilen einen Spielraum effektiven praktischen Überlegens. Gründe sind wenigstens manchmal wirksam für Handlungen.

---

[3] Ich streiche im Folgenden den Zusatz „erwachsen und gesund" in Verbindung mit „Mensch" nur um der Vereinfachung willen. Mit der Liste wird weder Vollständigkeit noch gattungsmäßige Exklusivität beansprucht. Ich sage nichts darüber, ob die angeführten Aussagen nur auf erwachsende, gesunde Menschen zutreffen.

73

3. Die Handlungswirksamkeit von Gründen hängt von einer Bejahung der Gründe durch den Handelnden ab. Gründe wirken nicht so wie Pillen, wenn sie denn wirken.

4. Menschen sind keine Zombies. Sie haben eine Seele, ein Innenleben.

5. Handlungen sind nie ganz grundlos („Grund" hier als präsumtiv rechtfertigender Grund verstanden.)

6. Menschen haben einen Sinn für symbolische Zeichen. Sie können einzelne Begebenheiten als Symbol für ein verfehltes Leben deuten und bei voller biologischer und geistiger Gesundheit die Hamletfrage negativ beantworten, also die Frage: Soll ich weiterleben oder nicht?

7. Menschen können kontrafaktische Gedanken zum Beispiel über Geschehnisverläufe fassen und sich so Handlungsmöglichkeiten schaffen.

8. Menschen können Wir-Intentionen haben. Sie können beispielsweise unterscheiden zwischen „Wir unternehmen einen Ausflug" und „Jeder aus diesem Haus unternimmt einen Ausflug".

9. Menschen verhalten sich auch regelgeleitet und nicht bloß regelmäßig.

10. Menschen können aufgefordert werden, etwas zu tun/zu unterlassen, und nicht bloß dazu gebracht werden, etwas zu tun bzw. zu unterlassen. Sie können den Status eines Adressaten von normativen Erwartungen oder eines Sollens erwerben.

Viele der aufgelisteten, lebensweltlichen Überzeugungen haben Aussagen zu ihrem Gehalt, die Fähigkeiten zu konstatieren beanspruchen. Man kann das damit erklären, dass zumindest eine Klasse von lebensweltlichen Überzeugungen Bedingungen für das Verstehen von elementaren Eigenschaften menschlicher, sozialer Lebensformen angeben. Das Verstehen besteht im Fall der illustrierten Klasse von Überzeugungen darin, dass man an einer solchen Lebensweise teilnehmen oder sie reproduzieren kann.[4] Es ermöglicht eine Praxisteilnahme. Lebensweltliche Überzeugungen der genannten Art geben die Fähigkeiten an, die es für die Möglichkeit braucht, an einer sozialen Praxis teilzunehmen oder sie fortzusetzen. Dazu passen bestimmte Charakteristika lebensweltlicher Überzeugungen.

---

[4] Die Verbindung von Verstehen mit der Fähigkeit zur Teilnahme an einer sozialen Praxis hat Hans-Julius Schneider in einem Gespräch betont.

1. Sie sind erstens *intersubjektiv geteilte* oder teilbare Überzeugungen. Mit dem Gebrauch der Fähigkeiten, die in lebensweltlichen Überzeugungen behauptet werden, wird eine öffentliche Welt zugänglich oder gar erst geschaffen. (So trägt die Ausübung der Fähigkeit zum Gebrauch symbolischer Zeichen und zu regelgeleitetem Verhalten zur Entstehung beispielsweise einer Welt des Geldes, des Börsenhandels usw. bei.) Die Überzeugungen sind lebens*weltliche* Überzeugungen.

2. Zweitens handelt es sich bei ihnen um Überzeugungen, die zunächst *implizit* sind in der Ausübung von oder in der Teilnahme an einer Praxis. (Man könnte hier mit Günther Patzig [1981, 25], Friedrich Kambartel und Pirmin Stekeler-Weithofer [Kambartel 1993, 4; Kambartel/Stekeler-Weithofer 2005, 92] davon sprechen, dass lebensweltliche Überzeugungen empraktisch sind, oder mit John Searle [1991, Kap. 5], dass sie Teil eines Hintergrunds sind.)[5] Der Aussagehalt dieser Überzeugungen wird ausgedrückt durch die Angabe von Fällen mit Musterstatus, also von Exempeln, die auf das verweisen, was sie instantiieren.

3. Eng damit verbunden ist ein drittes Charakteristikum lebensweltlicher Überzeugungen: Ihr Aussagehalt wird nicht von Sätzen artikuliert, die Teil einer Theorie sind. Lebensweltliche Überzeugungen sind *vortheoretische* Überzeugungen.

4. Viertens schließlich haben lebensweltliche Überzeugungen einen sehr *unspezifischen Gehalt*. Ihr Aussagehalt gibt etwas an, das den Status von Verstehensbedingungen nicht hinsichtlich eines spezifischen Praxisbereichs, sondern hinsichtlich eines Lebens hat. Sie sind ja *lebens*weltliche Überzeugungen und unterscheiden sich durch ihre Generalität von bereichsspezifischen Alltagsüberzeugungen.

Um es zusammenzufassen: Lebensweltliche Überzeugungen sind erstens intersubjektiv teilbare, zweitens implizite (empraktische), drittens vortheoretische und viertens unspezifische Überzeugungen. (Ich lasse es offen, ob und welche lebensweltlichen Überzeugungen kulturell variieren.)

---

[5] Der Begriff des Empraktischen geht auf Karl Bühler zurück, wie die genannten Autoren hervorheben.

Zu den Begriffen des Wissens, der Gewissheit und des wissenschaftlichen Wissens

Jetzt noch rasch ein Wort zu den Begriffen des Wissens, des wissenschaftlichen Wissens und der Gewissheit. – Unter dem Wort „Wissen" verstehe ich hier nur so viel wie Aussagewissen. Es gibt auch ein Wissen im Sinne eines Könnens, dessen Weltbezug nicht vom Wissenden in Aussagen ausgedrückt werden kann. Diese Art von Wissen wird hier ausgeklammert.[6] Aussagewissen ist irrtumssensibles und irritationsfestes Überzeugtsein von der Wahrheit. Die Irrtumssensibilität und die Irritationsfestigkeit sind mit rechtfertigenden Gründen des Wissenden verbunden; mit Gründen dafür, dass er oder sie eine Aussage zu Recht als wahr behauptet, oder eine Aufforderung als berechtigt geltend macht oder eine Bekundung für aufrichtig hält. Dieses Verständnis von Wissen ähnelt dem Wissensbegriff von Robert Nozick. Bei Nozick wird die Aussage „S weiß, dass p" bekanntlich durch die Angabe von vier Bedingungen interpretiert:

(1) Die Aussage p ist wahr.
(2) S ist davon überzeugt, dass p wahr ist.
(3) Wenn p nicht wahr wäre, dann würde S auch nicht glauben, dass p wahr ist.
(4) Wenn p auch unter für S veränderten Situationsumständen wahr wäre, dann würde S auch weiterhin glauben, dass p wahr ist.

Es ist am besten, die dritte Bedingung als Irrtumssensibilität und die vierte Bedingung als Irritationsfestigkeit eines Wissenden zu verstehen, und beides, Irrtumssensibilität wie Irritationsfestigkeit, als Einstellungen aufzufassen, die der Wissende kraft rechtfertigender Gründe hat. Ich modifiziere also Nozicks Wissenskonzeption internalistisch. Diese Modifikation hat unter anderem zwei Gründe:

(1) Mit der vierten Bedingung führt Nozick den Begriff einer möglichen, relevanten oder nächsten Welt für ein Wissenssubjekt *S* ein. Man kann die-

---

[6] Es kann sein, dass diese Ausklammerung das Ergebnis meiner Überlegungen in unzulässiger Weise vorentscheidet. Denn mit dem Begriff der Lebenswelt ist traditionell ja auch eine vorpropositionale Dimension der Weltverbundenheit gemeint: „(Die) lebensweltlichen Überzeugungen (liegen) nicht propositional und systematisch (vor) (...) (Man) weiß deshalb auch nicht, wie sie als Voraussetzungen aufzufassen sind." (Michael Hampe, briefliche Mitteilung vom 20.9.2006). Vgl. hierzu auch Hampe 2007.

sen Weltbegriff nicht ohne den Begriff von einem Zweifel erläutern, der für *S* sinnvoll, wenngleich unzutreffend ist. Der Komplementärbegriff zum Begriff des sinnvollen Zweifels ist aber der Begriff des rechtfertigenden Grundes. Sinnvolle Zweifel sind das, was von rechtfertigenden Gründen effektiv zurückgewiesen wird. Deshalb sind bei Nozick rechtfertigende Gründe versteckt doch im Spiel. Man kann dieses Argument auch abkürzend so formulieren: Nozick macht in seiner vierten Bedingung von einem kontrafaktischen Konditionalsatz Gebrauch. Für solche Sätze gilt: „(..) kontrafaktische Konditionalsätze und Kausalaussagen (setzen) den ‚Gesichtspunkt der Vernunft' voraus." (Putnam 1997, 83)[7]

(2) Das zweite Motiv für die internalistische Modifikation des Wissensbegriffs hat damit zu tun, dass man eine Analyse des Wissensbegriffs nicht mit einem externalistischen Gründebegriff beginnen lassen kann, also mit einem Begriff, wonach man Gründe haben kann wie einen Fleck auf dem Rücken – also unerkannt und vielleicht für denjenigen unerkennbar, der diese Gründe hat. Der *Begriff* des Wissens dient dazu, Garanten oder verlässliche Instanzen für wahre Überzeugungen bzw. Aussagen zu markieren, die sich als solche zu erkennen geben können (vgl. a. Craig 1990 sowie 1993).[8] Das tun die Garanten, indem sie sagen: „Ich weiß, dass p." Die performative Verwendung des Wissensbegriffs geht aber einher mit der Festlegung, Antworten zu geben auf „Woher weißt du das?"-Fragen. Antworten auf solche Fragen werden durch die Angabe von rechtfertigenden Gründen geliefert. (Diese Festlegung zu antworten, ist eine Folge des Behauptens, nicht des Wissensanspruches.)

Zum Begriff der Gewissheit
Gewissheit teilt mit Wissen die Eigenschaft der Irritationsfestigkeit. Die Gewissheit, dass p, ist die Abwesenheit von Zweifeln an einer für wahr gehaltenen Aussage p. Eine Gewissheit ist rational, wenn sich diese Abwesenheit eines Zweifels rechtfertigender Gründe für die Überzeugung, dass p, verdankt. Wissen ist deshalb rationale Gewissheit. Wissen und Gewissheit fallen nicht zusammen. Das bedeutet aber nicht, dass Gewissheiten, die kein Wissen sind, *ir*rational sind. Es kann ja auch Gewissheiten geben, die weder rational noch irrational sind. Bei solchen *a*rationalen Gewissheiten ist kein sinnvoller Zweifel denkbar.

---

[7] Amerik. Orig. *Renewing Philosophy*, Cambridge Ma. 1992, 61: „ (..) counterfactual conditionals and causal statements presuppose (..) 'the point of view of reason'."
[8] Auf die Differenzen zu Craigs Wissensbegriff gehe ich an anderer Stelle ein.

Zum Begriff des wissenschaftlichen Wissens
Wissenschaftliches Wissen schließlich sei hier im Kontrast zu Alltagswissen verstanden. Für wissenschaftliches Wissen ist unter anderem charakteristisch, dass es eine stärkere Forderung nach epistemischer Kontextinvarianz erfüllt als das Alltagswissen. Mit „epistemischer Kontextinvarianz" ist lediglich so viel gemeint: Wenn man den Kontext oder die Umstände einer Überzeugungsbildung verändert, dann bleibt der epistemische Status rechtfertigender Gründe, einen Wissensanspruch zu stützen, invariant. Wissenschaftliches Wissen ist durch eine sehr starke Invarianz der epistemischen Qualität rechtfertigender Gründe bei Transformation der Genese der Überzeugung gekennzeichnet. Das ist ein Grund dafür, dass wir in unserer verwissenschaftlichen Alltagskultur wissenschaftliche Wissensansprüche für die stärksten Wissenskandidaten halten und dass wir das erwähnte Vorranggebot akzeptieren.

Die Kontextinvarianz rechtfertigender Gründe zeigt sich zum Beispiel an den Umständen, die auch in Form von Experimenten gezielt und wiederholt herbeigeführt werden. Solche Umstände sind eine Quelle von Sekundärerfahrungen im Unterschied zu den alltäglichen Primärerfahrungen, die ohne Theorien, Modelle und Experimente gemacht werden. Zu den Eigenschaften wissenschaftlicher Empirie gehören bekanntlich die *Reproduzierbarkeit* eines Sachverhalts, die *vollständige* Angabe relevanter Sachverhalte, die *Unabhängigkeit* des herbeigeführten Sachverhalts von bestimmten Untersuchungsverfahren oder zumindest die ‚*herausrechenbare*' Abhängigkeit vom Untersuchungsverfahren (vgl. Schwemmer 1990, 103). Diese geläufigen Eigenschaften erfahrungswissenschaftlicher Überzeugungsbildung lassen sich als Erfüllung der Forderung nach Kontextinvarianz interpretieren.

Soweit einige Erläuterungen zum Begriff der lebensweltlichen Überzeugungen, des Wissens und der Gewissheit. Diese Begriffe spielen eine Rolle bei der hier anhängigen Frage, was der epistemische Status solcher lebensweltlicher Überzeugungen ist, die augenscheinlich resistent gegenüber wissenschaftlichem Wissen sind. Die Frage sei nur beschränkt auf die Klasse von Überzeugungen, für die ich oben Beispiele gegeben habe, also für Überzeugungen hinsichtlich einer sozialen, „kommunikativen Lebensform" (Jürgen Habermas).

Nicht jede dieser aufgelisteten Überzeugungen tritt sogleich mit wissenschaftlichen Überzeugungen in ein Spannungsverhältnis. Am geläufigsten ist dieses Spannungsverhältnis mit Blick auf die lebensweltliche Überzeugung, dass wir zumindest bisweilen frei sind. Aber es gibt auch andere Paare mit reichlich Konfliktstoff.

Zum Beispiel steht die lebensweltliche Überzeugung:
(1) *Gründe sind gelegentlich handlungswirksam*
gegen die neurobiologische Auffassung:
(1') *Gründe sind ein fünftes Rad am Wagen des Handelns und fungieren als sozialverträgliche Rationalisierungen eines festgelegten Verhaltens.*
Oder die lebensweltliche Auffassung:
(2) *Auch ein rundum gesunder Mensch kann die Hamletfrage negativ beantworten*
gegen die evolutionspsychologische These:
(2') *Der gesunde Mensch kann nicht gegen seine biologisch verstandene Natur handeln.*
Oder, eng damit verbunden, die lebensweltliche Überzeugung:
(3) *Das Gute und das Richtige erschöpfen sich nicht in Fitness und in deren Beförderung* gegen die mitunter soziobiologische These:
(3') *Alles menschliche Wertschätzen und Sollen ist bezogen auf die Erfüllung biologischer Funktionen.*

Es muss hier unbedacht bleiben, ob die genannten wissenschaftlichen Überzeugungen tatsächlich wissenschaftliche Überzeugungen sind, oder ob sie lediglich solche Überzeugungen von Naturwissenschaftlern sind, die dem Test auf Kontextinvarianz gar nicht unterzogen wurden.[9] Auch kann ich im vorgegebenen Rahmen diese Fälle eines Spannungsverhältnisses zwischen präsumtiv wissenschaftlichen und lebensweltlichen Überzeugungen nicht im Einzelnen diskutieren. Entsprechend muss ich die leitende Frage etwas allgemeiner behandeln, also die Frage: Was sagt die Konstanz dieser lebensweltlichen Überzeugungen gegen anfechtende Aussagen der Wissenschaften über den epistemischen Status dieser Überzeugungen aus? Meine Antwort darauf hat drei Komponenten: eine kritische, eine konstruktive und eine hypothetische:

Die Widerspenstigkeit der genannten lebensweltlichen Überzeugungen ist *nicht* die Folge davon, dass diese Überzeugungen liebgewonnene oder gar unvermeidliche Illusionen sind, deren Preisgabe kränkend und

---

[9] Darauf hat insbesondere Logi Gunnarsson hingewiesen.

deshalb schwer verdaulich ist. Das ist die kritische Komponente meiner Antwort. Vielmehr sind bestimmte lebensweltliche Überzeugungen relativ resistent, weil sie von den Wissenschaften vom Menschen ihrerseits vorausgesetzt oder präsupponiert werden. Das ist der konstruktive Bestandteil meiner Antwort auf die Frage nach dem erkenntnisbezogenen Status solcher lebensweltlicher Überzeugungen. Ich behaupte also, dass die genannten lebensweltlichen Überzeugungen den Status von Präsuppositionen der Wissenschaft haben oder zumindest Kandidaten sind für einen solchen Status. Diese Behauptung zehrt aber von einer falsifizierbaren Behauptung, nämlich der Behauptung, dass wir uns bei Wegfall dieser Überzeugungen in dem Sinne schlechter verstünden, dass wir unsere soziale Lebenspraxis nicht mit einem besseren Ersatz fortsetzen bzw. an ihr teilnehmen könnten. Das ist die hypothetische Komponente in meiner Antwort. Ohne dieses Element würden die präsupponierten lebensweltlichen Überzeugungen keinen Wissensstatus beanspruchen dürfen.

Um nun zu dieser Antwort hinzuführen, möchte ich drei mögliche Erklärungen dafür prüfen, dass die genannten lebensweltliche Überzeugungen ziemlich unbeeinflusst bleiben gegen augenscheinlich widersprechende, wissenschaftliche Auffassungen.

Drei Bestimmungen des epistemischen Status lebensweltlicher Überzeugungen

1. Man kann die Unbeeinflussbarkeit lebensweltlicher Überzeugungen damit erklären, dass diese Überzeugungen von wissenschaftlichem Wissen gar nicht in Frage gestellt, sondern ihrerseits erklärt werden. Die lebensweltlichen Überzeugungen haben dann den *epistemischen Status von Phänomenen*. Phänomene sind Sachverhalte, für die gilt: Ihre Existenz ist ebenso unstrittig wie erklärungsbedürftig.

Man denke etwa an alltägliche Wahrnehmungsphänomene, zum Beispiel an die Tiefenwahrnehmung von Oberflächen (vgl. Gregory 2001, 232 ff.; Ditzinger 2006, 173-176). So mag eine beleuchtete Oberfläche zunächst eine Serie von nach außen gewölbten Halbkreisen aufweisen und ebenso eine Abfolge von nach innen gewölbten Halbkreisen. Dann verkehren sich die Anordnungen konvexer und konkaver Formen. An der Stelle von Vertiefungen treten Erhebungen und an der Stelle von Erhebungen treten Vertiefungen auf, ohne dass die Oberfläche zwischenzeitlich zum Beispiel bearbeitet worden wäre. Es ist unter diesen Wahrnehmungsumständen unstrittig, *dass* konvexe und konkave Formen ihre Raumstellen tauschen, *und* erklärungsbedürftig, *warum* sie das tun. Ebenso ist es unstrittig, dass erwachsene, gesunde Menschen jedenfalls bisweilen ein Freiheitsbewusstsein haben. Aber es ist erklärungsbedürftig, unter welchen Bedingungen dieses Freiheitsbewusstsein entsteht und besteht. – Lebensweltliche Überzeugungen haben in einer ersten Spezifikation den epistemischen Status von unstrittigen und erklärungsbedürftigen Tatsachen.

2. In einer zweiten Erklärung für ihre Unbeeinflussbarkeit werden lebensweltliche Überzeugungen als solche mentale Zustände mit einem Aussagehalt aufgefasst, in die man unvermeidlich gerät. Diese Erklärung führt auf eine andere, zweite Bestimmung des epistemischen Status von lebensweltlichen Überzeugungen. Man muss allerdings noch eine Norm für die Bildung und Bewahrung von Überzeugungen hinzunehmen: Halte den Inhalt Deiner Überzeugung kompatibel mit der Erklärung Deines Überzeugtseins![10]

Beispielsweise lässt sich die Überzeugung, dass kraterähnliche Wölbungen an die räumlichen Stellen von hügelartigen Wölbungen oder Erhebungen treten, damit erklären, dass sich bei verändertem Lichteinfall die Tiefenwahrnehmung im stereoskopischen, menschlichen Sehen verkehrt. Dabei folgt der sehende Mensch (das Wahrnehmungssystem) der Annahme einer in evolutionärer Zeit stabilen Eigenschaft des Wahrnehmungskontextes: Das Licht, nämlich das Sonnenlicht, kommt von oben, weil die Sonne nicht unterhalb der Horizontlinie scheinen kann. Die wissenschaftliche Überzeugungsbildung nimmt diesen Wahrnehmungskontext gerade nicht mehr als invariant oder stabil an.

Vorausgesetzt, die wissenschaftliche Erklärung der Genese einer Überzeugung ist gut, dann sollte der Überzeugte seine Überzeugung der Erklärung anpassen. Er oder sie wird dann zum Beispiel sagen: „Mir erscheint die Oberfläche verändert, aber sie ist es – objektiv besehen - nicht." Tut er das nicht, dann irrt er. (Immer vorausgesetzt, die beste Erklärung seines Überzeugtseins rechtfertigt den Schluss darauf, dass die buchstäblich genommene Überzeugung falsch ist.)

Es kann jedoch sein, dass die Anpassung ausbleibt, weil eine nicht behebbare Unfähigkeit zur Korrektur der Überzeugung besteht. In diesem Fall handelt es sich um eine unvermeidliche Illusion. Lebensweltliche Überzeugungen sind unbeeinflussbar, so der Gedanke, weil die Bedingun-

---

[10] Diese Norm ist eine Folge davon, dass man darauf festgelegt ist, für seine sprachlich artikulierbaren Überzeugungen einzustehen, sowie eine Folge davon, dass rechtfertigende Gründe mit erklärenden Gründen für das eigene Überzeugtsein verträglich sein müssen.

gen ihrer Korrigierbarkeit unerfüllbar sind, oder sogar unbekannt und deshalb unerfüllbar sind. – Das ist ein zweiter, möglicher epistemischer Status lebensweltlicher Überzeugungen: der *Status von unvermeidbaren Illusionen.*

Bei der ersten Spezifikation des epistemischen Status lebensweltlicher Überzeugungen besteht kein Gegensatz zwischen diesen Überzeugungen und wissenschaftlichem Wissen. Es liegt das Verhältnis von Phänomen und Erklärung vor. Das ist ein Fall des gegensatzfreien Verhältnisses zwischen Explanandum und Explanans. Bei der zweiten Bestimmung des epistemischen Status hingegen treten die lebensweltlichen Überzeugungen mit wissenschaftlichem Wissen in einen Gegensatz, *sofern* der Überzeugte nicht die objektivierende Außenansicht auf sich übernimmt und seine Überzeugungen nicht als unvermeidliche mentale Zustände mit Aussagegehalt ansieht. Der Überzeugte versteht in diesem Fall vielmehr nach wie vor seine Überzeugung als ein Urteil, das von ihm gefällt wird und nicht als etwas, das ihm widerfährt. Er hält an seinen, so verstandenen Überzeugungen gegenüber Anfechtungen fest. Lebensweltliche Überzeugungen treten unter diesen Umständen als Gewissheiten in einen Gegensatz zu wissenschaftlichem Wissen. – Das Wort „Gewissheit" verstanden als Abwesenheit von Zweifeln an der Wahrheit einer Aussage, an der Berechtigung einer Aufforderung oder an der Aufrichtigkeit einer Bekundung, wobei die Aussage, Aufforderung oder Bekundung dem, der nicht zweifelt, bekannt ist.

3. Man stößt auf eine dritte Erklärung für die Unbeeinflussbarkeit von lebensweltlichen Überzeugungen, wenn die Blickrichtung umgekehrt wird. Bisher sah ich lebensweltliche Überzeugungen bezogen auf wissenschaftliches Wissen, sei es in Form der Bezogenheit von erklärungsbedürftigen Phänomenen auf wissenschaftliche Erklärungen, sei es in der Form der epistemischen Qualifikation als wissenschaftlich erklärbare, unvermeidliche Illusionen. Man kann aber auch umgekehrt wissenschaftliches Wissen auf lebensweltliche Überzeugungen beziehen und den Gedanken fassen: Der Erwerb wissenschaftlichen Wissens bzw. die Bildung wissenschaftlicher Wissensansprüche zehrt von lebensweltlichen Überzeugungen. Diese lebensweltlichen Überzeugungen haben den Status von Präsuppositionen wissenschaftlichen Wissens. Sie können von diesem Wissen nicht korrigiert, mithin erschüttert werden, weil sie von ihnen vorausgesetzt werden.

Ich glaube, dass die eingangs genannten lebensweltlichen Überzeugungen diesen dritten Status von Präsuppositionen haben oder ihn zumindest beanspruchen dürfen. Entsprechend bin ich festgelegt auf die Meinung, dass die zweite Statusbestimmung falsch ist. Ich will aber die These, bestimmte lebensweltliche Überzeugungen hätten den Status von Präsuppositionen, nur für den Fall von wissenschaftlichem Wissen über das intentionale Verhalten von Personen vertreten. Zur Stützung dieser These werde ich kurz ein Beispiel für die wissenschaftliche Erklärung intentionalen Verhaltens von Personen diskutieren. Daran anschließend will ich eine mögliche Konsequenz die These bedenken: Folgt daraus, dass gewisse lebensweltliche Überzeugungen den Status von Präsuppositionen für wissenschaftliches Wissen haben, dass sie als Gewissheiten statt als Wissen angesehen werden müssen? Meine Antwort wird „nein" lauten.

Es sind somit vor allem drei Thesen, für die ich im Folgenden Argumente geben will: 1. Gewisse lebensweltliche Überzeugungen haben erkenntnismäßig den Status von Präsuppositionen für wissenschaftliche Erklärungen des intentionalen Verhaltens von Personen. 2. Sie haben nicht bloß den Charakter von *a*rationalen Gewissheiten. 3. Sie sind Kandidaten für ein Wissen über Eigenschaften und Fähigkeiten, ohne die wir uns unverständlich werden würden und ohne die wir unfähig werden würden, unsere soziale Lebensweise fortzusetzen. Zu diesem Wissen gehört unter anderem die Kenntnis von Fähigkeiten, Zugang zu Geistigem zu bekommen, wie es zum Beispiel Handlungen sind.

Ein Fallbeispiel: „Oxytocin erhöht das Vertrauen zu Menschen."

Das Beispiel ist ein Fall für eine naturalistische Handlungserklärung. Es gehört zu den zahlreichen Experimenten, die Forschergruppen aus dem Feld der Neuroökonomie seit einigen Jahren durchführen (vgl. nur Gintis/Bowles/Boyd/Fehr 2005; Camerer/Loewenstein/Prelec 2005; kritisch: Peacock/Schefczyk 2005).

In einem sogenannten Vertrauensexperiment bildete man aus 120 Testpersonen zwei gleich große Gruppen. In beiden Gruppen sollte das Maß der Bereitschaft von sogenannten Investoren geprüft werden, sogenannten Treuhändern Kapital zu überlassen. Jede der beiden Großgruppen zu sechzig Personen umfasste also Investoren und Treuhändern. Den Mitgliedern der ersten Gruppe wurde das Neuropeptid Oxytozin verabreicht, und zwar in der Darreichungsform eines Nasensprays. Das sind die Mitglieder der Oxytozingruppe. Den Mitgliedern der zweiten Gruppe wurde ein Placebo gegeben. Sie bildeten die Placebogruppe.

Das hauptsächlich relevante Ergebnis war nun, dass unter den ‚gedopten' Investoren in der Oxytozingruppe eine erheblich größere Zahl bereit war, ihren Treuhändern mehr Kapital zur nicht-sanktionierbaren Verwendung zu überlassen – erheblich größer im Vergleich zu den ‚nichtgedopten' Investoren aus der Placebogruppe. Die Mitglieder der Oxytozingruppe von Investoren zeigten ein größeres Vertrauen in die Treuhänder, indem sie stärkere Vorleistungen erbrachten – mehr Kapital überließen – als die Mitglieder der Placebogruppe von Investoren. Das Fazit des Experiments wird vom Titel des Aufsatzes in der Zeitschrift *Nature* angezeigt: „Oxytozin erhöht das Vertrauen zu Menschen." („Oxytocin increases trust in humans".[11])

Damit wird bündig eine biochemische Ursache als erklärender Grund an die Stelle vertrauter, lebensweltlich fundierter Erklärungen gesetzt – an die Stelle von Erklärungen wie die, dass Leichtgläubigkeit, also ein laxer Umgang mit Maximen der Überzeugungsbildung zu höherem Vertrauen in andere führe, oder dass ein größerer sozialer Mut oder gar die Naivität am Werk sei, auf die bindende Kraft einer Vorleistung zu setzen.

Die Schlussfolgerung des Experiments wird zwar meines Erachtens von den berichteten Daten nicht eindeutig gestützt, weil die Autoren nicht genau zwischen Vertrauen und Risikobereitschaft unterscheiden. *Vertrauen* von *A* zu *B* ist die Bereitschaft von *A*, zu handeln mit der Meinung, dass dieses Handeln eine Handlungsgelegenheit für *B* schafft oder bewahrt und dass *B nicht bereit* ist, die Gelegenheit zum Nachteil von *A* zu nutzen, dass also *B* die Nutzung dieser Gelegenheit zum Nachteil von *A unterlassen wird. – Risikobereitschaft* von *A* in Hinsicht auf *B* ist hingegen die Bereitschaft von *A*, zu handeln mit der Meinung, dass dieses Handeln eine Handlungsgelegenheit für *B* schafft oder bewahrt und *dass B bereit ist*, diese Gelegenheit zum Nachteil von *A zu nutzen*. Es kann sein, dass *A* dann anders als im Fall eines Vertrauens zu *B* mit dem Mute der Verzweiflung handelt oder in banger Hoffnung, dass *B* doch nicht die Gelegenheit zum Nachteil von *A* nutzen wird.

Aber auf diesen Punkt einer Verwischung des Unterschiedes zwischen Risikobereitschaft und Vertrauen kommt es mir an dieser Stelle nicht an. Wichtiger ist hier, am Fall einer anerkannten naturwissenschaftlichen Forschung über intentionales Verhalten von Personen den epistemischen Status lebensweltlicher Überzeugungen als Präsuppositionen bestätigt zu sehen. Das Forschungsergebnis nimmt nämlich auf der Ebene des Expla-

---

[11] Kosfeld/Heinrichs/Zak/Fischbacher/Fehr 2005. Vgl a. Baumgartner/Heinrichs/Vonlanthen/Fischbacher/Fehr 2008.

nandums und des Explanans lebensweltliche Überzeugungen in Anspruch. Das Erklärungsbedürftige ist das höhere Vertrauen, das die Investoren gegenüber ihren Treuhändern in der Oxytozin-Gruppe zeigten – im Vergleich zur Placebo-Gruppe.

Vertrauen kann Vorleistungen motivieren. Das ist aus Sicht der Wissenschaftler im vorliegenden Vertrauensexperiment der Fall. Denn es ist die Rede davon, dass die Investoren den ersten Schritt in einer sozialen Interaktion machen müssten, die eine für beide Seite vorteilhafte Kooperation der Gewinnsteigerung etablieren soll, und dass für die Treuhänder die Psychologie der Reziprozität relevant sei.[12]

Um zu dem hier wesentlichen Argument hinzuführen, müssen knapp einige sprachliche Bedeutungen und damit bestimmte sachliche Unterschiede erläutert werden. Sie betreffen die Rede von „Vertrauen" und von durch Vertrauen motivierte „Vorleistungen".

„*A* erbringt eine Vorleistung gegenüber *B*" bedeutet so viel wie

(1) *A* tut bzw. unterlässt etwas mit einer bestimmten Meinung, wobei diese Meinung von *A* (2) –(5) beinhaltet.

(2) *A* glaubt, dass in Folge seines Tuns *B* eine Handlungsgelegenheit bekommt.

(3) *A* glaubt, dass *B* diese Handlungsgelegenheit zu beiderlei Vorteil, zum Vorteil von *A* und *B*, nutzen kann.

(4) *A* glaubt, dass *B* die von *A* geschaffene Handlungsgelegenheit auch zum Nachteil von *A* nutzen *kann*.

(5) *A* glaubt, dass *B* diese Handlungsgelegenheit *nicht* zum Nachteil von *A* nutzen *soll* (oder sollte).

Die fünfte Bedingung ist nötig, um „eine Vorleistung erbringen" von „ein Opfer bringen" zu unterscheiden. Ein Opfer erbringen heißt etwas tun, von dem man überzeugt ist oder gar weiß, dass es einem einen Nachteil einbringt. Eine Vorleistung erbringen bedeutet demgegenüber nicht, etwas tun, von dem man überzeugt ist oder gar weiß, dass es einem einen Nachteil einbringt. Eine Vorleistung erbringen bedeutet, etwas zu tun, was ei-

---

[12] „(..) investors have to make the first step (...) In contrast, the trustees can condition their behaviour on the basis of the investor's actions. Thus, the psychology of trust is important für investors, whereas the psychology of strong reciprocity (..) is relevant for trustees." (Kosfeld/Heinrichs/Zak/Fischbacher/Fehr 2005, 675, 1. Spalte, 1. Absatz.) – „(..) investors' behaviour (..) is also likely to be driven by the motive to increase the available amount for distribution between the two players." (Ebd., 675, 2. Spalte, 2. Absatz.)

nem anderen (B) einen Vorteil, zum Beispiel eine Handlungsgelegenheit verschafft, wobei B diesen Vorteil nicht zum Nachteil von A nutzen *soll*. *A* hat Vertrauen zu *B*, wenn *A* glaubt, dass *B* die Handlungsgelegenheit *nicht* zum Nachteil von A nutzen *wird*; dass also B nicht dem zuwiderhandeln wird, was B tun soll. (Damit ist nicht behauptet, dass A glaubt, B werde etwas Gesolltes tun, *weil* B es tun soll.)

Um sein Explanandum identifizieren zu können, muss der Experimentator im Labor wissen oder ‚sehen‘, dass der Proband *A*, der Investor, Vertrauen bekundet, indem er eine Vorleistung gegenüber *B*, dem Treuhänder, erbringt. Er muss unter anderem ein Verständnis davon haben, dass aus *A*'s Sicht *B* etwas unterlassen soll. Der Experimentator muss also einen Sinn für das in den Augen von *A* Gesollte haben. Da er die Situationswahrnehmung von *A* übernimmt, übernimmt er auch die Sicht von *A*, inklusive dessen Meinung, dass *B* etwas gegenüber *A* unterlassen soll. Der Forscher im Labor akzeptiert also eine der genannten lebensweltlichen Überzeugung, nämlich, dass Menschen Adressaten eines Sollens sein können. Er muss das, um das Erklärungsbedürftige überhaupt angeben zu können.

Ein Einwand drängt sich sogleich auf: Die Forscher müssen die lebensweltlichen Überzeugungen doch nur insoweit akzeptieren, als diese eben Teil des Explanandums sind. Sie akzeptieren wohl auf der Ebene der Beschreibung des erklärungsbedürftigen Phänomens gewisse lebensweltliche Überzeugungen. Etwas Ähnliches tun ja auch Sinnesphysiologen, die optische Täuschungen untersuchen. So werden diese beispielsweise die Beschreibung akzeptieren, die ein Wahrnehmungssubjekt von seinen, schon erwähnten, wechselnden visuellen Wahrnehmungen einer unterschiedlich beleuchteten Oberfläche gibt. Auf der Ebene des Explanans sprechen die Sinnesphysiologen dann aber nicht mehr die Sprache des erlebenden Wahrnehmungssubjekts. Entsprechend, so der Einwand, geben die Vertrauensforscher im Labor auf der Ebene ihrer Erklärung die lebensweltliche Beschreibungssprache auf. Diese Trennung einer Beschreibungssprache von einer Erklärungssprache lässt sich im Fall der Erklärung intentionalen Verhaltens von Personen aber nicht bewerkstelligen. Auch beim Explanans sind lebensweltliche Überzeugungen im Spiel.

Im vorliegenden Experiment ist das Erklärende der gravierende Unterschied bei der Oxytozin-Konzentration im Gehirn der Probanden. Der unterschiedliche Oxytozingehalt erklärt, warum das Vertrauen der Investoren in der Oxytozingruppe erheblich größer war als das Vertrauen der Investoren aus der Placebogruppe. Die Idee bei dieser Erklärung ist, so weit ich sehe, dass das Hormon Oxytozin so etwas wie eine schwache soziale

Furcht, eine Abneigung oder Aversion gegen andere, abbaut und die Annäherungsbereitschaft zu anderen erhöht. Allerdings verlangen die experimentell gefundenen Daten eine Spezifikation der erklärenden Ursachen. Über diese Spezifikation kommt eine lebensweltliche Überzeugung zum Zuge, und zwar bei den erklärenden Naturwissenschaftlern.

Neben dem schon erwähnten, gravierenden Unterschied im intentionalen Verhalten zweier Gruppen von Investoren gab es noch ein Ergebnis, das die Treuhändergruppen betraf. Diejenigen Testpersonen, die die Rolle von Treuhändern übernommen hatten und die ebenfalls Oxytozin einnahmen, handelten *nicht* anders im Vergleich zu den ,nicht gedopten' Treuhändern in der Kontrollgruppe (in der Placebogruppe). Damit schien ein Prinzip verletzt zu sein, nämlich das Prinzip: „Gleiche Ursachen haben gleiche Wirkungen bei gleichen Randbedingungen". Denn wenn das Hormon Oxytozin bei den gedopten *Investoren* einen Unterschied gegenüber den nicht-gedopten Investoren ausmacht, dann muss es auch einen Unterschied im intentionalen Verhalten zwischen gedopten *Treuhändern* und nicht-gedopten Treuhändern bewirken. Das tat es nicht. Darum stellte sich die Frage: Warum bewirkt die gleiche biochemische Ursache – eine höhere Oxytozinkonzentration im Gehirn – bei den ,sozial gedopten' Investoren ein verändertes intentionales Verhalten, nicht aber bei den ebenfalls ,sozial gedopten' Treuhändern?

In der Antwort der Vertrauensforscher wird interessanterweise auf die verschiedenartigen Handlungssituationen der beiden Akteursgruppen hingewiesen.[13] Die Randbedingungen waren andere, und diese Randbedingungen werden als unterschiedliche Handlungssituationen in einer sozialen Interaktion verstanden. Im Unterschied zu den Treuhändern mussten die *Investoren* die Initiative ergreifen, eine soziale Beziehung herzustellen, in der zu beiderseitigem Vorteil Investor und Treuhänder kooperieren. Die Initiative hatte eben die Form einer Vorleistung. Das Oxytozin, das in der kausalen Erklärung angeführt wird, mindert – so die These – die Furcht oder Abneigung, mit einer solchen Initiative zu scheitern. Die Treuhänder hingegen hatten nichts zu befürchten und empfanden auch keine Furcht. Denn sie konnten ja nicht sanktioniert werden. Die Furcht oder Abneigung der Investoren war aber nicht einfach die Furcht, die einen bei einem Spiel

---

[13] „We hypothesize that the differing effect of oxytocin on the behaviour of investors and trustees is related to the fact that investors and trustees face rather different situations. Specifically, investors have to make the first step; they have to approach the trustee by transferring money. In contrast, the trustees can condition their behaviour on the basis of the investor's actions." (Ebd., 675, 1. Spalte, 2. Absatz.)

mit hohem Risiko, sei es am Rouletttisch, an der Börse oder auf der Über-
holspur der regennassen Autobahn vielleicht ergreift.[14] Das zeigte ein Kon-
trollexperiment. In diesem sogenannten Risiko-Experiment wurden die
leibhaftigen Treuhänder durch einen Risikogenerator ersetzt, der das gleiche Verlustrisiko für die Investoren erzeugte wie die Treuhänder. Merk-
würdigerweise zeigten die gedopten und die nicht-gedopten Investoren in
diesem Fall keinen Unterschied in ihrer Bereitschaft, ihr Geld zu investieren oder nicht zu investieren. Das Oxytocin bewirkte nichts, kein erhöhtes
Vertrauen, keine größeren Vorleistungen. Das wurde damit erklärt, dass in
diesem Fall kein soziales Gegenüber existierte, sondern eben nur eine Maschine.[15]

Die kausale Wirksamkeit und Unwirksamkeit wird in der wissenschaftlichen Erklärung des Fallbeispiels an bestimmte unterschiedliche
Randbedingungen gebunden, die mit der sozialen Furcht oder Abneigung
der Probanden zusammenhängen. Die Wissenschaftler arbeiten in dieser
Erklärung mit einem Verständnis von sozialer Furcht bzw. Abneigung, das
diese emotionalen Zustände nicht bloß biologisch charakterisiert (z.B.
durch beschleunigten Herzschlag, Starreverhalten, Ausschüttung von
Stresshormonen, Schmerzunterdrückung, eine Amygdalaaktivität, repräsentiert im Arbeitsgedächtnis usw.). Die soziale Furcht wird vielmehr
durch ihren kognitiven Gehalt spezifiziert und ist gut aristotelisch mit einem Gedanken desjenigen verbunden, der Furcht empfindet. In diesem
Gedanken stecken bestimmte lebensweltliche Überzeugungen.

Der Gedanke ist die schlichte Vorstellung, dass der Gegenüber, der
sogenannte Treuhänder Gründe pro und contra hat. Er hat einen Grund, das
Vertrauen des Investors zu missbrauchen und zu betrügen.[16] Denn er kann
sanktionsfrei agieren und ohne eigenen Schaden eigennützig handeln. Und
der Gegenüber des Investors, der Treuhänder, hat aus Sicht des Investors
einen Grund, das nicht zu tun – das Gebot, Vertrauen nicht zu missbrau-

---

[14] Hierfür war eine Diskussionsbemerkung von Felicitas Krämer hilfreich.

[15] „(..) the investor's risk in the risk experiment is not generated through a social inter-
action." (Ebd., 674, 2. Spalte, 3. Absatz).

[16] In einem anderen Aufsatz wird mit Blick auf die hier diskutierte Studie von Ausbeu-
tung („exploitation) gesprochen und von der Abneigung von A, ausgenutzt bzw. aus-
gebeutet zu werden. Es ist nicht normativ neutralisiert lediglich von einer Furcht vor
Enttäuschung prognostischer Erwartungen die Rede. Siehe den Aufsatz von drei Autoren der Oxytozin-Studie Kosfeld/Heinrichs/Zak/Fischbacher/Fehr 2005: Oxytozin
(=OT) „might also overcome the ‚natural' fear of being exploited by others in a social
dilemma. (..) Thus, it seems possible that OT affects subject's exploitation aversion."
(350, 1.Spalte, 2. Absatz.)

chen und das Gebot der Reziprozität, Leistung mit Gegenleistung zu erwidern. (Die Gebote können durchaus als das Klugheitsgebot aufgefasst werden, nicht leichtfertig Kooperationsvorteile zu verspielen.) In diesem Gedanken stecken zumindest zwei lebensweltliche Überzeugungen. Erstens die Überzeugung, dass Personen über einen Spielraum intentionalen Verhaltens verfügen, den sie auch durch das Erwägen von Gründen erschließen (entdecken und nutzbar machen). Und zweitens die Überzeugung, dass Personen den Status haben von Adressaten normativer Erwartungen – hier der normativen Erwartung, Vertrauen nicht zu missbrauchen. (Dass man Vertrauen nicht missbraucht, muss nicht heißen, dass man Vertrauen erwidert. Man kann es auch unterlassen, Vertrauen zu missbrauchen, indem man den angesonnenen Eintritt in eine Kooperation zurückweist, im Wissen um die Verpflichtung, die man damit eingehen würde.) Die soziale Furcht, auf die das Hormon Oxytozin kausal einwirkt, ist von einem Urteil abhängig, das seinerseits in diesen lebensweltlichen Überzeugungen wurzelt. Die erklärenden Naturwissenschaftler übernehmen in ihrer Erklärung dieses Verständnis von Furcht, das damit verbundenen Urteil und die präsupponierten lebensweltlichen Überzeugungen. Sie schreiben diese Überzeugungen nicht bloß den Probanden zu, sondern sie teilen diese Überzeugungen, indem sie sich vorbehaltlos in ihrer Erklärung auf diese Überzeugungen stützen.

Um die Diskussion des Fallbeispiels zusammenzufassen: Die erörterte Erklärung eines verschiedenartigen Handelns von Personen gegenüber anderen Personen rückt augenscheinlich von üblichen, lebensweltlichen oder volkspsychologischen Erklärungen ab. Sie führt keine Gründe, sondern biochemische Ursachen an. Aber sowohl auf der Ebene des Erklärungsbedürftigen als auch auf der Ebene des Erklärenden können wissenschaftliche Erklärungen des intentionalen Verhaltens von Personen offenkundig nicht ohne gewisse lebensweltliche Überzeugungen auskommen. Das erhärtet die These, dass diese Überzeugungen jedenfalls auch den epistemischen Status von Präsuppositionen wissenschaftlichen Wissens in gewissen Gegenstandsbereichen haben.

Naturalistische Anhänger der Fodorschen These von der Unersetzbarkeit Spezialwissenschaften (Fodor 1992; 1997) wie zum Beispiel der Psychologie durch die Physik oder die Neurobiologie akzeptieren mitunter bereitwillig diese These. Aber im Verein mit einer anderen These ist diese These von dem Status lebensweltlicher Überzeugungen als Präsuppositionen vielleicht nicht ganz so theorieneutral. Ich meine die These, wonach etwas, das eine unverzichtbare erklärende Leistung in einem Gegenstandsbereich erbringt, etwas ist, das in diesen Gegenstandsbereich auch eine kausale Leistung erbringt oder das zumindest ein fundamentum in re und nicht bloß in mente hat.[17] Wenn man diesen Realismus der Erklärung akzeptiert, dann kann man lebensweltliche Überzeugungen nicht mehr so einfach instrumentalistisch als explanatorisch nützliche Mittel auffassen, wie es eine Lesart der Fodor-These von den „Special Sciences" nahelegt. Der Gehalt dieser Überzeugungen scheint etwas in der Realität einzufangen, und die Überzeugungen scheinen den Charakter von Erkenntnissen zu haben.

Sind lebensweltliche Überzeugungen arationale Gewissheiten?

Die Frage, die ich zum Schluss aufwerfen möchte, ist die nach einer Konsequenz aus dem Gesagten. Folgt aus dem präsuppositionellen Status bestimmter lebensweltlicher Überzeugungen, dass sie *a*rationale Gewissheiten sind? Die Frage lässt sich durch die Variation eines Wittgensteinschen Gedankens intuitiv erfassen. „Wenn das Wahre das Begründete ist" schreibt Wittgenstein in *Über Gewißheit*, „dann ist der Grund weder wahr noch falsch." (Wittgenstein 1970, 59, § 205) Entsprechend: Wenn wissenschaftliches Wissen etwas präsupponiert, dann ist das Präsupponierte weder Wissen noch Irrtum. Würde das stimmen, dann würden lebensweltliche Überzeugungen mit dem Status von Präsuppositionen zwar nicht in einen ausschließenden Gegensatz zu wissenschaftlichem Wissen treten. Aber sie wären eben bloße Gewissheiten im Unterschied zu Wissen. Und das vertrüge sich auch nicht gut mit einer nicht-instrumentalistischen Lesart von lebensweltlichen Überzeugungen als Erkenntnissen.

Man könnte diese Schlussfolgerung mit einem Argument von Julian Nida-Rümelin kritisieren. Nida-Rümelin hält es für ein cartesianisches Vorurteil, legitime Wissensansprüche an unfehlbare Aussagen zu binden, die zwingende Gründe für Überzeugungen liefern (Nida-Rümelin 2006, 28). (Solche unbezweifelbaren Aussagen sind beispielsweise Konstatierungen von Bewusstseinstatsachen, weil das Haben von cogito-Gedanken mit dem Erfülltsein ihrer Wahrheitsbedingungen zusammenfällt.) Die rechtfertigende Basis für legitime Wissensansprüche liegt diesem Vorurteil

---

[17] Jaegwon Kim nennt diese These die These vom explanatorischen Realismus („explanatory realism"): „a realist concept of explanation holds (..) that an explanation is correct (..) *in virtue* of there obtaining 'in the real world' a certain determinate relationship between the explanandum and what is adduced as an explanation of it." (Kim 1993a, 256) John Searle teilt diese These (vgl. Searle 2001, z.B. 102/Anmerkung 2).

gemäß in Aussagen, die als notwendig wahr erfasst werden können. In Aussagebereichen, in denen es keine solchen Aussagen gibt, bleiben die Wissensansprüche ungedeckt und also illegitim. Nur unfehlbar Gewusstes kann letztlich Wissensansprüche legitimieren.

Aber die von mir erwogene Schlussfolgerung, in der lebensweltliche Gewissheiten wissenschaftlichem Wissen gegenübergestellt werden, arbeitet nicht mit einer infallibilistischen („certistischen") Prämisse. Sie setzt lediglich voraus, dass Wissen und legitime Wissensansprüche an Begründungen gebunden sind. Begründungen sind Zurückweisungen vernünftiger Zweifel, wobei nicht jeder denkbare Zweifel schon ein vernünftiger (=sinnvoller) Zweifel ist. Die Begründungen müssen deshalb nicht so stark sein, dass sie jeden auch nur denkbaren Zweifel ausräumen können.

Man könnte die Schlussfolgerung, gewisse lebensweltliche Präsuppositionen der Wissenschaften vom Menschen hätten keinen Wissensstatus, auch damit kritisieren, dass sie eine psychologische mit einer semantischen Eigenschaft verwechselt. Die lebensweltlichen Voraussetzungen sind – so der Einwand – nur in psychologischer Hinsicht Überzeugungen, eben arationale Gewissheiten. Aber sie haben keinen repräsentationalen, wahrheitsfähigen Gehalt. Sie sind nicht *Überzeugungen über* etwas, sondern stabile, schwer erschütterbare *Einstellungen gegenüber* etwas und jemandem. Es ist deshalb unsinnig zu sagen, sie seien Überzeugungen von schlechterer epistemischer Qualität und eben kein Wissen.

Bei dieser Überlegung, die dem Projektivismus von Simon Blackburn (1998) in der Ethik ähnelt, wird aber eines unklar: Kann es noch eine Einsicht geben, die zur Einnahme dieser stabilen Einstellungen rational motiviert? Wenn nicht, dann kann die Änderung lebensweltlicher Gewissheiten nicht als eine Revision oder als ein Lernen, sondern nur noch als ein faktischer Wandel gedacht werden, so wie sich bisweilen ein Flussbett verändert.[18]

Wenn man diese weitergehende Konsequenz vermeiden will, dann sollte man auch etwas anderes zu verhindern suchen. Man sollte sich darum bemühen, die Konsequenz zu blockieren, dass für lebensweltliche Überzeugungen mit einem präsuppositionellen Status für wissenschaftliches Wissen (über intentionales Verhalten) kein Wissensanspruch erhoben werden kann (vgl. Habermas 1991, 42 f.). – Was für ein Wissensanspruch könnte das aber überhaupt sein, der mit lebensweltlichen Überzeugungen der genannten Art verbunden ist?

---

[18] Wissen und Irrtum sowie Lernen gehören zusammen – Lernen verstanden als eine Überzeugungsänderung, die vormals gute Gründe für den Irrtum zulässt.

Eine Vermutung ist, dass für lebensweltliche Überzeugungen ein Wissen über gewisse Tatsachen der sozialen menschlichen Existenzweise beansprucht werden darf. Die Aussagen, die diese Tatsachen konstatieren, schreiben uns Eigenschaften und Fähigkeiten zu, ohne die wir uns unverständlich werden würden in dieser sozialen Existenzweise und ohne die wir unfähig werden würden, unsere soziale Lebensweise fortzusetzen. Zu diesen Fähigkeiten zählen auch Fähigkeiten, einen Zugang zu Geistigem zu bekommen. Mit „geistig" meine ich nur so viel wie das Attribut für eine Aktivität, für die gilt: Die Aktivität ist *erstens* ein Respondieren auf etwas, wobei dieses Respondieren an Maßstäben des Richtigen und Falschen beurteilt wird. *Zweitens* ist das Beurteilen Teil der Aktivität selbst und wird nicht von außen an sie herangetragen. *Drittens* wird diese Aktivität verständlich im Lichte der Reaktionen auf die Erfüllung solcher Maßstäbe. Kurz, für geistige Entitäten sind Normativität, Selbstorganisation und eine bestimmte Art von Verstehbarkeit charakteristisch.

So sind beispielsweise Handlungen in einem unverdächtigen Sinn etwas Geistiges. Um eine Handlung als Handlung zu erkennen, muss man ihren Grund kennen. Das soll nicht besagen, dass eine Handlung stets überlegt ist. Es soll nur besagen, dass Körperbewegungen, mit denen Handlungen ausgeführt werden, einen rechtfertigenden Grund haben. Und „Körperbewegungen haben einen rechtfertigenden Grund" bedeutet so viel wie: Sie haben den Status, etwas Gesolltes zu sein. Sie realisieren eine Absicht, eine Intention. Da eine Handlungsintention die Erfolgsbedingungen für die Handlung angibt (vgl. Searle 1991, 26 ff.), haben Körperbewegungen den Status, Erfüller von Erfolgsbedingungen für Handlungen zu sein. Diese Eigenschaft, einen normativen Status zu haben, ist übrigens der erklärende Grund dafür, dass man eine Handlung weder mit bestimmten Körperbewegungen noch mit der disjunkten Reihe von bestimmten Körperbewegungen identisch setzen kann, dass also Handlungen nicht mit Ereignissen oder Disjunktionen von Ereignissen zusammenfallen.[19]

Um auf unserer Laborbeispiel zurückzukommen: Der Investor stellt dem Treuhänder Geld zur Verfügung. Er tut das im vertrautesten Fall, in-

---

[19] Die Gleichsetzung von etwas Geistigem mit einer disjunkten Reihe von etwas Physischem wird unter anderem erörtert von Kim 1993b, 151 f. – Vgl. a. Antony 2003, insbes. 9 ff. Zu Anthony vgl. a. Shoemaker 2007, 45-53, 79-87. Soweit ich bislang sehe, wird das von mir gegebene Argument gegen eine Gleichsetzung von Handlungseigenschaften (oder von Handlungsprädikaten) mit einer disjunkten Reihe von Vorkommnissen (oder von physikalistischen Prädikaten) hier nicht beeinträchtigt. In der angegebenen Diskussion ist nur sehr abstrakt von mentalen Eigenschaften oder Prädikaten die Rede.

dem er rechteckige, bedruckte Papierstücke auf dem Tisch in die Reichweite des Treuhänders schiebt, seine Hände zurückzieht und sich auf seinem Stuhl zurücklehnt, vielleicht begleitet von den Worten „Bitte sehr!". Die genannten Körperbewegungen realisieren die Bedingungen dafür, dass eine Handlung, nämlich Geld zur Verfügung zu stellen, erfolgreich ausgeführt wird. Man muss die Absicht kennen, in der der Investor seine Hände auf dem Tisch hin- und herbewegt, also die Erfolgsbedingungen des Handlungsversuches. Und man muss den Status dieser Körperbewegungen kennen, nämlich die gesollten Erfolgsbedingungen zu erfüllen. Ohne diese Kenntnisse können die beobachteten Körperbewegungen gar nicht aus dem Strom an Bewegungen und Geschehnissen herausgegriffen und konfiguriert werden zur Ausführung einer Handlung.

Die lebensweltliche Überzeugung, dass keine Handlung ohne präsumtiv rechtfertigenden Grund ist, fungiert als Mittel, um zu so einem simplen Fall von Geistigem, wie es eine Handlung ist, Zugang zu finden. Natürlich teilen die Wissenschaftler im Labor bei ihren Beobachtungen ganz selbstverständlich diese Überzeugung. Aber diese Überzeugung passt nicht gut zusammen mit einer wissenschaftlichen Sicht, in der Handlungen mit physischen Geschehnissen und Gründe mit biologisch funktionalen Handlungsdispositionen gleichgesetzt werden.

Das Beispiel des Verstehens von Handlungen soll nur die generelle Vermutung stützen, wonach bestimmte lebensweltliche Überzeugungen Kandidaten sind für ein Wissen über Geistiges und insbesondere für ein Wissen über Zugangsbedingungen zu Geistigem. Damit sie erfolgreiche Kandidaten sind, müssten sie aber Anfechtungen wissenschaftlicher Wissensansprüche überstehen. Solche Anfechtungen bestehen zum Beispiel in vermeintlichen Demonstrationen, dass wir uns auch bei Ausfall oder Einklammerung bestimmter lebensweltlicher Überzeugungen nicht unverständlich werden oder dass unsere Praxis nicht zusammenbricht[20]; oder schließlich, dass es funktionale Äquivalente gibt für die in lebensweltlichen Überzeugungen festgestellten Fähigkeiten, einen Zugang zu Geisti-

---

[20] Man hat wohl einige Zeit im christlichen Europa Atheisten den Status eines vereidigten Zeugen vor Gericht verweigert. Denn – so das Argument - sie hätten als Atheisten keine Furcht vor Gottes Strafe im Falle eines Meineids. Unsere Praxis der fairen Rechtsprechung ist offensichtlich nicht, wie damals vielleicht befürchtet, mit der Zulassung von Atheisten als vereidigte Zeugen zusammengebrochen. Mit einer solchen Widerlegung müssen auch die genannten lebensweltlichen Überzeugungen rechnen. – Das Beispiel führte Richard Rorty in einem Gespräch an. Töricht wie wir Lebenden bisweilen sind, habe ich versäumt, ihn nach der Quelle zu fragen. Jetzt kann er leider nicht mehr gefragt werden.

gem zu gewinnen. Man denke etwa an Empathiepillen auf der Basis der Forschungen zu Spiegelneuronen und zum Autismus oder an die Ersetzung von Selbstbindungen als Bedingung für kooperative Sozialbeziehungen durch die Einnahme von Oxytozinpräparaten. Das ist Sciencefiction, gewiss. Der epistemologische Gedanke dahinter ist allerdings nicht fiktional. Warum müssen berechtigte lebensweltliche Wissensansprüche solche Anfechtungen abwehren können? Weil wissenschaftliche Wissensansprüche oftmals die Kontextvariation der Überzeugungsbildung am weitesten treiben. Diese Kontextvariation ist ein Qualitätstest für *alle* Arten von rechtfertigenden Gründen, ohne die ein Wissen über uns in unserer verwissenschaftlichen Alltagskultur nicht zu haben ist.

Ein richtiges Menschenbild enthält deshalb die elementare menschliche Fähigkeit, die diesem Qualitätstest zu Grunde liegt: die Fähigkeit zu einer objektivierenden, dezentrierenden Perspektive des Menschen auf sich. Es enthält aber auch den Kern der angeführten lebensweltlichen Überzeugungen über uns – freilich unter dem Vorbehalt, dass diese Überzeugungen die Anfechtungen aus einer wissenschaftlich dezentrierenden Perspektive überstehen. Ich glaube, argumentiere jedoch jetzt nicht mehr dafür, dass die aufgeführten lebensweltlichen Überzeugungen sich im Wesentlichen auf drei Auffassungen zurückführen lassen, auf die Auffassung, erstens dass Menschen Symbole gebrauchende Tiere sind, die in einem Bereich des Sollens situiert sind; dass sie zweitens die Fähigkeit besitzen, Bewertungsmaßstäbe in Frage zu stellen; und dass sie drittens eine Fähigkeiten zur Selbstbindung von Gründen haben. Ein richtiges Menschenbild sollte also mindestens vier Charakteristika enthalten:

(1)   das Situiertsein des Menschen in einem Bereich des Sollens,
(2)   die Fähigkeit zur Infragestellung von Bewertungsmaßstäben,
(3)   die Fähigkeit zur Selbstbindung in Form von Gründen und
(4)   die Fähigkeit zu einer objektivierenden, dezentrierenden Perspektive.

Es kann sein, dass der Gebrauch dieser verschiedenen Fähigkeiten zu intellektuell widerstreitenden Ergebnissen führt. Vielleicht ist das eine Erklärung dafür, dass die Antwort auf die Frage nach dem richtigen Menschenbild stets umstritten ist.

LITERATUR

Antony, L. (2003): Who's afraid of disjunctive properties?, in: *Philosophical Issues* 13, 1-21.

Baumgartner, T./Heinrichs, M./Vonlanthen, A./Fischbacher, U./Fehr, E. (2008): Oxytocin shapes the neutral circuitry of trust and trust adaptation in humans, in: *Neuron* 58, 639-650.

Blackburn, S. (1998): *Ruling Passions*, Oxford.

Broers, A. (2005): *The Triumph of Technology. The BBC Reith Lectures 2005*, Cambridge.

Camerer, C./Loewenstein, G./Prelec, D. (2005): Neuroeconomics: How Neuroscience Can Inform Economics, in: *Journal of Economic Literature* 43, 9-64.

Cicero, M. T. (2000): *Über das Schicksal / De Fato*, lat.-dt., hg. Karl Bayer, Düsseldorf/Zürich.

Craig, E. (1990): *Knowledge and the State of Nature. An Essay in Conceptual Synthesis*, Oxford.

Craig, E. (1993): *Was wir wissen können. Pragmatische Untersuchungen zum Wissensbegriff*, Frankfurt/M.

Ditzinger, T. (2006): *Illusionen des Sehens*, Heidelberg.

Fehr, E./Fischbacher, U./Kosfeld, M. (2005): Neuroeconomic Foundations of Trust and Social Preferences: Initial Evidence, in: *American Economic Review* 95, 346-351.

Fodor, J. (1992): Einzelwissenschaften. Oder: Eine Alternative zur Einheitswissenschaft als Arbeitshypothese, in: D. Münch (Hg.), *Kognitionswissenschaft. Grundlagen, Problcme, Perspektiven*, Frankfurt/M.

Fodor, J. (1997): Special sciences: Still autonomous after all these years, in: *Philosophical Perspectives* 11, 149-163.

Gintis, H./Bowles, S./Boyd, R/Fehr, E. (Hg.) (2005): *Moral Sentiments and Material Interests. The Foundations of Cooperation in Economic Life*, Cambridge, Ma.

Gregory, R. (2001): *Auge und Gehirn. Zur Psychologie des Sehens*, Reinbek.

Habermas, J. (1991): Edmund Husserl über Lebenswelt, Philosophie und Wissenschaft, in: ders., *Texte und Kontexte*, Frankfurt/M.

Hampe, M. (2007): Phenomenological Fundamentalism in Husserl's Conception of a Life-World and Sellars' Idea of a Synoptic Vision of a Manifest and a Scientific Image, in: D. Hyder (Hg.), *Science and the Life-World*, Stanford.

Kambartel, F. (1993): *Wahrheit und Begründung II. Praktische Urteile*, Ms.

Kambartel, F./Stekeler-Weithofer, P. (2005): *Sprachphilosophie. Probleme und Methoden*, Stuttgart.

Kiefer, C. (2002): *Quantentheorie*, Frankfurt/M.

Kim, J. (1993a): Mechanism, purpose, and explanatory exclusion, in: ders., *Supervenience and Mind*, Cambridge.

Kim, J. (1993b): Supervenience as a philosophical concept, in: ders., *Supervenience and Mind*, Cambridge.

Kosfeld, M./Heinrichs, M./Zak, P. J./Fischbacher, U./Ernst Fehr, E. (2005): Oxytocin increases trust in humans, in: *Nature* 435, 673-676.

Nida-Rümelin, J. (2006): *Demokratie und Wahrheit*, München.
Patzig, G. (1981): *Logik und Sprache*, 2.Aufl., Göttingen.
Peacock, M. S./Schefczyk, M. (Hg.) (2005): Ernst Fehr on Human Altruism: An Interdisciplinary Debate, *Analyse und Kritik* 27.
Putnam, H. (1997): *Für eine Erneuerung der Philosophie*, Stuttgart.
Roth, G. (2000): „Es geht ans Eingemachte", in: *Spektrum der Wissenschaft*, Oktober.
Schwemmer, O. (1990): *Die Philosophie und die Wissenschaften. Zur Kritik einer Abgrenzung*, Frankfurt/M.
Searle, J. (1991): *Intentionalität*, Frankfurt/M.
Searle, J. (2001): *Rationality in Action*, Cambridge, Ma.
Shoemaker, S. (2007): *Physical Realization*, Oxford.
Wittgenstein, L. (1970): *Über Gewißheit*, Frankfurt/M.

Teil 2

Die Beschreibung mentaler Phänomene: Zum Verhältnis von Philosophie und Neurowissenschaften

WOLFGANG HUEMER

Die Frage nach der Natur des menschlichen Geistes ist das zentrale Thema sowohl der Philosophie des Geistes, als auch der Neurowissenschaften. Die beiden Disziplinen stellen dabei allerdings verschiedene Aspekte in den Mittelpunkt: Während man in der Philosophie des Geistes Menschen als *Personen* versteht, die mit ihrer sozialen und physischen Umwelt interagieren und die Freiheit haben, gewisse Handlungen auszuführen und andere zu unterlassen, geht man in den Neurowissenschaften von der Tatsache aus, dass Menschen körperliche Wesen und als solche, wie alle materiellen Entitäten, den Gesetzen der Naturwissenschaften unterworfen sind. Mentale Phänomene werden in den Neurowissenschaften als Prozesse des *Gehirns* (ev. in Verbindung mit anderen Teilen des menschlichen Körpers) verstanden, das, wie alle körperlichen Organe, vollständig durch eine Auflistung der kausalen Prozesse, die sich in ihm abspielen beziehungsweise abspielen können, beschrieben werden kann.

Der enorme Fortschritt der Neurowissenschaften in den letzten Jahrzehnten setzt die Philosophie des Geistes unter einen Rechtfertigungsdruck: Er nährt die Hoffnung, dass es schon bald möglich sein wird, eine vollständige und naturwissenschaftlich exakte Theorie der Vorgänge im menschlichen Nervensystem zu formulieren, was eine philosophische Reflexion mentaler Phänomene überflüssig zu machen scheint. Wie sollten auch philosophische Essays, die (einem alten Bild zufolge) in gemütlichen Lehnstühlen entworfen werden, mit den durch experimentelle Befunde belegten und in der Sprache der Mathematik formulierten Theorien der Neurowissenschaften konkurrieren können? Die Tatsache, dass eine naturwissenschaftliche Herangehensweise notorisch Schwierigkeiten hat, die für die philosophische Analyse zentralen Begriffe der Freiheit und des Handelns zu erklären, sehen viele Proponenten eines szientistischen Weltbildes nicht als Problem der Neurowissenschaften, sondern vielmehr als ein Indiz dafür, dass eben diese Begriffe eine zu vernachlässigende Größe darstellen: Sollte es uns nicht gelingen, den Begriff der Willensfreiheit im Vokabular der Neurowissenschaften zu fassen, so müssen wir uns eben von dem Gedanken verabschieden, dass dieser Begriff eine zentrale Rolle in der Beschreibung der Natur des Menschen einnimmt. Wir sollten uns, so wurde argumentiert, von diesem veralteten Selbstverständnis verabschieden und einsehen, dass die Vorstellung, wir könnten frei handeln, nichts anderes als eine philosophische Chimäre sei; ein veraltetes Bild, das im besten Falle auf einer tieferen Ebene des Verständnisses rekonstruiert werden könne – oder sonst *ad acta* gelegt werden sollte. Nicht der Begriff der Person sollte diesem Bild zufolge den Ausgangspunkt der Überlegungen darstellen, sondern eine Beschreibung der kausalen Vorgänge, die sich auf einer subpersonalen Ebene im menschlichen Körper abspielen.

Diese Debatte ist alt und vielschichtig, und ich hege nicht die Hoffnung, in diesem kurzen Beitrag eine allgemein gültige Lösung präsentieren zu können. Stattdessen will ich mich auf einen besonderen Aspekt der Diskussion konzentrieren: Um frei handeln zu können, muss eine Person nicht nur über die für eine Handlung relevanten Fähigkeiten verfügen, sie muss auch Kenntnisse über die Welt haben und sich Alternativen zu deren aktuellem Zustand vorstellen können. Eine Person muss also über Wahrnehmungen, Überzeugungen und Wünsche, etc. verfügen, die die Welt so, wie sie ist oder wie sie idealerweise sein sollte, repräsentieren. Kurz gesagt, eine Person muss über propositionale Einstellungen verfügen, um frei handeln zu können. Propositionale Einstellungen sind wiederum die Kernelemente einer (philosophisch beziehungsweise wissenschaftlich verfeinerten) Alltagspsychologie, also einer Theorie, der zufolge mentale Phänomene nur auf der Ebene der Person adäquat beschrieben werden können, die allerdings in der zweiten Hälfte des letzten Jahrhunderts unter Verruf gekommen ist.

Die Alltagspsychologie bestimmt das menschliche Selbstverständnis seit Menschen in der Lage sind, ihre eigene Position in dieser Welt zu reflektieren; sie erwächst, um es mit einem Ausdruck von Wilfrid Sellars zu formulieren, dem „manifest image", und ist demnach „a sophistication and refinement of the image in terms of which man first came to be aware of himself as man-in-the-world" (Sellars, 1963, 18). Nach Sellars besteht wissenschaftlicher Fortschritt aber gerade darin, dass dieses „manifest image" nach und nach durch ein „scientific image" abgelöst wird, also ein Bild, das in wissenschaftlichen Theorien ihren Ausdruck findet, die sich dadurch auszeichnen, dass sie „imperceptible objects and events for the purpose of explaining correlations among perceptibles" (Sellars, 1963, 19) postulieren.

Im Folgenden will ich die Frage diskutieren, ob und inwieweit alle relevanten Aspekte des manifesten Bildes im (natur-)wissenschaftlichen Bild des Menschen rekonstruiert beziehungsweise ob und wie die relevanten Aspekte der beiden Bilder in einer einheitlichen Theorie, einem, wie Sellars es nennt, synoptischen Blick, vereint werden können. Im ersten Abschnitt werde ich kurz die philosophischen Desiderata an eine Theorie des Geistes anführen. In den beiden folgenden Abschnitten werde ich auf zwei (Familien) von naturwissenschaftlich orientierten Positionen in der Philosophie des Geistes eingehen, den Reduktionismus und den Eliminativismus, wobei ich mich allerdings auf Kernpunkte konzentrieren werde – beide Positionen wurden in verschiedenen Varianten ausformuliert; eine detaillierte Diskussion würde deshalb den Rahmen dieses Beitrages sprengen – um aufzuzeigen, wie die jeweiligen Vertreter das Verhältnis von Philosophie und Neurowissenschaften verstehen. Im abschließenden Abschnitt werde ich die Möglichkeit diskutieren, ob Philosophie und Neurowissenschaften zu einem synoptischen Blick vereinheitlicht werden können beziehungsweise sollen.

1. Philosophische Desiderata an eine Theorie des Geistes

Naturwissenschaftliche Theorien stellen sich die Aufgabe, kausale Beziehungen, die sich in der physischen Welt (und also auch in unseren Körpern) mit naturgesetzlicher Notwendigkeit abspielen, zu beschreiben. Eine neurophysiologische Theorie der Wahrnehmung beschränkt sich demnach darauf, zu beschreiben, dass zum Beispiel ein bestimmter Stimulus unserer Wahrnehmungsorgane dazu führt, dass ein bestimmter Reiz an das Gehirn gesendet wird, der wiederum eine gewisse Reaktion verursacht. Das philosophische Interesse an der Wahrnehmung beschränkt sich allerdings nicht auf die kausalen Prozesse, die im Wahrnehmungsapparat stattfinden, sondern stellt vielmehr deren epistemische Funktion in den Mittelpunkt:

Wahrnehmungserlebnisse *rechtfertigen* unsere empirischen Überzeugungen, die, zusammen mit anderen Überzeugungen, Gründe für unser Handeln darstellen. Wahrnehmung ist für die Philosophie deshalb interessant, weil sie in ein Netzwerk von propositionalen Einstellungen eingebunden ist, die in rationalen Beziehungen der Rechtfertigung zueinander stehen. Rechtfertigungsbeziehungen finden allerdings nicht mit naturgesetzlicher Notwendigkeit statt; sie enthalten vielmehr ein intrinsisch normatives Element: Schlüsse können, müssen aber nicht gezogen werden; unseren Überzeugungen kommt ein Wahrheits*wert* zu: sie können wahr oder falsch sein. Der intrinsisch normative Aspekt von rationalen Beziehungen zeigt sich auch darin, dass hier die Möglichkeit des Irrtums und der Korrektur gegeben ist. Eine kausale Beziehung besteht oder besteht nicht, es hat aber keinen Sinn zu sagen, ein Ereignis hätte ein anderes Ereignis fälschlicherweise verursacht. Wahrnehmung schließt hingegen die Möglichkeit der *Fehl*wahrnehmung ein, eine Überzeugung kann *falsch* und eine Schlussfolgerung *inkorrekt* sein; in letzteren Fällen kann die Überzeugung bzw. der Schluss revidiert werden. Der Aspekt der Korrektur weist auch auf den sozialen Aspekt des Mentalen hin: Wir können den Gehalt unserer Wahrnehmungen und unserer Überzeugungen sprachlich anderen Personen mitteilen und finden uns gegebenenfalls in der Situation, um Rechtfertigungen für diese gefragt zu werden. Im Falle einer Meinungsverschiedenheit können wir die jeweiligen Gründe für die divergierenden Überzeugungen gegeneinander abwägen. All dies ist im Fall von rein kausalen Beziehungen nicht möglich.

Diese Überlegungen verdeutlichen, dass eine Theorie des Geistes, die den Anspruch erhebt, vollständig zu sein, den intrinsisch normativen Aspekt propositionaler Einstellungen sowie den sozialen Aspekt des Mentalen angemessen erklären muss – oder andernfalls zeigen muss, warum diese Aspekte nicht relevant sind und vernachlässigt werden können.

2. Philosophie und Neurowissenschaften I: Reduktionismus

Am Beginn des zwanzigsten Jahrhunderts hat das Interesse an der Erklärung mentaler Phänomene auf der Basis naturwissenschaftlicher Theorien deutlich zugenommen. Die Gründe dafür liegen zum einen in der schon erwähnten Tatsache, dass Personen körperliche Wesen sind, die gerade aufgrund ihrer körperlichen Konstitution denken können: Der Sitz unseres Geistes ist das Gehirn; hätten wir kein Gehirn, so würden wir auch nicht denken (bzw.: wäre unser Gehirn massiv beschädigt, wäre unser mentales Leben relevant eingeschränkt). Zu dieser Auffassung gesellte sich am Beginn des letzten Jahrhunderts ein wesentliches Erstarken der Konzeption der Einheitswissenschaft: wir leben in *einer* Welt, oder besser, in einer *materiellen* Welt, weshalb es scheint, dass es, zumindest im Prinzip, möglich sein müsste, die Welt mit Hilfe *einer* Theorie zu erklären. Die Theorien der Spezialwissenschaften, so wurde argumentiert, können (im Prinzip) auf die Theorien der fundamentaleren (Natur-)Wissenschaften, in erster Linie der Physik, reduziert werden. Dieses Programm hat seine Wurzeln im Wiener Kreis – stellt aber keinesfalls dessen kanonische Version der Einheitswissenschaften dar; Otto Neurath, einer der aktivsten Vertreter der Einheitswissenschaft, ist expliziter Antireduktionist – und findet seine deutlichste Formulierung in den Arbeiten von Paul Oppenheim, Hilary Putnam, Ernest Nagel und anderen.[1]

Die Verbindung dieser beiden Auffassungen hat zu reduktionistischen Tendenzen in der Philosophie des Geistes geführt. Eine der frühesten Formulierungen des Reduktionismus im zwanzigsten Jahrhundert, die so genannte Typen-Identitätstheorie, geht davon aus, dass alle für die Alltagspsychologie relevanten Phänomene im Prinzip auf Basis der Neurowissenschaften erklärt werden können. Wenn Psychologen etwa über Schmerzerlebnisse sprechen, so sprechen sie *de facto* über das Feuern von C-Fasern und in äquivalenter Weise wäre meine Überzeugung, dass meine Großmutter 95 Jahre alt ist, identisch mit der Aktivierung bestimmter Nervenzellen in meinem Gehirn, was Grund zu der Annahme gab, dass eine (in ferner Zukunft) ausgearbeitete Theorie der neurophysiologischen Prozesse eine vollständige Theorie des menschlichen Geistes darstellen wird. Es ist interessant, festzustellen, dass die Identitätstheoretiker damit die wissenschaftlich verfeinerte Alltagspsychologie nicht verwerfen. Eine Theorienreduktion gilt nur dann als erfolgreich, wenn alle Aspekte, die von der zu reduzierende Theorie erklärt werden, auch durch die Theorie, auf die sie reduziert

---

[1] Vgl. etwa Oppenheim und Putnam (1958) sowie Nagel (1961). In diesen Texten wird die Konzeption der Einheitswissenschaft mit der Vorstellung einer Hierarchie wissenschaftlicher Theorien verknüpft sowie mit der Auffassung, dass Spezialwissenschaften auf Basiswissenschaften (typischerweise auf die Physik) reduziert werden könnten.

wird, erklärt werden können. Auch wenn das nicht ausschließt, dass die zu reduzierende Theorie im Verlauf der Reduktion eine Modifizierung erfährt, so muss doch gewährleistet sein, dass ihre Erklärungskraft nicht eingeschränkt wird.

Die Typen-Identitätstheorie wurde bald kritisiert, weil sie zu eng sei: es sei uns so nicht möglich, Wesen, die nicht dieselben Nervenzellen haben wie wir – also intelligenten außerirdischen Lebensformen oder Tieren wie etwa Tintenfischen, deren Nervensystem gänzlich anders aufgebaut ist als unseres – Schmerzerlebnisse oder Überzeugungen zuzuschreiben. Es wurde argumentiert, dass mentale Phänomene vielfältig realisiert werden können und dass sie nichts anderes als funktionale Zustände seien. Diese Kritik, die von Funktionalisten und (in anderer Form) von anomalen Monisten vorgetragen wurde, nährt ihre Plausibilität auch in der Annahme, dass eine naturwissenschaftliche Beschreibung des Gehirns den rationalen Beziehungen, die zwischen propositionalen Einstellungen bestehen – also zum Beispiel der Tatsache, dass wir manche Überzeugungen deshalb haben, weil sie von anderen Überzeugungen *gerechtfertigt* werden – nicht gerecht werden kann, eben weil rationale Beziehungen durch ein intrinsisch normatives Element charakterisiert sind und deshalb streng von kausalen Beziehungen unterschieden werden müssen. Eine Reduktion dieses normativen Aspekts auf nicht-normative Tatsachen würde, wie schon Wilfrid Sellars explizit festhält, einen Fehlschluss von der Art des naturalistischen Fehlschlusses in der Ethik darstellen.[2] Solange wir also an der Idee festhalten, dass Menschen über propositionale Einstellungen verfügen, die in rationalen Beziehungen zueinander stehen, müssen wir uns demnach von dem Gedanken verabschieden, dass eine naturwissenschaftliche Beschreibung des Nervenapparates eine vollständige Erklärung des menschlichen Geistes bieten kann.

3. Philosophie und Neurowissenschaften II: Eliminativismus

Ein bemerkenswerter Vorstoß in Richtung einer so genannten „Neurophilosophie" stammt von Paul Churchland, der, wenn er erfolgreich durchargumentiert werden kann, auch die Ansätze des Funktionalismus und des

---

[2] Vgl. Sellars (1997, 19, § 5).

anomalen Monismus ins Wanken bringt: Funktionalistische Ansätze würden, ebenso wie die frühen Formen der Identitätstheorie, der Alltagspsychologie zu viele Zugeständnisse machen – sie sprechen weiterhin von propositionalen Einstellungen. In der Folge bleibt die Frage, mit welchen physischen Ereignissen in unseren Gehirnen bestimmte propositionale Einstellungen identisch seien, relevant. Churchland berücksichtigt in seiner Position die Ergebnisse der neueren Neurophysiologie und tritt dafür ein, dass mentale Phänomene aus dem wissenschaftlichen Vokabular gänzlich eliminiert und durch exaktere und angemessenere Beschreibungen eigentlich cerebraler Prozesse auf einer sub-personalen Ebene ersetzt werden sollten.

Churchlands Argument beruht auf der Tatsache, dass in unseren Gehirnen keine linearen Abfolgen von Aktivierungen einzelner Nervenzellen – die mit propositionalen Einstellungen (oder Teilen derselben) identisch sein könnten – stattfinden. Stattdessen finden wir neuronale Netzwerke vor, die durch konnektionistische Netzwerke repräsentiert werden können. Diese Netzwerke bestehen aus verschiedenen Einheiten, die sich auf verschiedenen Ebenen befinden und miteinander verbunden sind, wobei die Einheiten einen (numerischen) Aktivierungswert haben und die Verbindungen der Einheiten ein (ebenso numerisches) Gewicht. Das gesamte Netz verfügt somit über ein Muster numerischer Werte, das in Form einer Matrix abgebildet werden kann. Wird das System mit einem (numerischen) Input gespeist, so wird dieser durch den Aktivierungswert der Einheiten sowie den Wert des Gewichts der Verbindungen im Durchlaufen der Ebenen transformiert, wodurch das System einen bestimmten Output generiert. Diese konnektionistischen Netzwerke haben die Besonderheit, dass sie für die Lösung bestimmter vordefinierter Aufgaben trainiert werden können: Durch ein Anpassen der Aktivierungswerte bzw. der Werte des Gewichts der Verbindungen sowie das Erstellen neuer oder das Kappen alter Verbindungen kann ein System durch Übung dazu gebracht werden, bei einer bestimmten Art von Input einen gewünschten Output zu generieren.

Die Simulation solcher Netzwerke hat schnell überraschende Ergebnisse gebracht, die zur Plausibilität des Ansatzes beigetragen haben. So berichtet Churchland von einem System mit dreizehn Input-Einheiten, sieben Einheiten in der „versteckten Ebene" und zwei Output Einheiten, das, nach einem gewissen Lernprozess, entscheiden kann, ob ein (mathematisch kodifiziertes) Echosonar Signal von einem Felsen oder von einer Miene reflektiert worden war.[3] Der Lernprozess wird mit mehreren tausend Signalen durchgeführt, bei denen das Ergebnis bekannt ist, sodass die Aktivierungswerte der Einheiten beziehungsweise das Gewicht der Verbindungen (mit Hilfe einer mathematischen Formel, der sog. *delta-rule*) entsprechend verstärkt oder abgeschwächt werden können. Das System ist dann in der Lage, auch bei unbekannten Signalen (in den meisten Fällen) korrekt zu entscheiden, ob dieses von einer Miene oder von einem Felsen reflektiert worden war. Das ist auch deshalb interessant weil, wie Churchland feststellt, auch routinierte Marine-Soldaten in der Lage sind, zu „hören", ob das Signal von einer Miene oder einem Felsen reflektiert worden war – und das, obwohl man das dem Signal nicht „ansieht" und auch die Soldaten nicht erklären können, wie sie diese Unterscheidung vornehmen, was nahe legt, dass das System ähnlich funktionierte wie ein relevanter Teil des menschlichen Gehirns. Churchland schreckt nicht davor zurück, zu behaupten, dass System „wisse", ob es sich um eine Miene oder einen Felsen handle – er stellt aber sofort fest, dass es sich bei diesem „Wissen" nicht um eine propositionale Einstellung handelt, denn es ist entscheidend, dass das System an keiner Stelle über symbolisch repräsentierte Information über Mienen und Felsen verfügt, und auch, dass wir nicht sagen können, in welchen Teilen des Systems dieses „Wissen" abgespeichert ist.[4]

Das führt Churchland zu der Überlegung, dass auch Theorien so funktionieren könnten: anstatt bei einer Theorie an eine Menge von wahren Propositionen zu denken, die untereinander in rationalen Beziehungen stehen, sollten wir vielmehr davon ausgehen, dass Theorien in einem konnektionistischen Netzwerk implementiert seien, das bei einem bestimmten Input einen bestimmten Output erzeugt. Das „Paradigma der symbolischen Repräsentation" kann somit aufgegeben werden: Die wahren Propositionen einer Theorie sind nicht an einem bestimmten Ort abgespeichert, sondern im Gesamtsystem verkörpert. Damit fällt das alte Paradigma von Theorien

---

[3] Vgl. Churchland (1997, 262ff).

[4] Dieses konnektionistische System wurde vor knapp zwanzig Jahren entwickelt. Ich will nicht suggerieren, dass der Fortschritt, den man in der Zwischenzeit gemacht hat, vernachlässigt werden kann. Dieses System illustriert allerdings sehr deutlich den Punkt, dass im Konnektionismus das „Paradigma der symbolisch repräsentierten Information" aufgegeben wird; ein Punkt, der weiterhin aktuell ist.

und die ihm zugrunde liegende Annahme, dass wir Informationen in diskreten Einheiten abspeichern und es auf die Rechtfertigungsbeziehungen zwischen diesen Einheiten ankäme; ebenso fällt die der Alltagspsychologie zugrunde liegende Annahme, dass wir über propositionale Einstellungen verfügten – vielmehr finden wir in unseren Gehirnen neuronale Netzwerke vor, die auf gewisse Reize in gewisser Weise reagieren. Diese Reaktion geschieht mit kausaler Notwendigkeit und kann somit mit naturwissenschaftlichem Vokabular vollständig erklärt werden. In der Folge kann die Alltagspsychologie zugunsten der Neurophysiologie eliminiert werden.

Churchlands Position illustriert, wie ich denke, einen wichtigen Punkt über das Verhältnis von Philosophie und Neurowissenschaft: Wenn sie korrekt ist, kann man mentale Prozesse auf der Basis cerebraler Vorgänge beschreiben – und Begriffe wie „propositionale Einstellung" oder „Person" (und mit ihnen den Aspekt der intrinsischen Normativität) aus dem wissenschaftlichen Vokabular eliminieren. Zugegebenermaßen unterscheiden sich die gängigen Simulationen konnektionistischer Netzwerke in wichtigen Punkten von der Architektur des Gehirns (es scheint, dass wir hier nicht bloß eine, sondern mindestens zehn versteckte Ebenen haben, zudem sind unsere Neuronen auch horizontal vernetzt, haben aber insgesamt weniger Verbindungen als die Einheiten des konnektionistischen Systems. Außerdem können neuronale Netzwerke des Gehirns nicht durch eine *delta-Regel* trainiert werden, da wir für gewöhnlich im Lernprozess nicht mehrere tausend Mal bekannte Situationen durchrechnen, um nur einige Punkte zu nennen). Dennoch nimmt Churchland die tatsächlichen Ergebnisse der Neurowissenschaften wesentlich detaillierter zur Kenntnis als die reduktionistischen Ansätze. Anders als jene ist er außerdem bereit, sich von althergebrachten Auffassungen über den menschlichen Geist zu lösen und das durch die philosophische Tradition geprägte durch ein naturwissenschaftlich fundiertes Bild zu ersetzen. Wenn wir uns von den Neurowissenschaften Aufschlüsse über die Philosophie des Geistes erhoffen, so sollten wir also nicht eine Form des Reduktionismus, sondern eine Form des Konnektionismus adaptieren. Das hieße aber, eine Beschreibung des Geistes auf der Ebene der Person zugunsten einer Beschreibung der kausalen Vorgänge auf einer sub-personalen Ebene aufzugeben.

4. Der synoptische Blick

Die Diskussion der letzten beiden Abschnitte hat gezeigt, dass die Annahme, eine naturwissenschaftliche Beschreibung neurophysiologischer Vorgänge könne eine vollständige Theorie des menschlichen Geistes darstellen, dann am plausibelsten ist, wenn wir die philosophischen Desiderata an eine Philosophie des Geistes aufgeben und propositionale Einstellungen und den Aspekt der intrinsischen Normativität des Mentalen aus dem wissenschaftlichen Vokabular eliminieren. Damit ist eine solche Strategie aber noch lange nicht legitimiert. Churchland müsste zeigen, dass die philosophischen Desiderata tatsächlich ohne Verlust aufgegeben werden können – ein Argument für diese radikale These bleibt er aber schuldig. Das stimmt auch deshalb bedenklich, weil viel auf dem Spiel steht: Wir verstehen uns selbst als rationale Wesen, die in der Lage sind, Gründe für ihre Überzeugungen anzuführen und diese gegebenenfalls zu revidieren. Wenn wir diesen Aspekt, der einen zentralen Aspekt der menschlichen Natur darstellt, aus unserer wissenschaftlichen Betrachtung ausklammern, nur weil er nicht in unser naturwissenschaftliches Weltbild passt, so laufen wir Gefahr, genau das aus den Augen zu verlieren, worauf es uns eigentlich ankommt, wenn wir versuchen zu verstehen, wer wir sind und welchen Platz wir in dieser Welt einnehmen.

Dass Churchlands Position wesentliche Aspekte unerklärt lässt, zeigt sich auch darin, dass er der Tatsache, dass wir Theorien (also auch neurophysiologische Theorien über die kausalen Prozesse, die sich in unserem Nervensystem abspielen) entwickeln, nicht gerecht werden kann. Auch Theorien enthalten ein normatives Element: sie können wahr oder falsch sein; wir können Gründe für oder gegen eine Theorie anführen und sie gegebenenfalls revidieren. Doch gerade diesen Aspekt hat Churchland aus seinem wissenschaftlichen Bild des Menschen eliminiert. Wenn er seine Position konsequent zu Ende denkt, kann er lediglich aufzeigen, warum wir eine bestimmte neurophysiologische Theorie vertreten, aber nicht argumentieren, weshalb wir diese Theorie einer anderen, die weniger ausgereift, weniger adäquat oder weniger einfach ist, vorziehen sollten. Es scheint, dass auch Churchland darin ein Problem sieht. In seinem Aufsatz „Eliminative Materialism and the Propositional Attitudes" versucht er nicht nur zu zeigen, weshalb der normative Aspekt des Mentalen irrelevant ist, er stellt paradoxerweise auch fest, dass eben dieser normative Aspekt „will have to be reconstituted at a more revealing level of understanding, the level that a matured neuroscience will provide" (Churchland 1981, 84).

Dieses Zitat Churchlands weist auf ein weiteres Problem hin, das mir für die Frage nach dem Verhältnis von Philosophie und Neurowissenschaften relevant erscheint: In ihrer gegenwärtigen Form sind die Neurowissenschaften nicht in der Lage, die philosophischen Aspekte einer Theorie des menschlichen Geistes zu erklären. Selbst die optimistischsten Reduktionisten und Eliminativisten gestehen gerne ein, dass nur eine zukünftige, in wesentlichen Aspekten weiter entwickelte Neurowissenschaft in ernsthafte Konkurrenz zur philosophischen Reflexion mentaler Phänomene treten kann. Wenn es uns darauf ankommt, zu verstehen, was die Natur des Menschen ausmacht, wird dies aber nur dann möglich sein, wenn wir die Neurowissenschaften um wesentliche Aspekte bereichern: Wir müssen sie in die Lage versetzen, nicht nur über kausale Zusammenhänge, sondern auch über den normativen Aspekt des Mentalen zu sprechen. Wilfrid Sellars weist im abschließenden Paragraphen seines Aufsatzes „Philosophy and the Scientific Image of Man" auf eben diesen Punkt hin: „Thus the conceptual framework of persons is not something that needs to be *reconciled with* the scientific image, but rather something to be *joined* to it. Thus, to complete the scientific image we need to enrich it *not* with more ways of saying what is the case, but with the language of community and individual intentions." (Sellars, 1963, 40)

Aber selbst Sellars gibt zu, dass es im Moment nicht absehbar ist, wie dieses Ziel erreicht werden kann:

We can, of course, as matters now stand, realize this direct incorporation of the scientific image into our way of life only in imagination. But to do so is, if only in imagination, to transcend the dualism of the manifest and scientific images of man-of-the-world" (Sellars, 1963, 40).

Bei dem momentanen Stand der Forschung halte ich ein verbissenes Festhalten an der Frage, wie wir Philosophie des Geistes und Neurowissenschaften zu einem synoptischen Blick vereinheitlichen können, für kontraproduktiv. Wir sollten vielmehr, aus methodologischen Gründen, die Tatsache akzeptieren, dass wir mit einem Pluralismus von Beschreibungen des

Mentalen konfrontiert sind: Auch wenn die Philosophie des Geistes und die Neurowissenschafter dieselben Phänomene beschreiben, so tun sie das auf sehr verschiedene Weise, mit unterschiedlichem Vokabular und anderen Zielen – und wir werden die besten Resultate erzielen, wenn sich die Forschenden der beiden Fachrichtungen auf die jeweils eigene Disziplin konzentrieren.

Wenn aber wichtige begriffliche Fragen der Philosophie des Geistes einmal geklärt sind und die kausalen Prozesse, die sich im Nervensystem abspielen, besser verstanden werden, dann wird diese Frage wieder relevant werden. Wenn wir so weit sind, werden wir am besten mit einer zweigleisigen Strategie fahren: Wir sollten einerseits versuchen, zu zeigen, wie propositionale Einstellungen aus neuronalen Netzwerken hervorgehen können. Eine *bottom-up* Strategie alleine wird allerdings nicht ausreichen: Um zu einer synoptischen Vision zu gelangen, werden wir auch zeigen müssen, wie der normative Aspekt und die soziale Komponente des Mentalen die sub-personale Ebene beeinflussen können. Der Begriff der Funktion könnte hier eine zentrale Rolle spielen: Neuronale Netzwerke werden trainiert, gewisse Funktionen zu erfüllen. Auf diese Weise könnten wir dem normativen und dem sozialen Aspekt des Mentalen gerecht werden. Diese Strategie setzt aber voraus, dass wir akzeptieren, dass der normative Aspekt schon vorhanden ist. Es könnte sein, dass wir nie in der Lage sein werden, zu erklären, *warum* ein System eine bestimmte Funktion erfüllen sollte, sondern lediglich, was geschieht, wenn es dazu in der Lage ist. Das würde aber bedeuten, dass es aus prinzipiellen Gründen unmöglich sein könnte, den normativen Aspekt des Mentalen auf einer naturwissenschaftlichen Ebene zu erklären oder gewisse Normen so zu rechtfertigen.

Wenn diese Vermutung richtig ist, heißt das, dass wir nie in der Lage sein werden, eine vollständige, naturwissenschaftliche Erklärung des menschlichen Geistes zu entwickeln – einige Fragen könnten aus prinzipiellen Gründen unbeantwortet bleiben. Wenn wir das in Kauf nehmen, könnten wir aber eine Position entwickeln, die es uns ermöglicht, ein besseres Verständnis von der Natur propositionaler Einstellungen, des Bewusstseins und des menschlichen Geistes zu erlangen. Damit würden wir aber auch ein neues Licht auf eines der zentralen Probleme der Philosophie werfen können: was es bedeutet, eine Person zu sein.

LITERATUR

Churchland, P. (1981): Eliminative Materialism and the Propositional Attitudes, in: *The Journal of Philosophy* 78, 67-90.

Churchland, P. (1997): On the Nature of Theories, in: Haugeland, J. (Hrsg.), *Mind Design II*, Cambridge: MIT Press, 251-292.

Nagel, E. (1961): *The Structure of Science. Problems in the Logic of Scientific Explanation*, New York: Hartcourt, Brace & World.

Oppenheim, P. und Putnam, H. (1958): Unity of Science as a Working Hypothesis, in: H. Feigl, M. Scriven und G. Maxwell (Hrsg.), *Minnesota Studies in the Philosophy of Science, Vol. 2*, Minneapolis: University of Minnesota Press, 3–36.

Sellars, W. (1963): Philosophy and the Scientific Image of Man, in: *Science, Perception and Reality*, Atascadero: Ridgeview, 1-40.

Sellars, W. (1997): *Empiricism and the Philosophy of Mind*, Cambridge: Harvard University Press.

Neuromythologie, oder: Wie aus empirischen Mücken narrative Elefanten werden

WINFRIED LÖFFLER

In den deutschsprachigen Debatten um die Konsequenzen der Neurowissenschaften für die Frage nach der Willensfreiheit scheint eine gewisse Sättigung eingetreten zu sein, was die theoretischen Seiten des Problems betrifft. Die Differenzierungen verschiedener Positionen und die wesentlichen Argumente für sie scheinen auf dem Tisch zu liegen (Freunde kantischen Denkens würden vielleicht hinzufügen, das täten sie ohnehin seit gut 200 Jahren). Ich möchte zu diesen theoretischen Aspekten also nichts sagen, sondern in diesem Beitrag der bislang kaum thematisierten Frage nachgehen, ob eigentlich die *empirischen* Belege, die für die naturalistischen Deutungen der Freiheit ins Treffen geführt werden und die auch einer breiteren Öffentlichkeit zumindest in oberflächlicher Weise bekannt gemacht werden, wirklich stichhaltig sind.

1. Freiheit – ein empirisches oder nicht-empirisches Problem?

Einer der kuriosen Aspekte der neueren Freiheitsdebatte ist es ja, dass die Frage nach der Willensfreiheit einerseits als apriorisch zu behandelndes Problem dargestellt wird, dass andererseits aber – oft von denselben Autoren – umfangreiche empirische Belege für eine naturalistische, deterministische Position zusammengetragen werden. So liest man etwa bei Wolfgang Prinz folgendes:

> „Um festzustellen, dass wir determiniert sind, bräuchten wir die Libet-Experimente nicht. Die Idee eines freien menschlichen Willens ist mit wissenschaftlichen Überlegungen prinzipiell nicht zu vereinbaren. Wissenschaft geht davon aus, dass alles, was geschieht, seine Ursachen hat und dass man diese Ursachen finden kann. Für mich ist unverständlich, dass jemand, der empirische Wissenschaft betreibt, glauben kann, dass freies, also nichtdeterminiertes Handeln denkbar ist" (Prinz 2004, 22).

Auf der anderen Seite stellen Wolfgang Prinz, Wolf Singer, Gerhard Roth und andere auf hunderten Seiten empirisches Material zusammen, das dafür zu sprechen scheint, dass unsere scheinbar freien Handlungen in Wahrheit nichts anderes als kausal erklärbare Vorgänge seien. In einer breiteren Öffentlichkeit dürften solche empirischen Argumentationsweisen auch wesentlich mehr Kredit genießen als prinzipielle Überlegungen.[1]

Zu den Belegen, die dafür vor allem ins Treffen geführt werden, zählen natürlich die altbekannten Libet-Experimente (in ihrer verfeinerten Form bei Haggard und Eimer), Experimente der Sozialpsychologen Wegner und Wheatley, Magnetstimulationsexperimente von Brasil-Neto, Pascual-Leone und anderen, sowie die alten Elektrodenstimulations-Experimente am offenen Gehirn von Penfield & Rasmussen sowie von Delgado aus den 30er bis 60er Jahren.

Hier ist eine Kürzest-Zusammenfassung dieser Experimente durch Gerhard Roth aus seinem Überblicksaufsatz mit dem Titel *Das Problem der Willensfreiheit: Die empirischen Befunde* von 2004:

> „Man kann Versuchspersonen unterschwellig (z.B. über maskierte Reize) durch experimentelle Tricks, Hypnose oder Hirnstimulation zu Handlungen veranlassen, von denen sie später behaupten, sie hätten sie *gewollt* (Penfield and Rasmussen, 1950; Wegner, 2002; Roth, 2003)." (Roth 2004, 15; fast wortident Roth 2006, 10)

Dutzende ähnliche Zusammenfassungen finden sich in der Literatur, und wenn man ihnen glauben darf, dann bieten sie eine massive empirische Begründung für den Determinismus: Sogar unser starkes Gefühl der Kontrolle und Urheberschaft unserer Handlungen ist eine Illusion, so hören wir, aber gerade das sind ja traditionelle Ecksteine in der Beschreibung dessen, was Freiheit ausmacht. Solche Zusammenfassungen werden breit rezipiert, unter anderem von Philosophen, Fachkollegen, Wissenschafts-

---

[1] Jüngst publizierte Experimente von Deena Skolnick Weisberg und Mitarbeitern (Skolnick Weisberg et al. 2008) haben gezeigt, dass Erklärungen psychologischer Phänomene vor allem von Laien und jüngeren Studierenden des Faches dann deutlich eher akzeptiert werden, wenn sie mit neurowissenschaftlichen Behauptungen angereichert werden. Das interessanteste Ergebnis war, dass sogar offenkundig schlechte (triviale, zirkuläre etc.) Erklärungen wesentlich seltener als solche erkannt werden, sobald sie mit sachlich völlig irrelevanter neurowissenschaftlicher Information aufgeladen werden. Eine dritte Probandengruppe, die aus Experten des Faches bestand, konnte schlechte Erklärungen dagegen auch dann relativ verlässlich identifizieren, wenn sie sich hinter „Neuro-Rhetorik" verbargen.

journalisten und nicht zuletzt Wissenschaftspolitikern. Manchmal werden solche Zusammenfassungen noch ein wenig aufpoliert, bewusst oder unbewusst. In einem ansonsten wohltuend kritischen und unaufgeregten Artikel in der bekannten populärwissenschaftlichen Zeitschrift *Geo* etwa schreibt Franz Mechsner folgendes:

> „Gerhard Roth, Professor für Hirnforschung an der Universität Bremen, beschreibt in seinem Buch „Das Gehirn und seine Wirklichkeit" Experimente, die hierzu Aufschluss geben. Vorgenommen wurden sie an Patienten, deren Schädel aus medizinischen Gründen geöffnet werden musste: Reizte man bei ihnen mit Elektroden am (schmerzunempfindlichen) Gehirn gewisse motorische Cortex-Areale, konnte sich etwa ein Arm heben. Nach dem Grund ihrer Bewegung gefragt, behaupteten die Betroffenen *regelmäßig*, sie gewollt zu haben. Reize in tiefer liegenden Strukturen wie dem Thalamus lösten ebenfalls Bewegungen aus. Doch die Patienten empfanden sie als unbeabsichtigt oder sogar gegen ihren Willen zustande gekommen" (Mechsner 2003, 81, Kursivierung W.L.).

Das Problem ist hier weniger, dass wir den falschen Eindruck bekommen, die Experimente hätten gerade kürzlich in Bremen stattgefunden. Achten Sie besonders auf das neu hinzugefügte Wort „regelmäßig". Wir werden auf derlei Konfabulationen noch öfters stoßen. Mehr kann sich der Naturalist nicht wünschen: Wir haben jetzt also einfach wiederholbare Experimente mit strikter Korrelation zwischen Stimulation und dem Bericht einer frei gewollten Handlung. So erscheint es vielen als Gemeinplatz, dass man freie Handlungen (als Verhalten mit einer begleitenden Innenseite wie Absichten, Plänen, Erklärungen seitens der Testperson) ganz leicht extern stimulieren kann.

Der kritische Leser schöpft hier allerdings Verdacht: Die medizinisch-technischen und ethischen Durchführungsprobleme einmal beiseite gelassen, sollte es wirklich so einfach sein, Bewegungen zu stimulieren, die die Testpersonen als „gewollt" beschreiben? Würden sie nicht zumindest nach ein paar Runden Verdacht schöpfen? Und fragt man Forscher, die wirklich selber in praxi Gehirnforschung betreiben, bekommt man in der Tat ganz andere Antworten: Man könne natürlich allerlei Arten von Zittern, Jucken, Krämpfen, Anfällen, Gefühlsausbrüchen, Inhibitionen, ja sogar Sequenzen von Körperbewegungen stimulieren – aber niemals Handlungen in einem phänomenologisch reichen Sinne. Die Testpersonen erfahren diese Effekte als irgendwie von außen kommend, manchmal berichten sie über einen seltsamen unwiderstehlichen Zwang, z.B. den Arm zu heben, aber niemals beschreiben sie diese Bewegungen als gewollt (für eine Zusammenfassung siehe Halgren & Chauvel 1993).

2. Die These und vier Einschränkungen

Die schlichte These meines Vortrags ist, dass diese anscheinend wohlbegründeten empirischen Behauptungen, wie sie Gerhard Roth in manchen seiner Texte vorbringt, falsch sind. Soweit ich sehe, gibt es nämlich keine Belege für die externe Stimulierung von Handlungen in einem phänomenologisch ernst zu nehmenden Sinne. Damit erhebt sich natürlich die Frage, wie solche Behauptungen dann quasi *ex nihilo* in der Literatur entstehen können. Und damit bin ich bei meinem Thema – ich möchte zeigen, wie durch eine Kette von schlampigen Zitierungen, Fehlübersetzungen, Überinterpretationen, Konfabulationen und Verwechslungen von strikten mit probabilistischen Korrelationen eine narrative Tradition erzeugt worden ist, die dicht genug ist, dass sie in manchen Augen die Fakten ersetzen kann. Um nicht missverstanden zu werden, möchte ich vier Einschränkungen und Klarstellungen vorausschicken.

Erstens ist der beanspruchte Geltungsbereich meiner These sehr klein und sollte nicht unbesehen überdehnt werden. Es geht um nicht mehr als eine Fallstudie. Ich untersuche nur die Frage, ob diese vorher erwähnten empirischen Behauptungen stichhaltig sind, dass nämlich richtiggehende Handlungen mit einem begleitenden Eindruck von Urheberschaft leicht extern stimulierbar sind. Wenn meine Antwort „nein" lauten wird, dann will ich natürlich nicht bestreiten, dass unsere Handlungen, Entscheidungen und Wahrnehmungen auf zahllose Weisen extern beeinflussbar sind.

Zweitens betrifft meine These nur Faktisches und nicht Prinzipielles. Ich behaupte nur, dass bestimmte Resultate nicht das beweisen, was man aus ihnen ableitet. Ich kann natürlich nicht ausschließen, dass irgendjemand einmal ein Experimentaldesign ersinnt, wo es plausibel wird, dass wirklich Handlungen stimuliert werden.

Drittens entwerfe oder verteidige ich keinerlei bestimmte Theorie über die menschliche Freiheit, schon gar nicht den Inkompatibilismus. Ich untersuche nur die empirische Stützung einiger Behauptungen.

Viertens liegt es mir völlig fern, Wasser auf die Mühlen postmoderner Positionen von der Wissenschaft als „große Erzählung" gießen zu wollen. „Narrativ" meine ich nicht im Sinne Lyotards, sondern im schlichten alltäglichen Sinne.

3. Vermengung strikter und probabilistischer Korrelation

Betrachten wir eine etwas ausführlichere Zusammenfassung der bisherigen Forschung durch Gerhard Roth. Dieser Text wird das Hauptobjekt meiner Untersuchung sein.

> „Elektrische Reizungen der Hirnrinde wurden extensiv vom kanadischen Neurologen Wilder Penfield seit den dreißiger Jahren des vorigen Jahrhunderts durchgeführt [... – *hier folgt eine nähere Beschreibung der Epilepsiepatienten, W.L.*]. Eine punktuelle Reizung des somatosensorischen Cortex direkt vor der Zentralfurche führte je nach Ort zu einem Kribbeln in bestimmten Körperteilen, eine Reizung des primären motorischen Cortex zu Zuckungen einzelner Muskeln oder Muskelgruppen, eine Reizung des prämotorischen und supplementärmotorischen Cortex zu kompletten Bewegungen von Gliedmaßen (Penfield, 1958). Die Patienten berichteten dabei, sie könnten diesen Bewegungen nicht widerstehen, sie kämen ihnen »aufgezwungen« vor. Umgekehrt waren sie bei Reizungen bestimmter Areale in diesen prämotorischen Arealen nicht in der Lage, Bewegungen auszuführen, die sie ausführen wollten, d.h. die Cortexstimulation übte eine Hemmung aus. Bei einer Reihe von Patienten führte jedoch die Stimulation eines Cortexareals am Fuß der Zentralfurche im Übergang zur Sylvischen Furche zuverlässig zum Willen bzw. Bedürfnis, die linke bzw. rechte Hand oder den linken oder den rechten Fuß zu bewegen (Penfield und Rasmussen, 1950). Der spanische Neurologe José Delgado berichtete, dass unter ähnlichen Bedingungen wie bei Penfield die Stimulation des rostralen Anteils der so genannten internen Kapsel (d.h. [...]) zu Bewegungen des Patienten führte, die er sich selbst zuschrieb. Ähnlich konnte mithilfe der Transkranialen Magnetstimulation (TMS) der Neurologe Brasil-Neto Fingerbewegungen auslösen, die die Versuchsperson als »gewollt« beschrieb (beide Befunde zitiert nach Wegner, 2002.)" (Roth 2003, 515f).[2]

Roth bündelt in diesem Text also drei Gruppen von Befunden (Penfield & Rasmussen, Delgado, Brasil-Neto), die insgesamt stark für die externe Stimulierbarkeit von Handlungen zu sprechen scheinen. Alle drei klingen nach strikter Korrelation zwischen Stimulation und Handlung.
Ein näherer Blick in die Forschungsartikel zeigt allerdings, dass dem nicht so ist. Die zuletzt genannten Experimente von Joaquim Brasil-Neto und anderen (Brasil-Neto et al. 1992) erbrachten nur eine ganz schwache probabilistische Korrelation. Testpersonen wurden beauftragt, nach Belieben

---

[2] Dass der somatosensorische Cortex entgegen Roths Darstellung nicht *vor*, sondern *hinter* der Zentralfurche liegt, mag ein irritierender anatomischer Irrtum sein, tut hier aber nichts weiter zur Sache. (Freilich fügt er sich in das Gesamtbild, das im Folgenden beschrieben wird.)

den rechten oder linken Finger zu bewegen, und zwar insgesamt gleich häufig. Wenn man nun den motorischen Cortex dieser Personen durch Magnetpulse auf die rechte oder linke Gehirnhälfte stimulierte, dann bewegten sie den andersseitigen Finger geringfügig öfter, obwohl sie selber an eine eigene, völlig freie Entscheidung glaubten. Diese kleine Häufigkeitsverschiebung ergab sich aber nur, wenn die Fingerbewegung weniger als 200 msec nach dem Magnetpuls erfolgte – für spätere Bewegungen verschwand sie. Roths Beschreibung, Brasil-Neto habe „mithilfe der TMS Fingerbewegungen auslösen [können], die die Versuchsperson als ‚gewollt' beschrieb" ist also völlig falsch. Die generelle Anweisung zur Bewegung kam vom Versuchsteam, nur die Zeitwahl lag in der Entscheidung der Versuchsperson, und nur eine Eigenschaft dieser Bewegungen wurde im Effekt ganz schwach probabilistisch beeinflusst. Von einer Auslösung von Handlungen ist überhaupt nicht die Rede, lediglich das Kontrollgefühl der Versuchspersonen wurde ein wenig getäuscht, was die Links/Rechts-Häufigkeit angeht.

Ganz Ähnliches ist übrigens zu den Resultaten von Daniel Wegner und Thalia Wheatley zu sagen (Wegner & Wheatley 1999), zweier Sozialpsychologen, die Roth ebenfalls gerne als Gewährsleute heranzieht (wenngleich nicht hier in unserem Text). Der Punkt ist auch hier eine angebliche Kontrollillusion, allerdings wurden auch hier die Probanden nur über ihren Prozentanteil an einer gemeinsamen Handlung getäuscht. Das Experiment lief so: zwei Probanden sollten gemeinsam mit einer Art zweihändigen Computermaus Kreise auf einem Bildschirm fahren, der mit Bildern von Gegenständen übersät war. Etwa alle halben Minuten sollten sie den Cursor ohne Absprache irgendwo stoppen. Und danach sollte jede Person auf einer Prozentskala beurteilen, ob sie den Stopp gerade hier nun eher beabsichtigt oder nur zugelassen hatte. Angeblich zur Ablenkung hatten die Probanden Kopfhörer, über die unzusammenhängende Wörter durchgesagt wurden. In Wahrheit war einer der „Probanden" ein Mitarbeiter des Teams. Eingestreut zwischen unmanipulierten Runden bekam er ab und zu über Kopfhörer die geheime Anweisung, den Cursor nach einem Countdown zu einem bestimmten Bild zu steuern. Der Stopp gerade hier war also objektiv eher ein Effekt des eingeweihten Mitarbeiters. Und dennoch nahmen die echten Probanden den Stopp gerade hier mit einer zu hohen Prozentzahl als ihre eigenen Effekte wahr. Diese Prozentzahl war dann besonders hoch, wenn das zum Bild passende Wort kurz vorher über Kopfhörer gekommen war. Das Experiment – das übrigens mit großen methodologischen Problemen belastet war[3] – zeigt also, dass man Illusionen über Kontrolle und Urheberschaft induzieren kann, die zumindest graduell falsch sind. All das ist zweifellos interessant, aber auch nicht besonders neu oder spektakulär. Dass Menschen in ihren frei gewählten Handlungen auf vielfache Weise manipulierbar sind, durch chemische, sprachliche und andere Mittel, dass man sie sogar graduell über ihre Urheberschaft täuschen kann, all das ist seit Jahrtausenden bekannt, und ganze Industrien leben davon. (Wegner & Wheatley geben auch zu, dass man *low budget*-Versionen ihrer Versuche auch mit einer Schüssel Erdnüsse vor dem Fernseher anstellen könnte; vermutlich dürfte die „Zugriffsfrequenz" abhängig davon sein, ob noch jemand auf die Schüssel zugreift, obwohl man seine eigenen Zugriffe jeweils als frei wahrnimmt.). Aber keinesfalls kann man die besprochenen Resultate Wegners & Wheatleys so interpretieren, dass hier Personen zu Handlungen stimuliert werden, die sie fälschlich sich selber zuschreiben. Es gilt also dasselbe wie bei den Resultaten von Brasil-Neto und seinen Mitarbeitern.

3.1. Eine aussichtsreichere Basis?
Die Experimente von Penfield & Rasmussen und Delgado's Patient

Auf unserer Suche nach Belegen, die man eindeutig als externe Stimulierung von Handlungen (und nicht nur als graduelle Beeinflussung eines vorab definierten Verhaltens) interpretieren kann, sind wir bisher also nicht fündig geworden. Wenden wir uns daher den anderen von Roth aufgerufenen Resultatgruppen zu, nämlich den alten Experimenten der Pioniere der Gehirnforschung Wilder Penfield und Theodore Rasmussen sowie von José Delgado an Patienten mit freiliegendem Gehirn. Sie stammen aus den 1930er bis 1970er Jahren. Penfield und Rasmussen fanden heraus, dass elektrische Stimulation bestimmter Cortex-Areale zu verschiedenen Formen des Juckens, Krämpfen, Gefühlen, Bewegungen oder einem seltsamen Drang der Patienten, einen Körperteil zu bewegen, führten. Aber die Pati-

---

[3] Wegner und Wheatley (a.a.O. 488f) berichten, dass die Zahl erfolgreich manipulierter Runden gering war. An jedem der vier getesteten Zeitpunkte waren nur 27 bis 40 Reaktionen von 51 Probanden gültig, und nur mit 8 Probanden glückten bei allen vier Versuchen gültige Reaktionen. Der Grund war, dass es manchmal schwierig war, den Cursor unauffällig zum gewünschten Anhalteort zu bewegen. Man mag sich auch berechtigt fragen, ob manche Probanden nach einer oder mehreren Manipulationen nicht irgendwelche Verdachte geschöpft haben müssen. Und schließlich liegt die Frage nahe, ob die mehrheitlich unmanipulierten Runden nicht zu einer generellen Überschätzung des eigenen Handlungsanteils geführt haben.

enten beschrieben diese Effekte immer so, dass sie irgendwie von außen kamen, oder ihnen irgendwie aufgezwungen schienen. Hier sind die beiden interessantesten Fälle:

„CASE 7. [...] A further unexpected response was that at [point] 23, on the border of the fissure of Sylvius. When this point was being stimulated, she said she felt as though she wanted to move her left hand. To verify this sensation, the operator tried to „trick" the patient by warning her that he was stimulating when he did not so. This produced no such desire. He then warned her similarly when he did stimulate. She then reported the same desire to move her left hand. [...] CASE 8. [...] When H. was stimulated, he hesitated; then he said, „My hand wants to tremble a little." He referred to his right hand (ipsilateral). The hand did tremble and continued a little time after stimulation was withdrawn, but he stopped the trembling voluntarily."

[Zu Fall 8 gibt es auch ein Bild mit folgender Bildunterschrift:]
„Stimulation at [point] H produced desire to move right hand."
(W. Penfield / T. Rasmussen, The Cerebral Cortex of Man (1950), 120-122)

Bedeutsam für das Folgende sind die Formulierungen „she felt as though she wanted to move her left hand" und „she reports the desire to move her left hand"; wir kommen nochmal darauf zurück. Es ist rein sprachlich völlig klar, dass „reporting a desire to move" nicht dasselbe ist wie eine Intention oder den Wunsch oder den Willen zu haben, die Hand zu bewegen. Was Penfield und Rasmussen in ihren Probanden stimuliert haben, ist also keine Handlung, sondern eben dieses seltsame Gefühl, als ob ein Körperglied sich bewegen wolle, ein von außen aufgezwungener Drang zur Bewegung.

Die andere (nur aus zweiter Hand) von Roth zitierte Fallgruppe sind die Experimente von José Delgado, ebenfalls aus den 50er bis 70er Jahren. Delgado referiert in seinem Buch zunächst eine Menge von Beobachtungen ganz ähnlicher Phänomene wie Penfield und Rasmussen, und dann folgt eine kleine Notiz über einen einzigen Patienten, der zum Ausgangspunkt eines erstaunlichen wissenschaftlichen Hörensagens werden sollte:

„In contrast to these effects, electric stimulation of the brain may evoke more elaborate responses. For example, in one of our patients, electrical stimulation of the rostral part of the internal capsule produced head turning and slow displacement of the body to either side with a well-oriented and apparently normal sequence, as if the patient were looking for something. This stimulation was repeated six times on two different days with comparable results. The interesting fact was that the patient considered the evoked activity spontaneous and always offered a reasonable explanation for it. When asked „What are you doing?" the answers were, „I am looking for my slippers," „I heard a noise," „I am restless," and „I was looking under the bed" (Delgado 1969, 115f).

Es ist zu beachten, wie vorsichtig Delgado selbst diesen Fall noch interpretierte:

> „In this case it was difficult to ascertain whether the stimulation had evoked a movement which the patient tried to justify, or if a hallucination had been elicited which subsequently induced the patient to move and to explore the surroundings" (a.a.O. 116).

Hätte es hier den Anschein einer echten externen Stimulation einer Handlung gehabt, dann hätte ein derart sensationelles Resultat sicher eine Publikation verdient und erfahren. In keiner der von mir überprüften themenverwandten Forschungsaufsätze,[4] die Delgado als Erst- und Nebenautor verfasst hat, findet sich allerdings eine Spur dieses Falles, und wie mir José Delgado (der über 90jährig in San Diego lebt, siehe Horgan 2005) im April 2007 selbst bestätigt hat, hat er diesen Fall wirklich nirgends in seinen zahllosen Aufsätzen dokumentiert, sondern eben nur in dem erwähnten populärwissenschaftlichen Buch. Delgado hat mir auch bestätigt, dass er nach wie vor zur selben Interpretation dieses Falles steht: Die Stimulation erzeugte eine Bewegung, die der Patient nicht integrieren konnte, und er suchte irgendwelche ex post-Erklärungen dafür.[5]

4. Stationen einer narrativen Aufblähung

4.1 Die Belege bisher

Fassen wir also die wahre Natur der empirischen Belege zusammen, die Roth für seine Behauptungen angibt, so wie sie sich im Lichte der Originalarbeiten zeigt. Wir verfügen über

---

[4] Zusammenfassungen der 21 in Frage kommenden Aufsätze finden sich Löffler 2007, 293f.

[5] Im Original:„Repetition of ESB [=electrical stimulation of the brain, W.L.] showed that the evoked behavior was reliable but the patient gave different explanations for the movement which was not in his usual repertoire. He did not say that he had initiated the movement for a purpose: he tried to explain it 'after the fact.'" (J.M.R. Delgado, persönliche Mitteilung über email am 10. April 2007).

a) recht gute Belege für graduelle Täuschungen über Handlungskontrolle und -urheberschaft, die man aber keinesfalls als externe Stimulation von Handlungen beschreiben kann;

b) sehr gute Belege von replizierbaren Stimulationen von Bewegungen, die die Probanden aber als von außen aufgezwungen erfahren;

c) einen einzigen Fall einer scheinbaren Stimulation von Handlungen, der aber vom Experimentator selber anders erklärt wird und nur in einem populärwissenschaftlichen Buch kurz erwähnt wird.

Wie kann aus diesen empirischen Mücken eine derartig anspruchsvolle Behauptung werden, wie wir sie heute bei Roth finden?

4.2 Wegners Erschaffung des „feeling of doing"

Eine Drehscheibe der aktuellen Diskussion ist Daniel Wegners Buch *The Illusion of Conscious Will* (2002). Wie im Titel angedeutet, sammelt und evaluiert Wegner Belege gegen die Willensfreiheit. Und wie Roth im zitierten Text selbst zugibt, ist das Buch seine Quelle über Delgado und Brasil-Neto. Betrachten wir Wegners Darstellung von Delgados Patient, die er nach einer korrekten Darstellung von Penfields Ergebnissen gibt:

„Penfield's remarkable set of observations are strikingly in counterpoint, though, with those of another brain stimulation researcher, José Delgado (1969). Delgado's techniques also stimulated the brain to produce movement, but in that case movement that was accompanied by a feeling of doing. Delgado (1969) reported, in one of our patients, electrical stimulation of the rostral part of the internal capsule produced head turning and slow displacement of the body to either side with a well-oriented and apparently normal sequence, as if the patient were looking for something. This stimulation was repeated six times on two different days with comparable results. The interesting fact was that the patient considered the evoked activity spontaneous and always offered a reasonable explanation for it. When asked „What are you doing?" the answers were, „I am looking for my slippers," „I heard a noise," „I am restless," and „I was looking under the bed." (115-116)."

Wegner kommentiert Delgados Patienten dann wie folgt:

„This observation suggests, at first glance, that there is indeed a part of the brain that yields consciously willed action when it is electrically stimulated. However, the patient's quick inventions of purposes sound suspiciously like confabulations, convenient stories made up to fit the moment. The development of an experience of will may even have arisen in this case from the stimulation of a whole actionproducing scenario in the person's experience. In Delgado's words, „In this case it was difficult to ascertain whether the stimulation had evoked a movement which the patient tried to justify, or if an hallucination had been elicited which subsequently induced the patient to move and to explore the surroundings" (1969, 116)" (Wegner 2002, 45-47).

Wegners Darstellung von Penfield und Delgado ist im Kern völlig korrekt, und insbesondere Delgados Vorsicht in der Deutung wird klar geteilt. Wegner unterstreicht sie sogar noch durch seinen Kommentar. Auch die Darstellungen von Brasil-Netos Resultaten sind übrigens korrekt. Problematisch ist dagegen Wegners Einleitung, denn die Rede vom „striking counterpoint" weckt falsche Erwartungen an die Resultate Delgados. Vollends problematisch ist aber Wegners Behauptung, dass wir hier ein „movement that was accompanied by a feeling of doing" vor uns hätten. Das ist eine tendenziöse Deutung, die durch Delgados Text keineswegs gedeckt ist. Allenfalls kann man sagen, der Patient hätte ein „feeling of having done" gehabt, das er dann ex post irgendwie rationalisiert.

Eine weitere problematische Änderung durch Wegners Kompilation erfolgt durch die neue Kontextualisierung, die sein Text vornimmt. Wegner verbindet in seiner Sammlung deterministische Argumente sehr heterogenen Charakters. Es ist z.B. Wegner, der das Belege-Bündel Penfield/Delgado/Brasil-Neto/Wegner&Wheatley zusammenschnürt, das Roth dann unkritisch übernimmt. Der schnelle Leser übersieht dann später leicht die Differenzen, die z.B. zwischen probabilistischen und strikten Korrelationen bestehen. So sehen die Befunde schnell stärker aus, als sie in Wahrheit sind. Freilich sollte man Wegner dafür nicht zu sehr tadeln, denn der kritische Leser kann in Wegners Darstellung immer noch alles auseinander halten – *wenn er denn will.*[6]

---

[6] Ein weiterer – kleinerer – Punkt der Kritik an Wegners Darstellung ist allerdings, dass sie ein populärwissenschaftliches Buch wie *Physical Control of the Mind* von Delgado scheinbar in den Rang empirischer Forschungsliteratur hebt. Auch kritische Leser könnten so meinen, er habe es bei Delgados Patient zumindest mit einem wohldokumentierten Fall zu tun. Zum Charakter dieses Buch, das in der Buchserie *World Perspectives* neben Werken von Jacques Maritain, Ivan Illich, Werner Heisenberg u.a. erschien und dessen Volltext leicht im Internet aufzufinden ist, siehe Löffler 2007, 294.

4.3 Roths Erschaffung des „Willens zur Bewegung"

Den nächsten und entscheidenden Schritt der narrativen Aufblähung nimmt Roth selber vor. Vergleichen wir die Darstellungen bei Penfield & Rasmussen 1950 mit jener in Roth 2003. Wir erinnern uns an die Formulierungen „she felt as though she wanted to move her left hand" und „she reports the desire to move her left hand". In seiner Wiedergabe dieser Befunde fügt Roth allerdings zwei kleine Wörter ein, die den Sinn von Penfields und Rasmussens Behauptungen grundlegend verändern:

> Bei einer Reihe von Patienten führte jedoch die Stimulation eines Cortexareals am Fuß der Zentralfurche im Übergang zur Sylvischen Furche zuverlässig zum *Willen bzw.* Bedürfnis, die linke bzw. rechte Hand oder den linken oder den rechten Fuß zu bewegen (Penfield und Rasmussen, 1950). (Roth 2003, Hervorhebung WL)

Wie schon erwähnt, ist „reporting a desire to move" („ein Bedürfnis zur Bewegung haben") offenkundig nicht dasselbe wie „den Willen zur Bewegung zu haben", aber durch diese Einfügung (eine klare Fehlübersetzung Roths) wird der Sinn des Textes in genau diese Richtung gedreht.

Eine ganz ähnliche Beobachtung kann übrigens zu Roths Umgang mit Delgados Patient gemacht werden. Den Sinn dieser Stelle völlig umzudrehen, ist ganz besonders einfach – man braucht nur Wegners und Delgados vorsichtige Postskripte wegzuschneiden. Genau das tut Roth, und überdies ändert er die Formulierung ein wenig, sodass die Tatsache verschleiert wird, dass es sich nur um genau einen Patienten gehandelt hat. „Der Patient" erscheint jetzt plötzlich als Abstraktion (sozusagen der Patient im Allgemeinen, also einer von vielen), und nicht mehr als Verweis auf die eine konkrete Person.

Schließlich ergibt sich eine weitere Verschleierung aus der Weise, wie Roth seine (an sich schon falsche, siehe oben Abschnitt 3!) Schilderung von Brasil-Netos Experimenten in den Text einbaut: Indem diese Resultate gleich nach Delgados Patient geschildert werden und mit dem Wort „Ähnlich..." eingeleitet werden, erhält der Leser den falschen Eindruck, dass die Transkranielle Magnetstimulation gleich zuverlässig Handlungen hervorruft wie Elektrodenstimulation am offenen Gehirn. Das ist aber gleich ein doppelter Irrtum, wie wir inzwischen wissen.

4.4 Eine Zusammenschau der narrativen Veränderungen

Um eine Zusammenschau der Veränderungen zu erhalten, die Roth in seiner Rezeption früherer empirischer Ergebnisse vornimmt, betrachten wir nochmals Roths Kerntext, diesmal aber mit dem neuen Hintergrundwissen. Meine Kommentare sind *[kursiv und in eckigen Klammern]* eingefügt:

> „Bei einer Reihe von Patienten führte jedoch die Stimulation eines Cortexareals am Fuß der Zentralfurche im Übergang zur Sylvischen Furche zuverlässig zum Willen bzw. Bedürfnis *[Fehlübersetzung, unbegründete Einfügung von „Wille"!]*, die linke bzw. rechte Hand oder den linken oder den rechten Fuß zu bewegen (Penfield und Rasmussen, 1950).
> Der spanische Neurologe José Delgado berichtete, dass unter ähnlichen Bedingungen wie bei Penfield die Stimulation des rostralen Anteils der so genannten internen Kapsel (d.h. [...]) zu Bewegungen des *[suggeriert Allgemeinheit!]* Patienten führte, die er sich selbst zuschrieb. *[Delgados und Wegners deutende Postskripte fehlen!]* Ähnlich *[vermengt strikte und probabilistische Korrelation]* konnte mithilfe der Transkranialen Magnetstimulation (TMS) der Neurologe Brasil-Neto Fingerbewegungen auslösen, die die Versuchsperson als »gewollt« beschrieb *[falsch!]* (beide Befunde zitiert nach Wegner, 2002.)" (Roth 2003, 515f).

5. Zusammenfassung

Wir dürfen also zusammenfassen, dass Roths Behauptung, man könne Handlungen im vollen phänomenologischen Sinne relativ einfach auf vielerlei Arten extern stimulieren, falsch ist. Zumindest deuten die von ihm teils aus zweiter Hand geschilderten Belege nicht in diese Richtung. Ich habe eingangs die Frage erwähnt, ob man das Problem der Willensfreiheit mit empirischen Prämissen oder auf apriorischem Wege behandeln sollte. Ich habe die Frage dort bewusst offen gelassen. Aber eine Teilantwort kann man wohl geben: Es wird wenig fruchtbar sein, es mit falschen empirischen Prämissen zu behandeln.[7]

---

[7] Ich danke Caroline und José M.R. Delgado für das geduldige Beantworten meiner Fragen sowie Hans Goller für einige wertvolle Hinweise und Korrekturvorschläge.

LITERATUR

Brasil-Neto, J.P. / Pascual-Leone, A. / Valls-Solé, J. / Cohen, L.G. / Hallett, M. (1992): Focal Transcranial Magnetic Stimulation and Response Bias in a Forced-Choice Task, in: *Journal of Neurology, Neurosurgery and Psychiatry* 55, 964-966.

Delgado, J.M.R. (1969): *Physical Control of the Mind. Toward a Psychocivilized Society*, New York: Harper & Row.

Halgren, E. / Chauvel, P. (1993): Experiential Phenomena Evoked by Human Brain Electrical Stimulation, in: Devinsky, O. / Barić, A. / Dogali, M. (eds.), *Electric and Magnetic Stimulation of the Brain and Spinal Cord*, New York: Raven Press, 123-140.

Horgan, J. (2005): The Forgotten Era of Brain Chips, in: *Scientific American* 10/2005, 66-73.

Löffler, W. (2007): What naturalists always knew about freedom: A case study in narrative sources of scientific „facts", in: Gasser, G. (ed.), *How Successful is Naturalism?* Frankfurt etc.: Ontos, 283-300.

Mechsner, F. (2003): Wie frei ist unser Wille? In: *Geo* 1/2003, 65-84.

Penfield, W. / Rasmussen, T. (1950): *The Cerebral Cortex of Man* , New York: Macmillan.

Prinz, W. (2004): Der Mensch ist nicht frei. Ein Gespräch, in: Christian Geyer (Hg.), *Hirnforschung und Willensfreiheit. Zur Deutung der neuesten Experimente*, Frankfurt: Suhrkamp, 22-26.

Roth, G. (1994): *Das Gehirn und seine Wirklichkeit*, Frankfurt: Suhrkamp.

Roth, G. (2003): *Aus Sicht des Gehirns*, Frankfurt: Suhrkamp.

Roth, G. (^{2}2003): *Fühlen, Denken, Handeln. Wie das Gehirn unser Verhalten steuert*, Frankfurt: Suhrkamp.

Roth, G. (2004): Das Problem der Willensfreiheit: Die empirischen Befunde, in: *Information Philosophie* 5/2004, 14-21.

Roth, G. (^{2}2006): Willensfreiheit und Schuldfähigkeit aus Sicht der Hirnforschung, in: Roth, G. / Grün, K.-J. (Hgg.), *Das Gehirn und seine Freiheit*, Göttingen: Vandenhoeck & Ruprecht, 9-27.

Skolnick Weisberg, D. / Keil, F.C. / Goodstein, J. / Rawson, E. / Gray, J.R. (2008): The Seductive Allure of Neuroscience Explanations, in: *Journal of Cognitive Neuroscience* 20, 470-477.

Wegner, D.M. (2002): *The Illusion of Conscious Will*, Cambridge, MA: MIT Press.

Wegner, D.M. / Wheatley, T. (1999): Apparent Mental Causation. Sources of the Experience of Free Will, in: *American Psychologist* 54, 480-492.

Was wäre eine „erfolgreiche" Erklärung von Bewusstsein?

MICHAEL JUNGERT

1. Vorbemerkungen

Die Frage, ob in einem solch kurzen Beitrag eine Antwort darauf gegeben werden kann, was eine erfolgreiche Erklärung von Bewusstsein wäre, ist offensichtlich rhetorischer Natur. Jedoch kann und soll im Folgenden anhand einiger weniger Beispiele die Frage erhellt werden, was in verschiedenen Kontexten und Theorien als *Erklärungserfolg* angesehen wird und inwiefern aus den dabei bestehenden Unklarheiten zahlreiche Missverständnisse, besonders zwischen Naturwissenschaftlern und Philosophen, resultieren.

Bei der Frage nach der Erklärbarkeit von Bewusstsein, die seit vielen Jahren im Zentrum der Philosophie des Geistes steht, zeigt sich eine Situation, die in einigen Aspekten an die aufgeregte fachübergreifende Willensfreiheitsdebatte erinnert, und zwar insofern, als in beiden Fällen durch die Eigendynamik der Diskussion und das häufige Fehlen genauer begrifflicher Analysen zahlreiche Missverständnisse und Ungenauigkeiten aufgetreten sind. Es gibt bezüglich der Frage nach einer möglichen Erklärung von Bewusstsein eine kaum überschaubare Diskussion über die Richtigkeit und Angemessenheit verschiedenster ontologischer und erkenntnistheoretischer Positionen: Eliminativer, reduktiver und nicht-reduktiver Materialismus, Substanz- und Eigenschaftsdualismus, Epiphänomenalismus und viele mehr. Jede dieser Positionen ist wiederum mit bestimmten Vorannahmen über Art und Möglichkeit einer Erklärung von Bewusstsein verbunden.

Einige Beispiele solcher Annahmen sind die nachfolgenden (idealtypischen) Aussagen:

* „Wir haben alles Relevante bereits erklärt, es fehlt nur noch die Akzeptanz dieser Erklärung."
* „Es handelt sich um ein normales – wenn auch sehr schwieriges – wissenschaftliches Problem, dessen Lösung die Naturwissenschaft über kurz oder lang finden wird."

* „Für eine angemessene Erklärung benötigen wir das Postulat einer zweiten Sphäre neben dem Materiellen."
* „Wir werden das Bewusstsein (z.B. aufgrund kognitiver Limitationen) nie erklären können."

Was dabei allerdings in den meisten Fällen nicht explizit thematisiert wird, ist die grundlegende Frage, welcher Anspruch und Umfang mit dem jeweiligen Erklärungsmodell verbunden ist, was also genau unter *Erklärung* verstanden und als eine solche akzeptiert werden soll.

Eine Erhellung dieser Frage ist jedoch von grundlegender Bedeutung, weil erst durch sie klar werden kann, ob sich die unterschiedlichen Positionen tatsächlich auf denselben Untersuchungsgegenstand beziehen und einen vergleichbaren Erklärungsbegriff verwenden, oder ob ihre (scheinbare) Unvereinbarkeit bereits auf der Ebene der Vorannahmen und Begriffsunterschiede entsteht.

Um uns dieser vernachlässigten Frage anzunähern, beginnen wir mit der kurzen Analyse einer der prominentesten Unmöglichkeitsbehauptungen hinsichtlich der Erklärung von Bewusstsein, dem „Ignorabimus" des Physiologen Emil Du Bois-Reymond aus dem späten 19. Jahrhundert. Diese Aussage kontrastieren wir dann in einem zweiten Schritt mit der zeitgenössischen Theorie des Bremer Neurobiologen Hans Flohr, die auf eine Relativierung der Aussagen Du Bois-Reymonds zielt. Aus der Gegenüberstellung dieser beiden Positionen wird ersichtlich, welche Ebenen von Erklärungen und Erklärungsansprüchen unterschieden werden müssen. Diese werden im letzten Teil skizziert und mit der Frage nach Erfolgskriterien von Bewusstseinserklärungen verknüpft.

2. „Ignorabimus" – Emil Du Bois-Reymond und die prinzipielle Nicht-Erklärbarkeit des Bewusstseins

Beginnen wir unsere Untersuchung also mit einem Blick auf Emil Du Bois-Reymonds Rede „Über die Grenzen des Naturerkennens" (Du Bois-Reymond 1916) von 1872 und dem berühmten darin enthaltenen „Ignorabimus". Anhand seiner Darstellung lässt sich aufzeigen, dass mindestens zwei Arten von Erklärung bzw. Erklärbarkeit unterschieden werden müssen. Er schreibt darin:

„Allein es tritt nunmehr, an irgendeinem Punkt der Entwicklung des Lebens auf Erden, den wir nicht kennen […] etwas Neues, bis dahin Unerhörtes auf, etwas wiederum, gleich dem Wesen von Materie und

Kraft, und gleich der ersten Bewegung Unbegreifliches [...] Dies neue Unbegreifliche ist das Bewußtsein" (Du Bois-Reymond 1916, 33). Was bringt Du Bois-Reymond zu der Behauptung, dass „Bewußtsein aus seinen materiellen Bedingungen nicht erklärbar ist" und „auch der Natur der Dinge nach aus diesen Bedingungen nie erklärbar sein wird" (ebd.) und wie genau ist diese Behauptung zu verstehen?

Es handelt sich bei seiner Behauptung um eine *kategorische* Aussage, die die häufig genannte Hoffnung auf eine Lösung durch weiteren wissenschaftlichen Fortschritt und damit die Charakterisierung des Problems als graduell und temporär definitiv ausschließt. Er spezifiziert die Art einer möglichen naturwissenschaftlichen Erklärung bzw. Erkenntnis genauer: Gesetzt den Fall, wir hätten vollständige Kenntnis eines materiellen Systems – von ihm als „astronomische Kenntnis" (Du Bois-Reymond 1916, 37) bezeichnet – würden wir über folgendes Wissen verfügen:

1. Bekanntsein aller Teile des Systems (bis auf die Mikroebene)
2. Kenntnis der Lage und Bewegung aller Teile
3. Wissen um die Gesetze, denen die Teile des Systems und deren Beziehungen unterliegen
4. Die Fähigkeit, die Lage des Systems zu einem beliebigen Zeitpunkt in der Vergangenheit zu rekonstruieren bzw. für die Zukunft vorauszuberechnen (vgl. Du Bois-Reymond 1916, 37f.)

Diese Art von Erkenntnis, die Du Bois-Reymond in ihrer Vollendung mit der Realisierung des *Weltformelwissens* des Laplaceschen Dämons gleichsetzt, und die ihm, obgleich zu seiner Zeit utopisch, doch nicht prinzipiell unerreichbar scheint, stellt ihm zufolge „die vollkommenste Erkenntnis, die wir von dem System erlangen können" (Du Bois-Reymond 1916, 38), dar. Diese Art von Wissen ist es, die unseren „Kausalitätstrieb" befriedigen und als vollständige naturwissenschaftliche Erklärung gelten würde. Offenkundig bedeutet diese Endstation einer möglichen Erklärung, also das Ende des *Erklärungsmöglichen*, obwohl ihr Erreichen ohne Frage einen „hohen Triumph" (Du Bois-Reymond 1916, 39) darstellen würde, für ihn allerdings *nicht zugleich* auch das Ende des *Erklärungsbedürftigen*. Er schreibt dazu: „Was nun aber die geistigen Vorgänge selber betrifft, so zeigt sich, daß sie bei astronomischer Kenntnis des Seelenorgans uns ganz ebenso unbegreiflich wären, wie jetzt." (Du Bois-Reymond 1916, 40).

Diese weiterhin bestehende Erklärungsbedürftigkeit verweist auf eine von der naturwissenschaftlichen Ebene zu unterscheidende Ebene der *metaphysischen Erklärung.* Was aber genau ist es, das weiterhin nach einer Erklärung verlangt? Du Bois-Reymond verdeutlicht dies am Beispiel des Laplaceschen Dämons (vgl. Du Bois-Reymond 1916, 38f.), der sich in der Situation vollständigen naturwissenschaftlichen Wissens befindet. Dieses beinhaltet die Kenntnis aller Gehirnbestandteile auf allen Ebenen mit ihren Wechselwirkungen, kausalen Rollen und Korrelationen mit bestimmten Empfindungen. Was auch ihm jedoch, genauso wie dem in diesem Sinne allwissenden Wissenschaftler verborgen bliebe, ist die grundlegende Frage, *warum* diese Empfindungen zu allererst auftreten. Die klassische metaphysische Grundfrage, warum *überhaupt etwas* sei und nicht vielmehr nichts, lässt sich in Bezug auf das Bewusstsein übertragen als die Frage, warum *für mich* bzw. *für jemanden überhaupt etwas* ist (im Sinne von phänomenal bewusst sein) und nicht vielmehr nichts.

Diese Frage unterscheidet sich offenkundig kategorial von der Frage, wie Bewusstsein materiell realisiert wird und welchen Naturgesetzmäßigkeiten es folgt. Mit ihr stoßen wir an das, was Dieter Birnbacher als „Emergenzschwelle" (Birnbacher 2002, 168f.) bezeichnet hat. Solche Schwellen zeichnen sich durch das Auftreten neuer „Kategorien des Seienden" (ebd.) aus, in unserem Fall also durch das erstmalige Auftreten einer phänomenalen Empfindung, der ersten „Bewusstseinsregung" in einer bis dato unbewussten Welt.

Metaphysische Erklärungen[1] beziehen sich demnach nicht wie „normale" naturwissenschaftliche Erklärungen auf bestimmte *Sets* von Eigenschaften, Beziehungen und Gesetzmäßigkeiten, deren Existenz vorausgesetzt wird und deren Kenntnis im besten Fall in eine erfolgreiche Erklärung mündet. Vielmehr explizieren sie, als „Erklärung zweiter Stufe", warum bestimmte Eigenschaften, Kausalverhältnisse und Naturgesetzmäßigkeiten *überhaupt* bestehen.

Du Bois-Reymond nimmt mit seiner Charakterisierung auch einige wesentlichen Punkte der aktuellen Qualia-Diskussion (vgl. z.B. Heckmann/Walter 2006 und Pauen/Schütte/Staudacher 2007) vorweg, wie sie u.a. bei Nagel, Jackson, Levine und auch Chalmers „hard problem of consciousness" (vgl. Chalmers 1997) im Zentrum stehen. In diesem

---

[1] Der Begriff der Erklärung muss in diesem Kontext freilich sehr viel breiter verstanden werden, als es in den Naturwissenschaften der Fall ist und den Aspekt des Verstehens inkludieren, wie nachfolgend aufgezeigt wird.

Kontext bekommt der Begriff der „metaphysischen Erklärung" nochmals eine andere Konnotation. Er bezieht sich hier darauf, dass jenseits der fundamentalen Entstehungsfrage, wie sie oben beschrieben wurde, der *phänomenale Gehalt* von Bewusstseinszuständen in dem Sinne metaphysisch ist, dass er als nicht-physikalisches Phänomen aufgefasst oder seine Erklärbarkeit als der Physik bzw. der gesamten Naturwissenschaft unzugänglich angesehen wird.

An dieser Problematik zeigt sich auch die Aktualität der Diskrepanz zwischen „Erklären" und „Verstehen", die bereits am Ende des 19. Jahrhunderts von Johann Gustav Droysen und Wilhelm Dilthey im Kontext des *Methodenstreits* zwischen Natur- und Geisteswissenschaften betont wurde (vgl. dazu z.B. Riedel 1978, Apel/Manninen/Tuomela 1978 und von Wright 2000). Das herausragende Merkmal von Bewusstseinszuständen (im phänomenalen Sinn) ist ihr Erlebnischarakter. Es fühlt sich, wie Thomas Nagel in seinem zum Klassiker avancierten Aufsatz „What is it like to be a bat?" (Nagel 1974) betont, auf eine spezielle Art und Weise an, etwas bewusst zu erleben. Dieses *Sich-Anfühlen* entzieht sich, so Nagel, als interner Zustand eines Individuums, der von diesem aus der 1. Person-Perspektive erlebt wird, der objektivierenden Zugangsweise der Naturwissenschaft, deren Perspektive die der 3. Person ist. Die „astronomische" Kenntnis phänomenaler Zustände bestünde folglich darin, diese anhand der ihr zugrunde liegenden Gesetzmäßigkeiten, der beteiligten Hirnareale, der exakten neuronalen Prozesse usw. zu erklären. Diese naturwissenschaftliche *Erklärung von etwas* unterscheidet sich jedoch fundamental davon, solche Bewusstseinszustände *als Person* zu *erleben* und zu *verstehen*. Die *Was-Frage* bezüglich meiner inneren Zustände kann nur von mir selbst sinnvoll gestellt oder beantwortet werden, weil der „Raum der Gründe" nur aus dieser Perspektive existent bzw. zugänglich ist. Es ist völlig unklar, wie eine vollständige Erklärung von Bewusstsein, die den für den Einzelnen zentralen Aspekt der spezifischen Qualität von Bewusstseinszuständen beinhalten soll, dies aus einer externen Perspektive leisten könnte. Wirft man allerdings einen genaueren Blick auf die Diskussion dieser Frage, so zeigt sich, dass dieser Aspekt einer Erklärung von Bewusstsein häufig auf verschiedene Art beseitigt werden soll, indem er z.B. ontologisch oder erkenntnistheoretisch reduziert wird (vgl. van Gulick 2005).

Obwohl wir an dieser Stelle nicht genauer auf die Frage der Möglichkeit oder Unmöglichkeit einer metaphysischen Erklärung von Bewusstsein bzw. einer vollständigen Erklärung von Qualia eingehen können, sollte damit jedoch zumindest klar geworden sein, um welche Art von Erklärungsproblematik bzw. Erklärungsunmöglichkeit es sich hier handelt. Dies weist darauf hin, wie wichtig es ist, den genauen *Anspruch*, *Gegenstand* und das *Inventarium* von Erklärungen zu explizieren, um grundsätzlich zu verstehen, was für die jeweilige Erklärungsstrategie „Erfolg" und „Erklärung" überhaupt bedeuten und ihre Ergebnisse dementsprechend angemessen bewerten zu können.

Das „Ignorabimus" lässt sich also folgendermaßen zusammenfassen: Die naturwissenschaftliche Erklärung von Bewusstsein betrifft die Funktionsweise und den materiellen Kontext des Bewusstseins. Sie umfasst das Angeben notwendiger und hinreichender Bedingungen bzw. Komponenten im Sinne einer *mereologischen* Erklärung, sowie die *nomologische* Erklärung von phänomenalen Ereignissen durch physiologische Prozesse durch das Aufzeigen psychophysischer Gesetze (hier müsste dann u.a. genauer zwischen „bloß" stabilen Korrelationen und der Bezugnahme auf allgemeine Naturgesetze unterschieden werden). Wie wir gesehen haben, bestreitet Du Bois-Reymond nicht im Geringsten die Möglichkeit einer solchen, im Prinzip auch als vollständig denkbaren Erklärung. Sein „Ignorabimus" bezieht sich vielmehr, wie aufgezeigt, auf die Bedingungen der Möglichkeit solcher Erklärungen, also die grundlegende Warum-Frage bezüglich der Existenz des (phänomenalen) Bewusstseins. Die *Erklärungslücke*, um die es in diesem Sinne geht, liegt demnach notwendigerweise außerhalb der Reichweite der Naturwissenschaft. Diese Feststellung ist wichtig, weil sie sich damit deutlich von anderen Positionen bezüglich der Erklärbarkeit des Bewusstseins unterscheidet, für die wir jetzt stellvertretend die Theorie des Bremer Neurobiologen Hans Flohr betrachten werden, an der sich exemplarisch Missverständnisse bzw. konträre Definitionen und Maßstäbe eines als adäquat erachteten Erklärungsbegriffs nachzeichnen lassen.

3. Ignorabimus? – Hans Flohrs Kritik an Du Bois-Reymond
und die Divergenz verschiedener Erklärungsmaßstäbe

Flohr entwickelte in den letzten Jahren einige Hypothesen, die er als *spezifische* Hypothesen über den Zusammenhang von Gehirnprozessen und phänomenalem Bewusstsein verstanden haben möchte und die ihm zufolge darauf hindeuten, dass Du Bois-Reymonds Aussage in absehbarer Zeit falsifiziert werden könnte (vgl. Flohr 1991, 1992 und 1995). Das Fragezeichen hinter dessen „Ignorabimus" begründet Flohr mit einer

Theorie, der zufolge spezielle neuronale „Assemblies", bestehend aus sog. NMDA-Synapsen, und die aus ihnen resultierenden Aktivitätsmuster, nicht nur die *notwendige*, sondern auch die *hinreichende* Bedingung für das Vorhandensein von Bewusstsein darstellen. Flohr schließt dies aus zahlreichen Studien, die den anästhetischen Effekt von NMDA-Antagonisten untersuchen und zu dem Schluss gelangen, dass das NMDA-System konstitutiv für Bewusstsein ist.[2] Nun könnte man natürlich zunächst einfach fragen, was diese Theorie eigentlich mit dem philosophisch interessanten Teil des Bewusstseinsproblems zu tun hat, nämlich der Frage nach dem *phänomenalen* Bewusstsein, also Nagels berühmtem *„wie es ist"*, beispielsweise barfuss über glühende Kohlen zu laufen.

Da Flohr seine Theorie jedoch explizit auch als einen Antwortversuch auf diesen „theoretischen Teil" des Bewusstseinsproblems ansieht, erweitert er seine empirische Theorie wie folgt: Ihm zufolge sind phänomenale Zustände identisch mit Metarepräsentationen des Gehirns, durch die dieses seinen eigenen gegenwärtigen Gehalt repräsentiert. Der Erlebnisgehalt bewusster Zustände ist daher gleichzusetzen mit den selbstreferentiellen Prozessen des Gehirns, die durch die Aktivität neuronaler Assemblies, basierend auf NMDA-Systemen, realisiert werden. Da letztere aber die notwendige und hinreichende Bedingung für die Bildung dieser Metarepräsentationen darstellen sollen, sind sie letztlich auch die notwendige und hinreichende Bedingung für phänomenales Bewusstsein.

Allerdings ist bereits diese Darstellung aus diversen Gründen problematisch. Dazu zählen u.a. die philosophisch umstrittene Behauptung, phänomenale Zustände seien Metarepräsentationen, sowie einige der für seine Theorie zentralen Begriffe wie etwa der der „Identität". Ohne auf diese wichtige Problematik hier näher eingehen zu können, zeigt sich jedoch für unsere Fragestellung ein entscheidendes Missverständnis. So schreibt Flohr dazu unter der Überschrift „Non Ignorabimus": „Es sieht demnach so aus, als ob sich in absehbarer Zeit herausstellen könnte, daß Du Bois-Reymonds Prognose falsch ist. Sein entscheidendes Argument, kein denkbarer, wie auch immer beschaffener physikalischer Zustand könne hinreichende Bedingung für das Auftreten von Bewußtseins-

---

[2] Man könnte bereits hier unter Rückgriff auf die Besprechung der Qualia-Debatte im vorangegangenen Abschnitt die grundsätzliche Frage stellen, worauf Flohr überhaupt seine Überzeugung gründet, aus der Außenperspektive sichere Aussagen über das Vorliegen bzw. Nicht-Vorliegen von Bewusstsein machen zu können.

phänomenen sein, trifft nicht zu. Es *ist* denkbar, daß Bewußtsein das Produkt bestimmter computationaler Prozesse ist. Über die physiologischen Mechanismen, die diesen Prozessen zugrunde liegen, lassen sich Hypothesen formulieren [...] Die Konturen einer Instantiierungserklärung sind deutlich erkennbar" (Flohr 1995, 448).

Doch lässt sich das, was Flohr hier mit dem Begriff „Instantiierungserklärung" bezeichnet, überhaupt zur Widerlegung von Du Bois-Reymonds „Ignorabimus" verwenden? Wohl kaum. Wie wir oben gesehen haben, versteht dieser seine Behauptung eben gerade *nicht* so, dass sie gegen die Möglichkeit einer Erklärung spricht, wie sie Flohr skizziert. Flohrs Theorie steht vielmehr für genau den Typ von Erklärung, von dessen finalem Stadium Du Bois-Reymond spricht, wenn er der wissenschaftlichen Erklärung zumindest potentiell den Wissensstatus des Laplaceschen Dämons zuschreibt. Flohr hat ihn anscheinend in einem zentralen Punkt grundlegend falsch verstanden: Du Bois-Reymond war weit davon entfernt, die Möglichkeit einer Erklärung durch physikalische Bedingungen zu leugnen. Ihm ging es vielmehr um den Hinweis, dass selbst im Falle der „perfekten" wissenschaftlichen Erklärung eine Lücke bestehen bliebe, die sich, wie bereits gezeigt, auf die Voraussetzungen und Bedingungen dieser Erklärung in solcher Weise bezieht, dass sie selbst nicht durch die Naturwissenschaft gefüllt werden kann.

Diese Ausführungen sollten exemplarisch verdeutlichen, dass die Auffassungen darüber, was unter welchen Umständen als adäquate Erklärung angesehen werden kann, vielfach voneinander abweichen und durch fehlende Explikation häufig unklar bleiben. Abschließend werfen wir daher einen ganz kurzen Blick auf einige Aspekte, die bei der „Erfolgsfrage" einer Erklärung von Bedeutung sind.

4. Erklärung, quo vadis? – Die unklare Bedeutung von „Erfolg"
bei Bewusstseinserklärungen

Robert van Gulick hat vor einigen Jahren in einem Artikel (van Gulick 2005) auf die Problematik der Erklärungsfrage aufmerksam gemacht und vorgeschlagen, die Frage der Erklärung in *drei Bestandteile* zu zerlegen, um der bereits aufgezeigten Unklarheit über den Verhandlungsgegenstand Bewusstsein analytisch angemessen begegnen zu können. Diese drei Ebenen sind:
1. *Explanandum*: Welche Merkmale/Aspekte/Leistungen sollen erklärt werden?

2. *Explanans*: Welcher begriffliche/theoretische Rahmen muss/soll eingehalten werden?
3. *Relation*: Welche Art der Verbindung zwischen 1 und 2 ist nötig/sollte bestehen, um als adäquate Erklärung gelten zu können?

Wendet man diese Unterscheidung zum Beispiel auf die Theorien von Du Bois-Reymond und Flohr an, so zeigt sich sehr deutlich, dass Verständnis, Umfang und Maßstab dessen, was als Erklärung angesehen bzw. akzeptiert wird, sehr stark von bereits existierenden Annahmen über das Methodenrepertoire und von ontologischen Prämissen auf den drei Ebenen abhängt. Wenn man etwa, wie Flohr, auf der Ebene des Explanandums vor allem das Bewusstseinsmerkmal *Wachheit* erklärt und den phänomenalen Aspekt so fasst, dass er auf der Relationsebene durch das Angeben notwendiger und hinreichender Bedingungen vollständig erfasst und in diesem Sinn reduziert werden kann und diese Annahmen noch dadurch einschränkt, dass für die Ebene des Explanans der neurobiologische Begriffs- und Theorierahmen ausreicht, so wird deutlich, dass diese Vorannahmen das Feld möglicher Erklärung von vornherein stark einschränken und zwar ohne eine ernsthafte vorherige Klärung und Begründung dieser Prämissen. Es zeigt sich nämlich, wie etwa im Vergleich mit Du Bois-Reymond, dass diese Vorannahmen auch ganz anders gedacht werden können. Van Gulick spricht mit Blick auf seine Unterscheidung der Erklärungsebenen und deren Kombinationsmöglichkeiten von „96 möglichen Interpretationen unserer ursprünglichen Frage" (van Gulick 2005, 93) nach der „richtigen" Erklärung von Bewusstsein. Dies veranschaulicht sehr deutlich, dass und warum vor der Verknüpfung und Anwendung daher sorgsam einzeln auf Ansprüche, Limitationen und Auswirkungen der jeweiligen Prämissen geachtet und diese explizit gemacht werden sollten.

Was ist also die Essenz dieser Ausführungen? Es sollte gezeigt werden, dass und inwiefern die Komplexität und Vielschichtigkeit des Bewusstseins dazu führt, dass jedes Erklärungsprojekt zunächst einmal die eigenen Ansprüche, Methoden und Erwartungen explizieren muss, bevor ein sinnvoller Versuch der Erklärung unternommen werden kann. Anhand der vorgestellten Theorien sollte dies als Beispiel für die begrifflichen und konzeptuellen Divergenzen, wie sie vor allem zwischen Naturwissenschaften und Philosophie häufig auftreten, deutlich geworden sein. Die *Erfolgsfrage* kann also nicht, wie es recht häufig geschieht, in einem pauschalen Sinn gestellt werden. Neben der momentan vorherrschenden Frage nach der Natur des Bewusstseins sollte daher zukünftig auch die

Frage nach der Natur einer Erklärung – die natürlich das Wesen und die Möglichkeiten der Wissenschaft in grundsätzlicher Weise betrifft – im Vordergrund stehen. An dieser Frage zeigt sich denn auch die Notwendigkeit und potentielle Fruchtbarkeit einer ernsthaften Zusammenarbeit zwischen Philosophie und Naturwissenschaften.

LITERATUR

Apel, K.-O./Manninen. J./Tuomela, R. (eds.) (1978): *Neue Versuche über Erklären und Verstehen*, Frankfurt a.M.: Suhrkamp.

Birnbacher, D. (2002): Läßt sich das Bewußtsein erklären?, in: Pauen, M./Achim, S. (eds.), *Phänomenales Bewusstsein – Rückkehr zur Identitätstheorie?*, Paderborn: Mentis.

Chalmers, D. (1997): Facing Up to the Problem of Consciousness, in: Shear, J. (ed.), *Explaining Consciousness – The "Hard Problem"*, Cambridge: MIT-Press.

Du Bois-Reymond, E. (1916): *Über die Grenzen des Naturerkennens*, Leipzig: von Veit.

Flohr, H. (1991): Brain Processes and Phenomenal Consciousness. A New and Specific Hypothesis, in: *Theory and Psychology 1*, 245-262.

Flohr, H. (1992): Qualia and Brain Processes, in: Beckermann, A./Flohr, H./Kim, J. (eds.): *Emergence or Reduction?*, Berlin: de Gruyter.

Flohr, H. (1995): Ignorabimus?, in: Roth, G./Prinz, W. (eds.): *Kopf-Arbeit. Gehirnfunktionen und kognitive Leistungen*, Heidelberg: Springer.

Gulick, R. van (^{5}2005): Was würde als eine Erklärung von Bewußtsein zählen?, in: Metzinger, T. (ed.): *Bewußtsein. Beiträge aus der Gegenwartsphilosophie*, Paderborn: Mentis.

Heckmann, H./Walter, S. (eds.) (^{2}2006): *Qualia*, Paderborn: Mentis.

Nagel, T. (1974): What Is it Like to Be a Bat?, in: *The Philosophical Review* 83 (4), 435-450.

Pauen, M./Schütte, M./Staudacher, A. (eds.) (2007): *Begriff, Erklärung, Bewusstsein. Neue Beiträge zum Qualia-Problem*, Paderborn: Mentis.

Riedel, M. (1978): *Verstehen oder Erklären? Zur Theorie und Geschichte der hermeneutischen Wissenschaften*, Stuttgart: Klett-Cotta.

Wright, G. H. von (^{4}2000): *Erklären und Verstehen*, Berlin: Philo.

Personale Identität und die Möglichkeit der Gehirnteilung

IGOR GASPAROV

Im Folgenden möchte ich einige Fragen diskutieren, die im Zusammenhang mit den bekannten Split-Brain Fällen auftreten. Mit dem englischen Ausdruck ‚Split Brain' bezeichnet man in der Hirnforschung eine Behandlungsmethode von Epilepsie. Bei dieser Methode wird der Balken (Corpus callosum), der die beiden Hirnhemisphären miteinander verbindet, durchtrennt, wodurch die Übertragung des elektrischen Impulses von einer Hirnhemisphäre zur anderen verhindert und so die Kraft des epileptischen Anfalls gemindert wird. Die Idee der Hemisphärentrennung entstand Mitte des 19. Jahrhunderts als Gedankenexperiment des deutschen Physikers und Philosophen Gustav Fechner. Ein Jahrhundert später wurde das, was dem Vater der experimentellen Psychologie nur in Gedanken vorschwebte, zu einem wichtigen Teil der tatsächlichen Praxis der Epilepsiebehandlung. Heutzutage wird diese Methode nur sehr eingeschränkt als letztes Mittel gegen Epilepsie eingesetzt, während sie in der Zeit von 1930 bis 1950 viel weiter verbreitet war. Man bemerkte an den Patienten mit einem durchtrennten Balken zunächst keine unerwünschten Eigentümlichkeiten oder Abnormalitäten, die zu den Folgen der Balkendurchtrennung gezählt werden konnten. Erst in den sechziger Jahren wurden unter experimentellen Bedingungen einige Tatsachen aufgedeckt, die unsere Auffassung sowohl von dieser Operation als auch von dem Funktionieren des menschlichen Gehirns radikal veränderten. Seit 1960 sind Split-Brain Untersuchungen zu einer etablierten Branche der Hirnforschung geworden. Dank der Bemühungen von J. Bogen, R. Sperry und M. Gazzaniga wurde unsere Kenntnis der Hirnprozesse bereichert. Die Philosophen standen diesen Entwicklungen in der Naturwissenschaft nicht regungslos gegenüber. Es entstand eine bedeutende philosophische Split-Brain Literatur. Man diskutierte den Split-Brain Fall sowohl an sich als auch im Zusammenhang mit dem Problem der personalen Identität, wo Split Brain zum Vorbild und zur empirischen Rechtfertigung der mannigfaltigen Gedankenexperimente über ‚Fission' und ,Fusion' von Personen geworden ist (siehe z.B. Parfit 1984). Die Hauptfragen, die sowohl Naturwissenschaftler als auch Philosophen beschäftigen, betreffen die Einheit des psychischen Subjektes eines Split-Brain-Patienten und die Zahl der Bewusstseinsströme in seinem Schädel. Bevor ich aber zu einer näheren Diskussion dieser Frage übergehe, ist es sinnvoll, kurz einige naturwissenschaftliche Befunde bezüglich Split-Brain anzuführen.

1. Empirische Daten von Split-Brain

Das menschliche Gehirn besteht u.a. aus zwei äußerlich ähnlichen Hemisphären. Die beiden Hemisphären sind neben anderen kleineren Kommissuren durch *den Balken (Corpus callosum)* verknüpft. Der letztere stellt ein massives Bündel aus mehreren Millionen Nervenfasern dar. Der Balken ist ein ungepaarter Teil des Gehirns, wo die wichtigen Wege des Informationsaustausches zwischen beiden Hemisphären verlaufen. Der Informationsaustausch kann sich aber auch über andere neuronale Wege vollziehen, die sich außerhalb des Kortex befinden.

Die äußere Symmetrie der Hirnhemisphären spiegelt keine Symmetrie ihrer Funktionen wider. Bei den meisten Menschen sind die Funktionen asymmetrisch verteilt, so dass die linke Hemisphäre für Sprache und analytische Fähigkeiten verantwortlich, während die rechte Hemisphäre für Orientierung im Raum sowie ,künstlerische Fertigkeiten' zuständig ist. Diese Funktionsverteilung ist jedoch flexibel und viel komplexer, als man es sich vorzustellen pflegt. Es geschieht wahrscheinlich dank der sog. *neuronalen Plastizität*, unter der man die Eigenschaft von einzelnen Nervenzellen oder auch ganzen Hirnarealen versteht, sich in Abhängigkeit von der Verwendung in ihren Antworteigenschaften zu verändern. D.h., wenn man die Funktionen von verschiedenen Gehirnteilen in Form einer Karte darstellt, so scheinen die Gebiete dieser Karte, die mit je identischen Funktionen assoziiert sind, nicht statisch, sondern dynamisch zu sein.

Die neuronale Plastizität scheint eine plausible Erklärung dafür zu sein, warum Personen mit einer angeborenen *Corpus-callosum-Agenesie*, d.h. einer von Natur aus vorhandenen Gehirnfehlbildung, bei der der Balken vollkommen oder partiell fehlt, keine Symptome aufweisen, die uns bei Split-Brain-Patienten beschäftigen. Weiterhin werde ich *zur Corpus-callosum-Agenesie* als dem Fall ,eines natürlichen Split-Brains' referieren. Es ist dabei gut zu merken, dass man bei einem natürlichen

Split-Brain ein gutes Indiz dafür hat, dass ein Split-Brain noch lange kein Split-Mind bedeutet.

Ein Split-Brain im eigentlichen Sinne setzt einen medizinischen Eingriff voraus, durch den der Balken entweder ganz oder teilweise durchtrennt wird. Joseph Bogen u.a. nennen folgende vier Merkmale, die nach der postoperativen Rehabilitation bei den Split Patienten auftreten (Zaidel, Zaidel and Bogen 1999):

(1) *Die soziale Unauffälligkeit* (ordinairness): In Alltagssituationen ist ein Split-Brain-Patient bis auf einige Gedächtnisprobleme von Nicht-Split-Brain-Personen ununterscheidbar.

(2) *Das Fehlen des interhemisphärischen Transfers*: die Informationen aus einer Hemisphäre gelangen nicht in die andere.

(3) *Die Nachwirkungen der hemisphärischen Spezialisation*. Es ist ein Merkmal, das menschliche Split-Brain-Subjekte von tierischen unterscheidet, bei denen keine hemisphärische Spezialisation vorhanden ist. Ein Split-Brain Rechtshänder ist z.B. unfähig, einen Gegenstand zu nennen oder zu beschreiben, den er in der linken Hand hält, auch wenn er den Gegenstand lange genug betastet hat.

(4) *Kompensationserscheinungen*: Ein Split-Brain-Patient entwickelt einige Strategien, um seine Defizite im interhemisphärischen Transfer zu kompensieren. Er nennt beispielsweise laut den Gegenstand, den er in der rechten Hand hält, woraufhin dieser Gegenstand auch mit der rechten Hand aufgefunden werden kann, weil die rechte Hemisphäre viele einzelne Wörter erkennt.

Diese Merkmale zeichnen einen Split-Brain-Patienten in seinem weiteren Leben aus. Darum wird dies ein *chronisches Split-Brain Syndrom* genannt. Das auffallendste Charakteristikum von Split-Brain-Patienten ist natürlich das Fehlen des interhemisphärischen Transfers, das nur im Laufe eines speziellen Experimentes festgestellt werden kann. Aus diesem Grund gehe ich näher darauf ein, indem ich schematisch skizziere, wie ein solches Experiment durchgeführt wird.

Im rechten Gesichtsfeld eines rechtshändigen Split-Brain-Patienten erscheint für eine kurze Zeit ein Gegenstand, z.B. ein Apfel. Daraufhin bejaht der Patient die Frage, ob er den Apfel sieht, und kann einen entsprechenden Bericht darüber erstatten. Das geschieht scheinbar darum, weil die Informationen über Stimuli im rechten Gesichtsfeld durch die linke Hemisphäre bearbeitet werden, also durch die gleiche Hemisphäre, in der auch sein Sprachzentrum liegt. Wird er jedoch darum gebeten, mit der linken Hand aus einer Menge von Gegenständen den herauszugreifen, den er gerade gesehen hat, so kann er diese Aufgabe nicht erfüllen. Erscheint umgekehrt ein anderer Gegenstand, z.B. eine Pfeife, in seinem linken Gesichtsfeld, kann der Patient diesen Gegenstand mit der linken Hand herausgreifen, verneint aber dabei, dass er die Pfeife gerade gesehen hat. Daraus lässt sich schließen, dass die Information aus der linken Hemisphäre nicht in die rechte gelangt und umgekehrt. Dabei lässt es sich kaum leugnen, dass beide Stimuli, also Apfel und Pfeife, vielleicht auf je eigene Weise bewusst wahrgenommen werden.

2. Das philosophische Problem von Split-Brain

Angesichts der empirischen Befunde entsteht die Frage: Was ist das philosophische Problem dabei? Thomas Nagel schreibt, dass die natürlichste Frage, die man im Zusammenhang mit Split-Brain-Patienten stellen kann, ist: „How many minds they have?" (Nagel 1971, 402). Die Frage bleibt aber unklar, wie mehrere Philosophen (Wilkes 1978, Baillie 1993) bereits gesagt haben, solange der in ihr vorkommende Ausdruck ‚Mind' nicht weiter präzisiert wird. Das gleiche trifft auch auf die alternative Formulierung des Split-Brain-Problems als Problem der Bewusstseinseinheit eines Split-Brain-Patienten zu. Es ist offensichtlich, dass Ausdrücke wie „Mind" oder „Consciousness" (Bewusstsein) mehrdeutig sind. Das Merriam-Webster Online Dictionary führt beispielsweise mehr als zehn Bedeutungen von „Mind" an. Daher bedürfen diese Begriffe einer inhaltlichen Klärung. Ferner sind „Mind" und „Consciousness" keine eindeutig „zählbaren" Entitäten, da die entsprechenden Wörter klarerweise auch als Massentermini gebraucht werden können. Darum muss man, wenn man „Bewusstsein" wirklich zählen will, auch die Methode angeben, nach der sie gezählt werden sollen. Da unter vielen Bedeutungen von „Mind" auch eine Bedeutung von ‚Person' oder „Subjekt des Bewusstseins" zu finden ist, haben einige Philosophen das Split-Brain Problem als Frage nach der Zahl der bewussten Subjekte oder Personen in einem Schädel aufgefasst (Puccetti 1973). Die Formulierung leidet aber an dem gleichen Mangel. Es scheint, dass der Begriff eines Bewusstseinssubjekts zu vage ist, solange man darüber nicht mehr sagt, als dass ein Bewusstseinssubjekt der Träger eines Bewusstseinszustandes oder eines Bewusstseinsaktes sei. Denn die wichtige Frage dabei ist, wie wir dieses Bewusstseinssubjekt identifizieren.

Mir scheint, es wäre möglich, mindestens zwei solche Identifikationsverfahren zu unterscheiden. Zum einen ist das die spätestens seit Locke etablierte Tradition, das Subjekt des Bewusstseins von einem Akt oder Zustand des Bewusstseins her zu bestimmen. Nennen wir sie *das Lockesche Identifikationsmodell (LIM)*, ohne diesem Ausdruck allerdings einen philosophiegeschichtlichen Sinn beizulegen. Dabei scheint angenommen zu werden, dass das Verhältnis zwischen einem bewussten Akt bzw. Zustand und einem Subjekt, dem dieser Akt bzw. Zustand zukommt, transparent genug ist, so dass eindeutig einzusehen ist, welchem Subjekt dieser oder jener Bewusstseinszustand gehört. Dieses Identifikationsmodell ist vom Standpunkt der ersten Person plausibel, solange in mir zum Zeitpunkt des Erwägens eines Gedankens oder Erlebens eines psychischen Zustandes tatsächlich wenig Zweifel darüber entstehen können, ob ein von mir erwogener Gedanke oder ein von mir erlebter Zustand wirklich von mir oder vielleicht doch von einem anderen erwogen bzw. erlebt wird. Die Sache scheint aber anders zu sein, wenn es um eine Identifizierung vom Standpunkt der dritten Person aus geht. Da wird ein anderer Angelpunkt benötigt. Und bei Split-Brain haben wir genau den Fall, wo die Identifikation vom Standpunkt einer dritten Person vollzogen wird. Außerdem scheint das LIM eine Reihe von Merkmalen zu besitzen, die es für eine Identifikation der Subjekte des Bewusstseins unbrauchbar macht:

(1) *Aktualismus*: Die Identifikation wird vom Akt zum Subjekt und dann zu Fähigkeiten dieses Subjektes vollzogen.

(2) *Post hoc Identifikation*: Nach LIM kann eine Fähigkeit erst nach der Tatsache ihrer Ausübung einem Subjekt zugeschrieben werden.

(3) *Antisubstanzialismus*: Es ist nicht die Substanz oder das Subjekt selbst, das zwei verschiedene bewusste Akte oder Zustände zu Akten oder Zuständen einer und derselben Substanz bzw. eines und desselben bewussten Subjekts macht.

(4) *Antimodalismus*: Es ist unmöglich, die Akte oder Zustände eines Subjektes über die Fähigkeiten oder Dispositionen dieses Subjektes, die Akte auszuüben oder sich in diesen Zuständen zu befinden, zu identifizieren.

Eine der schwerwiegendsten Folgen vom LIM ist die Problematik der personalen Identität in der Form des Fragens danach, was zwei verschiedene Bewusstseinszustände, etwa ein Zustand des Hörens eines

Liedes und ein Zustand des Sehens eines Sängers, zu den Zuständen ein- und derselben Person macht; sowie danach, was zwei verschiedene Bewusstseinszustände, die zu verschiedenen Zeitpunkten stattgefunden haben, zu den Zuständen ein- und derselben Person macht. Bis jetzt sind praktisch alle mir bekannten Versuche, das Problem innerhalb dieses Rahmenwerkes zu lösen, gescheitert. Und es gibt Gründe zu denken, dass man dieses Scheitern nicht der bloßen Unzulänglichkeit der philosophischen Bemühungen zuschreiben kann (für Einzelheiten siehe Parfit 1984).

Neben dem LIM können wir noch ein zweites Identifikationsmodell unterscheiden. Nach diesem Modell wird die Identifikation in die umgekehrte Richtung vollzogen: Ein Bewusstseinsakt oder Zustand wird einem Subjekt entsprechend seinen Fähigkeiten zugeschrieben. Die Kategorie eines Subjekts steht hier also im Mittelpunkt und bildet einen irreduziblen Angelpunkt der Identifikation. Nennen wir dieses Modell – wiederum ohne einen philosophiegeschichtlichen Anspruch zu erheben – *das Aristotelische Identifikationsmodell* (AIM). Es ist offensichtlich, dass die Merkmale des AIM die Umkehrungen des LIM sind:

(1*) *Substanzialismus*: Angelpunkt der Identifikation sind die Substanzen, die die Grundbestandteile der Welt darstellen.
(2*) *Modalismus:* Jede dieser Substanzen verfügt über eine bestimmte Natur, die sich in einer Menge von Möglichkeiten, innerhalb deren die Substanz sich verändern kann, äußert.
(3*) *Dynamismus*: Akte, die man beobachtet, werden einer Substanz gemäß ihren natürlichen, d.h. von der Natur dieser Substanz bestimmten, Vermögen (dynamei) zugeordnet;
(4*) *Propter hoc Identifikation*: die Identifikation wird vollzogen, um das natürliche Geschehen verständlich zu machen.

Das AIM geht grundsätzlich von der Einheit des menschlichen Wesens aus, angenommen, dass so etwas wie menschliche Wesen in einem ontologisch interessanten Sinne existieren. Es scheint, dass diese Annahme durchaus plausibel und vielleicht sogar unentbehrlich ist - auch in der Neurowissenschaft. So ist aus der Sicht des AIM die wichtigste Frage in der Debatte über personale Identität die nach der metaphysischen Struktur des menschlichen Wesens: Wie muss ein Mensch als Substanz mereologisch, modal, vielleicht teleologisch beschaffen sein, damit man dieses Wesen als eine Einheit denken kann? Übertragen auf das Problem von Split-Brain kann die Frage so umformuliert werden: Was macht die Einheit der menschlichen Person aus, wenn es nicht das Gehirn ist? Im Folgenden versuche ich eine Antwort auf diese Frage zu geben.

3. Fünf Antworten, die bis jetzt gegeben wurden

Die meisten Philosophen haben im Split-Brain Fall eine Herausforderung zur personalen Identität gesehen. Darum ist es kaum verwunderlich, dass man versuchte dieser Herausforderung gerecht zu werden. Dabei sind die meisten Philosophen mehr oder weniger bewusst vom LIM ausgegangen. Ich denke, dass sich alle bis jetzt gemachten Bemühungen in folgenden fünf Grundpositionen zusammenfassen lassen:

(i) Der Split-Brain-Patient ist ein Bewusstseinssubjekt, das aber zwei Bewusstseinsströme (Minds) besitzt (Spery 1984).
(ii) Der Split-Brain-Patient zerfällt in zwei nicht-identische Subjekte, mit je eigenem Bewusstsein, nämlich eine Linkshemisphärenperson und eine Rechtshemisphärenperson (Puccetti 1973).
(iii) Der Split-Brain-Patient ist – wie jeder von uns – ein einziges Subjekt mit einem Bewusstsein (Wilkes 1978).
(iv) Für den Split-Brain-Patienten lässt sich keine volle Zahl der Bewusstseinsströme definitiv feststellen. Denn man will einerseits die empirischen Daten nicht leugnen, die auf zwei Bewusstseinsströme hinweisen. Andererseits, angesichts der sozialen u.ä. Kompetenz, scheint eine Behandlung vom Split-Brain-Patienten als einer einzigen Person unverzichtbar zu sein (Nagel 1971).
(v) Die Rede von ‚Personen' oder ‚Bewusstseinsströmen' kann nicht die Situation adäquat fassen, aber in der Sprache der Neurowissenschaft und im Lichte der neueren empirischen Erkenntnisse über Split-Brain kann die Situation widerspruchsfrei – sprich philosophisch problemfrei – beschrieben werden, ohne dass man sich zur Annahme über zwei Personen oder zwei Bewusstseinsströme in einem Schädel verpflichten muss. Diese These wurde in der letzten Zeit auf je unterschiedliche Weise von J. Baillie (1993) und A. Morin (2001) verteidigt.

4. Das Argument für zwei Bewusstseinsströme bzw. Subjekte (Personen)

Das Argument für zwei Bewusstseinsströme (Two-Minds-Argument, kurz: TMA) bzw. für zwei Subjekte in einem Patienten (Two-Subjects-

Argument, kurz: TSA) kann wie folgt dargestellt werden (vgl. Baillie 1993, 135; Wilkes 1978, 188):

(TMA) (1) Wenn zwei Bewusstseinsströme M_1 und M_2 identisch sind, dann wird jeder Sachverhalt, der zum Zeitpunkt t in M_1 wahrgenommen wird, zum selben Zeitpunkt auch in M_2 wahrgenommen.

(2) Im Split-Brain-Patienten gibt es zum Zeitpunkt t zwei Bewusstseinsströme M_1 und M_2 und dabei existiert ein Sachverhalt p, der nur in M_1, nicht aber in M_2 wahrgenommen wird.

(3) Also, $M_1 \neq M_2$.

Es ist einfach, das TMA in das Zwei-Subjekte-Argument umzugestalten:

(TSA) (1) Ein- und dasselbe Subjekt S kann nicht denselben Sachverhalt zugleich und in derselben Hinsicht wahrnehmen und nicht wahrnehmen.

(2) Im Split Brain Fall gibt es ein Subjekt S_1, das zum Zeitpunkt t wahrnimmt, dass p, und ein Subjekt S_2, das zum Zeitpunkt t nicht wahrnimmt, dass p.

(3) Also, $S_1 \neq S_2$.

Einige Philosophen, z.B. Wilkes unter Verweis auf Wiggins, glauben, dass die Grundlage für die Argumente das Nicht-Widerspruchsprinzip bildet (Wilkes 1978, 188). Ich aber denke, dass das Problem anderswo liegt. Auch wenn wir dem Widerspruch entgehen könnten, hätten wir das Split-Brain Problem noch lange nicht gelöst. Es scheint nämlich, dass die Ableitung nicht nur vom Nicht-Widerspruchsprinzip, das einen eher formellen Charakter hat, sondern auch von der Wahrheit einiger anderer inhaltlicher Prinzipien abhängig ist, nämlich Annahmen die Wahrnehmung betreffend. Eines dieser Prinzipien könnte man als *Transparenzprinzip (TP)* bezeichnen. Das Transparenzprinzip besagt, dass die Inhalte aller Wahrnehmungen für das Subjekt dieser Wahrnehmungen transparent sind:

(TP)   Wenn ein Subjekt S wahrnimmt, dass p, dann nimmt S wahr, dass es wahrnimmt, dass p.

Die Wahrheit dieses Prinzips ist jedoch nicht offensichtlich. Der Hauptgrund, warum dieses Prinzip in Zweifel gezogen werden kann, besteht darin, dass die Wahrnehmung ein komplexer und vielschichtiger Prozess ist. Nicht jedes Element dieses Prozesses für sich genommen ist ein bewusster Prozess, zumal man in der modernen Psychologie oft in Begriffen der Informationsbearbeitung von der Wahrnehmung spricht. Es ist klar, dass nicht jeder Prozess der Informationsverarbeitung mit Bewusstsein einhergeht. Man kann sich vorstellen, dass einige – vielleicht sehr viele – Informationen vollkommen unbewusst verarbeitet werden. Split-Brain kann aber kaum durch unbewusste Informationsverarbeitung allein erklärt werden, da es eine Evidenz dafür gibt, dass die Informationsverarbeitung in der linken wie in der rechten Hemisphäre von einem je eigenem Bewusstsein begleitet wird.

Das zweite Prinzip, von dem hier Gebrauch gemacht wird, kann *Unmittelbarkeitsprinzip (UP)* genannt werden:

(UP)   Wenn ein Subjekt S wahrnimmt, dass p, dann ist seine Wahrnehmung, dass p, unmittelbar.

Es gibt empirische Gründe dafür, dass (UP) in dem Sinn falsch ist, dass die Wahrnehmung der menschlichen Subjekte von bestimmten kausalen Hirnprozessen abhängt und so durch diese vermittelt ist. Diese Prozesse sind mit bestimmten Gebieten des Gehirns assoziiert, wo sich mannigfaltige Mechanismen befinden, die kausal auf je eigene Weise zur Erzeugung der Wahrnehmung beitragen. Diese Mechanismen könnte man sich als Vielfalt von Modulen mit unterschiedlichen Funktionen vorstellen (Gazzaniga 1998). Jedes dieser Module ist fähig, seine Funktion auszuüben, wenn es der Einwirkung entsprechender Stimuli ausgesetzt wird, auch wenn es nicht mit anderen Modulen in der üblichen Weise kausal verknüpft ist. Dabei wird ein Bewusstsein dann erzeugt, wenn es naturgesetzmäßig erzeugt werden muss. In einem normalen Menschen sind diese Module gemäß einem natürlichen Plan aufeinander abgestimmt, so dass sie gemeinsam zu verschiedenen Seiten der Wahrnehmung und mentalen Prozesse anderer Arten effizient beitragen. Dank der kausalen Tätigkeiten dieser Module kann sich der Mensch in seiner Umgebung orientieren und andere Aufgaben, z.B. soziale Aufgaben, erfolgreich bewältigen.

Um zu einer philosophisch korrekten Beschreibung des Wahrnehmungssubjektes zu gelangen, ist es vielleicht sinnvoll, drei Ebenen in der Struktur dieses Subjektes zu unterscheiden: Die eine Ebene bilden die Zellen des menschlichen Organismus, aus denen die Organe, deren Teile die oben genannten Module sind, zusammengesetzt sind. Die zweite Ebene ist die Ebene der Module. Und die dritte ist die Ebene des menschlichen Wesens, das genau das eigentliche Subjekt der Wahrnehmung ist, das mittels der zu ihm gehörenden Organe wahrnimmt. Der Unterschied zwischen den Ebenen liegt darin, dass die jeweiligen Teile des Gehirns in einer bestimmten funktionalen Weise organisiert sein müssen, um das Wahrnehmungssubjekt zu bilden. Diese Organisation lässt verschiedene Variationen und Grade der Integrität zu. Sie bedarf nicht unbedingt aller materiellen Hirnteile, wie es z.B. bei einem natürlichen Split-Brain der Fall ist, wo die alternativen neuronalen Verbindungen trotz des fehlenden Balkens ausgebildet werden. Ein ähnlicher Prozess wird auch bei Split-Brain-Patienten sichtbar, wenn in ihren Gehirnen extrakortikale neuronale Wege für interhemisphärische Kommunikation genutzt werden. Aber die abrupte Trennung von normalen kausalen Verbindungen im Gehirn, die aufgrund der Split-Brain-Operation erfolgt, lässt es scheinbar nicht zu, dass der Informationstransfer zwischen beiden Hemisphären vollkommen wiederhergestellt wird.

Die Ausdrücke 'Subjekt der Wahrnehmung' oder 'Person' in einem für das Split-Brain Problem relevanten Sinn könnte man als Bezeichnung für das menschliche Wesen verwenden, sofern es mit entsprechenden mentalen Fähigkeiten ausgestattet und diese von ihrem natürlichen Design her in einer entsprechenden funktionalen und kausalen Verbindung stehen. Da das menschliche Wesen den Angelpunkt für die Identifikation der Zugehörigkeit von psychischen Fähigkeiten bildet, ist es begrifflich nicht möglich, dass in einem menschlichen Wesen zwei Subjekte oder Personen existieren.

Im menschlichen Wesen, das eine Art natürliche Substanz darstellt, gibt es jedoch etwas, das man als *Vieldimensionalität* bezeichnen kann. Wie bereits erwähnt, geht das AIM von einer mit entsprechenden Fähigkeiten ausgestatteten Substanz aus und ordnet dann bestimmte Akte oder Prozesse dieser Substanz zu. Diese Substanz hat aber eine komplexe Struktur und ihre Komplexität erschöpft sich nicht in der extensionalen mereologischen Struktur, da die Substanz ihre Fähigkeiten als Teile zu haben scheint. So hat sie etwas, das man als ihre *modale Dimension* bezeichnen kann. Weiter ist die Ordnung der Teile für die Struktur der Substanz von Bedeutung. Diese Ordnung ist ebenfalls komplex, d.h. sie legt nicht nur die geometrische Position der materiellen Teile fest, sondern entscheidet auch über kausale Verbindungen innerhalb der Substanzkonstituenten, und nicht zuletzt über ihre funktionale Bestimmung. Die Organisation ist flexibel genug, was durch die modale sowie funktionale Dimension der Substanz erklärt werden kann. Denn die modale Dimension der Substanz bestimmt die Möglichkeiten und Grenzen, die der Substanz zur Verfügung stehen, um die Funktionen ihrer Teile entsprechend zu verwirklichen. Auf einer Ebene der Organisation der Substanz können Organe wie Leber, Nieren, Herz, Lungen, Gehirn, zu den materiellen Teilen gezählt werden. Das Gehirn ist ein Organ, das u.a. mannigfaltige psychische Funktionen wie Wahrnehmung, Fühlen, Wollen und Denken, unterstützt. Die Organisation des menschlichen Gehirns nutzt die modalen Eigenschaften seiner Teile zur Ausübung dieser Funktionen, wofür im Gehirn entsprechende kausale Verbindungen ausgebildet werden. Die Unterbrechung dieser kausalen Verbindungen führt dazu, dass die eine oder andere Funktion zeitweise oder für immer nicht ausgeübt werden kann. Die verbliebenen Hirnmechanismen laufen aber in relativer Unabhängigkeit voneinander weiter. Die Unstimmigkeit, die dabei entsteht, unterscheidet eine Person, in der die kausalen Verbindungen zwischen psychischen Mechanismen gestört sind, von einer normalen Person. Die Tatsache aber, dass die kausalen Verbindungen zu einem gewissen Grad gestört sind, schafft nicht zwei oder mehrere Subjekte der Wahrnehmung oder anderer psychischer Prozesse, weil die Einheit des Subjektes durch seine anderen modalen und funktionalen Eigenschaften gewährleistet ist. Was dies genau bedeutet, möchte ich zum Schluss durch *die Hypothese vom psychischen Raum* (HPR) erläutern.

5. Die Hypothese vom psychischen Raum

Um die erwähnte Mehrdeutigkeit des Ausdrucks 'Bewusstsein' zu überwinden, könnte man das Bewusstsein im Sinn vom englischen 'Mind' im Unterschied zum Subjekt des Bewusstseins oder der Person einerseits, und im Unterschied zur psychischen Einstellung des Subjektes zum Gegenstand seiner bewussten Wahrnehmung (consciousness) andererseits, mit einem psychischen Raum gleichsetzen. Die Idee des psychischen Raums ist etwa folgende (vgl. Smythies 2003; French 1987). Sie geht davon aus, dass zumindest einige wahrnehmbare Qualitäten, z.B. Farben, notwendigerweise ausgedehnt zu sein scheinen, so dass es durchaus sinnvoll ist, ihnen eine Position im Raum zuzuschreiben. Ferner könnten einige andere sinnliche Qualitäten die gleiche Position einnehmen, wie die Farben. Es ist sinnvoll zu behaupten, dass es da laut ist, wo es auch dunkel ist, usw. So bildet die Menge von Punkten, wo sich verschiedene Sinnesqualitäten befinden, einen psychischen Raum, genauer gesagt, einen perzeptuellen Raum, der in Bezug auf ein Subjekt geschlossen ist. Die These von der Geschlossenheit des perzeptuellen Raums entspricht einer sehr plausiblen Annahme, dass das Bewusstsein, die Wahrnehmung betreffend, privat ist, also für andere vergleichbare Subjekte unzugänglich ist. Ausgehend von der Annahme, dass der perzeptuelle Raum dieser Art tatsächlich existiert, kann man die Frage beantworten, ob eine Wahrnehmung W_1 und eine Wahrnehmung W_2 zu ein- und demselben Bewusstsein gehören oder nicht. Die Antwort lautet:

Wenn W_1 und W_2 sich in den Punkten P_1 und P_2 ereignen und beide Punkte die Punkte ein- und desselben perzeptuellen Raums sind, dann gehören W_1 und W_2 ein- und demselben Bewusstsein.

Die Frage, die dabei noch zu beantworten bleibt, ist:

Wann sind zwei Punkte P_1 und P_2 die Punkte ein- und desselben perzeptuellen Raumes?

Unter der Annahme des AIM, lässt sich die Frage in der folgenden Weise beantworten:

Zwei Punkte P_1 und P_2 gehören genau dann zu ein- und demselben perzeptuellen Raum, wenn (1) P_1 und P_2 Punkte eines perzeptuellen Raumes sind und (2) P_1 und P_2 für ein und dasselbe Subjekt erreichbar sind.

Zum Schluss ist noch der Begriff der Erreichbarkeit zu erläutern und zu zeigen, dass das Bewusstsein von Split-Brain-Patienten mit einem einzigen psychischen Raum identisch sein muss. Man kann sagen, dass ein Punkt P für ein Subjekt S erreichbar ist, wenn S eine Fähigkeit besitzt, die ihm erlaubt, in P eine dieser Fähigkeit entsprechende sinnliche Qualität wahrzunehmen. Es ist wichtig zu merken, dass diese Definition der

Erreichbarkeit modal und nicht bloß kausal ist. Das erlaubt, dass einige Punkte des psychischen Raumes nur potenziell und nicht aktuell erreichbar sind. Die Punkte aber, die zu dem psychischen Raum eines anderen Subjekts gehören, sind für andere Subjekte nicht einmal potenziell erreichbar. Angewendet auf das Beispiel eines Split-Brain-Patienten, der mit seiner rechten Hemisphäre nur einen Apfel, mit der linken aber nur eine Pfeife wahrnimmt, würde das heißen, dass, wenn die richtigen kausalen Verbindungen nicht gestört wären, er beides normal wahrnehmen würde. Wenn in ihm wirklich zwei Subjekte oder zwei Bewusstseinsströme vorhanden wären, könnte dies unter der Annahme von AIM und HPR gar nicht der Fall sein. Daraus möchte ich die Schlussfolgerung ziehen, dass das AIM und die HPR viel besser als ihre Alternativen die Gesamtheit der Tatsachen von Split-Brain begreifen lassen und die Frage beantworten, wie die Einheit des menschlichen Wesens, das als eine mit bestimmten Fähigkeiten ausgestattete Substanz zu verstehen ist, die Einheit des Bewusstseins gewährleistet.

LITERATUR

Baillie, J. (1993): *Problems in Personal Identity*, New York: Paragon House.
French, R. (1987): The Geometry of Visual Space in: *Noûs* 21, 115-133.
Gazzaniga, M. (1998): The Split-brain revisited, in: *Scientific American* 279, 50-55.
Morin, A. (2001): The split-brain debate revisited: On the importance of language and self-recognition for right hemispheric consciousness, in: *Journal of Mind and Behavior* 22, 107-118.
Nagel, T. (1971): Brain Bisection and the Unity of Consciousness, in: *Synthese* 22, 396-413.
Puccetti, R. (1973): Brain bisection and personal identity, in: *BrJPhS* 24, 339-355.
Parfit, D. (1984): Reasons and Persons. – Oxford: Clarendon Press.
Smythies, J. (2003): Space, Time and Consciousness, in: *Journal of Consciousness Studies,* 10, 47-56.
Sperry, R. (1984): Consciousness, Personal Identity and The Divided Brain, in: *Neuropsychologia,* 22, 661-673.
Wilkes, K. V. (1978): *Consciousness and commissurotomy*, in: *Philosophy* 53, 185-99.
Zaidel, E., Zaidel, D. W., & Bogen, J. E. (1999): The split brain, in: G. Adelman & B. Smith (Eds.) *Encyclopedia of Neuroscience*; 2nd Ed.: 1027-1032.

Konzeptionen personaler Identität und die Bedeutung des autobiographischen Gedächtnisses

KATJA CRONE

Einleitung[1]

Personen leben nicht nur faktisch in der Zeit, sondern sie haben auch ein spezifisches Bewusstsein ihrer zeitübergreifenden Identität und Existenz. Ich werde im Folgenden versuchen, der Komplexität dieser Bewusstseins-form, also des zeitlich strukturierten Selbstverständnisses von Personen, analytisch näher zu kommen und eine begriffliche Basis zu modellieren, die auch für andere Disziplinen anschlussfähig sein kann.

Im Zentrum der Analyse stehen zwei verschiedene Begriffe der zeit-übergreifenden Identität von Personen. Der eine Identitätsbegriff fokussiert das biographische Selbstverständnis von Personen, die Art und Weise, wie sich Personen ihre Lebensgeschichte vergegenwärtigen, sie als Einheit be-greifen und sich darin platzieren. Es handelt sich hier um den Begriff der *biographischen Identität*, der sich u.a. mit der Struktur konkreter individu-eller Eigenschaften befasst und dadurch mit der Semantik von "Persönlich-keit" in Verbindung steht. Der andere Identitätsbegriff befasst sich mit *Identität im wörtlichen Sinn*: Hier geht es um das Problem der numerischen Identität oder "Selbigkeit" von Personen über die Zeit hinweg. Im Rahmen dieses Identitätsbegriffs geht es um die Klärung der Frage, in welchem Sinn eine Person sich zu verschiedenen Zeitpunkten als ein und dieselbe begreift.

Diese unterschiedlichen Identitätsbegriffe werden in den Diskursen zum Thema "personale Identität" bislang getrennt behandelt. Zwar finden sich bisweilen Hinweise darauf, dass es zwischen beiden sachliche und sy-stematische Zusammenhänge gibt oder geben muss, doch ist es bei diesen Andeutungen zumeist geblieben.[2]

Im Mittelpunkt der folgenden Überlegungen steht der Versuch, eine

---

[1] Ich danke Jens Eder und Michael Pauen für die kritische Lektüre des Textes und hilf-reiche Hinweise.
[2] Siehe Quante 2003, 28; 338f., Quante 2007, 179ff. sowie Nida-Rümelin 2006, 23.

Integration beider Identitätskonzepte vorzunehmen, ohne dabei jedoch ihre systematischen Unterschiede zu verwischen. Das Gelingen einer solchen Integration hängt wesentlich davon ab, welche Verbindungslinien und Verweisungszusammenhänge zwischen den Theorievorschlägen sinnvoll aufgezeigt werden können. Das übergreifende Ziel besteht allerdings darin, die Struktur des zeitübergreifenden Identitätsbewusstseins von Personen differenzierter zu beschreiben, als es in den Debatten bislang geschehen ist. Den Ausgangspunkt der Betrachtung bildet die am Alltagsverständnis orientierte philosophische Begrifflichkeit der biographischen Identität, die in ausdrücklicher Weise zuerst von Alasdair MacIntyre (1981) und Charles Taylor (1989) in die Diskussion eingebracht wurde.[3] In diesem Sinne werde ich in einem ersten Schritt die zentralen Strukturmerkmale der biographischen Identität, verstanden als ein für Personen spezifisches diachrones Selbstverständnis, skizzieren und analysieren. Dabei werde ich auf sachliche Schwachstellen hinweisen, die meines Erachtens dafür verantwortlich sind, dass die von den genannten Vertretern anvisierte Strukturbeschreibung streckenweise in eine Schieflage gerät. Hieran anknüpfend weisen meine Überlegungen in zwei Richtungen: Zum einen soll gezeigt werden, inwiefern einzelne Strukturmerkmale des biographischen Selbstverständnisses von Personen im Rückgriff auf die sozialpsychologische Forschung zum so genannten autobiographischen Gedächtnis differenzierter beschrieben werden können. Zum anderen werde ich schließlich argumentieren, dass eine strukturelle Beschreibung des biographischen Selbstverständnisses von Personen erst dann gelingen kann, wenn geklärt wird, aufgrund welcher Merkmale man von Personen sagen kann, sie seien über die Zeit hinweg mit sich (numerisch) identisch. Zu diesem Zweck werde ich für die These argumentieren, personale (numerische) Identität über die Zeit hinweg als Identitäts*bewusstsein* aufzufassen, das in Abhängigkeit von der personalen Eigenschaft einer zeitlich ausgedehnten Innenperspektive gesehen werden muss – eine Position, die ich im Anschluss an aktuelle Theorievorschläge von Lynne Rudder Baker (2000) und Martine Nida-Rümelin (2006) konstruiere. Ziel der Überlegungen ist es, die relevanten Aspekte und Facetten des *einen* diachronen Selbstverständnisses von Personen in den Blick zu bringen.

---

[3] Paul Ricoeur ist ein weiterer Name, der in diesem Zusammenhang genannt werden muss (siehe insbesondere Ricoeur 1990). Da Ricoeurs Thesen zur "narrativen Identität" allerdings in geschichtsphilosophischen und literaturtheoretischen Überlegungen fundiert sind und die entsprechenden Voraussetzungen hier nicht geklärt werden können, werde ich mich auf die Beiträge von MacIntyre und Taylor beschränken.

1. Biographische Identität und autobiographisches Gedächtnis

Mit der Begrifflichkeit der biographischen Identität versuchen Philosophen die Tatsache zu klären, dass Personen ein Bewusstsein ihrer zeitlichen Existenz haben und dabei bestrebt sind, die eigenen Lebensphasen und – stationen in einen mehr oder weniger kohärenten Gesamtzusammenhang einzuordnen, wobei sie sich vergangene und zukünftige Eigenschaften zuschreiben. Hinsichtlich der Diskussionslage ist allerdings zu beachten, dass die bereits erwähnten Vorschläge von Alasdair MacIntyre und Charles Taylor zu diesem Thema in einen spezifischen Theoriezusammenhang einzuordnen sind: Ihre Überlegungen zum Begriff des individuellen Lebensplans sind zum Teil ausdrücklich in eine aristotelische Tugendkonzeption eingebettet, weshalb hier der Begriff der Lebensführung ultimativ unter ethischer Perspektive betrachtet wird. Diese ethisch-praktische Ausrichtung im engeren Sinn soll für die folgenden Überlegungen aber nicht maßgeblich sein. Vielmehr werde ich mich auf den deskriptiven Gehalt des Begriffs des Lebensplans konzentrieren, und zwar auf Beobachtungen, die sich auf die Strukturmerkmale des biographischen Selbstverständnisses von Personen beziehen sowie auf bestimmte notwendige Vorannahmen.

Zentral für die Analyse des Begriffs der biographischen Identität ist die personenspezifische Fähigkeit zu praktischen Selbstverhältnissen, die auf Harry Frankfurts Theorie des Willens zurückführt (Frankfurt 1988). Gemeint ist die Fähigkeit, sich zu unmittelbaren Handlungsimpulsen in ein reflexives Verhältnis zu setzen und sie daraufhin zu überprüfen, ob sie als Motive für eine Handlung tatsächlich erstrebenswert sind. Personen sind imstande, Wünsche höherer Ordnung zu bilden, unmittelbare Handlungsimpulse zu beeinflussen, sie in planende Überlegungen einzubeziehen und sie einer Bewertung zu unterziehen. Praktische oder auch volitionale Selbstverhältnisse implizieren damit eine Bewertung der jeweiligen Zustände und Eigenschaften, die in erstpersonaler Perspektive zugeschrieben werden. Frankfurts Analyse der so verstandenen Willensstruktur von Personen ist nicht nur von Vertretern der Handlungstheorie aufgegriffen und weiterentwickelt worden, sondern auch von den vorgenannten Philosophen, die, wie erwähnt, den Begriff des Lebensplans ins Zentrum ihrer theoretischen Überlegungen stellen. Während Frankfurt volitionale Einstellungen und Selbstbewertungen in Naheinstellung analysiert – also deren Rolle innerhalb einzelner Handlungsepisoden –, geht es bei Taylor und MacIntyre mehr um eine Weitwinkelbetrachtung von Selbstbewertungen, die sich auf das "ganze" Leben einer Person beziehen. Es wird von der

These ausgegangen, dass Personen ihr Leben mehr oder weniger als Einheit und vor dem Hintergrund übergeordneter Werte und praktischer Lebensziele in den Blick nehmen können (MacIntyre 1981, 188ff.). Personales Leben ist dadurch charakterisiert, dass man wichtige oder substanzielle Entscheidungen auf der Grundlage von Einsichten, Werten und Zielvorstellungen trifft, die mit dem zusammenhängen, was einem grundsätzlich im Leben wichtig ist. Damit stellen diese Einsichten und Zielvorstellungen nicht nur die Grundlage für einzelne Entscheidungen dar, sondern geben zugleich an, was für ein Leben man lebt.[4] Mit diesem Gedanken hängt zusammen, dass Handlungen einer Person nach MacIntyre und Taylor zwar einzeln für sich betrachtet werden können, wie es die Theorie der Volitionen von Frankfurt vorsieht und wie es auch in der analytischen Handlungstheorie geschieht, sie können aber nur dann sinnvoll und in einem umfassenderen Sinn beurteilt sowie kausal und temporal eingeordnet werden, wenn man sie vor dem Hintergrund größerer Handlungszusammenhänge betrachtet. Und dies ermöglicht der Blick auf das Leben der handelnden Person, genauer auf ihre übergeordneten Handlungsziele und Grundeinsichten. Nun machen sowohl Taylor als auch MacIntyre deutlich, dass solche übergeordneten Zielvorstellungen und längerfristigen Absichten nie einfach von selbst gegeben sind. Daher kann das faktische Bestreben von Individuen, sich über die eigenen Zielvorgaben Klarheit zu verschaffen, als ein "Suchen" nach einer kohärenten Lebensperspektive beschrieben werden. Voraussetzung für eine gelingende "Suche" ist, dass man sein Leben als kontinuierlichen Ablauf auffasst, in dem sich die zeitliche Verbindung zwischen der eigenen Vergangenheit, der Gegenwart und der Zukunft manifestiert (MacIntyre 1981, 191; Taylor 1989, 48ff.).

An dieser Stelle kommt der Begriff der "biographischen Identität" im engeren Sinn ins Spiel, denn das biographische Selbstverständnis ist narrativ strukturiert: Die These ist, dass Personen ein zeitübergreifendes Selbstverständnis erlangen, indem sie sich biographische Episoden als Geschichten mit Anfang und Ende bewusst vergegenwärtigen und sich als Akteure oder Betroffene darin platzieren. Das Bewusstsein einer solchen biographischen Identität muss insofern als eine *Leistung* verstanden werden, da es durch eine Art Narration, im Sinne einer möglichst kohärenten Repräsentation von Handlungs- und Ereignisfolgen, hergestellt wird. Das Bewusstsein

---

[4] Anders als MacIntyre vermeidet Taylor die Terminologie des Werterealismus. So ist es nach Taylor für das Selbstverständnis von Personen kennzeichnend, dass sie sich in einem Raum starker Evaluationen (*strong evaluations*) bewegen. Taylor 1989, 30ff. sowie Taylor 1976, 282ff.

biographischer Identität, so ließe sich pointiert sagen, ist ein narrativ strukturiertes praktisches Bewusstsein, das vor allem auf zeitlich zurückliegende Entscheidungen, deren zugrunde liegende Einsichten, unter dem Aspekt der Kohärenz gerichtet ist. Insofern die zugrunde liegenden handlungsrelevanten Einsichten als stabil betrachtet werden, weist das Bewusstsein biographischer Identität zugleich auf zukünftige Handlungssituationen.

Dies wäre nun zunächst der begriffliche Grundriss eines zeitlich geprägten biographischen Selbstverständnisses von Personen. Dieser Grundriss ist allerdings, so meine These, in verschiedenen Hinsichten unterbestimmt. Dies zeigt sich besonders deutlich, wenn man einzelne zentrale Strukturbedingungen einer solchen Bewusstseinsleistung genauer betrachtet. Vier Punkte scheinen mir hier von Belang zu sein.

1. Biographische Identität setzt bestimmte Gedächtnisleistungen voraus. Welche sind dies? Hierauf geben Taylor und MacIntyre keine befriedigende Antwort. Daher ist es nahe liegend, sich der Gedächtnisforschung zuzuwenden, und zwar psychologischen und sozialpsychologischen Forschungsansätzen zum so genannten autobiographischen Gedächtnis. Autobiographisches Erinnern wird hier als eine besondere Form des episodischen Erinnerns bezeichnet: Es sind Erinnerungen an lebensgeschichtlich einschneidende Ereignisse, die man kontextgebunden zurückverfolgt (Markowitsch/Welzer 2005, 83). Solche Erinnerungen sind u.a. deswegen besonders markant und einprägsam, weil sie größtenteils Erfahrungen betreffen, die von emotionalem Erleben begleitet sind; die dadurch entstehenden festen synaptischen Verbindungen im Gehirn sorgen für eine langfristige Encodierung. Erinnerungen dieser Art sind für das biographische Selbstverständnis von Personen nachweislich prägend. Dabei wird als wichtige Pointe genannt, dass das autobiographische Gedächtnis "autonoetisch" arbeitet: Gemeint ist, dass wir nicht nur Erinnerungen in direkter Weise haben, sondern uns auch zugleich bewusst sind, *dass* wir uns erinnern. Dies verleiht uns die Fähigkeit, Erinnerungen gezielt und explizit abzurufen und zugleich, uns als raumzeitliches Kontinuum aufzufassen.

2. Für das Konzept der biographischen Identität ist ein bestimmter Begriff von *Identifikation* maßgeblich, auf den Michael Quante bereits hingewiesen hat (Quante 2002, 171ff., Quante 2007, 142ff.). Die systematische Analyse und Funktion dieses Begriffs führt wiederum auf Harry Frankfurts Theorie der Volitionen höherer Ordnung zurück: Wenn sich Personen zu ihren unmittelbaren Handlungsimpulsen in ein bewertendes Verhältnis setzen, einen Wunsch "herausgreifen" und handlungswirksam werden lassen, dann beschreibt Frankfurt dies als "Identifikation" (Frank-

furt 1988, 18). Eine Person, die einen ihrer Wünsche aufgrund einer Volition zweiter Stufe in eine Handlung münden lässt, *identifiziert* sich mit dem handlungswirksamen Wunsch. Peter Bieri spricht in diesem Zusammenhang von der "Aneignung des Willens" (Bieri 2003, 381ff.). Diese Art von Identifikation stellt für die Ausbildung eines biographischen Selbstverständnisses ein wichtiges Strukturmerkmal dar. Denn ein solches Bewusstsein zu haben heißt, sich einige handlungsübergreifende Einstellungen und längerfristige Absichten im Laufe der Zeit zu Eigen zu machen, andere hingegen fallen zu lassen, sich also mit einigen von ihnen zu identifizieren, so dass sie auch für zeitlich spätere Entscheidungen weiterhin eine Orientierungsfunktion haben. Der begriffliche Zusammenhang zwischen Handlung und biographischer Identität tritt hier deutlich zutage.

Bestätigt und systematisch erweitert wird diese Strukturbeschreibung wiederum von der empirischen Forschung. Gedächtnisforscher wie Hans Markowitsch und Daniel Schacter gehen davon aus, dass mit dem autobiographischen Gedächtnis die Fähigkeit gegeben ist, sich in zeitlich frühere Handlungssituationen hineinzuversetzen und Erfahrungen in eine aktuelle handlungsrelevante Situation zu importieren (Markowitsch/Welzer 2005, 11f.; 83; Schacter 2001; Welzer 2005, 43). Erinnerungen, das wird hierüber deutlich, sind damit zum einen nicht nur auf die Vergangenheit, sondern auch auf die Gegenwart und Zukunft bezogen; zum anderen implizieren sie eine evaluative Stellungnahme zu früheren Handlungssituationen und Entscheidungen sowie eine Identifikation mit diesen.

3. Biographische Identität ist zwar ein erstpersonales Phänomen, hat aber eine soziale Dimension. So behaupten MacIntyre und Taylor, dass biographische Identität aufgrund der narrativen Struktur zumindest der Möglichkeit nach auf Artikulation und Kommunikation ausgerichtet ist.[5] Darüber hinaus betont MacIntyre, dass das so verstandene Bewusstsein korrelativ ist, d.h. man selbst ist immer auch Teil der Geschichte anderer und umgekehrt.[6] Man könnte aber auch systematisch früher ansetzen und sagen, dass Personsein insgesamt an einen sozialen Kontext gebunden ist, insofern Personsein durch soziale wechselseitige Anerkennungsverhältnisse konstituiert wird.[7] Wenn sich eine Person zu erinnerten und antizipierten

---

[5] MacIntyre 1981, 196; Taylor 1989, 35. Taylor führt diesen Gedanken allerdings zu weit, da er nahe zu legen scheint, dass narrative Identität stets auf konkrete sprachliche Artikulation angewiesen sei.

[6] In MacIntyres Worten: "The narrative of any one life is part of an interlocking set of narratives" (MacIntyre 1981, 203).

[7] Siehe dazu vor allem Sturma 1997, 305ff.; Sturma 2001, 19; Quante 2002, 21.

Episoden in ein evaluatives und interpretierendes Verhältnis setzt, dann findet dies in der Regel in einem sozialen Raum statt.

Auch diese Strukturbeschreibung lässt sich anhand des Modells des autobiographischen Gedächtnisses differenzierter darstellen. Studien zur Gedächtnisforschung haben gezeigt, dass das autobiographische Gedächtnis in hohem Maße sozial strukturiert ist. Es ist in soziale Interaktion eingebettet, insofern die eigene Lebensgeschichte stets mit der Lebensgeschichte anderer "abgeglichen" oder auch "synchronisiert" wird. Autobiographisches Erinnern enthält damit nicht nur eine korrektive Funktion, sondern leistet auch ein hohes Maß an Integration. Es integriert sowohl autobiographische Erzählungen anderer Personen und eigene lebensgeschichtlich relevante Ereignisse als auch soziale Regeln und Erwartungen; insofern wird das autobiographische Gedächtnis auch als "eine Art Relais psychosozialer Synchronisierung" beschrieben (Markowitsch/Welzer 2005, 215; 259ff.).

Diese wenigen ergänzenden Überlegungen machen deutlich, dass das Konzept der biographischen Identität zum einen mithilfe weiterer begrifflicher Unterscheidungen, zum anderen im Rückgriff auf die empirische Forschung differenzierter analysiert werden kann und dass man dadurch in der Lage ist, die Strukturmerkmale der so verstandenen Personenidentität in einem umfassenderen Sinn erkennbar zu machen.

Insofern sind solche Präzisierungen unverzichtbar, will man zu einer semantisch reicheren Begrifflichkeit gelangen. Dennoch bleibt ein grundlegender Punkt ungeklärt. Er ist deswegen grundlegend, weil er die begriffliche und sachliche Kohärenz der vorgeschlagenen Identitätskonzeption an einer entscheidenden Stelle in Frage stellt. Das Problem lautet als Frage formuliert: Kann man das Bewusstsein von Personen, das auf zeitlich weit ausgedehnte Episoden ihres Lebens gerichtet und durch die zeitlich anhaltende Aneignung bestimmter Werte und Zielvorstellungen gekennzeichnet ist, sinnvoll analysieren, ohne die Frage der "Selbigkeit" oder numerischen Identität zu stellen? Klärungsbedürftig ist, in welchem Sinn sich Personen als ein und dieselben betrachten, *obwohl* sie Veränderungen und Entwicklungen an sich feststellen.

4. Deswegen heißt die vierte These: Um den Begriff der biographischen Identität kohärent analysieren zu können, muss man einen Begriff von transtemporaler Identität, verstanden als numerische Identität, voraussetzen. Wer sich auf verschiedene Stationen seines Lebens bezieht und diese in einen übergreifenden Lebensplan integriert und zugleich – möglicherweise – substanzielle Veränderungen und Ambivalenzen konstatiert,

kann dies nur tun, weil er sich in einem bestimmten Sinn über die Zeit hinweg als ein und dieselbe Person betrachtet: als mit sich numerisch identisch. Der für das zeitübergreifende Selbstverständnis von Personen zentrale Begriff der Kohärenz lässt sich überhaupt nur verstehen, insofern man von einem Identitätsbewusstsein ausgeht, auf dessen Grundlage sich Personen verschiedene Handlungsepisoden in zeitlich unterschiedlichen Kontexten zuschreiben, diese miteinander vergleichen und zusammenhängend betrachten.

Im folgenden und letzten Teil dieses Textes werde ich einen Vorschlag machen, transtemporale numerische Identität als Tatsache aufzufassen, die als Komponente in dem anspruchsvolleren, reflektierten biographischen Selbstverständnis – den konkreten praktischen Selbstzuschreibungen, zu denen man eine evaluative Haltung einnimmt – enthalten ist. Im Unterschied zur essenzialistischen Annahme eines gleich bleibenden "Selbst" lautet die These hier, dass Personen (normalerweise) über ein grundlegendes Identitätsbewusstsein verfügen. Gemeint ist, dass sich transtemporale numerische Identität in der zeitlich ausgedehnten Innenperspektive von Personen, in einem unmittelbaren Bewusstsein der eigenen zeitübergreifenden Selbigkeit manifestiert.

2. Identitätsbewusstsein über die Zeit hinweg und die Innenperspektive von Personen

Die philosophischen Auseinandersetzungen zum Begriff der biographischen Identität sind bislang relativ wenig konturiert. Anders die Debatten zur zeitübergreifenden Personenidentität – als numerische Identität verstanden: Die in der analytischen Philosophie geführten intensiven Diskussionen über diese Thematik gehen auf die 70er und 80er Jahre des letzten Jahrhunderts zurück und verbinden sich mit Namen wie z.B. Sydney Shoemaker, Richard Swinburne, Bernard Williams und nicht zuletzt Derek Parfit. Hier geht es zentral um die Frage, welche Eigenschaften konstitutiv sind, um von einer Person zu verschiedenen Zeitpunkten sagen zu können, sie sei eine (und nicht zwei verschiedene), ob man hierfür Kriterien definieren kann und wenn ja, welche dies sein könnten. Obwohl Derek Parfit im Rahmen seiner empiristischen Position die ebenso radikale wie umstrittene These vertritt, dass "Identität" nicht dasjenige ist, worauf es theoretisch wie praktisch gesehen tatsächlich ankommt, orientieren sich viele Theorievorschläge an der Grundüberzeugung, dass der Begriff der Identität im alltäglichen Umgang unverzichtbar ist: Grauzonen und Zweifelsfälle numerischer Identität, die wir z.b. bei Artefakten wie Autos oder Schiffen aufgrund semantischer Unschärfen eventuell durchgehen lassen würden, wären im Falle von Personen nicht akzeptabel. Bei Personen gehen wir aber davon aus, dass man zweifelsfrei klären kann, ob es sich bei Person B zum Zeitpunkt t2 und Person A zum Zeitpunkt t1 um *eine* (ein und dieselbe) Person handelt oder nicht. Dies soll mit der Angabe von Bedingungen erreicht werden, die erfüllt sein müssen, damit man berechtigterweise von einer identischen Person zu verschiedenen Zeitpunkten sprechen kann. Diese Problemstellung hat kontrovers diskutierte Theorieansätze hervor gebracht. So gehen empiristisch geprägte Positionen davon aus, dass die zeitübergreifende Identität von Personen in psychischen und/oder physischen Kontinuitätsrelationen besteht, die sich als Kausalreihen raumzeitlich zurückverfolgen lassen. Dabei lautet die Voraussetzung, dass sich identitätsrelevante Kausalreihen empirisch – also aus der Beobachterperspektive – feststellen lassen.

Im Rahmen der folgenden Überlegungen muss allerdings ein Zugang gewählt werden, der an die Strukturbeschreibung des biographischen Selbstverständnisses von Personen nicht nur systematisch anschlussfähig ist, sondern der darüber hinaus in der Lage ist, die genannten strukturellen Schwachstellen zu beseitigen. Da das biographische Selbstverständnis von Personen als ein erstpersonales Phänomen beschrieben wurde, liegt es nahe, einen Ansatz zu wählen, der numerische Personenidentität primär an die Perspektive der ersten Person knüpft. Positionen, die personale Identität im Sinne eines erstpersonal zugänglichen Phänomens auffassen, verfolgen explizit nicht das Ziel, ein Kriterium für personale Identität zu formulieren; ihnen geht es vielmehr darum, das faktische Identitätsbewusstsein, über das Personen verfügen, genauer zu beschreiben.[8] Es wird davon ausgegangen, dass das Problem der transtemporalen Personenidentität dem besonderen Merkmal der Bewusstseinsfähigkeit Rechnung tragen muss.

---

[8] Innerhalb der an Kriterien orientierten Debatte zur personalen Identität handelt es sich hier um eine Position, wonach transtemporale Identität nicht auf beobachtbare Merkmale und Eigenschaften wie körperliche und psychische Kontinuität reduziert werden kann, sondern den Status einer nicht weiter demonstrierbaren Tatsache hat. Die Kontinuität körperlicher und psychischer Merkmale und Eigenschaften werden zwar, epistemologisch gefasst, als wichtige und alltagstaugliche Indizien für das Vorliegen transtemporaler Identität angesehen, sie sind jedoch nicht dasjenige, was in ontologischer Sicht für personale Identität konstitutiv ist. Derek Parfit bezeichnet einen solchen nichtreduktionistischen Ansatz deswegen als "Simple View" im Unterschied zum reduktionistischen "Complex View", den er selbst vertritt. (Parfit 1982, 227ff.)

Um die Grundannahmen dieser Position weiter zu klären, ist es notwendig, die spezifische Struktur der erstpersonalen Perspektive näher zu analysieren. Nach Lynne Baker liegt die für Personen typische Perspektive sämtlichen Formen von Selbstbewusstsein und Selbstwissen zugrunde: Die erstpersonale Perspektive ist kennzeichnend für eine Form des basalen unmittelbaren Selbstbewusstseins, was zunächst einmal bedeutet, dass die Person einen Standpunkt hat, der es ihr ermöglicht, sich als Individuum zu verstehen. Es ist der Standpunkt eines Individuums, das einer Welt gegenüber steht, als ein Individuum, das sich von allem anderen unterscheidet und sich dessen bewusst ist. Alle wahrnehmenden Wesen sind zwar Subjekte der Erfahrung und haben insofern Bewusstsein, aber nicht alle sind in der Lage, ihren eigenen Standpunkt in dem genannten Sinn perspektivisch zu verstehen und dabei – implizit – einen Unterschied zu Perspektiven anderer Individuen zu machen. Nur diejenigen Wesen, die einer solchen erstpersönlichen Perspektive fähig sind, können in einem umfassenderen und reflektierten Sinn *selbst*bewusst sein, also ein höherstufiges Bewusstsein ihrer selbst ausbilden. Um diese These zu verdeutlichen, müssen schwache von starken Phänomenen der ersten Person unterschieden werden.

Als *schwache* Phänomene der ersten Person wären solche zu bezeichnen, die wir auch Lebewesen unterstellen, die keine Personen sind. Man würde sagen, dass z.B. Hunde und Katzen, wenn sie etwa auf Nahrungssuche sind, von einer Art Zentrum aus agieren, ohne sich jedoch näher darüber bewusst zu sein, eine bestimmte Perspektive zu haben, die sich von anderen Perspektiven unterscheidet.

Dagegen zeichnen sich *starke* Phänomene der ersten Person dadurch aus, dass sich jemand *als* jemand mit einer spezifischen Perspektive bewusst ist.[9] Was ist damit gemeint?

Starke Phänomene der erstpersonalen Perspektive manifestieren sich in intentionalen Einstellungen, für die (mindestens) drei Merkmale kennzeichnend sind.

1. Merkmal: In erstpersonaler Perspektive kann ich mir nicht nur in einfacher Weise mentale Zustände zuschreiben, wie es etwa der Satz "Ich habe Hunger" wiedergibt. Vielmehr ist für die typische erstpersönliche Perspektive kennzeichnend, dass ich darüber hinaus ein Bewusstsein davon habe (oder haben kann), *Subjekt* (einfacher) mentaler Zustände zu sein. In sprachlicher Hinsicht manifestiert sich diese Variante in grammatischen Wendungen, mit denen sich ein Subjekt in indirekter Rede auf sich selbst

---

[9] Someone who "also is able to think of herself as herself" (Baker 2000, 64).

bezieht, etwa in dem Satz "Ich wollte, *ich wäre* groß".[10] Der Sprecher gibt mit einem solchen Satz zu erkennen, dass er ein Bewusstsein seiner selbst *als* Subjekt hat, das sich Zustände und Eigenschaften zuschreibt.

2. *Merkmal*: Selbstzuschreibungen sind eine Form von propositionalen Einstellungen, zu denen das Subjekt einen direkten, unmittelbaren Zugang hat und damit – zumindest normalerweise – einen epistemischen Vorteil. Dieser epistemische Vorteil bezieht sich, wie Davidson richtig argumentiert, auf die *Tatsache* propositionaler Einstellungen, über die ich nicht irren kann, nicht aber auf den Inhalt entsprechender Propositionen, der als Fall von Wissen irrtumsanfällig ist (Davidson 2001, 4f.). Wenn ich behaupte, "Ich war gestern in Berlin", dann kann ich zwar hinsichtlich des Inhalts dieser Aussage fehlgehen, nicht aber hinsichtlich dessen, vom Inhalt der Aussage überzeugt zu sein.

Damit eng verknüpft ist das *3. Merkmal*, die Unhintergehbarkeit der erstpersonalen Perspektive. Aufschlussreich ist hier die Semantik des Indexwortes "ich": Im Zuge der sprachlichen Verwendung von "ich", sofern ich sie direkt aus der Perspektive der ersten Person heraus tätige, weiß ich unmittelbar, dass ich "ich" und nicht jemand anderes bin. Dazu muss ich nicht auf Angaben über meine Person, z.B. meinen Namen oder beschreibbare körperliche Merkmale zurückgreifen, und ich muss auch nicht auf mich selbst zeigen. Die Verwendung von "ich" impliziert eine Selbstreferenz, die ohne Kriterien auskommt, die unmittelbar gegeben ist und damit nicht im Wege einer (zusätzlichen) Bewusstseinsleistung eigens hergestellt werden muss.

Es sind diese drei Merkmale, indirekte Selbstzuschreibungen, prioritäre Einsicht in die Tatsache propositionaler Einstellungen und kriterienlose Selbstreferenz, die für das Identitätsbewusstsein von Personen kennzeichnend sind. Indirekte Selbstzuschreibungen kennzeichnen nämlich strukturell bereits eine Selbstidentifizierung. Wenn ich sage: "Ich wollte, ich wäre groß", dann ist die zweimalige Nennung des Indexwortes "ich" eine Identitätsrelation, die numerische Identität ausdrückt. Das Faktum, dass ich mit mir selbst über die Zeit hinweg identisch bin, ist daher insbesondere in solchen Formulierungen manifest, in denen die Relation auf

---

[10] Baker bezieht sich mit ihren Überlegungen zur sprachlich vermittelten Selbstreferenz auf Hector-Neri Castañeda. Dieser bezeichnet Sätze, in denen eine Selbstzuschreibung von referenziellen Propositionen erfolgt, als I*-Sätze. Dabei geht es Castañeda darum zu zeigen, dass die Ersetzung des Indexwortes "ich" in der referenziellen Proposition z.B. durch einen Eigennamen notwendigerweise mit einem Bedeutungsverlust einhergeht. Siehe vor allem Castañeda 1967.

auseinander liegende Zeitpunkte angewandt wird, wenn ich mir also vergangene oder zukünftige Eigenschaften zuschreibe, wenn ich z.B. sage: "Ich war vor ein paar Jahren in New York – übermorgen fliege ich wieder hin" als Verkürzung der Proposition "*Ich* behaupte, dass *ich* vor ein paar Jahren in New York war und dass *ich* übermorgen wieder hinfliege."[11] Zur Debatte steht hier nicht der Inhalt der Proposition, über den ich mich in der Tat täuschen kann; vielmehr ist die Pointe in der Tatsache der diachronen Selbstzuschreibungen zu sehen, in der Tatsache also, dass ich Eigenschaften und Episoden über die Zeit hinweg als *meine* betrachte und ich mich darin zweifelsfrei und unmittelbar – in verschiedenen zeitlichen Kontexten – auf mich selbst beziehe. Und solche diachronen Selbstzuschreibungen sind auf keinerlei externe Kriterien angewiesen. Das Faktum personaler Identität über die Zeit hinweg *zeigt* sich demnach unmittelbar in den Manifestationen des Selbstbewusstseins. Man könnte auch sagen, dass sich diachrone Identität in den Phänomenen der erstpersonalen Perspektive *konkretisiert*, insbesondere in der kriterienlosen Selbstzuschreibung vergangener und zukünftiger Eigenschaften und Episoden.

Von diesem unmittelbaren Gewahrsein der eigenen zeitübergreifenden numerischen Identität kann gesagt werden, dass es Formen des reflektierten Selbstverständnisses notwendigerweise zugrunde liegt – und damit ebenso dem biographischen Selbstverständnis von Personen. Dieses wurde als eine bewusste Einstellung beschrieben, in der man sich Lebensepisoden vergegenwärtigt und sich mit früheren handlungsleitenden Werten und Zielvorstellungen identifiziert, denen somit nicht nur gegenwärtig, sondern auch zukünftig weiterhin Bedeutung zugeschrieben wird. Diese Beschreibung wird aber erst jetzt verständlich, nachdem geklärt ist, dass eine Person, die sich auf ihr Leben bezieht, sich in formaler Hinsicht als ein und dieselbe Person betrachten muss – eine Betrachtung, die ihr aufgrund ihrer zeitlich ausgedehnten Innenperspektive möglich ist. Dass diese formale Selbigkeit allerdings nicht gleichzusetzen ist mit materialer Unveränderlichkeit z.B. von konkreten Eigenschaften und inhaltlichen Selbstzuschreibungen, dürfte klar sein. Sie ist vielmehr die Voraussetzung dafür, dass Eigenschaften, die Personen sich zuschreiben, als Phänomene aufgefasst werden können, die sich in der Zeit verändern können.

---

[11] Diese Art der Identitätsrelation hat offenbar bereits Thomas Reid in seiner Auseinandersetzung mit John Locke im Blick, wenn er sagt: "That relation to me, which is expressed by saying that I did it, would be the same, though I had not the least rememberance of it." Reid 1785 (in: Perry 1975, 110).

3. Schluss

Die vorangegangenen Überlegungen haben gezeigt, dass man den Begriff der personalen Identität in zeitlicher Perspektive in einer Weise analysieren kann, die unserem alltäglichen Verständnis von "Identität" nahe kommt. Als Personen nehmen wir die zeitliche Dimension unserer Existenz in spezifischer Weise wahr. Dieses Bewusstsein konkretisiert sich insbesondere dann, wenn man sich bestimmte Episoden seines Lebens vergegenwärtigt, sich mit früheren Entscheidungen teilweise identifiziert, sich teilweise von ihnen distanziert und handlungsrelevante Einstellungen in die eigene Zukunft projiziert. Es hat sich gezeigt, dass Frankfurts Modell der Volitionen höherer Ordnung diejenige Fähigkeit illustriert, die für die Ausbildung einer Persönlichkeit und biographischen Identität in zeitlicher Perspektive von zentraler Bedeutung ist. Und es hat sich darüber hinaus gezeigt, dass Forschungsergebnisse der Psychologie zum Modell des autobiographischen Gedächtnisses die Analyse des philosophischen Begriffs nicht nur empirisch bestätigen, sondern auch durch Elemente wie etwa die Rolle des emotionalen Erlebens, die gezielte und funktional eingebettete Abrufbarkeit von Erinnerungen sowie die soziale Komponente von Erinnerungen systematisch bereichern können.

Ich habe das Konzept der biographischen Identität daraufhin mit einer Position in Verbindung gebracht, von der ich gesagt habe, dass sie einen anderen Sinn von "Identität" im Blick hat, nämlich transtemporale Personenidentität als numerische Identität verstanden. Der Vorschlag lautete, personale Identität über die Zeit hinweg als Faktum zu begreifen, das als Phänomen in der Perspektive der ersten Person gegeben ist und sich in den Strukturen des Selbstbewusstseins manifestiert. Die beiden Ansätze befassen sich mit zwei verschiedenen Fragestellungen: Im einen Fall geht es um die Klärung personaler Identität im Sinne von "Selbigkeit", im anderen Fall um bestimmte Strukturmerkmale der Persönlichkeit, die man als biographisches Selbstverständnis in zeitlicher Kontinuität bezeichnen könnte. In logischer Hinsicht stellt numerische Identität über die Zeit hinweg die Voraussetzung für ein biographisches Selbstverständnis dar, das eine Person sukzessive erlangt und das mehr oder weniger ausgeprägt sein kann. Bereits hier zeigt sich, dass sich die beiden Identitätskonzeptionen in systematischer Weise miteinander verknüpfen lassen. Ihnen ist zudem sachlich gemeinsam, dass beide bei der erstpersonalen Perspektive ansetzen und beide die Fähigkeit zu diachronen Selbstzuschreibungen – wenn auch mit unterschiedlichen Akzentuierungen – ins Zentrum stellen. Der Vorteil einer solchen Verbindung liegt zum einen darin, verschiedene Facetten ein und desselben zeitübergreifenden Bewusstseins von Personen in den Blick bringen zu können, nämlich – erstens – das unmittelbare Gewahrsein der eigenen zeitübergreifenden numerischen Identität und – zweitens – das autobiographische Bewusstsein eines kohärenten Lebensplans. Zum anderen kann "diachrone personale Identität" als ein komplexerer und gehaltvollerer Begriff in die Debatten zur Philosophie der Person eingebracht werden, als es bislang geschehen ist.

Literatur

Baker, L.R. (2000): *Persons and Bodies. A Constitution View*, New York: Cambridge University Press.

Bieri, P. (2003): *Das Handwerk der Freiheit*, Frankfurt am Main: S. Fischer.

Castañeda, H.-N. (1967): Indicators and Quasi-Indicators, in: *American Philosophical Quarterly* 4, 85-100.

Davidson, D. (2001): *Subjective, Intersubjective, Objective*, Oxford: Clarendon Press.

Frankfurt, H.G. (1988): Freedom of the Will and the Concept of a Person, in: ders. (ed.) *The Importance of What We Care About*, Cambridge: Cambridge University Press, 11-25.

MacIntyre, A. (1981): *After Virtue*, London: Duckworth.

Markowitsch, J., Welzer, H. (2005): *Das autobiographische Gedächtnis*. Hirnorganische Grundlagen und biosoziale Entwicklung, Stuttgart: Klett-Cotta.

Nida-Rümelin, M. (2006): *Der Blick von Innen*. Zur transtemporalen Identität bewusstseinsfähiger Wesen, Frankfurt am Main: Suhrkamp.

Parfit, D. (1982): Personal Identity and Rationality, in: *Synthese* 53, 227-241.

Parfit, D. (1987): *Reasons and Persons*, Oxford: Clarendon Press.

Perry, J. (Hg.) (1975): *Personal Identity*, Berkeley: University of California Press.

Quante, M. (Hg.) (1999): *Personale Identität*, Paderborn: UTB Schöningh.

Quante, M. (2002): *Personales Leben und menschlicher Tod*, Frankfurt am Main: Suhrkamp.

Quante, M. (2007): *Person*, Berlin/New York: de Gruyter.

Ricoeur, P. (1990): *Soi-même comme un autre*, Paris: Éditions du Seuil.

Schacter, D. (2001): *Wir sind Erinnerung*. Gedächtnis und Persönlichkeit, Hamburg: Rowohlt.

Sturma, D. (1997): *Philosophie der Person*. Die Selbstverhältnisse von Subjektivität und Moralität, Paderborn u.a.: Schöningh.

Sturma, D. (Hg.) (2001): *Person*. Philosophiegeschichte – Theoretische Philosophie – Praktische Philosophie, Paderborn: Mentis.

Tayor, Ch. (1976): Responsibility for Self, in: Rorty, A.O. (Ed.) *The Identities of Persons*, Berkeley/Los Angeles/London: University of California Press, 281-299.

Taylor, Ch. (1989): *Sources of the Self.* The Making of Modern Identity, Cambridge: Cambridge University Press.

Welzer, H. (2005): Kriege der Erinnerung, in: *Gehirn & Geist* 5, 40-46.

Ist das Bewusstsein im Selbst?

Eine phänomenologische Kritik (meta)repräsentationaler Theorien des Selbstbewusstseins

THOMAS SZANTO

Einer der beharrlichsten Mythen, der spätestens seit Descartes bis heute weite Teile der Bewusstseinsphilosophie dominiert, ist der Mythos von der Innerlichkeit der Subjektivität. Warum ist dieser Mythos so beharrlich? Ist die Vorstellung, dass der Geist oder das Bewusstsein sozusagen ‚in etwas drinnen ist' – etwa ‚in uns selbst' – einfach dem verworrenen Vokabular' unserer Volkspsychologie geschuldet, wie viele Philosophen im Gefolge Wittgensteins behaupten? Handelt es sich dabei also bloß um eine naive Grundintuition unseres menschlichen Selbstverständnisses, deren Ursachen es mit den Mitteln philosophischer Begriffsanalyse oder jenen der Neurowissenschaften aufzuklären oder gar zu beseitigen gilt? Oder gibt es genuin philosophische Motive, die sich in diesem Mythos bekunden? Im Folgenden werde ich zu zeigen versuchen, dass die naiv-cartesianische Idee der Innerlichkeit der Subjektivität im Wesentlichen auf zwei konzeptuellen Oppositionspaaren basiert, welche in der neueren philosophischen Selbstbewusstseinsdebatte immer wiederkehren und der vermeintlichen, intuitiven Plausibilität dieser Vorstellung den theoretischen Nährboden verschaffen: Es sind dies die Oppositionspaare reflexiv/präreflexiv – oder, in modernerer Terminologie gesprochen: repräsentational/metarepräsentational – und intern/extern.

Nun hängen diese dichotomisch gegliederten Begriffspaare nicht nur auf Engste miteinander zusammen; sie setzten überdies typischerweise ein exklusives Fundierungsverhältnis zwischen zwei gleichursprünglichen Aspekten der Konstitution von Bewusstsein und Selbst voraus. Der Grund für diese jeweils einseitige Bestimmung des konstitutiven Verhältnisses von Bewusstsein und Selbstbewusstsein liegt – so meine leitende These – in einer bestimmten, metatheoretischen Prämisse: Nämlich in der Annahme, dass das Problem des Selbstbewusstseins nichts anderes als das Problem der mentalen Selbstzuschreibung gewisser repräsentationaler *Inhalte* bzw. ihrer epistemologischen Evaluierung ist. Ich werde diese metatheoretische Prämisse unter dem Titel des *Repräsentationalen Verifikationismus* verhandeln und dafür argumentieren, dass sie in Bezug auf das Problem des Verhältnisses von Bewusstsein und Selbst grundsätzlich irreführend ist. Ich werde diese These in drei Schritten explizieren: 1.) werde ich die traditionelle Opposition von reflexivem Bewusstsein und präreflexivem Selbstgewahrsein im Lichte ihrer modernen naturalistischen Variante des Repräsentationalismus einer kritischen Revision unterziehen. 2.) werde ich die aktuelle Internalismus/Externalismus-Debatte in Bezug auf die Inhalte von Akten der Selbstattribution skizzieren und 3.) werde ich schließlich versuchen, aus einer transzendentalphänomenologischen Perspektive einige Hinweise zu einer alternativen Problemfassung zu liefern.

I.

Vor dem Hintergrund des allgemeinen Projekts einer Naturalisierung des Geistes lassen sich in der gegenwärtigen Diskussion grob zwei gegenläufige Tendenzen ausmachen:

(1) Reduktive Naturalisten fassen das Phänomen des Selbstbewusstseins typischerweise als ein supervenientes Produkt metarepräsentationaler Prozesse der Selbstzentrierung und versuchen diese durch Reduktion auf unsere neurobiologische Organisation oder funktionale Disposition zu erklären.[1] Die Kerngedanken der modernen, naturalistischen Variante des mentalen Repräsentationalismus lassen sich folgendermaßen knapp zusammenfassen: Kognitive Prozesse sind (neurobiologisch oder sonst wie physikalisch realisierte) Operationen, in denen ein System (der Geist, das Bewusstsein oder das Gehirn) etwas, das sich außerhalb dieses Systems befindet, intern abbildet. Die interne Abbildung einer externen Entität wird üblicherweise als mentale Repräsentation bezeichnet. Mentale Repräsentationen sind Repräsentationen, die einen bestimmten Inhalt aufweisen. Der Inhalt einer mentalen Repräsentation, der sog. mentale Repräsentant, ist diejenige Entität, zu der das kognitive System in einem relationalen Verhältnis steht, während das mentale Repräsentat die physikalische Realisierung dieses Inhaltes ist. Mentale Repräsentationen sind – im Unterschied zum neurobiologischen Prozess des Repräsentierens bzw. zum funktional bestimmten Repräsentationszustand selbst – relationale Prozesse. Das Attribut ‚mental‘ kommt ihnen insofern zu, als sie die Eigenschaft besitzen, dass in ihnen und durch sie das Repräsentationssystem potentiell zum jeweils repräsentierten Inhalt in eine Relation tritt. Sofern Repräsentationsprozesse diese dispositionale Eigenschaft besitzen, sind sie bewusste Pro-

---

[1] Siehe exemplarisch Dretske 1995; Metzinger 1999, 2003. Vgl. dazu auch Newen 2003.

zesse. Mentale Repräsentationen sind also, sofern sie eine potentiell zu realisierende Relation zu ihrem Inhalt aufweisen, Bewusstseinszustände. Nun wird als Kriterium dafür, dass eine Repräsentation diese Eigenschaft aufweist und mithin als eine bewusste, mentale Repräsentation qualifiziert werden kann, üblicherweise die Introspizierbarkeit bzw. die interne Verfügbarkeit der eigenen, nicht-mentalen Repräsentationszustände angeführt (vgl. Hoffmann 2005).

(2) An eben dieser Stelle setzten die anti-reduktionistischen Selbstbewusstseinstheorien ein. Gegenüber den Repräsentationalisten versuchen sie die Fähigkeit der Selbstbezugnahme durch eine Explizierung der präreflexiven Struktur von Selbstbezüglichkeit zu erklären und/oder in der phänomenalen Transparenz von Bewusstseinserlebnissen zu fundieren.[2] Der nicht-relationale Gehalt, der eine intrinsische Struktureigenschaft von Bewusstseinszuständen ist, hat diesem Modell zufolge den Status eines irreduziblen epistemischen Faktums, in der die Möglichkeit relationaler Kenntnis von etwas, d.i. jede Wissensrelation und jede (reflexive) Selbstidentifikation fundiert ist.[3] Nun gehen aber beide Perspektiven von grundsätzlich inadäquaten Problemgewichtungen aus. Beide Perspektiven implizieren, dass das Verhältnis von Selbst und Bewusstsein ein konstitutives Verhältnis zwischen bestimmten repräsentationalen und nicht-repräsentationalen Inhalten bzw. Bewusstseinsinhalten und Bewusstseinszuständen ist. Doch worin gründet diese Auffassung? Sie rührt, wie ich zeigen möchte, von einer verifikationistischen Fehldeutung des *epistemischen Realismus* in Bezug auf das Phänomen des Selbstbewusstseins her.

Geht man davon aus, dass es eine strukturelle Eigenschaft bewusstseinsfähiger Wesen ist, dass diese auf sich selbst als Träger bewusster Zustände Bezug nehmen bzw. sich selbst irgendwelche Eigenschaften oder Zustände zuschreiben können, so vertritt man einen minimalen Realismus in Bezug auf das Phänomen des Selbstbewusstseins. Dabei spielt es keine Rolle, ob man annimmt, dass es solche Entitäten, wie Subjekte oder ‚Selbste‘ in irgendeinem ontologisch zu qualifizierenden Sinn gibt oder nicht. ‚Minimal‘ ist dieser Realismus also insofern, als weder die Eigenschaften oder Zustände, die zugeschrieben werden, noch diejenige Entität, der sie zugeschrieben werden, näher bestimmt sein müssen – einzig entscheidend für die Position des epistemischen Realisten an dieser Stelle ist nur, dass es irgendeine epistemisch zu evaluierende Relevanz hat, von einer solchen

---

[2] Siehe u.a.: Henrich 1970; Schoemaker 1984; Frank 1991; Zahavi 1999.
[3] Zur Unterscheidung von zwischen „Wissens-" und „Identifikationsrelationen", vgl. Tugendhat 1979, 58f. und Frank 1991, 253, 259.

Selbstzuschreibung auszugehen. Kurz, der epistemische Realismus in Bezug auf das Selbstbewusstsein besagt, dass die Selbstzuschreibung mentaler Zustände eine gewisse *epistemische Signifikanz* besitzt. Die Frage, auf die der Repräsentationalismus ausgehend davon eine Antwort zu geben versucht, ist, wie sich diese epistemische Signifikanz – aus einer Perspektive, die nicht Teil der relevanten Wissensrelation selbst ist, d.i. aus der sog. Dritten-Person-Perspektive – evaluieren lässt. Dies ist die Problemfassung, die man als Repräsentationalen Verifikationismus bezeichnen könnte. Die gängigen Varianten des Anti-Repräsentationalismus stellen gleichsam nur eine negative Reaktion auf diese Position dar, ohne den grundsätzlichen metatheoretischen Rahmen in Frage zu stellen.

Die Ausgangsprämisse des Repräsentationalen Verifikationismus besagt, dass die Reduktion von Selbstbewusstsein auf niederstufigere Repräsentations-Prozesse einen informativen Beitrag zum Verständnis der Epistemologie subjektiven Erlebens liefert. Der Verifikationist räumt damit der Möglichkeit, dass diese Prozesse von einem kognitiven System intern abgebildet werden können, eine gewisse epistemische Signifikanz ein. Andernfalls entfällt trivialerweise die Notwendigkeit einer reduktiven Erklärung. Die ganze Signifikanzthese, auf welche die Relevanz einer reduktiven Erklärung beruht, hängt jedoch solange in der Luft, solange man kein nicht-triviales – und das heißt hier, nicht-zirkuläres – Bestimmungskriterium für den epistemischen Unterschied zwischen der Selbstzuschreibung und dem bloßen Haben von gewissen Zuständen angeben kann. Das übliche Bestimmungskriterium, nämlich die dispositionale Eigenschaft von Bewusstseinszuständen, für ihren Träger ohne externe Anhaltspunkte aktuell verfügbar bzw. intern zugänglich zu sein, ist aber gerade ein solches triviale Kriterium.[4] Auf Grund seiner Problemfassung benötigt der Verifikationist ein epistemisch neutrales Kriterium, das über die Signifikanzthese entscheiden soll. Die Angabe eines solchen nicht-zirkulären Kriteriums bleibt er aber schuldig. Offen bleibt dann auch – noch diesseits des ontologischen Problems von Reduktionismus und Antireduktionismus – wie man je verifizieren könnte, wann überhaupt eine Reduktion der einen repräsentationalen Funktion auf die andere vorliegt. Solange dies nicht verifiziert werden kann, ist aber vollkommen unklar, was man mit einer Evaluierung der epistemischen Funktion von Akten der Selbstzuschreibung für die Erklärung des Phänomens des Selbstbewusstseins eigentlich gewonnen hat.

Mir scheint also, dass das eigentliche Problem der Repräsentationstheorie nicht der zumeist vorgebrachte Homunculus-Einwand ist. Dieser

---

[4] Siehe dazu: Rorty 1970, 600f.

Einwand mag zwar gegenüber bestimmten metarepräsentationalen Selbst-bewusstseinsmodellen durchaus triftig sein,[5] er zielt jedoch am relevanten epistemologischen Problem vorbei. Wir haben es hier vielmehr – ähnlich den traditionellen, reflexionstheoretischen Ansätzen – mit einer zirkulären Begründungsstruktur der epistemischen Funktion von Selbstzuschreibung zu tun. Diese Zirkularität der repräsentationalen Begründung von Selbst-bewusstsein spiegelt sich auch in der Unterscheidung intern/extern hin-sichtlich jener Faktoren wider, die die Inhalte von Akten der Selbstzu-schreibung festlegen sollen.

II.

Den Untersuchungsgegenstand der Internalismus/Externalismus-Debatte bildet – im Unterschied zu den Repräsentationstheorien – nicht die reprä-sentationale Struktur mentaler Zustände selbst, sondern ihr semantisch eva-luierbarer Gehalt. Sofern mentale Repräsentationen einen semantischen Gehalt aufweisen, der potentiell in der syntaktischen Form eines ‚dass-Satzes' ausgedrückt werden kann, spricht man von propositionalen Einstel-lungen. Propositionale Einstellungen sind Relationen zwischen dem Träger eines mentalen Zustandes und einem nicht-mentalen Zustand, nämlich der Proposition, auf die der Träger mit einer Aussage referiert. Diejenige Klas-se propositionaler Einstellungen, in denen die ausgedrückte Proposition dem Träger dieser Einstellungen selbst zugeschrieben wird, weist nun eine besondere epistemische Funktion auf. Die epistemische Besonderheit be-steht darin, dass sich solche propositionalen Einstellungen unter alleinigem Rekurs auf die Verifikationsbedingungen der ausgedrückten Proposition epistemisch nicht hinreichend evaluieren lassen (vgl. Perry 1979). Der „ve-ritativen Symmetrie" des referentiellen Gehalts von Zuschreibungen aus der Dritten-Person-Perspektive (DPP) und jener der Selbstzuschreibungen steht eine Asymmetrie bezüglich der *Kenntnis* der relevanten Verifikati-onskriterien, also eine „epistemische Asymmetrie" gegenüber, wie es Tu-gendhat (1979, 88f.) treffend formuliert. Demnach referiert der Sprecher, der mit dem Satz ‚Ich habe Schmerzen' sich selbst eine Eigenschaft zu-schreibt, auf denselben Sachverhalt wie jemand, der diesen Sachverhalt jemanden anderen aus der DPP zuschreibt. – Sofern beide Sprecher den Sachverhalt *kennen, verstehen* sie auch, was mit der propositionalen Ein-stellung gemeint ist, worauf sie also referiert. Die Art und Weise, wie sie

---

[5] Siehe dazu etwa die treffende Kritik an Metzingers Selbstmodell-Theorie bei Rinof-ner-Kreidl 2003 und 2004.

Kenntnis vom Wahrheitsgehalt dieser Aussage erlangen, unterscheidet sich jedoch grundlegend. Während jener, der die propositionale Einstellung aus der Ersten-Person-Perspektive (EPP) äußert, ein unmittelbares, nicht-relationales Wissen von den Verifikationsbedingungen der Proposition hat, muss sich der Andere auf externe Kriterien (wie etwa das Verhalten des Sprechers, etc.) beziehen. Der Bezug zwischen Ich-Sätzen und ihren Referenten hat den Charakter einer unmittelbaren Evidenz, während jemand den Bezug aus der DPP nur versteht, sofern er über die relevanten Kriterien verfügt, die den Satz verifizieren oder falsifizieren. – Soweit der epistemologische Kerngedanke der vielzitierten Formel der Autorität der EPP. Soweit herrscht auch weitgehender Konsens zwischen internalistischen und externalistischen Konzeption von Selbstbewusstsein.

Der Einsatzpunkt der Debatte zwischen Internalisten und Externalisten in Bezug auf das Problem der Selbstkenntnis besteht in der Uneinigkeit darüber, welche die relevanten Faktoren sind, die den semantischen Gehalt einer Selbstzuschreibung bestimmen. Der Streitpunkt ist nicht, ob der EPP grundsätzlich eine epistemische Ausgezeichnetheit beizumessen ist, ob es also das Phänomen der Autorität der EPP gibt oder nicht. Die Ausgangsfrage ist vielmehr, welchen Verifikationskriterien sie ihre besondere epistemische Funktion verdankt. Internalisten vertreten die Auffassung, dass man für die Verifikation des Wahrheitswertes einer Selbstattribution auf keine Anhaltspunkte rekurrieren muss, die in irgendeiner Weise die mentalen Dispositionen jener Träger-Entität transzendieren, die diese Attribution vornimmt. Anders ausgedrückt, die Selbstattribution ist kein *induktives* Verfahren, bei dem der Sprecher von einem externen Sachverhalt bzw. einem körper-internen Ereignis auf seinen dispositionalen Zustand schließt. Alle relevanten Bedingungen hinsichtlich der Individuation der eigenen mentalen Zustände liegen in der funktionalen Organisation dieser Zustände selbst beschlossen. Der Vorteil der internalistischen Position liegt darin, dass sie eine theoretisch avancierte Beschreibung unserer starken cartesianischen Intuitionen hinsichtlich der Epistemologie unserer Selbstkenntnis liefert. Ihr Nachteil ist jedoch, dass sie – radikal verstanden – einerseits die Möglichkeit der Selbsttäuschung bezüglich der *Inhalte* unserer mentalen Zustände ausschließen und andererseits die Möglichkeit gelungener Kommunikation zwischen zwei verschiedenen Trägern propositionaler Einstellungen ernsthaft in Frage stellen muss. Diesen solipsistischen Konsequenzen des Internalismus begegnen nun Externalisten, indem sie auf die sog. öffentlich zugänglichen Faktoren der Bezugsbestimmung (wie etwa naturwissenschaftlich überprüfbare, kausale Bestimmungskriterien) und/oder auf den sozialen Charakter der Sprachverwendung verweisen. Externalisten zufolge konstituiert sich der Inhalt einer propositionalen Einstellung wesentlich durch jenen Beitrag, den die, dem Träger dieser Einstellung extrinsische Umwelt und die jeweilige Sprachgemeinschaft, die diese Einstellungen interpretiert, liefert.

Einer der prominentesten Versionen des Externalismus in Bezug auf Selbstbewusstsein ist der von Burge vertretene, sog. *Anti-Individualismus*: Burge's Anliegen ist zu zeigen, dass es keinen ernsthaften Konflikt zwischen einer nicht-internalistischen Konzeption des Bedeutungsgehalts unserer mentalen Zustände und der Autorität bezüglich ihrer Kenntnis gibt. Burge stimmt mit den Internalisten darin überein, dass es so etwas wie eine grundlegende Form der Selbst-Kenntnis (*basic self-knowledge*) gibt, deren epistemische Adäquatheit nicht von extra-mentalen Bestimmungskriterien abhängt. Burge meint aber, dass aus der Annahme einer solchen privilegierten Wissensform nicht notwendig eine internalistische Konzeption ihrer Individuationskriterien folgen muss. Aus der Tatsache, dass wir zuweilen nicht wissen, welche Faktoren es sind, die den Gehalt unserer aktuellen mentalen Zustände individuieren, folgt weder, dass sie nicht *de facto* extern individuiert werden, noch, dass wir unsere eigenen Zustände nicht kennen. Denn, so Burge's Argument, die Faktoren, die den Inhalt unserer Gedanken bestimmen, bestimmen auch die ‚Phänomenologie unserer mentalen Zustände', die dafür verantwortlich ist, dass wir jederzeit wissen, welche okkurenten Gedanken wir haben. Obwohl wir also nicht notwendig alle relevanten Bedingungen kennen, unter denen unsere Gedanken wahr sind, wissen wir stets, was wir denken, wenn wir aktuell an etwas denken. „Es reicht", wie Burge sagt, dass diese Bedingungen „tatsächlich [d.h. hier: empirisch; T.Sz.] erfüllt sind." (Burge 1988, 654)

Demgegenüber hat Davidson darauf aufmerksam gemacht, dass man den fraglichen „epistemischen Unterschied" (Davidson 2001, 32) nicht einfach dadurch erklären kann, dass man sich auf die unterschiedliche epistemische Kraft beruft, die die Angabe externer und/oder interner Indizes bei der Rechtfertigung von Überzeugungen über sich selbst spielen. Denn weder ist es plausibel, warum ein Wissen, dass sich auf keine externen Belege berufen muss, *eo ipso* begründeter sein sollte, als ein Wissen, dass solcher Anhaltspunkte bedarf, noch umgekehrt, wie man von seinen eigenen Zuständen überhaupt je Kenntnis erlangen könnte, wenn man sie allererst durch die Anführung objektiver Individuationskriterien, die ja einem Subjekt systematisch niemals zur Gänze zur Verfügung stehen, rechtfertigen müsste. Die einzige informative Erklärung für das Bestehen einer epistemischen Asymmetrie zwischen Selbst- und Fremd- bzw. objektiven Zuschreibungen ist, dass die Selbstzuschreibung gar keine Relation zwischen Trägern von Einstellungen, Propositionen und Objekten, sondern vielmehr zwischen verschiedenen Interpretationsweisen verschiedener Arten von Bezugnahmen ist. Während ein Interpretationsmodus auf ganz bestimmte Kriterien für die Verifikation einer Äußerung angewiesen ist, ist der andere auf keinerlei kriteriologischen Belege angewiesen, weil das, was dabei von einem selbst gedacht oder geäußert bzw. von jemanden anderen interpretiert wird, weder irgendwelche psychologischen oder abstrakten Objekte ,im Geist', oder irgendwelche öffentlich zugänglichen konkreten Objekte ,vor dem Geist', noch irgendwelche privaten Repräsentationen vor einem ,inneren Auge' sind (vgl. Davidson 2001, 73ff.). Unsere Gedanken über uns selbst – so könnte man die Argumentation Davidsons auf den Punkt bringen – sind mit den Mitteln des Repräsentationalen Verifikationismus einfach nicht zu fassen, d.h. einfach nicht zu *interpretieren* – und zwar deshalb nicht, weil sie weder Objekte *sind*, noch Objekte *repräsentieren*.

III.

Was hat nun die Phänomenologie zum Verhältnis von Bewusstsein und Selbst zu sagen? Gibt es überhaupt ein phänomenologisch beschreibbares Kriterium für die epistemische Signifikanz der Selbstreflexivität von Bewusstsein? Und wenn nicht, kann die Phänomenologie – über den deskriptiven Aufweis einer eigentümlichen ,epistemischen Faktizität' hinaus (vgl. Tugendhat 2005, 249) – überhaupt eine informative Erklärung zum Problem des Selbstbewusstseins liefern?

Ganz allgemein betrachtet, lässt sich die transzendental-phänomenologische Fassung des Selbstbewusstseinsproblems als eine Zurückweisung der Annahme interpretieren, wonach die Frage nach der Konstitution eines Selbst durch die epistemische Evaluierung der Selbstzuschreibung mentaler Repräsentationen zu beantworten ist. Während also die Problemfassung des Repräsentationalen Verifikationismus von der Frage bestimmt ist, welche internen oder externen Faktoren den Inhalt eines selbstrepräsentationalen Aktes determinieren, ist die für den Phänomenologen entscheidende Frage jene nach dem Verhältnis von (Selbst-)Reflexion und (Selbst-)Konstitution. Diese transzendental gewendete Reformulierung des Problembestandes hat weitreichende Konsequenzen für die Konzeption des fraglichen Phänomens selbst.

Phänomenologisch gesehen, ist Selbstzuschreibung eine Selbstausle-
gung der, wie Husserl sagt, dem „Ich zugehörigen transzendentalen Vermögen" (Husserl 1950, 61). Die Möglichkeitsbedingungen der Reflexivität
sind nirgendwo anders, d.h. nirgendwo innerhalb oder außerhalb, als in den
jeweiligen Aktualisierungen dieser dispositionalen Eigenschaft unseres
Bewusstseinslebens selbst zu suchen.[6] Reflexive intentionale Akte der
Selbstbezugnahme sind Akte der Selbstobjektivierung. Diesen zentralen
phänomenologischen Befund könnte man auch so ausdrücken, dass es keine meta-intentionale Reflexion gibt.[7] Der epistemische Gehalt, der sich in
Reflexionsakten konstituiert, transzendiert nicht den epistemischen Gehalt,
der in den intentionalen Zuständen als so-und-so-gearteten Zuständen
selbst beschlossen liegt. Im phänomenologischen Jargon könnte man auch
sagen, dass der referentielle Pol von Akten der Selbstzuschreibung, nämlich der Erlebnisgehalt, keinen noematischen Kern aufweist. Bei der Unterscheidung zwischen dispositionalen Zuständen und okkurenten Reflexionsakten, in denen Erstere thematisch werden, handelt es sich um eine rein
deskriptive Unterscheidung. Sie versucht nicht zu *erklären*, wodurch, d.i.
durch welche Inhalte, die Funktion intentionaler Zustände, sich auf etwas
zu beziehen, selbst konstituiert wird. Die Konstitutionsbedingungen intentionaler Zustände sind aus der Unterscheidung dispositional/reflexiv auch
nicht ableitbar. Das Eigentümliche selbstreferentieller intentionaler Akte
ist also, dass sie sich nicht nur auf kein Objekt beziehen, sondern auch in
keiner konstitutiven Beziehung zu irgendwelchen subjektiven oder phänomenalen Zuständen stehen. Selbstreflexive Intentionen sind thematische
Aktualisierungen von dispositionalen Eigenschaften, die der Träger von
diesen Intentionen selbst einfach hat. Weder die okkurenten Akte noch die
dispositionalen Eigenschaften werden durch die Relation zwischen einem
Zustand und einem (inneren) Repräsentanten eines (äußeren) Gegenstands
konstituiert.
     Eine wichtige Konsequenz, die sich daraus für eine Kritik repräsen-
tationalistischer Theorien des Selbstbewusstseins ziehen lässt, ist, dass einem Erlebnissubjekt seine eigenen mentalen Zustände aus prinzipiellen
Gründen nicht *via* Introspektion zugänglich sind. Introspektion ist Dispositionen gegenüber schlichtweg das inadäquate Werkzeug. Introspektiv wird
man allenfalls bestimmter mentaler Inhalte gewahr – nämlich repräsentationaler und propositionaler Aktkomponenten. Sofern dispositionale Zu-

---

[6] Siehe dazu Kern 1989.
[7] Zum Begriff ‚meta-intentionaler Selbstkenntnis', die sich auf intentionale Zustände
erster Stufe beziehen, vgl. Kemmerling 2000, 240f.

stände keine *inhaltlichen* Aktkomponenten, sondern vielmehr eine spezifische *Eigenschaft* intentionaler Akte sind, können sie auch nicht in eine relationale Beziehung zu höherstufigen introspektiven Akten treten. Ebensowenig gibt es umgekehrt ein Selbst, das einer ausgezeichneten Klasse höherstufiger Reflexionsakte als ein ausgezeichnetes inneres Objekt gegeben wäre. Unsere geistigen Zustände sind genau insofern keine Objekte, als die Adäquatheit des Zugangs zu ihnen nicht auf ein Wissen, dass etwas der Fall ist, beruht. Die Privilegierung, die wir hinsichtlich unserer eigenen Zustände genießen, liegt nicht in einem Wissensvorsprung gegenüber anderen Perspektiven, weil der privilegierte Zugang keine Wissensrelation ist.

Das Problem der Autorität selbstreferentieller Akte stellt sich für den Phänomenologen als das Problem der Adäquatheit zwischen verschiedenen Typen von Reflexionen dar (wie empirische, personale oder transzendentale), denen verschiede Typen von Gegebenheiten korrelieren. Dementsprechend korrelieren der Unterscheidung dispositional/reflexiv verschiedene Erscheinungsweisen der Selbstgegebenheit von Subjektivität. Es ist eine methodisch unhintergehbare Prämisse der phänomenologischen Intentionalitätstheorie, dass die verschiedenen Typen von Selbstauffassungen in keinem metarepräsentationalen Selbstmodell jemals koinzidieren. Husserls berühmte „Paradoxie der Subjektivität" (Husserl 1954, 182ff.) ist das methodologische Resultat dieser transzendentalen Prämisse. Die Zirkularität, die darin zum Ausdruck kommt, ist jedoch – anders als im Falle des Repräsentationalen Verifikationismus – hinsichtlich der Erklärung des Phänomens harmlos. Denn anders als dort geht es der Phänomenologie nicht um ein – zwangsläufig regressives – Fundierungsverhältnis zwischen transzendentalem Bewusstsein und einem empirisch zu determinierenden Selbst.[8]

Geht man also mit Husserl davon aus, dass es eine intrinsische Struktureigenschaft mentaler Zustände ist, dass in ihnen Objekte *qua* Objekte, nur in der Bezugnahme auf sie gegeben sind, so haben wir es nicht mehr mit dem irreführenden Bild zu tun, das sowohl repräsentationalistische als auch anti-repräsentationalistische Theorien von der Struktur von Selbstbezugnahme zeichnen. Dieses Bild, so macht es Husserl deutlich, ist Ausdruck jener quasi-cartesianischen Konzeption des Bewusstseins, wonach Selbstbewusstsein sozusagen entweder die höchste oder die niederste Ma-

---

[8] Vgl. in diesem Zusammenhang Husserls Konzept der „Erlebnis-" und „Bewußtseinszuständlichkeit" bzw. des korrelativen Reflexionsmodus, die sog. „Zuständlichkeitsapperzeption" (Husserl 1952, 116ff.).

nifestationsform der Innerlichkeit des Bewusstseins ist. Um dieses Zerrbild zu verabschieden, müssen wir uns zu aller erst von der Vorstellung befreien, wonach ein bewusstes Selbst sein eigenes Bewusstseinsleben beobachten oder sich selbst irgendwelche Inhalte oder Eigenschaften überhaupt zuschreiben könnte. Andernfalls droht, wie auch Davidson treffend bemerkt, der „Begriff eines Zustands des Geistes", zu dem ein Trägersubjekt einen privilegierten Zugang haben soll, selbst „auseinanderzufallen" (Davidson 2001, 73).

Unter dieser Perspektive hat es aber auch streng genommen keinen Sinn, den einen Phänomenbestand – nämlich die epistemische Faktizität des Selbstbewusstseins – durch den anderen – nämlich durch die Möglichkeitsbedingungen der Selbstbezugnahme – erklären, bzw. den einen auf den anderen reduzieren zu wollen. Als ein Moment unseres intersubjektiv konstituierten Weltverhältnisses ist Selbstbewusstsein sowohl eine transzendentale Bedingung unserer Kenntnis von uns selbst, als auch der Zugänglichkeit bzw. Interpretierbarkeit für andere. Jenseits dieser transzendentalen Tatsache lassen sich keine verifizierbaren Gründe für seine Realität und mithin auch keine epistemologisch informative Erklärung seiner Signifikanz angeben.

LITERATUR

Burge, T. (1979): Individualism and the Mental, in: Chalmers, D. (ed.): *Philosophy of Mind. Classical and Contemporary Readings*, Oxford: Oxford University Press, 597-607.
Burge, T. (1988): Individualism and Self-Knowledge, in: *Journal of Philosophy* 85, 649-663.
Davidson, D. (2001): *Subjektiv, Intersubjektiv, Objektiv*, übers. v. J. Schulte, Frankfurt: Suhrkamp.
Dretske, F. (1995): *Naturalizing the Mind*, London/Cambridge, Ma.: MIT Press.
Frank, M. (1991): *Selbstbewußtsein und Selbsterkenntnis. Essays zur Analytischen Philosophie der Subjektivität*, Stuttgart: Reclam.
Henrich, D. (1970): Selbstbewußtsein. Kritische Einleitung in eine Theorie, in: Bubner, R. et al. (Hg.), *Hermeneutik und Dialektik, Bd. I*, Tübingen: Mohr/Siebeck, 257-284.
Hofmann, F. (2005): Bewusstsein und introspektive Selbstkenntnis, in: Grundmann, T. et al. (Hg.), *Anatomie der Subjektivität. Bewusstsein, Selbstbewusstsein und Selbstgefühl*, Frankfurt: Suhrkamp, 94-119.
Husserl, E. (1950): *Cartesianische Meditationen*, Den Haag: Nijhoff.
Husserl, E. (1952): *Ideen zu einer reinen Phänomenologie und phänomenologischen*

Philosophie, Erstes Buch: Allgemeine Einführung in die reine Phänomenologie, Den Haag: Nijhoff.

Husserl, E. (1954): *Die Krisis der europäischen Wissenschaften und die transzendentale Phänomenologie. Eine Einleitung in die phänomenologische Philosophie*, Den Haag: Nijhoff.

Kern, I. (1989): Selbstbewusstsein und Ich bei Husserl, in: Funke, G. (Hg.), *Husserl Symposion Mainz 27.6-4.7. 1988*, Stuttgart: Steiner, 51-63.

Kemmerling, A. (2000): Selbstkenntnis als ein Test für den naturalistischen Repräsentationalismus, in: Keil, G./Schnädelbach, H. (Hg.), *Naturalismus. Philosophische Beiträge*, Frankfurt: Suhrkamp, 226-249.

Metzinger, T.: (²1999): *Subjekt und Selbstmodell. Die Perspektivität phänomenalen Bewusstseins vor dem Hintergrund einer naturalistischen Theorie mentaler Repräsentation*, Paderborn: mentis.

Metzinger, T. (2003): Phänomenale Transparenz und Kognitive Selbstbezugnahme, in: Haas-Spohn, U. (Hg.), *Intentionalität zwischen Subjektivität und Selbstbezug*, Paderborn: mentis, 410-459.

Newen, A. (2003): Ist eine kognitive Selbstbezugnahme naturalisierbar?, in: Haas-Spohn, U. (Hg.), *Intentionalität zwischen Subjektivität und Selbstbezug*, Paderborn: mentis, 461-473.

Perry, J. (1979): Das Problem der wesentlichen Indexwörter, in: Frank, M. (Hg.), *Analytische Theorien des Selbstbewusstseins*, Frankfurt: Suhrkamp, 402-424.

Rinofner-Kreidl, S. (2003): Phänomenales Bewusstsein und Selbstrepräsentation. Zur Kritik naturalistischer Selbstmodelle, in: Dies.: *Mediane Phänomenologie. Subjektivität im Spannungsfeld von Naturalität und Kulturalität*, Würzburg: Königshausen&Neumann, 21-58.

Rinofner-Kreidl, S. (2004): Representationalism and Beyond. A Phenomenological Critique of Thomas Metzinger's Self-Model Theory, in: *Journal of Consciousness Studies* 11, 88-108.

Rorty, R. (1970): Die Unkorrigierbarkeit als Merkmal des Mentalen, in: Frank, M. (Hg.), *Analytische Theorien des Selbstbewusstseins*, Frankfurt: Suhrkamp, 587-619.

Shoemaker, S. (1984): Selbstbezug und Selbstbewußtsein, in: Frank, M. (Hg.), *Analytische Theorien des Selbstbewusstseins*, Frankfurt: Suhrkamp, 43-59.

Tugendhat, E. (1979): *Selbstbewußtsein und Selbstbestimmung. Sprachanalytische Interpretationen*, Frankfurt: Suhrkamp.

Tugendhat, E. (2005): Über Selbstbewusstsein: Einige Missverständnisse, in: Grundmann, T. et al. (Hg.), *Anatomie der Subjektivität. Bewusstsein, Selbstbewusstsein und Selbstgefühl*, Frankfurt: Suhrkamp, 247-254.

Zahavi, D. (1999): *Self-Awarness and Alterity. A Phenomenological Investigation*, Evanston/Ill.: Northwestern University Press.

Personen, Qualia und das physikalistische Weltbild

VOLKER GADENNE

1. Personen aus der Sicht des Physikalismus und das Problem der Qualia

Die heutige Philosophie des Geistes ist stark geprägt durch das Weltbild des *Materialismus* oder *Physikalismus* (vgl. z.B. Kim 1998). Viele, die auf diesem Gebiet forschen, vertreten eine Spielart des Physikalismus und sind darum bemüht zu zeigen, dass in diesem Weltbild auch solche Phänomene untergebracht werden können, die auf den ersten Blick als nicht-physisch anmuten. Personen sind aus physikalistischer Sicht komplexe physische Systeme: Sie sind aus Molekülen aufgebaut, und ihre Eigenschaften sind physikalischer Natur oder lassen sich auf physikalische bzw. physiologische Eigenschaften zurückführen. Die Stärke dieser Theorie wird vor allem darin gesehen, dass sie für das Problem der Geist-Körper-Verursachung eine einfache Lösung anbieten kann: Geist-Körper-Verursachung ist dadurch möglich, dass mentale Ereignisse physikalische Ereignisse *sind*.

Nun gibt es derzeit nicht viele, die eine Rückkehr zu einem Substanz-Dualismus im Sinne haben und demgemäß eine Person als eine nicht-physische Substanz auffassen oder als eine Kombination von einer mentalen mit einer physischen Substanz. Umstritten ist jedoch die These, dass auch alle Eigenschaften, Zustände und Ereignisse in der Welt physikalischer Natur seien. In dieser Hinsicht hat sich eine anti-physikalistische Bewegung entwickelt, die um den Nachweis bemüht ist, dass gewisse Eigenschaften von Personen nicht-physikalischer Natur sind. Ausgangspunkt der Argumentation sind die subjektiven *Erlebnisse* von Personen: Ein großer Teil des mentalen Geschehens wird von der jeweiligen Person erlebt; z.B. werden Schmerzen und Gefühle in charakteristischer Weise gespürt. Die einzelnen Qualitäten der erlebten Zustände werden als *Qualia* bezeichnet; die Gesamtheit der Qualia-Ereignisse bildet das *phänomenale Bewusstsein* (vgl. für Details zur anti-physikalistischen Bewegung Gadenne 2004, Kap. 5).

Die Argumente gegen den Physikalismus, die sich auf das phänomenale Bewusstsein berufen, sind häufig anhand bestimmter

Gedankenexperimente vorgetragen worden. Besonders einflussreich waren diejenigen von Nagel (1974) und Jackson (1986). Da sie ziemlich bekannt sind, ist es nicht nötig, hier näher darauf einzugehen. Sie haben zwar nicht dazu geführt, dass der Physikalismus aufgegeben wurde, jedoch viele davon überzeugen können, dass er mit einem schwerwiegenden Problem behaftet ist.

Derzeit wird das Hauptargument, das sich gegen alle Varianten des Physikalismus richtet, meist in die folgende Form gekleidet (vgl. insbesondere Levine 1983, 1997): Um Qualia auf physikalische/physiologische Eigenschaften reduzieren zu können, müsste man sie auf relationale oder funktionale Weise definieren können, so wie man dies z.b. mit der Eigenschaft Temperatur machen kann. Man müsste z.b. bereit sein zu sagen: Ein Zahnschmerz ist nichts anderes als ein Zustand, der durch bestimmte physische Prozesse verursacht wird und der auf bestimmte Weise wirkt. Nun ist es höchstwahrscheinlich zutreffend, dass eine Schmerzempfindung in bestimmte Gesetzmäßigkeiten des physischen Organismus eingebunden ist, und dass sie vollständig von bestimmten physiologischen Bedingungen abhängig ist. Diese physiologischen Bedingungen machen aber dennoch nicht die besondere Natur des Schmerzes aus, die vielmehr in einer Erlebnisqualität besteht. Qualia lassen sich nicht relational definieren. Sie sind keine *relationalen* oder *extrinsischen* Eigenschaften, sondern *intrinsische* (d.h. Eigenschaften, die ein Objekt für sich allein hat).

Viele halten diese Argumentation für überzeugend. Andere meinen, dass der Physikalismus den Qualia doch irgendwie Rechnung tragen kann oder dies jedenfalls irgendwann schaffen wird.

2. Kims eingeschränkter Physikalismus

Nun hat Jaegwon Kim, der seit vielen Jahren mit dieser Problematik ringt und zeitweise zur physikalistischen Seite, zeitweise zur epiphänomenalistischen Seite tendierte, kürzlich einen Kompromiss vorgeschlagen (Kim 2005). Zunächst erkennt er an, dass die Qualia als nicht-physische Bestandteile der Wirklichkeit anerkannt werden müssen:

„So qualia are not functionalizable, and hence physically irreducible. Qualia, therefore, are the ‚mental residue' that cannot be accommodated within the physical domain" (170).

Zwar könnten die Ähnlichkeiten und Unterschiede zwischen Qualia funktionalistisch erfasst werden, aber die Erlebnisqualitäten selbst könnten es nicht. Kim demonstriert auch, dass der *nicht-reduktive Physikalismus*, auf den viele ihre Hoffnung gesetzt hatten, nicht im Mindesten besser abschneidet als der reduktive Physikalismus. In dieser Problemsituation kommt er nun auf die Möglichkeit zu sprechen, einen Physikalismus mit eingeschränkter Zielsetzung zu konzipieren:

> „It may be that the physicalist project can be carried through for various subdomains of the mental but not for all" (161 f.).

> „More specifically, my view is that the qualitative characters of conscious experience, what are now commonly called ‚qualia', are irreducible, but that we have reason to think that the rest, or much of it anyway, is reducible" (162).

Wie Levine und Chalmers ist Kim überzeugt, dass es nur die Qualia sind, die sich der physikalischen Reduktion entziehen, während sich die übrigen mentalen Vorkommnisse, insbesondere die *intentionalen Zustände* oder *propositionalen Einstellungen*, ohne Probleme in das physikalistische Bild einfügen lassen. Nach dieser Auffassung sind die intentionalen Zustände (z.B. Wissen, Glauben, Wünschen, Beabsichtigen) nicht durch eine bestimmte Art des subjektiven Erlebens gekennzeichnet, wie es die Empfindungen und Stimmungen sind. Es fühlt sich nicht auf bestimmte Weise an, z.B. etwas zu wissen oder zu glauben. Daher wird von den intentionalen Zuständen angenommen, dass sie ohne Probleme funktionalistisch gedeutet werden können und dass sie im Einzelfall als physische Zustände realisiert sind, z.B. als Gehirnzustände.

Vergleicht man nun die Qualia mit den intentionalen Zuständen von ihrem Stellenwert her gesehen, d.h. von ihrer Bedeutung für unser Selbstbild als erkennende und handelnde Wesen, so scheint es Kim, dass die ersten verhältnismäßig unwichtig sind, die zweiten jedoch von zentraler Bedeutung:

> „For one thing, the mental residue encompasses only qualitative states of consciousness, and does not touch the intentional/cognitive domain. And it is in this domain that our cognition and agency are situated" (170).

> „If we can save intentional/cognitive properties, we can save our status as cognizers and agents. Saving itching isn't required for saving cognition and agency" (171).

Dadurch kommt Kim schließlich zu der Sicht, dass ein derartiger, eingeschränkter Physikalismus zwar nicht allen Phänomenen in der Welt Rechnung tragen kann, aber doch fast allen. Es verbleibt ein kleiner Rest, der sich in das physikalistische Bild nicht einfügt und gewisse Rätsel aufgibt, der jedoch für unser Weltbild und Selbstbild als erkennende und handelnde Wesen nicht so entscheidend sei. Insofern sei ein so verstandener Physikalismus zwar nicht hundertprozentig, aber doch weitgehend zufrieden stellend:

> „Physicalism is not the whole truth, but it is the truth near enough, and near enough should be good enough" (174).

Nun hat ein solcher „Physikalismus" natürlich einen Schönheitsfehler: Die Pointe einer Theorie von der Art des Physikalismus liegt wesentlich in ihrem Ausschließlichkeitsanspruch. Sobald zugegeben wird, dass es auch Nicht-Physikalisches gibt, sei es auch noch so geringfügig oder selten anzutreffen, ist das Hauptanliegen einer solchen Theorie aufgegeben. Mehr noch, ein Physikalismus, der nicht-physische Qualia zulässt, dürfte kaum von einem *Qualia-Epiphänomenalismus* zu unterscheiden sein, während es doch der Physikalismus gewöhnlich zu seinen Vorzügen rechnet, die Körper-Geist-Philosophie vor der Gefahr des Epiphänomenalismus zu retten.

Letztlich ist es aber eine Frage der Konvention, wie man eine Position nennt. Wichtig sind vielmehr die Probleme, die sie aufwirft, darunter die Folgenden: Ist die Trennung zwischen reduzierbaren intentionalen Zuständen und nicht-reduzierbaren Qualia überzeugend? Ist unser Selbstverständnis ganz an die intentionalen Zustände gebunden, und sind Qualia hierfür unwesentlich? Diese und einige weitere Fragen sollen im Folgenden behandelt werden. Der Hauptzweck dieser Untersuchung besteht darin, zu einem besseren Verständnis der Qualia beizutragen, insbesondere zu der Frage, wo im gesamten mentalen Geschehen Qualia vorkommen und welche Rolle sie für unser Selbstbild spielen.

3. Qualia und intentionale Zustände

Wie erwähnt vertreten viele die Auffassung, dass intentionale Zustände nicht durch Qualia charakterisiert seien. Diese Annahme ist eine wesentliche Voraussetzung für die Ansicht, dass die Qualia ein Nebenaspekt des Mentalen seien, ein „Restbestand". Als wichtig gelten hingegen die intentionalen Zustände, insbesondere diejenigen, die mit unserem Erkennen und Handeln zu tun haben (Wissen, Glauben, Wünschen, Beabsichtigen).

Dieses Bild ist in mehrerer Hinsicht problematisch. Betrachten wir unter diesem Gesichtspunkt zunächst die *Emotionen*. Sie werden mit Recht zu den intentionalen Zuständen gezählt. Ich freue oder ärgere mich über etwas, ich ekele mich vor etwas, liebe oder hasse jemanden usw. In der Emotionspsychologie ist es üblich, an einer Emotion drei Aspekte oder Komponenten zu unterscheiden, die man gewöhnlich folgendermaßen bezeichnet: den Erlebnisaspekt, den physiologischen Aspekt und den Verhaltensaspekt (Meyer/Schützwohl/Reisenzein 1993, 23 ff.).

Wenn wir Personen Emotionen zuschreiben, dann verbinden wir damit sicherlich auch die Annahme, dass diese Personen sich in bestimmter Weise verhalten werden, z.B. entgegenkommend oder ausweichend, hilfsbereit oder aggressiv. Diese Annahmen sind nicht immer sehr eindeutig, aber man kann im Allgemeinen sagen, dass das Vorliegen einer bestimmten Emotion die Wahrscheinlichkeit eines bestimmten Verhaltens erhöht bzw. die eines anderen Verhaltens mindert. Und ohne Zweifel hat jede Emotion eine physiologische Grundlage, ohne die sie als Ereignis nicht eintreten könnte.

Vor allem aber hat jeder Typ von Emotion einen *Erlebnisaspekt*, ohne den wir nicht von Ärger oder Freude sprechen würden. Dieser Erlebnisaspekt gehört zum Kern einer Emotion. Er ist das, was eine Emotion gegenüber einem Objekt von einer bloßen Wahrnehmung oder Vorstellung dieses Objekts unterscheidet. Mit anderen Worten: Emotionen sind wesentlich durch Qualia charakterisiert. Würde man von diesen Qualia absehen, dann wären Emotionen nicht das, als das wir sie gewöhnlich verstehen. Insbesondere ist es *nicht* so, dass Emotionen ihrer Natur nach funktionale Zustände wären, die von Qualia nur begleitet werden, ohne dass Letztere entscheidend bestimmen würden, um welche Emotion es sich handelt.

Betrachten wir nun *Motive*. Sie werden in der Psychologie einerseits als Dispositionen verstanden (Schneider/Schmalt 1994). Wenn man z.B. einer Person ein hohes Leistungsmotiv oder ein niedriges Machtmotiv zuschreibt, so impliziert diese Aussage nicht, dass diese Person gerade etwas Bestimmtes tut oder erlebt, sondern vielmehr, dass sie eine Tendenz besitzt, in bestimmten Situationen auf bestimmte Weise zu handeln, z.B. sich mit anderen leistungsmäßig zu messen oder andere zu dominieren.

Diese Tatsache, dass Motive Dispositionen sind, wurde von Ryle (1969) als wichtiger Grund gegen den Körper-Geist-Dualismus ins Feld geführt. Ryle argumentierte gegen die Annahme, dass der menschliche Geist eine Art Bühne sei, auf der sich etwas ereignet. Er meinte, dass die Begriffe, mit denen wir über den Geist oder die Psyche einer Person sprechen, Dispositionsbegriffe seien und dass es ein Kategorienfehler wäre, sie als Begriffe für Ereignisse oder Aktivitäten aufzufassen. Heute ist zwar kaum jemand der Ansicht, dass Beschreibungen von mentalen Sachverhalten immer von Dispositionen handeln. In allen aktuellen Theorien des Geistes wird es als selbstverständlich angenommen, dass es auch mentale *Ereignisse* gibt. Nichtsdestoweniger ist es eine Tatsache, dass viele Begriffe der Umgangssprache, mit denen wir über Psychisches sprechen, Dispositionsbegriffe sind. Und in psychologischen Theorien der Motivation werden Motive meist als Dispositionen verstanden, während Motivation selbst als Prozess (der Anregung von Motiven bis hin zum Verhalten) aufgefasst wird.

Dabei darf nun aber nicht übersehen werden, dass Motive, Wünsche und Absichten wesentlich *auch* Dispositionen zu bestimmten *Erlebnissen* sind. Das Leistungsmotiv beispielsweise ist nicht selbst ein Erlebniszustand, aber es ist eine Disposition, bestimmte Erlebnisse zu haben, z.B. Stolz über eine gelungene oder Beschämung über eine nicht gelungene Leistung.

Es ist interessant, dass Kim, der jetzt intentionale Zustände als Qualia-unabhängig auffasst, in einer früheren Arbeit *Wünsche* auf eine Weise definierte, die auf *Qualia* Bezug nimmt. Brand und Kim (1963) definierten die Aussage „Person x wünscht den Sachverhalt p" durch eine Reihe von Bedingungen. Zu diesen Bedingungen gehört eine Tendenz zu einem bestimmten Verhalten gegenüber dem Sachverhalt p. Zu diesen Bedingungen gehört es aber auch, bestimmte *Erlebnisse* zu haben, unter anderem: erfreut zu sein, wenn der gewünschte Sachverhalt p eintritt; enttäuscht zu sein, wenn p nicht eintritt. Brand und Kim nannten auch: es als *angenehm zu empfinden*, Tagträume über p zu haben.

In der Tat verstehen wir Wünsche nicht als bloße Verhaltens-dispositionen, die wir sozusagen kühlen Blutes mit uns herumtragen, sondern wesentlich als Dispositionen, die mit Emotionen und damit mit Qualia zusammenhängen.

Ähnliches lässt sich für diejenigen mentalen Zustände feststellen, die man als *Stimmungen* zusammenfasst. Zustände der Heiterkeit, der Euphorie, der Angst oder der Niedergeschlagenheit sind einerseits

Dispositionen, die bestimmtes Verhalten wahrscheinlicher machen als anderes, und sie sind andererseits Zustände, die eindeutig durch einen Erlebnisaspekt charakterisiert sind: Es fühlt sich auf bestimmte Weise an, in diesen Zuständen zu sein. Intentionale Zustände und Qualia (-Ereignisse) bilden also keine disjunkten Klassen, sondern hängen teilweise zusammen.

Welche Rolle spielen Qualia im Bereich der *Kognition*? Zu den hier relevanten mentalen Zuständen bzw. Aktivitäten gehören unter anderem Wissen, Wahrnehmen, Vorstellen und Erinnern. Die entsprechenden mentalen Zustände haben nach allgemeiner Auffassung einen *propositionalen Inhalt*, durch den sie Intentionalität besitzen, und sie kommen in Verbindung mit bestimmten *Einstellungen* vor, etwa der Einstellung des Wahrnehmens, Glaubens oder Bezweifelns. Nach überwiegender Auffassung sind diese Zustände nicht durch Qualia konstituiert. Damit scheint sich zu ergeben, dass im Bereich der Kognition Qualia keine wesentliche Rolle spielen.

Dies steht allerdings in auffallendem Kontrast zu der alltäglichen Erfahrung der meisten Menschen, wonach Wahrnehmen, Vorstellen, Erinnern und auch Denken mit einem reichhaltigen Strom von Erlebnissen einhergeht, insbesondere mit Vorstellungsbildern oder mit dem „inneren Sprechen". Betrachten wir als Beispiel die visuelle Wahrnehmung näher. Wir treffen in unserer Umgebung räumlich-dreidimensionale Objekte an. Es ist zu Recht gesagt worden, dass wir das Wort „Sehen" normalerweise so verwenden, dass es sich auf dreidimensionale Objekte bezieht und nicht auf ihre perspektivischen Erscheinungsbilder. Man sagt normalerweise, dass man einen rechteckigen Tisch sieht, keinen parallelogrammförmigen; und eine runde Münze, keine oval erscheinende. Ohne erst nachdenken zu müssen, begreifen wir das gesehene Objekt unmittelbar als ein dreidimensionales mit entsprechenden Eigenschaften. Unser Wahrnehmungsapparat leistet automatisch die Verarbeitung sensorischer Information z.B. zu einer mentalen Repräsentation von einem Haus mit einer Rückseite.

Wenn man sich aber darauf konzentriert, wie die Welt unserem Bewusstsein in der visuellen Wahrnehmung gegeben ist, wie sie uns visuell *erscheint*, dann kann man feststellen, dass uns alles von einem Standpunkt aus und aus einer Perspektive erscheint, deren Zentrum das jeweilige wahrnehmende Subjekt bildet (wie dies bereits William James in „Principles of Psychology" ausführlich darlegte.) Je nachdem, von wo ich ihn betrachte, erscheint der Tisch etwas anders. Wir können zwar den

Begriff „rechteckig" bilden und uns daher einen rechteckigen Tisch denken. Wenn wir aber versuchen, uns ein physisches Objekt anschaulich vorzustellen, dann wird daraus immer ein Objekt in einer bestimmten Perspektive: Nur eine bestimmte Oberfläche ist uns zugewandt, eine andere nicht; und auch das Innere des Objekt ist der Anschauung verborgen. Mit anderen Worten, wir haben beim visuellen Wahrnehmen eine bestimmte Art von *Qualia*. Visuelle Qualia zu haben ist nichts anderes, als die das Sehen begleitenden perspektivischen Erscheinungsbilder zu erleben.

Es ist unbestritten, dies sei nochmals betont, dass wir von den physischen Objekten auch perspektiven-unabhängige, räumlich-dreidimensionale mentale Repräsentation bilden. Ohne diese wären wir nicht in der Lage, über physische Objekte so zu denken und ihnen gegenüber so zu handeln, wie wir es tun. Diese perspektiven-unabhängige Repräsentation ist aber in der Erfahrung unseres eigenen Wahrnehmens ganz eng mit der perspektivischen verbunden. Und es spricht einiges dafür, dass Letztere notwendig ist, damit im Wahrnehmungsprozess Erstere aufgebaut werden kann.

Ein weiterer Aspekt der visuellen Wahrnehmung mit deutlichen Erlebnisqualitäten sind die Farbempfindungen, die deshalb auch zu den meistzitierten Beispielen für Qualia gehören. Für Normalsichtige sind sie ein integraler Bestandteil der Wahrnehmung der Gegenstände der Außenwelt, und es wäre eine sehr unplausible Konstruktion, sie von den Wahrnehmungen zu trennen und Letzteren nur einen Qualia-freien propositionalen Inhalt zuzuschreiben.

Farbempfindungen haben aus der Sicht der evolutionären Erkenntnistheorie eine wichtige Funktion für die Unterscheidung und Kategorisierung von Gegenständen. Dass allgemein Qualia für die Erkenntnis eine Rolle spielen, wird indirekt bestätigt durch das Phänomen des Blindsehens. Es gibt Menschen, die sich als blind empfinden, die aber im Experiment nachweislich eine gewisse Sehleistung erbringen: Sie erkennen Objekte in ihrem Gesichtsfeld, wenn man ihnen sagt, dass sich etwas in ihrem Gesichtsfeld befinden würde und sie auffordert, zu raten, um was es sich handelt (Weiskrantz 1986). Diese Personen können jedoch leider ihr Sehvermögen im Alltag nicht nutzen, und zwar deshalb nicht, weil sie keine visuellen *Erlebnisse* haben und deshalb darauf bestehen, dass sie nichts sehen könnten. Es scheint, dass visuelle Erlebnisse unverzichtbar sind, damit man über sich selbst die Überzeugung bilden kann, zur Kognition durch Sehen fähig zu sein.

Betrachten wir nun die *Vorstellungs-* und *Denktätigkeit*. Ist sie frei von Qualia? Haben wir es hier mit einem mentalen Geschehen zu tun, in dem intentionale Zustände aufeinander folgen, ohne dass hierbei Qualia vorkommen bzw., falls sie das Geschehen begleiten, ohne dass sie für dieses wesentlich sind?

Für das Denken würde dies bedeuten, dass sein „Stoff" aus *propositionalen Inhalten* besteht, die in unterschiedlichen Einstellungen auftreten: Sie werden vergegenwärtigt, geglaubt, bezweifelt; sie treten auf als Prämissen und Konklusionen von deduktiven oder induktiven Schlüssen; sie folgen aufeinander nach Gesetzen der Assoziation usw.

Dass es ein Denken in diesem Sinne gibt, wird von der heutigen kognitiven Psychologie bejaht. Sie stellt sich damit gegen die These des älteren Empirismus, wonach es keine abstrakten Vorstellungen gäbe, unsere Geistestätigkeit also immer nur mit Vorstellungen konkreter Objekte zu tun hätte. Nach den dominierenden kognitiven Theorien gibt es beim Menschen eine *propositionale Repräsentation*, eine Art der Kodierung von Information, die nicht anschaulich-bildhaft und auch nicht verbaler Natur ist, sondern aus *Begriffen* und *Propositionen* besteht. Experimente belegen die Existenz einer derartigen propositionalen oder semantischen Art mentaler Repräsentation (Anderson 2001, Kap. 5.). Damit bestätigt die kognitive Psychologie die ältere Philosophie und Psychologie, die gegen den Empirismus vorbrachte, dass Denken (großenteils) in abstrakten Begriffen erfolgt und nicht nur in anschaulichen Vorstellungen.

Auf der anderen Seite gibt es aber auch eine kognitive Tätigkeit, deren Material aus Vorstellungsbildern, z.B. visueller Art, besteht. Experimente aus der kognitiven Psychologie belegen, dass Personen zur Beantwortung bestimmter Fragen Vorstellungsbilder erzeugen und vor ihrem „inneren Auge" betrachten oder auch geistige Operationen mit ihnen durchführen (Brooks 1968). Ganz allgemein scheint bei den meisten Menschen das Denken von Vorstellungsbildern begleitet zu sein. Bei einigen ist dies besonders ausgeprägt. Berühmte Wissenschaftler (z.B. Einstein) haben von sich behauptet, dass visuelle Vorstellungsbilder in ihrem Denken eine entscheidende Rolle spielen würden (Shepard/Cooper 1982).

In diesem Zusammenhang ist auch das Verhältnis von Denken und Sprache relevant. Im Behaviorismus wurde Denken als subvokales Sprechen gedeutet. Diese Theorie wird heute als widerlegt betrachtet. Schlussfolgerungen und gedankliche Assoziationen können auf der Ebene der propositionalen Inhalte erfolgen und sind nicht völlig an die Wörter und grammatischen Regeln der Sprache gebunden. Jedoch wird überwiegend akzeptiert, dass Personen sich beim Denken oft verbaler Vorstellungen („inneres Sprechen") bedienen, z.b., wenn sie versuchen, einen Gedanken klar zu fassen und festzuhalten, oder wenn sie mehrere gedankliche Inhalte gleichzeitig verarbeiten und diese kodieren müssen, bevor sie dem Kurzzeitgedächtnis entfallen. Denken erfolgt nicht nur in den Bahnen, die von der Sprache vorgegeben sind, aber das „innere Sprechen" kann den Denkverlauf auf verschiedene Weise stützen.

Für die menschliche kognitive Tätigkeit ergibt sich somit, dass sie mit visuellen und lautlichen Vorstellungsbildern einhergeht. Und diese Ereignisse haben einen deutlichen *Erlebnisaspekt*. Vorstellen und Denken umfassen also Ereignisse mit phänomenalen Qualitäten. Es mag sein, dass Teile des kognitiven Geschehens so beschaffen sind, dass Qualia lediglich die Rolle von Begleitphänomenen spielen. Bei einem anderen Teil der Kognitionstätigkeit scheinen Qualia-Ereignisse aber ein wesentlicher Bestandteil des Geschehens zu sein.

4. Sind intentionale Zustände reduzierbar?

Der eingeschränkte Physikalismus, um den es in dieser Untersuchung geht, enthält die optimistische Auffassung, dass zumindest die intentionalen Zustände ohne Probleme reduzierbar sind. Doch auch diese Annahme kann durchaus angezweifelt werden. Einige Gründe für diesen Zweifel seien im Folgenden angeführt.

Die Annahme einer Reduzierbarkeit stützt sich auf die These, dass intentionale Zustände anhand ihrer Funktionen bzw. ihrer kausalen Rollen bestimmt sind. Ein *erster* Einwand, der mit dem Namen Searle (1980) verknüpft ist, stellt diese These in Frage: Funktionale Beziehungen oder kausale Rollen erfassen nicht das Wesentliche an intentionalen Zuständen. Selbst wenn es so sein sollte, dass ein bestimmter intentionaler Zustand faktisch in bestimmten Kausalbeziehungen steht, ist es stets denkbar, dass ein anderer Zustand ebenfalls in diesen Kausalbeziehungen steht, ohne Intentionalität zu besitzen.

Searles diesbezügliche Argumentation hat die meisten Funktionalisten nicht davon überzeugen können, dass ihre Auffassung unhaltbar ist. Betrachtet man aber die seither erfolgten Versuche, Intentionalität auf kausale Beziehungen zurückzuführen (sie dadurch zu

„naturalisieren"), so kann man durchaus nicht sagen, dass bisher eine überzeugende Lösung gefunden worden wäre.

Ein *zweiter* Einwand richtet sich gegen gewisse Voraussetzungen, die für eine Funktionalisierbarkeit erfüllt sein müssen. Die Annahme, dass intentionale Zustände durch ihre kausalen Rollen definiert sind, setzt voraus, dass für diese Zustände bestimmte Kausalgesetze gelten. Nach der ursprünglichen Intention des Funktionalismus handelt es sich hierbei um Gesetze, die sich nicht nur auf menschliche Gehirne beziehen, sondern von noch allgemeinerer Art sind, so dass die entsprechenden kausalen Rollen auch durch andersartige physische Systeme realisiert werden können. Aus dieser Verschiedenheit der potentiellen physischen Realisierungen ergibt sich, dass entsprechende Gesetze von disjunktiven Eigenschaften handeln (deren Disjunktionsglieder sich jeweils auf die einzelnen Typen von physischen Realisierungen beziehen). Dies wirft das Problem auf, ob disjunktive Eigenschaften Bestandteile von Naturgesetzen sein können.

Darüber hinaus ist es aber bereits sehr schwierig, für menschliche mentale Vorgänge Gesetze zu finden, insbesondere im Bereich des Denkens. Was die Psychologie in diesem Bereich vorweisen kann, sind keine Gesetze, sondern allenfalls empirische Generalisierungen darüber, wie Versuchspersonen sich bei gewissen Denkaufgaben verhalten haben. Eine nähere Betrachtung zeigt überdies, dass diese Generalisierungen nur als Ceteris-paribus-Aussagen einen Sinn machen; und es ist zweifelhaft, ob Ceteris-paribus-Aussagen als Gesetze aufgefasst werden können.

In dieser Hinsicht unterscheidet sich die Problemsituation der Psychologie grundlegend von den physikalischen Beispielen, die immer als Vorbild für Reduktionen zitiert werden. Die Temperatur von Gasen etwa war Bestandteil exakter und gut bestätigter Gesetze, als es gelang, sie auf die mittlere kinetische Energie der Gasmoleküle zurückzuführen. In Bezug auf intentionale Zustände liegen Gesetze nicht vor, und möglicherweise gibt es sie auch nicht. Bei der Annahme der Funktionalisierbarkeit intentionaler Zustände handelt es sich bisher also genau genommen um eine Hypothese, die anhand des vorliegenden Erkenntnisstandes der Psychologie sehr schwer beurteilt werden kann.

Drittens gibt es intentionale Zustände, die Dispositionen dazu sind, sich auf bestimmte Weise zu verhalten *und* bestimmte Qualia zu haben. Wir haben gesehen, dass dies für Emotionen und Motive gilt. Um solche intentionalen Zustände als reduzierbar auszuweisen, müsste auch gezeigt werden, dass die entsprechenden Qualia reduzierbar sind.

Ein *vierter* Einwand ist noch grundlegenderer Natur: In Bezug auf Qualia haben sich viele davon überzeugen lassen, dass sie intrinsische Eigenschaften sind, die daher nicht reduziert werden können. Wieso gilt dasselbe nicht auch für intentionale Zustände, etwa Zustände der bewussten Wahrnehmung oder Erinnerung? Ist die Eigenschaft der *Bewusstheit*, die ihnen zukommt, nicht auch eine intrinsische Eigenschaft, eine, die ihrem jeweiligen Gegenstand allein zukommt und die nicht darin besteht, dass dieser Gegenstand zu anderen Gegenständen gewisse Relationen aufweist?

Es ist üblich geworden, das phänomenale Bewusstsein, dem die Qualia angehören, von einer anderen Art des Bewusstseins zu unterscheiden, das für die intentionalen Zustände charakteristisch ist; es gibt verschiedene Bezeichnungen dafür: Zugangs- oder Zugriffsbewusstsein, intentionales Bewusstsein, kognitives Bewusstsein. Diese Unterscheidung mag für gewisse Zwecke dienlich sein. Sie sollte aber nicht die Tatsache verdecken, dass auch Bewusstsein von intentionalen Zuständen mit einer bestimmten Art von subjektivem Erleben verbunden ist. Angenommen, ich werde mir plötzlich dessen bewusst, dass in einer halben Stunde die Einkaufsläden schließen und ich die Aufgabe übernommen habe, vorher noch eine Flasche Rotwein zu besorgen. Man kann dieses plötzlich eintretende mentale Ereignis, das aus einer Wahrnehmung und der Erinnerung einer Verpflichtung besteht, sicherlich nicht auf die Qualia reduzieren, die es begleiten. Aber zu behaupten, dass hier außer einigen flüchtigen Qualia überhaupt kein Erlebnis gegeben wäre, erschiene ebenfalls äußerst unplausibel. Es fühlt sich auf eine bestimmte Weise an, etwas plötzlich wahrzunehmen und sich dabei an eine Absicht oder Verpflichtung zu erinnern.

Es gibt also im Zusammenhang mit bewussten intentionalen Zuständen und ihren Inhalten durchaus Erlebnisse. Und der hier gegebene Erlebnisaspekt ist um nichts weniger eine intrinsische Eigenschaft, als es die phänomenalen Qualitäten von Empfindungen sind. Wenn nun einige intentionale Zustände eine Eigenschaft (Bewusstheit) haben, die keine physikalische und keine funktionale Eigenschaft ist, dann ist die Annahme ihrer Reduzierbarkeit unzutreffend.

Alle angeführten Einwände werden kontrovers diskutiert, und sie können die Annahme der Reduzierbarkeit intentionaler Zustände nicht zwingend widerlegen. Ich denke aber, dass sie zusammen hinreichend sind, um diese Annahme als problematisch zu erweisen.

5. Eingeschränkter Physikalismus und menschliches Selbstverständnis

Der eingeschränkte Physikalismus, wie er oben skizziert wurde, impliziert, dass die intentionalen Zustände problemlos reduziert werden können, was sich als eine problematische These herausgestellt hat. Nach dieser Art des Physikalismus ist es weiterhin so, dass die Qualia für unser Selbstbild als erkennende und handelnde Wesen unwichtig sind. Aber erstens sind wir nicht nur erkennende und handelnde Wesen, zweitens sind die handlungsbestimmenden Wünsche und Emotionen durch Qualia geprägt, und drittens sind auch Wahrnehmung, Vorstellung und Denken nicht frei von Qualia.

Selbst unter der Annahme, dass es nur die Qualia wären, die sich einer Reduktion entziehen, ergibt sich, dass diese keineswegs nur einen Randbereich des Mentalen darstellen. Qualia sind nicht nur im Zusammenhang mit Empfindungen anzutreffen, sondern sie sind zentraler Bestandteil der Emotionen und Motive, und diese gehören wiederum zum Kern des Selbstbildes von Personen.

Und auch der kognitive Bereich ist nicht frei von Qualia. Zwar sind Zustände des Wissens bzw. Glaubens selbst keine Erlebnisse. Sobald man aber den Blick auf kognitive Vorgänge richtet, ergibt sich ein anderes Bild. Qualia sind Bestandteile von Wahrnehmungen, wie am Beispiel der visuellen Wahrnehmung gezeigt wurde. Sie kommen weiterhin im Vorstellen und Erinnern sowie im bildhaften Denken vor.

Und nicht zuletzt sind Personen nach allgemeiner Auffassung Wesen, die dazu fähig sind, Glück zu erleben und zu leiden. Es wäre absurd, diesen subjektiven Aspekt als etwas zu erklären, dass für unser Verständnis von Personen nur von untergeordneter Bedeutung ist. Im Allgemeinen sind die Menschen auch überzeugt, dass sie gegenüber glücks- und leidensfähigen Wesen besondere Pflichten haben.

Diese Tatsache der Subjektivität des Mentalen bereitet dem Physikalismus Probleme. Wie wir gesehen haben, sind diese Probleme nicht dadurch lösbar, dass man die Subjektivität in ihrer Bedeutung herunter zu spielen oder als ein eher randständiges Phänomen zu erweisen versucht. Bei näherer Betrachtung stellt sich dieser Versuch als gänzlich unplausibel heraus.

LITERATUR

Anderson, J. R. (2001): *Kognitive Psychologie* (3. Aufl.), Heidelberg: Spektrum.

Brandt, R./Kim, J. (1963): Wants as Explanations of Actions, in: *Journal of Philosophy* 60, 425-435.

Brooks, L. R. (1968): Spatial and Verbal Components in the Act of Recall, in: *Canadian Journal of Psychology*, *22*, 349-368.

Gadenne, V. (2004): *Philosophie der Psychologie*, Bern: Huber.

Jackson, F. (1986): What Mary didn't know, in: *The Journal of Philosophy* 83, 291-295.

Kim, J. (1998): *Philosophie des Geistes*, Wien: Springer.

Kim, J. (2005): *Physicalism, or Something Near Enough*, Princeton: University Press.

Levine, J. (1983): Materialism and Qualia: The Explanatory Gap, in: *Pacific Philosophical Quarterly* 64, 354-361.

Levine, J. (1997): Recent Work on Consciousness, in: *American Philosophical Quarterly* 34, 379-404.

Meyer, W.-U./Schützwohl, A./Reisenzein, R. (1993): *Einführung in die Emotionspsychologie*, Band I, Bern: Huber.

Nagel, T. (1974): What is it like to be a bat? In: *Philosophical Review* 83, 435-450.

Ryle, G. (1969): *Der Begriff des Geistes*, Stuttgart: Reclam (Original erschienen 1949).

Schneider, K./Schmalt, H. D. (1994): *Motivationspsychologie*, Stuttgart: Kohlhammer.

Searle, J. R. (1980): Minds, Brains, and Programs, in: *The Behavioral and Brain Sciences*, *3*, 417-457.

Shepard, R. N./Cooper, L. A. (1982): *Mental Images and Their Transformations*, Cambridge, MA: MIT Press.

Weiskrantz, L. (1986): *Blindsight: A Case Study and Implications*, Oxford: University Press.

Why Mary's Qualia Are Not Just a Cognitive Mode of Presentation

MARTINA FÜRST

According to some physicalist accounts of consciousness (Place 1956, Churchland 1985, Dennett 1991) qualitative experiences are reducible to brain states. One famous argument against this reductionist assumption is Jackson's *knowledge argument* (Jackson 1982) which on some readings is supposed to show that color-experiences cannot be reduced to physical states such as brain states. Currently most Type B-materialists[1] consider the so-called *two modes of presentation-reply (TMPR)*[2] as a powerful response to the knowledge argument.

For my purpose to outline the problematic aspects of the TMPR I will take the following steps: First, I present the knowledge argument itself and summarize the TMPR to it. Then, I support the knowledge argument indirectly by showing that this reply, which is based on an analogy of standard cases of co-reference, turns out to be an inadequate description of what happens in the case invented by Jackson. As a next step, I focus on some particularities of the Mary-scenario by shifting the analysis on the level of concepts. I argue that the concepts involved in the knowledge argument are special in two respects: one particularity concerns the concept acquisition and the other the very nature of such concepts. On the advocated account the latter particularity, which is explained by referring to the special way of acquiring these concepts, points towards an interpretation which denies that qualitative experience can be just a (cognitive) mode of presentation of a physical referent (e.g. a brain state).

---

[1] The notion of Type-A and Type-B materialist is due to Chalmers (1997). Contrary to Type-A materialists Type-B materialists accept that the qualitative character of experience is a phenomenon that needs to be accounted for. But they believe that this phenomenon can still be explained within a materialist framework.

[2] In this paper I will use "TMPR" to stand for the "Two Modes of Presentation-Reply".

1. The Knowledge Argument and the TMPR
(Two Modes of Presentation-Reply)

Let us recall the main points of the knowledge argument: In 1982 Jackson invented the omniscient scientist Mary who knows all there is to know about the physical world. This brilliant scientist, who possesses complete physical information, has specialized in the field of human color vision and knows literally everything about wavelength of colors, but also about their neurological effects on our brains, causal relations etc. The crucial point of the described scenario is that Mary has been born and locked up in a completely achromatic environment and therefore has never seen any color in her whole life. As a next step, Jackson asks the reader to imagine Mary being suddenly released from her black-white-room and seeing for the first time the blue sky. The crucial question is: what happens at this very moment? At this point one may have the strong intuition that Mary *learns* something, a completely new *fact* about the world. But since she already knew all the physical facts of the world being confined to her achromatic room, Jackson concludes: there exist non-physical facts about human color vision.

Jackson created a scenario which contains an interesting development from the initial situation (Mary's physical omniscience) to a certain step where she learns something new. If one grants these two premises but doubts the conclusion of Jackson (namely, that there do exist non-physical facts), she will have to focus on the question, *what* it is, that Mary really learns when having her very first color experience.

There exist a lot of different ways of responding to the argument. In this paper I want to concentrate on one reply which grants the epistemic premise, but doubts the ontological conclusion, namely that it is a genuine *new* fact Mary gains knowledge about. In the following, I will recall the main line of this objection and then show that, if we take this hypothesis seriously, it turns out as an inadequate description of Jackson's Mary-scenario.

The TMPR to Jackson's argument can be summarized as follows:
Defenders of this interpretation of the knowledge argument, e.g. Horgan (1984) and Loar (1997), grant that Mary gains real knowledge, when seeing colors for the first time. However, they believe that the achieved information is *not* knowledge about any *new ontological fact* at all. They deny the possibility to draw an ontological conclusion from a

conceptual independence. Proponents of the TMPR hold that when Mary is seeing blue for the first time, she simply learns a new phenomenal mode of presentation of a physical, and therefore previously known, referent.

To illustrate this point they rely on the basic assumption that one single object can be known under different modes of presentations. One of their favorite examples is this: the mode of presentation "morning star" and the mode of presentation "evening star" refer to one and the same object: Venus. In other words, the planet Venus can be known under different descriptions. One interesting point is that we surely can conceive of cases where somebody knows about one mode of presentation without knowing the other one – nevertheless both modes of presentation aim at the very same referent. Defenders of the TMPR tend to analyze Jackson's Mary-scenario in analogy to standard cases of co-reference such as the morning star/evening star case.

In the following I will show that this analogy is inadequate, then elaborate the roots of these inadequacies and finally draw the conclusion that it is very implausible to hold that qualitative experience is just a phenomenal mode of presentation of a physical referent, like for example, a brain state.

2. Why the Analogy Is Inadequate

Defenders of the TMPR proceed from an analogy to cases when someone learns that the morning star is identical with the evening star. Obviously, this line of reasoning has been developed to save ontological physicalism by granting just a conceptual or epistemic gap. In the following, I employ an argument to the effort that there are some crucial differences between these two cases and therefore the analogy fails to succeed.

In the standard case of co-reference we are confronted with two modes of presentation, for example of the planet Venus, and although these modes refer to one and the same object, it is possible that a person knows one mode without knowing the other one. Defenders of the TMPR draw the analogous picture that Mary has knowledge about one mode of presentation of color experiences – the physical one – without being able to deduce a priori the other mode of presentation of color experiences – the phenomenal one –, although both modes of presentation refer to one and the same ontological referent. If this was the whole story the analogy could seem adequate and an explanation of Mary's incapacity to deduce a priori the phenomenal from the physical mode of presentation would have been given.

But in fact it is *not* the whole story. The Mary-scenario cannot be treated in analogy to the morning star/evening star case for the following reason: We have to bear in mind that physicalist opponents of the knowledge argument are committed to hold that the referent of the two putative modes of presentation is a physical one. If this constraint is taken into account, a crucial difference between standard cases of co-reference and the Mary-scenario shows up: according to the first premise of the knowledge argument, the brilliant scientist is physically *omniscient*. This premise implies that Mary has complete knowledge about the physical mode of presentation, but according to the physicalist defenders of the TMPR, she knows also literally *everything about the referent* itself. This is because, on the physicalist understanding of the knowledge argument, it has to be a *physical referent* which is presented in two distinct ways. Accordingly, if Mary knows literally everything about the physical mode of presentation and even about its referent, we will tend having the strong intuition that she will also be able to deduce from her complete physical knowledge the phenomenal mode of presentation. Let me emphasize this point which suggests that the analogy is inadequate: If a person knows that Venus is the brightest object in the morning sky and also knows literally *everything* about Venus itself, we seem to have sufficient reason to say that she also knows that Venus has the property of being the evening star.

This consideration is closely related to another noticeable aspect of the standard co-reference case: If someone doubts the capacity to deduce one mode of presentation of Venus from complete knowledge about this referent, she will explain this doubt by referring to the fact that in the Venus-case we are confronted with *contingent* modes of presentation.

Exactly this examination leads immediately to a second decisive difference in the alleged analogy: the property of being the brightest object in the morning sky seems to be only contingently tied to Venus, whereas the qualitative character of e.g. blue-experiences is necessarily tied to blue-experiences. This particularity is a crucial point of the herein elaborated argumentation. To emphasize: One assumption of my argument is that a blue-experience, which does not have the qualitative character of *feeling bluish*, would not be a blue-experience at all. In the following I will present powerful reasons for accepting this claim which is one root of the inadequacy of the TMPR.

If the assumption is accepted that a necessary element of color-experiences is their qualitative character, one difference between standard cases of co-reference and the Mary-scenario can be formulated as follows: If one knows literally everything about a referent, one can nevertheless fail to deduce a *contingent* property of the referent. But in Mary's case the alleged analogy implies that the scientist does not know an *essential* property of the referent – which is a rather implausible conclusion. For it seems quite uncontroversial that a person only knows everything there is to know about an object, if she knows at least all the essential properties of this object. Hence, if the phenomenal mode of presentation is considered an essential property of color-experiences the two-modes of presentation analogy fails to succeed.

3. The Particularities of the Mary-Scenario

Next, to reinforce my line of argumentation, I have to work out reasons for sustaining the claim that the qualitative character of color-experiences is essential to them. Thereby I rely on a very useful distinction of the notion *mode of presentation* recently drawn by Block (Block 2007). Block convincingly points out that there is an important difference between a cognitively understood mode of presentation and a metaphysically understood mode of presentation:

> "I will distinguish between the cognitive mode of presentation (CMoP) and the metaphysical mode of presentation (MMoP). The CMoP is the Fregean mode of presentation mentioned earlier, a constellation of mental (cognitive or experiential) or semantic features of a term or mental representation that plays a role in determining its reference (…). The importantly different, non-Fregean, and less familiar mode of presentation, the MMoP, is a property of the referent." (Block 2007, 261)

In my opinion, Block's distinction illustrates a very important point. Therefore, I will adopt this distinction in order to work out the particularities of the Mary-scenario in detail.

Proponents of the TMPR usually do not make explicit what they exactly mean by the notion of *mode of presentation*. But if the underlying motivations of this objection to the knowledge argument are considered, it seems that they have to invoke a *cognitive* mode of presentation to reach their physicalist conclusions. On this interpretation, the brilliant scientist has complete knowledge *of* a blue-experience (understood as, e.g., a particular brain state x), but does not know this experience *under* a phenomenal mode of presentation. Hence Mary just lacks a cognitive way of subjectively *conceiving* the referent (i.e. the experience), but there is no corresponding metaphysical *property* of the referent itself, which has to be considered as a phenomenal one.

Contrary to this, I will show that the putative phenomenal mode of presentation of a color-experience is a) a metaphysical *property* and b) an *essential* property of the referent of a phenomenal concept. My argumentation is based on the claim that color-experiences are unique and hence cannot be compared to objects of co-references such as the planet Venus. Therefore, I have to explain what is so special about experiences and what differentiates them from objects of standard co-reference cases:

I want to focus the attention on the powerful intuition that the qualitative character of blueness suggests to be an essential property of blue-experiences because a blue-experience which is not qualitatively blue, but for example qualitatively red, would hardly be considered as a blue-experience at all. According to my account, an explanation of the roots of this common-sense intuition can be found in the self-presenting character of phenomenal properties: The notion of *self-presentation* captures the fact that a phenomenal property (e.g. the qualitative character of blueness) reveals its nature in the very experience in the sense that when it comes to phenomenal properties there can not be made a distinction between appearance and reality. To put it in a slightly different way: If an experience *feels* bluish, then it *is* a blue-experience because its *appearance* simply is its fundamental *nature*. Moreover, a self-presenting property immediately evokes a subject's belief that this property is currently instantiated and hence can not exist without being noticed. These two implications of the phenomenon of self-presentation can explain crucial characteristics of qualitative experiences.

Nevertheless, at this point an opponent of my thesis might deny that the qualitative character of a color-experience has this particular feature of being a self-presenting property in the described sense. Although this denial already invokes in itself implausible scenarios such as blue-experiences looking red or even looking transparently, I want to add an epistemic argumentation for my claim:

A careful analysis of Mary's learning process illustrates vividly the self-presenting nature of the alleged phenomenal mode of presentation: Mary leaves her achromatic environment, sees for the first time the blue sky and exclaims: "Oh, *this* is what a blue-experience is like!" Let me analyze in detail what happens in this moment. Obviously, Mary uses a de-monstrative word to refer to the qualitative character of her new color-experience.[3] Therefore, this exclamation has to be based on a discrimina-tion process which enabled Mary to pick out this the color-experience from all other current experiences. On my account, this process can only be ex-plained by appealing to the *awareness* of an attentively experienced current mental state. Accordingly, the picking out of an experience is closely tied to its awareness. The decisive point is that the only candidates which en-able the direct awareness and the discrimination process are self-presenting properties. So we can conclude that the putative phenomenal mode of pres-entation is a self-presenting property.

Moreover, it should be clear that one cannot ascribe a (contingent) mode of understood in the traditional sense to a property which presents itself because such a property *is* its own mode of presentation. To put it another way, a self-presenting property is not grasped via a contingent mode of presentation or description, it is rather grasped *directly*.

I want to make some clarifications about the relation between experi-ences and their putative modes of presentation. If – despite what has been said so far – we concede to keep on talking in accordance with defenders of the relevant reply in terms of modes of presentation, my analysis pro-vides us with strong reasons for calling the relation between an experience and its putative mode of presentation a *relation of necessity*. This point is emphasized by my analysis of the self-presenting character of the involved properties. Obviously, the intimate relation of necessity between a putative mode of presentation and its referent is a very unusual one and can be ex-plained by the discovery that these two supposed "separate" elements in fact are identical – i.e., the referent is its *own* mode of presentation.

Now that the relation between the alleged mode of presentation and the referent of a phenomenal concept is made clear, I want to return to my argumentation, viz. the supposed analogy invoked by defenders of the TMPR. If my analysis of the involved modes of presentation is correct, the differences and asymmetries between the standard cases of co-reference and the Mary-case cannot be missed. In the standard cases of co-reference it is possible that one knows one (contingent) mode of presentation of the planet Venus ("morning star") without thereby immediately knowing es-sential properties of Venus. By contrast, knowing the putative phenomenal

---

[3] At this point the interesting issue arises, if Mary's word "this" expresses a demon-strative phenomenal concept or another kind of phenomenal concept. I discuss this in detail in Fürst (forthcoming)

mode of presentation of experiences implies direct knowledge of an essential property of experiences. Thus, knowing the putative phenomenal mode of presentation of color-experiences turns out to be direct knowledge of one essential property of color-experiences.

Finally, I want to stress again the consequences of the elaborated argumentation by recurring to the distinction between cognitive modes of presentation and metaphysical modes of presentation invoked by Block. For the alleged phenomenal mode of presentation of color-experiences the following holds: because of the self-presenting character of phenomenal properties, it is impossible to separate the cognitive mode of presentation from the metaphysical one. This impossibility is due to the fact that *how* a phenomenal property *is qualitatively given* to a subject does constitute its ontological *nature*. Thus, the key to my explanation why the particularities of experiences indicate their not being modes of presentation understood in a traditional sense is their self-presenting character which makes the cognitive and the metaphysical modes of presentation collapse into one entity.

Remember that physicalist defenders of the TMPR are committed to hold that the phenomenal character of an experience is solely a *cognitive* mode of presentation of a physical state (e.g. a brain state) and that there is no ontological property corresponding to this. Contrary to this, the examinations in this paper have shown that the cognitive and the metaphysical modes of presentation of a qualitative color-experience are identical and hence Jackson's brilliant scientist acquires knowledge about an ontologically new self-presenting *phenomenal* property when leaving her achromatic environment.

4. Conclusion

The conclusion of my considerations is a dualistic one. I agree with defenders of the analyzed TMPR that there is an epistemic gap between phenomenal and physical knowledge. Opponents of the knowledge argument hold that this points towards a common physical referent of two different modes of presentation. The main purpose of my paper was to show that this physicalistic conclusion is an implausible one because of some crucial differences between Jackson's Mary-scenario and standard cases of co-reference:

First, I drew the attention to the premise of Mary's omniscience: if physical and phenomenal modes of presentation really pick out an identical physical referent (e.g. a color-experience understood as a brain state), then knowing the physical mode of presentation plus having complete knowledge of the physical referent itself implies knowing also the essential properties of this referent. But it has been demonstrated that physically omniscient Mary does not have knowledge about one essential property of a color-experience – its qualitative character.

Second, I argued for Jackson's conclusion by drawing ontological consequences from the granted epistemic gap. This has been sustained by an analysis of the particularities of the involved properties, which can be explained by referring to their special acquisition conditions. In Mary's case the self-presenting qualitative character of the color-experience itself turned out to be crucial for the following argumentation: In a first step this particularity revealed its explanatory power when an account for our capacity to discriminate experiences introspectively is needed. In a second step, the self-presenting qualitative character highlighted that in the case of experiences the putative cognitive and metaphysical modes of presentation collapse into one entity. Therefore, the main point of defenders of the TMPR – namely to grant a cognitive phenomenal mode of presentation while denying a corresponding ontological property – has lost its power.

Hence my argumentation indirectly reinforced Jackson's dualistic conclusion by rebutting one reply to it. Moreover, I added to this argument an explanation *why* the new property Mary gains knowledge about is not just – as the knowledge argument shows – a non-physical property, but rather has to be a *phenomenal* one.

If we compare the elaborated differences we should conclude that the analogy to standard cases of co-reference is an inadequate one. Hence, it is far more plausible to hold that the granted epistemic gap points towards a corresponding ontological gap. For the reasons above stated, I think that an adequate understanding of Jackson's knowledge argument requires the admission of phenomenal properties being essential features of color-experiences. Therefore, color-experiences can not be reduced to purely physical states such as brain states.[4]

---

[4] I am very grateful to Guido Melchior for fruitful discussions of the topic and to Christian Hiebaum for helpful comments and remarks on the text.

REFERENCES

Block, N. (2007): Max Black's Objection to the Mind-Body Identity, in: Alter, T., Walter, S. (Hg.) (2007): *Phenomenal Concepts and Phenomenal Knowledge*, Oxford: Oxford University Press, 249-306.

Chalmers, D. (1997): Moving Forward on the Problem of Consciousness, in: *Journal of Consciousness Studies*, 4 (1), 3-46.

Churchland, P. (1985): Reduction, Qualia and the Direct Introspection of Brain States, in: *Journal of Philosophy*, 82, 9-28.

Dennett, D. (1991): *Consciousness Explained*, Boston: Little and Brown.

Fürst, M. (forthcoming): Why the Phenomenal Concept Strategy cannot Save Physicalism, in: *Proceedings of the 31th International Wittgenstein Symposium*.

Horgan, T. (1984): Jackson on Physical Information and Qualia, in: *Philosophical Quarterly*, 34, 147-183.

Loar, B. (1997): Phenomenal States: Second Version, in: Block, N. et. alt (Eds.): *The Nature of Consciousness: Philosophical Debates*, Cambridge/MA: MIT Press, 597-616.

Jackson, F. (1982): Epiphenomenal Qualia, in: *Philosophical Quarterly*, 32, 127-136.

Place, U. T. (1956): Is Consciousness a Brain Process? In: *British Journal of Psychology*, 47, 44-50.

Why Values Are Not Like Secondary Qualities

Ehrenfels versus Meinong

EVA-MARIA DÜRINGER

Many philosophers agree that emotions are in some way related to perceptions. But they do not agree on the way in which they are related. Some say emotions *are* perceptions. Amongst those, some believe that emotions are perceptions of bodily changes (James 1884, Damasio 2003), whereas others believe that these bodily changes are only the means by which emotions perceive what we care about (Prinz 2004). Still other philosophers do not think that emotions are perceptions, but claim that emotions can very effectively be *compared* to perceptions. More precisely, they hold that having an emotion is like perceiving a secondary quality. Sensory perceptions detect secondary qualities. These secondary qualities are to a certain degree response-dependent, but are still "there to be experienced" (McDowell 1998, 136). In a similar way, they argue, emotions detect values. Just like secondary qualities, values depend on our responses and yet are "there to be experienced". This view was brought back to centre stage by John McDowell in the 1980s, and has received considerable attention since (see e.g. Deonna 2006, Döring 2003, Johnston 2001). But McDowell was not the first one to talk about an analogy between values and secondary qualities. The Austrian philosopher Alexius Meinong had very similar thoughts almost a century earlier, and developed them in his book *On Emotional Presentation*. Meinong's thoughts at the time were not shared by his colleague Christian von Ehrenfels, who put forward some interesting objections in his work *System der Werttheorie*. My aim in this paper is examine the value theories of Meinong and Ehrenfels, and look in detail at two of Ehrenfels's objections to Meinong's analogy between values and secondary qualities. I think the contemporary discussion about the relation between emotions and perceptions can benefit from paying more attention to this *fin de siècle* debate. Also, I believe that Antonio Damasio's neuroscientific theory of emotion can be interpreted as supporting Ehrenfels's view, or in fact any view that claims that values are to a certain degree response-independent.

1. Meinong and Ehrenfels's Value Theories

Meinong's value theory is embedded in his general theory of intentionality. He explains how mental states can be about, or directed at, objects, by identifying two modes of presentation: intellectual and emotional presentation. There are interesting parallels between these two modes of presentation, but for the sake of brevity and clarity I will focus on emotional presentation alone. According to Meinong, an emotion presents a value: fear presents danger, anger presents offensiveness, admiration presents beauty. These values are of an interesting character, as they are presented to us in a way many people would classify as subjective: fear and anger are emotions that people experience at different times and in different ways. And yet, says Meinong, the values presented in these emotional episodes are not mere subjective projections. Rather, they are actual qualities of objects in the world. The wild animal that attacks me and that I am afraid of is actually dangerous, and the remark that has hurt my feelings is actually offensive. There is thus an interesting tension when it comes to emotions and values: even though emotions appear to be subjective, idiosyncratic mental states, the objects they present are in fact not subjective or idiosyncratic. Put differently, whereas values are subjective in an epistemic sense (i.e. we know about them via a subjective state) they are not so in a metaphysical sense (i.e. they do not consist in this subjective state).

To illustrate and justify this tension, Meinong compares emotions and values to sensory perceptions and secondary qualities, and points out that a similar—and widely accepted—tension exists there. Visual perceptions present colours to us. The actual presentation, that is the looking red, is again a subjective mental state. And yet we would not want to claim that an apple's being red consists in this subjective mental state. Rather, our subjective mental state is the epistemic access we have to an actual quality of the apple: its being red. Thus, whereas our epistemic access to colours is subjective, colours themselves are not subjective. In a famous quote Meinong puts this similarity between values and secondary qualities thus:

> When I say, 'the sky is blue', and then say, 'the sky is beautiful', a property is attributed to the sky in either case. In the second case a feeling participates in the apprehension of the property, as, in the first case, an idea does. And it is natural to let the feeling be the presentative factor in the second case, as an idea

is always taken to be in the first case. (Meinong 1972, 28 f.)

Here Meinong claims that what is generally accepted without too much difficulty in the case of colours should be equally accepted without too much difficulty in the case of values: the mode of presentation is subjective, but the object presented is objective. The phenomenological experiences of seeing something red or feeling afraid are the subjective presentations of the objective qualities 'red' and 'dangerous'.

Whereas more recent defenders of the analogy between values and secondary qualities, like McDowell and David Wiggins, would probably agree with Meinong up to this point, they would hesitate to take the next step. For McDowell and Wiggins the analogy amounts to the claim that values and secondary qualities are both response-dependent *and* response-independent, that is, both subjective *and* objective. Even though they are there to be experienced, and thus objective, we simply cannot make sense of either colours or secondary qualities without referring to certain phenomenological states, which makes them subjective. Meinong, on the other hand, goes all the way. On his view, values and secondary qualities exist response-independently. They are there, whether or not they are presented to us in any way.

> Just like the actual objective [i.e. a proposition] remains true in eternity, however it was experienced by a subject, yes, whether or not it ever was experienced by a subject, so the actual value would remain a true value, no matter how and if a subject reacts to it. (Meinong 1968, 150, my translation)

By saying this Meinong might make his account less vague than McDowell's and Wiggins's, but he also ends up with a more questionable ontology. Before entering the discussion of possible objections to Meinong's account of values, I want to briefly outline the value theory of his contemporary and colleague Christian von Ehrenfels.

Ehrenfels and Meinong were both students under Brentano, and both were influenced by Menger's economic theory of value. Consequently, at first they developed value theories that were very close in nature. Later, however, it was Meinong who changed his mind and developed the account outlined above—which is indeed considerably different from Ehrenfels's. Now even though Ehrenfels wrote his major work on values, his *System der Werttheorie*, almost twenty years before Meinong published *On Emotional Presentation*, it contains thoughts that can be read as pre-emptive criticisms of Meinong's later theory. A presentation of this reading will be my aim in the next section. In the remains of this section I want to briefly introduce Ehrenfels's value theory, with a special focus on highlighting the differences to Meinong's.

Whereas Meinong defines values as crucially linked to *emotions*, Ehrenfels sees the stronger connection between values and *desires*. He in fact goes as far as identifying value with desirability: "We ascribe value to things which we either actually desire, or would desire, if we were convinced of their non-existence. *The value of an object is its desirability*" (Ehrenfels 1983, 253, my translation). One could assume at this point that the different focus in connection with values—that is Meinong's on emotions and Ehrenfels's on desires—is the major difference between their theories. But it is not, as Ehrenfels himself plays it down by stating that his account of desires actually depends on emotions (cf. Ehrenfels 1983, 186). After all, what kind of things do we desire? Usually, we desire the existence of those things about which we have positive emotions, and we desire the non-existence of those things about which we have negative emotions. To ask whether the positive feeling or the desire was first, seems similar to asking whether the egg or the hen was first: it is unanswerable and does not make a difference. Thus, the fact that Meinong relates values primarily to emotions and Ehrenfels to desires is not a problem.

But if this is not the major difference between Meinong and Ehrenfels, what is? It is the status of the value itself: whereas for Meinong the valuability of objects exists regardless of the emotions people might or might not have towards them, for Ehrenfels the valuability of objects is constituted by whether or not we do, or would, desire them. So in Ehrenfels's world, if people are not afraid of approaching tigers and have no desire for their own survival, then survival and lack of danger are not valuable. In contrast to this, if in Meinong's world people are not afraid of approaching tigers and have no desires for their own survival, then the value of survival and lack of danger has simply not been presented properly to these people.

To sum up: even though both Ehrenfels and Meinong see a close connection between emotions/desires and values, their respective interpretation of this connection could not be more different. Ehrenfels believes that desires constitute values, which makes him a value subjectivist and anti-realist. Meinong believes that emotions are merely our epistemic access to values that otherwise exist independently, which makes him a value objectivist and realist. I will now turn to two specific arguments against Meinong's account that can be found in Ehrenfels's *System derWerttheorie*.

206

2. Ehrenfels's Two Arguments Against Meinong

As already mentioned, Ehrenfels wrote *System derWerttheorie* roughly twenty years before Meinong wrote *On Emotional Presentation*, therefore the arguments I am going to present were not designed as specific attacks on Meinong in the original text. But Ehrenfels argues explicitly against views that take values to be qualities of objects, and since Meinong's account certainly qualifies as such a view, I believe my interpretation to be justified.

Ehrenfels's first argument indeed targets exactly the analogy between values and secondary qualities. Since it is heavily based on the assumptions that objects that existed in the past, but do not exist anymore, cannot have qualities, I will call it the argument from time. Ehrenfels's second argument focuses on the fact that the objects we value change, which is why I will call it the argument from change. I will introduce and discuss both arguments in turn.

2.1 The Argument from Time

The major premise of the argument from time is the claim that objects can have qualities only so long as they exist. The car I owned ten years ago and which has been scrapped is not white anymore, does not have a wheel and cannot move fast. It used to have these qualities when it existed, but because it was scrapped it does not have these qualities anymore. Following this premise, Ehrenfels argues thus: if qualities cease to exist when the object they belong to ceases to exist, then values cannot be qualities of objects, because they often survive the cessation of the object they are attached to. Ehrenfels points to the example of valuing the good deeds of our ancestors. We can still value these deeds highly, even though they do not exist anymore. If Ehrenfels's reasoning is correct, his argument illustrates why values and secondary qualities should not be put in the same category. Whereas a value can survive the object it is attached to and thus cannot justifiably count as a quality of it, secondary qualities cannot survive the object they are attached to and thus can justifiably count as qualities of it. The argument can be put this way:

(1) Something can be a quality of an object only as long as the object exists.

(2) Past and future events do not exist.
(3) Past and future events can be valuable now.
(4) Therefore, values cannot be qualities of objects.

This seems to be a sound argument. Interestingly now, when substituting 'valuable' with a secondary quality, the very same argument is not sound anymore:

(1*) Something can be a quality of an object only as long as the object exists.
(2*) Past and future objects do not exist.
(3*) Past and future objects can be coloured now.
(4*) Therefore, colours cannot be qualities of objects.

It is clear that (4*) is false, and that premise (3*) is to blame for this. We can say of past and future objects that they were, or will be, of a certain colour, but not that they are now. This is where colours differ crucially from values. I will discuss whether or not the argument from time is actually sound in the next section, after having introduced the argument from change.

2.2 The Argument from Change

The argument from change rests on the premise that we value different objects at different times and places. People in northern countries might value peace and quiet more than people in southern countries, whereas I might have valued going to parties more when I was 18 than I do now. How is this change explainable? Ehrenfels believes that this phenomenon of value change is best, and most easily, explained by a theory claiming that values are constituted, rather than epistemically accessed, by emotions/desires. His argument can roughly be summarised thus:

(1) The objects we value change.
(2) Either values stay the same and only our evaluations change (value realism), or values change along with our emotions/desires (value anti-realism).
(3) Value realism has to explain how and why we mistake values, as well as their response-independent ontology, while value anti-realism has to do none of these things.

(4) Value anti-realism offers the simpler explanation of (1).

Premise (2) states the two options we have for explaining value change. The first one is to say that in situations of conflict over values, either within one person at different times or between different people at the same time, one must be mistaken. There is always a matter of fact as to whether an object is valuable or not: values are real. To go back to my examples, in the case of my valuing going to parties at 18 but not doing so anymore, I must have been mistaken either then or now, as there is a matter of fact as to whether going to parties is valuable or not. Similarly, in the case of northern and southern people disagreeing about the value of peace and quiet, one of them must be mistaken.

The second option to explain value change is to say that in situations of conflict over values nobody is mistaken, and that differences arise because people have different desires at different times and places: value are not real. So if on that view I valued going to parties at 18 but not so anymore, then this is because I desired loud music and drunkenness then but do not do so anymore. Similarly, if people in the north value peace and quiet while people in the south do not, then this is because people in the north are generally of such a mind that they desire and need having a lot of time to themselves, spent in quiet ways, whereas people in the south are generally not of such a mind.

Ehrenfels, as already mentioned, goes for the latter option. He offers various psychological explanations for how value change can come about without reference to mistakes we might make. Values change, for example, because our associations and habits change. A place I never valued for its own sake might become valuable to me because I associate it with many happy childhood hours spent there. An activity I never cared about much might become valuable to me because I have to engage in it a lot, and in consequence miss it when deprived of it. For Ehrenfels, there are stories to be told about all cases of value change, and stories that do not involve mistakes.

The first option, which endorses value realism and comes very close to the theory Meinong has in mind, seems to have a much harder job to do. What determines matters of facts about values? How do we know when we are right about them and when wrong? And what is the ontology of values? All these rather uncomfortable questions are either bypassed or answered by Ehrenfels's second option. Therefore, the argument concludes, we should embrace value anti-realism. In the next section I will argue that the argument from change is in fact supported by some of the late findings by neuroscientist Antonio Damasio.

3. Discussing the Two Arguments

In this section I want to discuss whether Ehrenfels's two arguments against the analogy between values and secondary qualities are sound. To do so, I will first consider and attempt to refute a major objection to the argument from time. Then I will briefly outline Damasio's theory of emotions, and explain why I believe that it supports both the argument from time and the argument from change.

3.1 The Objection to the Argument from Time

The premises on which Ehrenfels's first argument, the argument from time, is based on, are not beyond dispute. The first two seem acceptable though: premise (1) claims that something can be a quality of an object only as long as the object exists. What would a quality be if it was not the quality of an object? And if the existence of the quality depends on the existence of the object, then it must cease to exist when the object ceases to exist. The second premise, which claims that past and future events do not exist, is also acceptable, but perhaps less easily so. It depends on presentism, which is a controversial theory in its own right. But for now I will assume that both these premises are true, and focus on the third premise: past and future events can be valuable now. In the following I want to consider a major objection to this claim.

First of all, let me illustrate the claim at stake. What does it mean to say that past and future events can be valuable now? Ehrenfels's own example, as already mentioned, regards valuing the deeds of dead ancestors. Imagine you descend from people who fought in the Battle of the Teutoburg Forest. It was their bravery that helped prevent the further expansion of the Roman Empire, and you take much delight in that thought. You even go to the Hermannsdenkmal every year to participate in anniversary celebrations. It seems, then, that your ancestors' deeds—past events—are valuable to you now. But are they really?

The question that arises here is whether this example does indeed do the job of proving that past events can be valuable now, or whether it can be interpreted differently—namely in such a way that it turns out that your ancestor's deeds are not valuable to you now, but that you now only judge that they were valuable then. So when I take delight in my ancestors' deeds, this does not entail that they are still valuable now, but rather that my taking delight is equivalent to my making the judgement that they *were* valuable *then*. When I am celebrating the anniversary of the Battle of the Teutoburg Forest, I am in fact not celebrating that this battle and my ancestors' involvement in it still *are* good things, but rather that they *were* good things. This sounds very plausible on first glance, and it might be true for this example. Maybe I really would not want to claim that what my ancestors did is still valuable, but would be contend to say and celebrate that it *was* so.

However, I do not believe that all cases in which seemingly a past event is still valuable can be explained away like this. Ehrenfels did put his finger on something. The phenomenon that is at the heart of Ehrenfels's theory is that we can now evaluate events that occurred in the past, whereas we cannot now identify the colour of objects that no longer exist. Take the example of my former car that is now scrapped: if I tell you everything I know about this car apart from its colour, you can never tell me which colour it had. You would have had to be there, to see it with your own eyes, in order to know which colour it had. In contrast to this, if I tell you all the facts I know about the Battle of the Teutoburg Forest, but do not comment on whether it was a good or a bad thing, then you can still, and easily so, make your own evaluation of the event. How is this possible?

One might say that this is possible because I told you of certain characteristics of the people who fought, or of certain consequences of the battle, which you in turn identified as good. For example, I might have said that people fought without fear and would not capitulate even when it was reasonable to do so, and that because of this battle the expansion of the Roman Empire, which had swallowed so many individual states up to that point, finally came to a halt. You, in turn, might then identify 'fighting without fear' and 'not capitulating' with bravery, which is a good thing, and 'swallowing states' with 'occupancy' and 'greed', which are bad things. In other words, evaluating past events is possible because I can identify qualities of these past events that I today value as good or bad. If this was right, then premise (3) would be false: past events themselves are not still valuable to us now, but they can exemplify qualities that we value now.

Where does all this leave us in regards to the difference between values and secondary qualities? Values, on this objection, are defined as second-order, or supervening, qualities. They are not qualities in their own right, but depend on certain first-order qualities to attach themselves to. The important question now is what determines these attachments. When it comes to secondary qualities, it seems clear that which colour belongs to which surface is more or less objectively determined by light and surface conditions. When it comes to values, however, there is no similar objective determinant of which value belongs to which quality. And this leads us straight to the argument from change. One could try to find and argue for certain objective standards, as value realists do. But they face the problems mentioned above: what determines these standards and how do we know about them? And what would the ontology of objective supervenient values look like?

Ehrenfels's alternative to value realism offers a much simpler solution. It is our responses, and them alone, that determine the goodness and badness of objects. This is what explains the phenomenon that we are able to identify the value, but not the secondary qualities, of past events and objects, and this is what explains why we value different things at different times and places. We can say upon hearing about a past event that it was good because we have a positive emotion about it; and we do not value something now that we used to value, simply because our response to it has changed. Ehrenfels's value theory thus bypasses the problems that a realist theory must face, which makes it—at least in my eyes—stand on a more solid foundation.

3.2 Support for Ehrenfels from Damasio

Not only does Ehrenfels's theory bypass the difficulties of realist theories, I also believe that it receives support from Antonio Damasio's theory of emotion, especially as developed in his book *Looking for Spinoza*. There Damasio—similarly to William James more than 100 years before him—defines emotions as bodily reactions, and feelings as representations of these bodily reactions in the brain. When I see an approaching tiger in the wild, then I begin to sweat and my heartbeat increases. Information about these bodily changes is sent to the brain, where they are represented as a feeling: fear. The most important feature of this definition of emotion is its emphasis on our own body. Whether or not we are afraid, happy, or sad depends upon whether or not we are in the relevant bodily state. Apart from supplying many real life examples, Damasio refers to Paul Ekman's research for support: people who are asked to imitate the facial expressions

212

typical for a certain emotion actually come to feel this emotion. Bodily changes are reported to the brain, where they are felt as a specific emotion (Damasio 2004, 71).

What does this have to do with Ehrenfels's two arguments? I believe that Damasio's emphasis on bodily changes in emotional episodes helps to explain Ehrenfels's two phenomena in a way that is very beneficial to Ehrenfels's original attempt. The first phenomenon was that past events seem to be capable of being valuable. Damasio has no problem in accounting for this. Certain thoughts and memories trigger bodily reactions, which are represented in the brain as a positive or negative feeling. If a neutral, factual account of the Battle of the Teutoburg Forest triggers bodily reactions in me that are represented as pride, then I will believe the battle to be a good thing. Whether or not the battle is good is thus determined by bodily reactions, and not by any response-independent properties.

Furthermore, Damasio explicitly elaborates on the phenomenon of value change. His example is that while in former times it was useful to evaluate people looking different from us as dangerous, it is not so anymore. On the contrary, it produces racism. So while the quality of 'looking different' was once assessed as dangerous, it is—or should be—assessed as neutral nowadays. Imagine someone who reacts with an instinctive feeling of fear every time he sees a person of a different colour. This feeling makes him prejudiced, and he would like for it to stop. According to Damasio, this is, at least to a certain extent, indeed in his hands: by focussing on, or away from, the bodily reactions that take place in an emotional episode, he is able to influence his emotions. Over time he can cultivate and de-cultivate emotions. Thus, whenever he sees a person of a different race, he can try to ignore the bodily feelings that lead to fear, and turn his attention to something else instead. This way, he can slowly overcome and change an evaluation—and accordingly a value—he does not want to endorse anymore.

Apart from being brought about by willpower, changes in the way our body reacts have many causes. In puberty we undergo various hormonal changes, which, on Damasio's picture, explain why our value system is in uproar during these years. Also, taking certain medications can have major influences on our bodily reactions: they can slow them down, stop them altogether, or trigger them when we do not expect them. In each case our evaluations change along with the changes in our body. People on antidepressants, for example, find more things valuable then they did before they took the medication.

On the whole, I believe that Damasio's value theory provides substantial support for Ehrenfels's thesis. We can hold past events valuable, because we can have bodily reactions to them—whereas we cannot identify the colour of an object that does not exist anymore, because bodily reactions alone do not determine colours. Furthermore, people hold different values at different times and places because they have different reactions. This is a much simpler and more plausible explanation than the difficult claim that some people evaluate correctly, whereas others do not.

In conclusion, I want to stress that I believe both Meinong's and Ehrenfels's value theories deserve more attention than they are currently getting. Meinong's theory has made something of a comeback by being retold—even though in a modified way and without being referred to—by John McDowell in the 1980s. Ehrenfels's theory, on the other hand, is less talked about, even though his method of applying theories of psychology and evolution fits with much contemporary literature in the field. More concretely, I believe that Ehrenfels's two arguments against the thesis that values are similar to secondary qualities are successful, especially considering the support they receive from Damasio's recent theory of emotion. Even though neither argument excludes the possibility of value realism, they shift the burden of proof to anyone who wants to claim that values are more than emotional reactions.

REFERENCES

Damasio, A. (2004): *Looking for Spinoza*, London: Vintage.
Deonna, Ju. A. (2006): Emotion, Perception and Perspective, in: *Dialectica* 60, 29-46.
Döring, S. (2003): Explaining Action by Emotion, in: *Philosophical Quarterly* 53, 214-230.
Findlay, J. N. (1995): *Meinog's Theory of Objects and Values*, 2nd ed., Aldershot: Gregg revivals.
Findlay, J. N. (1970): *Axiological Ethics*, London: Macmillan.
James, W. (1884): What is an Emotion?, in: *Mind*, 9, 188-205.
Johnston, M. (2001): The Authority of Affect, in: *Philosophy and Phenomenological-Research*, 63, 181-214.
McDowell, J. (1998): *Mind, Value and Reality*, Cambridge, MA: Harvard University Press.
Meinong, A. (1968): *Abhandlungen zur Werttheorie*, Part III of the *Gesamtausgabe*,Akademische Druck- u. Verlagsanstalt Graz.
Meinong, A. (1972): *On Emotional Presentation*, tr. by Marie-Louise Schubert Kalsi, Evanston: Northwestern University Press.
Prinz, J. (2004): *Gut Reactions: A Perceptual Theory of Emotions*, Oxford, New York:

Oxford University Press.

von Ehrenfels, C. (1982): *Philosophische Schriften, Band I: Werttheorie*, edited by Rainer Fabian. München, Wien: Philosophia Verlag.

Wiggins, D. (1998): A Sensible Subjectivism, in his *Needs, Values, Truth: Essays in the Philosophy of Value*, 3rd edition, New York, Oxford: Oxford University Press, 185-215.

Überlegungen zu einer nichtrepräsentationalistischen Konzeption des Geistes

MICHAEL RAUNIG

Die folgenden Überlegungen stellen kein ausgearbeitetes System vor, sondern bilden gedankliche Komponenten einer möglichen Theorie, deren gemeinsamer Fokus die Umgehung der Repräsentation im theoretischen Philosophieren bildet. Ihr Ausgangspunkt ist eine der Grundüberzeugungen der Philosophie des Geistes bzw. der philosophischen Abteilung der Kognitionswissenschaften, wonach das spezifisch Kognitive an der Kognition von der „mentalen Repräsentation" herrührt. Erkennen und Wahrnehmen gründen demzufolge notwendig auf der Fähigkeit bzw. dem Umstand der Repräsentation des Erkannten und Wahrgenommenen durch bestimmte geistige Entitäten. Gegen diese Annahme wird ein grundlegender Einwand vorgebracht, der eine antirepräsentationalistische Kognitionstheorie motiviert. Es folgt ein Vorschlag zu einer entsprechenden (anhand dreier Eckpunkte kurz skizzierten) „Theorie des Begriffs"; ihre potentiellen Vorzüge und Anwendungsgebiete werden abschließend aufgezeigt.

1. Ein Definitionsversuch von (mentaler) Repräsentation

Will man die Repräsentation definieren, so bieten sich vage Vorstellungen wie „Stellvertretung", „Widerspiegelung", „auf einen Gegenstand gerichtet sein", „von ihm handeln" u. dgl. an. Eine etwas präzisere Charakterisierung macht in der Repräsentation eine asymmetrische Relation aus, die zwischen der Repräsentation (dem Repräsentierenden) und dem Repräsentierten statthat; Repräsentationen verfügen zudem über einen repräsentationalen Gehalt, der in irgendeiner Form mit dem Repräsentierten verbunden scheint oder von ihm herrührt (Überlegungen hierzu werden meist in Form naturalistischer Repräsentationstheorien formuliert).

Obwohl eine durchwegs befriedigende und allgemein akzeptierte Definition von Repräsentation aussteht, hat sich in der Kognitionswissenschaft eine klassische Sichtweise etabliert, die „Kognitivismus" oder „Computertheorie des Geistes" betitelt wird. Der Geist unterhält ihr zufolge spezielle Beziehungen zur Welt, die durch die Repräsentation sichergestellt sind. Kognition wird hierbei als Informationsverarbeitung oder Manipulation von „mentalen Symbolen" verstanden, die sowohl über eine syntaktische Abfolge als auch über semantischen Gehalt verfügen. Für den vorliegenden Zusammenhang ist es jedoch entscheidend, dass die kognitive Vermittlung zwischen Geist und Welt als durch die Repräsentation realisiert und mithilfe ihrer erklärbar aufgefasst wird: Der Kontakt zur äußeren Welt aus der Innerlichkeit des Geistes werde demnach durch die Repräsentation hergestellt und könne im Rahmen einer Repräsentationstheorie erklärt werden. (Diese Überzeugung teilen auch nichtklassische Ansätze wie etwa der Konnektionismus, der sich den Eigenheiten der subsymbolischen Repräsentation widmet.) Im Weiteren wird gefragt, inwieweit eine solche Annahme, die Repräsentationen folglich zu den zentralen Pfeilern einer Kognitionstheorie kürt, einerseits gerechtfertigt und andererseits zwingend ist.

2. Repräsentationsskepsis

In Reaktion auf prominente Formulierungsversuche des Kognitivismus (z.B. Newell/Simon 1981, Fodor 1987) wurden wiederholt kritische Anmerkungen vorgebracht, die in der Feststellung gipfeln, dass die Repräsentation zur Erklärung des Geist-Welt-Verhältnisses bestenfalls als „explanatorische Anleihe" (Cummins 1989) gesehen werden kann. Neben der Vorstellung einer mentalen Symbolverarbeitung nach syntaktischen Regeln hatte der Kognitivismus diese Symbole zunächst einfach als Repräsentationen definiert und erst in der Folge versucht, deren Repräsentationalität zu problematisieren. Die in Reaktion darauf vorgebrachte Skepsis heftete sich insbesondere an naturalistische Definitionsbemühungen von Repräsentation und repräsentationalem Gehalt, während man Ansätze einer bloßen Postulierung einer repräsentational-intentionalen Charakteristik des Geistes wie etwa bei Searle (1991) aus der Behandlung ausnehmen kann, zumal sie sich einer theoretische Auseinandersetzung weitestgehend verschließen. Fred Dretske (1981, 1988), Jerry Fodor (1987) oder Ruth Millikan (1989) hingegen haben elaborierte Definitionen von Repräsentation mit den Mitteln naturalistischer Reduktion vorgeschlagen, die sich zum Einen auf kausale Kovarianz berufen (mentale Repräsentationen bedeuten demnach diejenigen Gegenstände, von denen sie kausal veranlasst werden, wie Dretske und Fodor annehmen); zum Anderen wird hierzu eine teleologische Funktion (Millikan) bemüht, wodurch der Gehalt von Repräsentationen von deren bewährter Funktion innerhalb eines kognitiven Systems herrühren soll.

Wie auch immer man diese Theorien im Detail ausführt und welche Schwierigkeiten (so haben sich etwa Fehlrepräsentationen als chronisch virulent für kausale Ansätze herausgestellt) innerhalb dieser Ansätze auftreten (die philosophisch orientierte Diskussion in der Kognitionswissenschaft wird zu einem guten Teil von der Kritik und Modifikationsvorschlägen für Repräsentationstheorien gebildet) – das Grundproblem solcher Ansätze kann man dahingehend zusammenfassen, dass sie immer schon voraussetzen, was sie eigentlich zu begründen hätten. Präziser formuliert kranken sie an einer mangelnden Differenzierung zwischen Gebrauch (bzw. Funktion) und Gehalt (bzw. der Semantik) von Repräsentationen, worauf besonders Radu Bogdan (1989), Robert Cummins (1996) oder schon Stephen Stich (1983) hingewiesen haben. Die genannten naturalistischen Herangehensweisen betrachten, indem sie das Gehaltvollsein von Repräsentationen mit deren erfolgreicher Anwendung identifizieren, ausschließlich den „repräsentationalen Erfolg", wodurch sie zwangsläufig zu Gebrauchstheorien des repräsentationalen Gehalts werden: Da diese Theorien offenkundig nur den Umstand thematisieren, dass eine als Repräsentation eingestufte Instanz erfolgreich auf das angeblich von ihr Repräsentierte angewendet wird, und allein daraus den entsprechenden repräsentationalen Gehalt dieser Instanz ableiten, bleibt die Frage offen, warum mit dem repräsentationalen Erfolg überhaupt deren Gehaltvollsein einhergehen soll. Es wird somit nicht geklärt, warum etwa die angemessene Anwendung einer mentalen Kuh-Repräsentation auf Kühe auf deren repräsentationalem Gehalt beruht (und nicht etwa auf rein formalen oder syntaktischen Merkmalen, die Kuh-Repräsentationen im Speziellen eignen).

3. Eckpunkte einer alternativen (antirepräsentationalistischen) Kognitionstheorie

Empfindet man die hervorgehobene Schwierigkeit als beunruhigend, so stehen freilich mehrere Optionen offen: Man kann die Repräsentation gegen eine weitergehende theoretische Untersuchung immunisieren (die Strategie von Searle 1991 scheint darauf hinauszulaufen); man kann den

Versuch unternehmen, eine ausgefeiltere Repräsentationstheorie zu entwerfen, die sich dem oben genannten Problem stellt (paradigmatisch hierfür steht Cummins 1996); oder man kann sich der hier skizzierten Theorie des Begriffs anschließen, die einen Rekurs auf Repräsentationen schlichtweg vermeidet. Die grundlegende Strategie des letztgenannten Weges ist es, die Repräsentation nicht mehr als explanans einer Begriffstheorie gelten zu lassen, sondern als explanandum einer solchen zu betrachten: Demnach werden nicht die Begriffe durch die Repräsentation, sondern die Repräsentation im Rahmen einer Begriffstheorie erklärt. Ohne auf eine repräsentationale Substanz im Geist zu hoffen oder ihr naturalistisches Pendant ausfindig machen zu wollen, wird, um eine kurze Formel zu gebrauchen, das esse der Repräsentation mit ihrem concipi gleichgesetzt.

Der erste Eckpunkt einer nichtrepräsentationalistischen Kognitionstheorie besteht demnach in einer antiessentialistischen Haltung gegenüber der Repräsentation: Es gibt demzufolge keinen repräsentationalen Stoff bzw. keine derartige Relation, was gewissermaßen die metaphysische Komponente dieses Ansatzes ausmacht. „Ontologisch" dürfte man diesen Eckpunkt nur mit starken Vorbehalten nennen, da eine klassisch verstandene Ontologie von einem nichtrepräsentationalistischen Ansatz ausgeschlossen wird; eher könnte man darin eine Demarkation des legitimen begrifflichen Instrumentariums bzw. des gebilligten Vokabulars sehen. Die Leugnung eines repräsentationalen Stoffes bzw. der Existenz einer Repräsentationsrelation stellt auch keinen Eliminativismus dar, wonach es schlicht gar keine Repräsentation gibt – eine solche Auffassung ist nicht besonders plausibel (wenn man an deren Prominenz in der theoretischen Philosophie denkt) und müsste zudem erst ihren Wahrheitsanspruch durch einen geeigneten theoretischen Zusatz untermauern; denn fasst man die Überzeugung, wonach es keine Repräsentation gibt, als Repräsentation eines Tatbestandes auf, so widerlegt sie sich selbst.

Mit einem repräsentationalen Antiessentialismus ist vielmehr gemeint, dass es keine repräsentationale Essenz, kein Wesen der Repräsentation und auch keine notwendigen und hinreichenden Bedingungen für sie gibt. Vielmehr rührt die Repräsentationalität von bestimmten Praktiken her, womit der zweite Eckpunkt – eine pragmatistische Grundeinstellung – angesprochen ist.

Herstellung, Identifikation, Gebrauch und Wiedererkennung von Repräsentationen (deren Existenz keineswegs geleugnet, sondern nichtessentialistisch und nichtrelationalistisch ausgelegt wird) werden dabei als nützliche menschliche Praktiken angesehen, die wiederum differenzierte Manifestationen von Begriffen darstellen. Diesem Verständnis zufolge sind Begriffe gewissermaßen die systemische „Hardware" für Praktiken und mit ihnen somit gleichursprünglich; das Vorhandensein eines Begriffs impliziert die Beherrschung spezieller Fähigkeiten und Praktiken (und umgekehrt), aber Begriffe dürfen nicht mit diesen Fähigkeiten gleichgesetzt werden. Diese Konzeption von Begriffen steht Gibsons Vorstellung von perzeptuellen Systemen (Gibson 1973) nahe und lässt sich auch etymologisch mit den Vorstellungen des (nichtgeistigen) Begreifens und Erfassens in Verbindung bringen, das von einem physischen System vollzogen wird. Repräsentationen nun werden nicht (in Form einer Essenz oder einer Relation, die sich einer philosophischen Analyse des Geistes oder anderer Dinge eröffnet) entdeckt; vielmehr sind sie nichts anderes als geeignete Gegenständen eines bestimmten Gebrauchstyps, wobei der für sie spezifische (repräsentationale) Gebrauch lediglich die Ausübung entsprechender begrifflicher Vermögen bzw. die Aktivierung des für diese Praxis reservierten Begriffsystems erfordert. Die Repräsentationalität von Gegenständen ist somit als bloßer Effekt bestimmter Praktiken zu werten, und ein nach dem vorliegenden Verständnis charakterisierter Repräsentationsbegriff erschöpft sich in Grundlage dessen, dass man mit „Repräsentationen" (Abbildern, Kopien etc.) praktisch umgehen kann; hierfür brauchen jedoch weder das begriffliche System, noch die damit realisierten Praktiken und die in diesen praktischen Zusammenhängen genutzten Gegenstände an einer repräsentationalen Essenz teilzuhaben oder über spezielle Relationen zu verfügen.

Ein dritter Eckpunkt, der sich aus dem zweiten ergibt, ist die Ablehnung einer Kluft bzw. eines wesensmäßigen Unterschieds zwischen dem Kognitiven und Nichtkognitiven. Um ein Schlagwort zu nennen, könnte man von einem „generalisierten Interaktionismus" als Ersatz für vermittelnde Repräsentation sprechen, wie er etwa bei Bickhard (1993) vorgestellt wird. Den in der Kognitionswissenschaft öfters anklingenden Prinzipien einer situierten und verkörperten Kognition (situatedness und embodiment) wird eine Theorie des Begriffs gerecht, die in Begriffen keine geistigen Vehikel ausmacht, sondern gekoppelte Systeme, die der Auseinandersetzung mit der Umwelt dienen. Eine solche Theorie erhält damit notwendig eine antiplatonistisch-antifregeanische Ausrichtung und lässt das Verfügen über Begriffe nicht als Alles-oder-Nichts-Angelegenheit erscheinen, sondern geht von einem Kontinuum des Begrifflichen aus. Kognition wird dabei als Interaktion mit und in der Umwelt auf einer bestimmten Komplexitätsstufe aufgefasst, wobei die Schnittstellen zur Umwelt immer schon vorhanden und deshalb keine überbrückenden Repräsentationen nötig sind.

Die antirepräsentationalistische Herangehensweise bringt mit ihren drei Grundprinzipien insgesamt einen Perspektivenwechsel mit sich: Das Problem ist folglich nicht, wie eine abgetrennte geistige Innerlichkeit zur äußeren Welt kommt, sondern in welch differenzierte Formen sich anfangs primitive Interaktionsmuster entwickeln können. Die Idee, dass der kognitive Zugang zur Welt notwendig Repräsentationen als Vermittler erfordert, entstammt einer fehlgeleiteten Vorstellung des menschlichen Umgangs mit und in der Welt, der durch das realisiert ist, was hier als Gegenstand einer Begriffstheorie definiert wurde. Der Mensch ist, soweit seine geistig-kognitiven Fähigkeiten in Betracht gezogen werden, ein Ensemble von Begriffen, nicht eine Apparatur für die Verarbeitung von Repräsentationen.

4. Vorzüge und Ausblick

Obwohl der kognitionstheoretische Antirepräsentationalismus (wie auch sein repräsentationalistisches Pendant, der Kognitivismus) im Rahmen des vorgestellten Ansatzes als begriffliche Konstellation erscheint, die nicht empirisch entschieden oder widerlegt werden kann, sondern eher eine Frage des philosophischen Geschmacks und der Sozialisation darstellt, sind doch zwei Vorzüge hervorzuheben, die sich einem solchen Ansatz eröffnen.

Zum einen kann damit die Herkunft des Repräsentationsbegriffs erklärt und gleichzeitig dessen philosophische Entschärfung geleistet werden – Entschärfung insofern, als sonach nichts mehr von der Repräsentation abhängt. Der Repräsentationsbegriff bezeichnet (oder „repräsentiert") schließlich keine Relation, aus der sich ein kognitionstheoretisches Grundgerüst bauen ließe, sondern entstammt einer verfeinerten Praxis, die sich im evolutionären Feld spezieller Bedürfnisse, Entwicklungen und Leistungen des Menschen entwickelt hat. Repräsentationen sind nach diesem Verständnis nichts anderes als spezielle Instrumente, die eine Rolle in angestammten Praktiken des Abbildens, Modellierens, Vervielfältigens oder gedanklichen Vergegenwärtigens übernehmen und durch ihre Brauchbarkeit definiert sind, wie Bilder,

Modelle, Kopien, Theorien etc. Zur Veranschaulichung – und weiteren Klärung des vorhin skizzierten zweiten Eckpunktes – kann eine Genese des Realitätsbegriffs herangezogen werden, wie sie Ian Hacking (1996) in einem anderen Zusammenhang skizziert hat, wo „Realität" als Resultat der Unterscheidung von Darstellungen erscheint. Diese Darstellungen entstammen Hacking zufolge speziellen menschlichen Praktiken, die primär, d.h. vor jeder begrifflichen Fassung des Unterschieds zwischen Darstellung und Dargestelltem („Realität") gegeben sind und somit die Grundlage für diese Unterscheidung bilden (und nicht umgekehrt). Auf das Problem der Repräsentationalität angewendet könnte man annehmen, dass der menschliche Umgang mit und in der Welt ebensolche speziellen Praktiken umfasst, die mit der Herstellung, der Nutzung und Betrachtung von bestimmten Gegenständen als „Repräsentationen" zu tun haben, noch lange bevor sich daraus eine begrifflich-theoretische Unterscheidung zwischen Repräsentierendem und Repräsentiertem entwickeln kann. Die Repräsentationalität wäre dann nicht als Relation zu veranschlagen, sondern als Effekt eines bestimmten praktischen Umgehens mit geeigneten Gegenständen. Nochmals ist hervorzuheben, dass sich diese Repräsentationspraktiken nicht auf der Grundlage einer vorgängigen Repräsentationalität der genutzten Gegenstände vollziehen, sondern einen Modus des menschlichen Umgangs mit der Welt darstellen, der mittels einer für den Menschen spezifischen begrifflich-systemischen Infrastruktur realisiert ist.

Zumal sich diese Überlegungen nur im Rahmen einer ausgearbeiteten und kognitionswissenschaftlich fundierten Begriffstheorie verständlich machen lassen, mögen die gegebenen Andeutungen genügen; es dürfte allerdings evident sein, dass ein viel versprechender Weg, um die anhaltenden Schwierigkeiten klassischer Repräsentationstheorien konsequent zu vermeiden, in der Entwicklung einer geeigneten Begriffstheorie besteht. Die philosophische Herausforderung bestünde demnach nicht in der Behebung jener Schwierigkeiten, die die Postulierung von Repräsentationen mit sich bringt, sondern in einer umfassenden nichtrepräsentationalistischen Theorie des Begriffs.

Der andere Vorzug besteht darin, dass eine antirepräsentationalistische Begriffstheorie eine methodisch-begriffliche Richtlinie für die empirische Kognitionsforschung bereitstellt, wie sie einerseits etwa von Thelen/Smith (1994) oder Port/van Gelder (1995) unter der Bezeichnung „Dynamizismus" vorgestellt werden, andererseits z.B. von Brooks (1991) in der angewandten Forschung zur Künstlichen

Intelligenz forciert wird. Beiden Ansätzen – der eine versucht sich an der Modellierung komplexer Kognitionszusammenhänge mithilfe des mathematischen und terminologischen Instrumentariums für die Behandlung dynamischer Systeme, während sich der andere die Konstruktion von (auf einem basalen Niveau) intelligent agierenden Robotern zum Ziel setzt – ist eine Zurückweisung repräsentationaler Denkmuster inhärent: Brooks weist die Zuhilfenahme von Repräsentationen in Theorie und Praxis dezidiert zurück, und auch van Gelders (1995) programmatischer Aufsatz zum dynamizistischen „Paradigma" argumentiert, dass eine dynamizistische Modellierung der repräsentationalistischen Interpretation kognitiver Phänomene zuwider läuft, wodurch deren Vereinbarkeit zweifelhaft scheint. Obwohl beide Ansätze eine Reihe immanenter Probleme aufweisen und stichhaltige kritische Einwände hervorgerufen haben, fällt vor allem auf, dass sie eines philosophischen Rahmens und einer generellen argumentativen Strategie entbehren, wie sie etwa der Kognitivismus für einschlägige Forschungsvorhaben absteckt. Eine antirepräsentationalistische Konzeption des Geistes in Form einer Begriffstheorie könnte als philosophischer Hintergrund für die erwähnten Ansätze fungieren, der richtungweisende Impulse gibt und sie nicht zuletzt ihrer Verlegenheit beraubt, sich mit dem Verzicht auf Repräsentation gegen die übermächtige kognitivistische Tradition behaupten zu müssen.

LITERATUR

Bickhard, M. H. (1993): Representational Content in Humans and Machines, in: *Journal of Experimental and Theoretical Artificial Intelligence* 5, 285-333.
Bogdan, R. J. (1989): Does Semantics Run the Psyche? In: *Philosophy and Phenomenological Research* 49, 687-700.
Brooks, R. A. (1991): Intelligence without Representation, in: *Artificial Intelligence* 47, 139-159.
Cummins, R. (1989): *Meaning and Mental Representation*. Cambridge, London: MIT Press.
Cummins, R. (1996): *Representations, Targets, and Attitudes*. Cambridge, London: MIT Press.
Dretske, F. I. (1981): *Knowledge and the Flow of Information*. Cambridge, London: MIT Press.
Dretske, F. I. (1988): *Explaining Behavior. Reasons in a World of Causes*. Cambridge, London: MIT Press.
Fodor, J. A. (1987): *Psychosemantics. The Problem of Meaning in the Philosophy of Mind*. Cambridge, London: MIT Press.

Gibson, J. J. (1973): *Die Sinne und der Prozeß der Wahrnehmung.* Stuttgart: Huber.

Hacking, I. (1996): *Einführung in die Philosophie der Naturwissenschaften.* Stuttgart: Reclam.

Millikan, R. G. (1989): Biosemantics, in: *Journal of Philosophy* 86, 281-297.

Newell, A./Simon, H. A. (1981): Computer Science as Empirical Inquiry: Symbols and Search, in: Haugeland, John (ed.): *Mind Design. Philosophy, Psychology, Artificial Intelligence.* Cambridge, London: MIT Press, 35-66.

Port, R. F./van Gelder, T. J. (eds.) (1995): *Mind as Motion: Explorations in the Dynamics of Cognition.* Cambridge, London: MIT Press.

Searle, J. R. (1991): *Intentionalität. Eine Abhandlung zur Philosophie des Geistes.* Frankfurt am Main: Suhrkamp.

Stich, S. P. (1983): *From Folk Psychology to Cognitive Science. The Case against Belief.* Cambridge, London: MIT Press.

Thelen, E./Smith, L. B. (1994): *A Dynamic Systems Approach to the Development of Cognition and Action.* Cambridge, London: MIT Press.

van Gelder, T. J. (1995): What Might Cognition Be if not Computation? In: *Journal of Philosophy* 92, 345-381.

Epiphenomenalism and the Notion of Causation

SVEN WALTER

It seems obvious that our behavior is caused by our beliefs, desires, sensations, feelings etc. It seems obvious that we limp because we feel a pain in our knee, shriek because of a sudden loud noise behind our back, and rejoice because of the anticipation of seeing a loved person after a long period of separation. According to *epiphenomenalism*, however, the fact that our beliefs, desires, sensations, feelings etc. are followed by an appropriate behavior is not indicative of a causal relation. As a matter of fact, the epiphenomenalist maintains, our behavior is caused by the same neurophysiological events which also cause our beliefs, desires, sensations, feelings etc., while the latter are nothing but causally otiose by-products—*epiphenomena*—that do not themselves contribute anything to "the go" of the world.

One problem with epiphenomenalism is that it is at odds with our intuitive self-conception. (Usually critics are less complaisantly; they say that epiphenomenalism is "thoughtless and incoherent," "unintelligble," "truly incredible," or "crazy.") From the perspective of the epiphenomenalist, however, the mere fact that her position is counterintuitive is not sufficient reason to reject it. But epiphenomenalism also faces a host of theoretical objections. Among other things, it appears to undermine the possibility of an evolutionary account of the mind, the standard response to the other minds problem, the application of epistemic norms like justification, warrant, or reasonableness to processes of belief formation, and our ability to refer to, know about or remember our mental states. These objections have attracted considerable attention, and the received view is that any attempt to defend epiphenomenalism is a hopeless endeavor. I disagree. Although these objections raise important worries, I think that ultimately they can be answered (see Walter 2006, ch. 6.3; see also Walter 2008a and Walter 2009, which contains an earlier version of the material covered in the current paper).

There are two problems, however, which I think pose a serious threat to the epiphenomenalist. The first is that if epiphenomenalism is true, *free will* seems to be impossible, and not only libertarian free will, but also any compatibilist conception according to which an action is free if it is determined, in the right way, by our beliefs, desires, motives etc. If our beliefs and desires are mere epiphenomena, they arguably cannot determine our behavior in the sense required for compatibilist free will. I will not say anything about this problem in the current paper. The second problem is that there seems to be no plausible conception of causation on which all the various causal claims that the epiphenomenalist is committed to are true. This is the topic of the present paper. If I am right, then the problem for epiphenomenalism is not merely that it seems to be incompatible with this or that apparently obvious phenomenon, but that it cannot even be coherently formulated.

What exactly does the epiphenomenalist hold? First, as a dualist, she maintains that the mental and the physical are distinct (*Irreducibility*). Second she holds that no mental event is ever a complete or even a partial cause of any other event, be it mental or physical (*Causal Impotence*). Third, she claims that the mental is causally dependent upon the physical in the sense that every mental event that has a cause at all has a complete physical (in particular: neurophysiological) cause (*Causal Dependence*).

(IR) No mental event is identical with or reducible to a physical event. [*Irreducibility*]

(CI) No mental event is a complete or even a partial cause of any other event. [*Causal Impotence*]

(CD) Every mental event that has a cause at all has a (set of) physical event(s) as complete cause. [*Causal Dependence*]

By endorsing (CI), the epiphenomenalist commits herself to a principle of *Physical Closure* according to which every physical event which has a cause at all has a (set of) physical event(s) as complete cause, for if no mental event is a complete or partial cause of a physical event, then any physical event that has a cause at all must have a physical cause:

(PC) Every physical event which has a cause at all has a (set of) physical event(s) as complete cause. [*Physical Closure*]

These four principles form the core of traditional epiphenomenalism. (IR) is important because there would seem to be no reason to endorse epiphenomenalism in the first place if mental events were identical with or reducible to physical events. Nor, obviously, can the epiphenomenalist give up (CI) and remain an epiphenomenalist, and once she endorses (CI), she must endorse (PC), for the reason given above. Finally, (CD) plays a pivotal role in the epiphenomenalist's response to a variety of standard objections, because (CD) ensures that whenever we appeal to a mental cause *m* in order to explain some phenomenon, there is a physical event *p*, viz., *m*'s physical cause, which, the epiphenomenalist can claim, plays the causal role we (falsely) attribute to *m* (for more on this, see Walter 2009, 2008b).

Assuming that there is at least one caused physical event, (PC) entails that at least one physical event causes another physical event, and assuming that there is at least one caused mental event, (CD) entails that at least one physical event causes a mental event. The epiphenomenalist thus ought to have some idea of what such causal claims are supposed to mean. In other words, she ought to be able to explicate a *notion of causation*, or formulate a *theory of causation*, that makes it plausible why we should believe in the kind of physical-to-physical and physical-to-mental causation posited by (PC) and (CD). At the same time, however, the epiphenomenalist's theory of causation must *not* allow that mental events can be causes of other events, given that (CI) says that mental-to-physical and mental-to-mental causation are impossible. That there is any such theory of causation is usually taken for granted by the epiphenomenalist, and that, I think, is the problem. I doubt that it is possible to explicate the notion of causation in such a way that the various kinds of causal claims that are entailed by (CI), (CD), and (PC) can all be simultaneously true. It is impossible to demonstrate this conclusively within the space available, but the following discussion of some prominent conceptions of causation should convey the gist of the argument and, hopefully, its force.

Regularity conceptions of causation. Suppose the epiphenomenalist were to adopt a regularity conception of causation which dispenses with any kind of causal necessity and analyzes causes as lawfully sufficient conditions of their effects. Roughly, the idea would be that if c and e are distinct events (and c is earlier than e), then c causes e iff there are event-types C and E such that c is of type C, e is of type E, and events of type C are regularly followed by events of type E. Thomas Huxley, for instance, one of the most prominent epiphenomenalists, defended such a conception of causation (without noticing the problematic consequences): "For that relation [of cause and effect; S.W.] is nothing but an order of succession, which, so far as our experience goes, is invariable; and it is obvious that the nature of phenomena has nothing to do with their order ... The only meaning of the law of causation, in the physical world, is that it generalizes universal experience of the order of that world" (Huxley 1879, p. 182). Suppose that events of a physical type P are regularly followed both by events of mental type M and by events of physical type P' so that the epiphenomenalist can invoke a regularity conception of causation in order to account for the kind of physical-to-physical causation (p causes p') required by (PC) and for the kind of physical-to-mental causation (p causes m) required by (CD). In that case, the epiphenomenalist would obviously violate (CI), because she would have to count m as a cause of p', because given the above correlations, events of type M will regularly be followed by events of type P'.

Imperfect regularity conceptions of causation. Something similar holds for John Mackie's (1974) INUS conception of causation according to which c causes e if c is an *I*nsufficient but *N*on-redundant part of an *U*nnecessary but *S*ufficient condition for e. Consider my belief that I have forgotten my laptop at the check-in counter. That belief may not by itself be sufficient for my returning to the check-in counter (I may be convinced that catching my flight is more important), but only in combination with other conditions, where in addition I would not have returned to the check-in counter under these circumstances had I not believed that I had forgotten my laptop there. Under these circumstances, my belief would be an INUS condition of my return to the check-in counter, and so the epiphenomenalist would once again be violating (CI) if she invoked Mackie's INUS conception of causation in order to account for the causal transactions posited by (PC) and (CD).

230

Counterfactual conceptions of causation. Counterfactual approaches typically conceive of a cause as a *necessary* (*sine qua non*) condition of its effects. Roughly, c is a cause of e iff, if c had not occurred, e would not have occurred. (A bit more precisely, causation has to be characterized in terms of *chains* of counterfactual dependencies, given that counterfactuals are not in general transitive; see Lewis 1973.) For instance, the assassination of Archduke Franz Ferdinand on June 28, 1914 counts as a cause of World War One if the counterfactual "Had Archduke Franz Ferdinand not been assassinated, World War One would not have occurred" is true.

Once again, the epiphenomenalist seems to be violating (CI) if she adopts a counterfactual conception of causation. Let m be a mental event, and let p be a physical event, for instance a piece of behavior, where m and p have a common neurophysiological cause n. It seems plausible to reason as follows: had m not occurred, then its cause n would not have occurred, and since n caused p (and we can assume that p was not overdetermined), p would not have occurred either (*ceteris paribus*). For instance, had I not believed that I had forgotten my laptop at the check-in counter (m), then my belief's neurophysiological cause (n) that made me return to the check-in counter (p) had been absent as well, so that, *ceteris paribus*, I would not have returned, had I not believed that I had forgotten my laptop there. Hence, if the epiphenomenalist tries to account for the causal relations between n and m and between n and p by means of a counterfactual conception of causation, she also will have to count m as a cause of p, and that is at odds with her commitment to (CI).

Things are not so straightforward, however. David Lewis (1979) has argued that if m and p are effects of a common cause, then the counterfactual "$\neg m \rightarrow \neg p$" is *false*. According to Lewis, assessing the similarity of possible worlds requires weighing the degree to which there are violations in the fundamental laws against the size of departure from particular matters of fact, and on this basis he argues that a possible world in which m does not occur but (due to a minor miracle) n occurs and causes p is closer to the actual world than any possible world in which m and n are both absent and we have to change the entire causal history of the world.

I doubt, however, that this move will do the job for the epiphenomenalist. Notoriously, judgments about the similarities of possible worlds are a contested issue, and it is clear that it may sometimes be legitimate to

231

tinker with one's criteria of "closeness" in order to avoid counterintuitive results. But counterfactuals like "Had I not believed that I had forgotten my laptop at the check-in counter, I would not have returned to the check-in counter" are not at all counterintuitive. Quite the contrary, they seem to be perfectly true, so that anyone who denies them ought to have good and plausible reasons for doing so. Now of course, the epiphenomenalist can say that the relevant counterfactuals of the form "$\neg m \to \neg p$" are false because a possible world in which a minor miracle makes p happen in the absence of m is closer to the actual world than any world in which m and p both fail to occur. But that does not seem to be a plausible reason; rather, it seems completely arbitrary. The only reason why we should avoid big and widespread violations of law on pain of acknowledging small localized miracles seems to be that otherwise the epiphenomenalist would get the wrong causal conclusion. And that, of course, is unsatisfactory: One may tinker with one's criteria of closeness in order to get plausible counterfactuals; but one may not tinker with one's criteria of closeness in a way that renders counterfactuals which are plausibly true false, just to make the causal conclusion come out right.

Consider a counterfactual like "$\neg n \to \neg p$." The epiphenomenalist who adopts a counterfactual conception of causation would have to say it is true (n was the neurophysiological cause of my return to the check-in counter, p), because a possible world in which both n and p fail to occur is closer to the actual world than any possible world in which p occurs in the absence of n. But why should that be? Why can't it be that in the closest possible world a minor miracle makes p happen in the absence of n? Invoking such a minor miracle would allow us to keep the rest of the world, except for the occurrence of n, constant, whereas if p fails to occur, we either have to get rid of all the consequences of p or else invoke even more miracles to account for their occurrence. The point is not that "$\neg n \to \neg p$" is false; the point is that the reason just given for thinking that it is false is not obviously less plausible than the epiphenomenalist's Lewisian reason for thinking that "$\neg m \to \neg p$" is false, and that since it cannot convince us of the falsity of "$\neg n \to \neg p$," we should not question "$\neg m \to \neg p$" on its basis either. The epiphenomenalist owes us an independent explanation for why counterfactuals like "$\neg m \to \neg b$" are supposed to be false, while counterfactuals like "$\neg n \rightarrow \neg p$" are supposed to be true, that it is motivated by more than the desire to have the truth values of these counterfactuals come out "right."

Conserved quantity conceptions of causation. The problem is different with a notion of causation as something that consists in the transfer of some conserved physical quantity like energy or momentum (for the role of such a conception in the recent debate about mental causation, see Walter 2008b). So understood, causation "is a physically specifiable relation of energy-momentum flow from objects comprising cause to those comprising effect" (Fair 1979, 220), so that, quite generally, "[t]wo events *a* and *b* are causally related ... if and only if there exists a conserved quantity Q of which a particular amount P is transmitted between *a* and *b*" (Kistler 1998, 1). The idea, roughly, is that some kind of "effort" on the part of the cause, some kind of "metaphysical oomph," is required for an effect to occur. As Ned Hall has pointed out, such a "productive" or "generative" conception of causation is invoked when "we say of event *c* that it helps to *generate* or *bring about* or *produce* another event *e*" (Hall 2004, 225).

A conserved quantity conception of causation may seem attractive to the epiphenomenalist since it nicely accounts for (CI). (CD) and (PC) entail that every effect, be it mental or physical, has a complete physical cause *p*. Hence, on a conserved quantity conception of causation, all the energy, momentum etc. required to bring about an effect is bound to be provided by the physical, and there is not only no need for something mental to transfer that energy again, there is not even any room for a second dose of "oomph." Apart from that, if one accepts (IR) and takes the mental to be completely distinct from the physical, it is hard to see how mental entities could even be the kinds of things which are able to transfer energy, momentum etc. to physical entities. The impossibility of mental-to-physical and mental-to-mental causation proclaimed by (CI) is thus quite plausible on a conserved quantity conception of causation.

The drawback, however, is obvious. If it is unintelligible how the mental can transfer energy or momentum to the physical, then it is equally unintelligible how the physical can transfer energy or momentum to the mental. Hence, if the epiphenomenalist were to adopt a conserved quantity conception of causation in order to explain the impossibility of mental-to-physical causation, she would be violating (CD) because in that case physical-to-mental causation would seem to be impossible, too. Moreover, (CI) and (CD) together entail the existence of "causal dead-ends"— unidirectional causal chains leading from the physical to the mental, but not back again. Hence, if causation indeed consisted in the transfer of physical quantities, then CI and CD would commit the epiphenomenalist to an implausible "drainage" of energy, momentum etc.

These brief remarks are far from exhaustive, and they cannot conclusively establish that there is absolutely no conception of causation on which the various causal claims that the epiphenomenalist is committed to are all true. I admit that there is no knock-down argument for the conclusion that *no* conception of causation can do the job for the epiphenomenalist. Given the complexity of the debate about causation, that would be an impossible goal. (In particular, I have deliberately ignored *probabilistic conceptions of causation* according to which causes raise the probability of their effects in the sense that c causes e iff $P(e|c) > P(e|\neg c)$ and there is no other event c' occurring earlier than or simultaneously with c such that $P(e|c\&c') = P(e|c')$. If anything can do the job for the epiphenomenalist, I think, a probabilistic conception of causation will be it, because such conceptions were explicitly designed for handling common cause scenarios, and an argument against such an approach to causation will have to wait for another paper. Incidentally, however, I have not yet encountered an epiphenomenalist who endorses a probabilistic conception of causation.)

What the foregoing observations show is that if epiphenomenalism is to have any chance of being credible, then—regardless of how it fares with regard to other objections—more attention has to be paid to explaining what exactly the epiphenomenalist's notion of causation is supposed to be than has hitherto been paid.

REFERENCES

Fair, D. (1979): Causation and the flow of energy, in: *Erkenntnis* 14, 219–250.
Hall, N. (2004): Two concepts of causation, in: Collins, J., Hall, N., and Paul, L.A. (eds.), *Causation and Counterfactuals*, Cambridge, MA: MIT Press, 225–276.
Huxley, T. (1879): *Hume*, London: Macmillan.
Kistler, M. (1998): Reducing causality to transmission, in: *Erkenntnis* 48, 1–24.
Lewis, D. (1973): Causation, in: *Journal of Philosophy* 70, 556–567.

Lewis, D. (1979): Counterfactual dependence and times arrow, in: *Noûs* 13, 455–476.

Mackie, J. (1974): *The Cement of the Universe*, Oxford: Clarendon Press.

Walter, S. (2006): *Mentale Verursachung: Eine Einführung*, Paderborn: mentis.

Walter, S. (2008a): Ist der Epiphänomenalismus absurd? Ein neuer Blick auf eine tot geglaubte Position, in: *Zeitschrift für philosophische Forschung* 62, 93–110.

Walter, S. (2008b): The supervenience argument, overdetermination, and causal drainage: Assessing Kim's master argument, in: *Philosophical Psychology* 21, 671–694.

Walter, S. (2009): Epiphenomenalism, in: McLaughlin, B., Beckermann, A., and Walter, S. (eds.), *Oxford Handbook for the Philosophy of Mind*, Oxford: Oxford University Press, 85–94.

From Physicalism to Theological Idealism[1]

BENEDIKT PAUL GÖCKE

In the first part elements and entailments of an adequate thesis of physicalism are presented. In the second part an argument against these is elaborated. Based on this argument a thesis of theological idealism is sketched.

1. What is physicalism?

Although physicalism is the thesis that everything is physical, this needs further clarification because it is not clear what it means (cf. Hellman 1975, 552). Some overall decisions are called for. I take it to be a thesis about particulars. The existence of a non-physical *particular* clearly is a refutation of physicalism in these terms whereas the existence of a non-physical *property* is not that clearly a refutation. That there is a property not reducible to, and hence not identical with, but otherwise dependent on physical properties is precisely the claim of non-reductive physicalism (cf. Moser 1995, 187). I also discuss physicalism within the framework of possible worlds. This allows me to assume that there is a set of actually existing particulars, and that, in general, corresponding to each possible world there is a set of particulars such that, necessarily, were this world actual, this entirety of particulars would be actual. Within my possible world framework, there is transworld identity and particulars do not exemplify *any* properties in worlds in which they do not exist.

A *physical* particular is a particular which exemplifies at least one physical property in any world in which it exists. Suppose this does not hold: it would then be possible that a physical particular did not exemplify any physical property in a world in which it exists. This is a *contradictio in adjecto*. A *non-physical* particular is a particular which does not exemplify at least one physical property in all possible worlds in which it exits. Every particular existing in a world, then, either is essentially a physical or is essentially a non-physical particular.

---

[1] This paper contains ideas and argumentations which are also found in my (2008a) and (2008b).

I call the property of being a physical particular and its inverse *metaphysical* properties. Metaphysical properties should not be confused with *physical* properties: whether a particular exemplifies the metaphysical property of being a physical particular depends on its behaviour across *all* the possible worlds in which it exists, whereas a particular's exemplification of physical properties is a matter to be decided within *some* but not necessarily all possible worlds in which it exits. In *certain* possible worlds both a physical and a non-physical particular can exemplify the same physical properties.

When the physicalist says that everything is physical, what he should in fact mean is that *every actually existing particular* is physical. Other available options seem to me either too strong or too weak to be plausible.

The thesis that every particular *in every possible world* is physical arguably is too strong. It is true if and only if there is not even a *metaphysical* possibility that some particular in some possible world is *not* physical. Because the idea of a non-physical particular is not a *contradictio in adjecto* I take it that unless some hidden logical contradiction is discovered it is metaphysically possible that there is a world in which at least one non-physical particular exists.

The thesis that every particular *in some possible world* is physical is too weak. Because *prima facie* there is no metaphysical contradiction in the assumption that there is a world in which only physical particulars exist - such a physicalism seems to be true but not very exciting.

Be that as it may, within our framework of possible worlds there is a crucial *entailment* of this thesis of physicalism: the physicalist has to assume that any minimal physical duplicate of the actual world is a duplicate *simpliciter* of the actual world.[2] By *reductio* I show that the physicalist refutes his position in case he denies this entailment. Suppose that he rejects it. Then he affirms that it is *not* the case that any minimal physical duplicate of the actual world is a duplicate *simpliciter* of the actual world. Logically this is to say that there *is* a minimal physical duplicate *w* of the actual world which is not a duplicate *simpliciter* of the actual world.

In our framework of particulars and possible worlds this means that the set of physical particulars existing in the actual world cannot account for every particular needed in order for *w* to be a duplicate *simpliciter* of

---

[2] Jackson (1998, 13, my italics) defines a minimal physical duplicate thus: "A minimal physical duplicate of our world is a world that (a) is exactly like our world in every physical respect (instantiated property for instantiated property, law for law, relation for relation), and *(b) contains nothing else in the sense of nothing more by way of kinds or particulars than it must to satisfy (a)*. Clause (b) is a 'no gratuitous additions' or 'stop' clause."

the actual world. The cause that w is not a duplicate *simpliciter* cannot be that the set of particulars accounted for by w includes a particular which is not an element of the set of particulars existing in the actual world because by assumption w is a *minimal* physical duplicate of the actual world: every physical particular existing in the actual world and no other particular exists in w.

Because no particular exists in w which does not exist in the actual world, there is a way to account for the "missing" particulars. We just have to extend w's set of particulars with particulars which seen from the point of view of the actual world are *non-physical* particulars.

Because being a duplicate *simpliciter* is an equivalence relation among possible worlds and because the same particulars exist in a world and its duplicate *simpliciter* we conclude that the actual world is a duplicate *simpliciter* of itself. In the case at hand at least one non-physical particular exists in the actual world. The assumption that there is a possible world which is a minimal physical duplicate but not a duplicate *simpliciter* of the actual world implies the falsity of physicalism in the actual world.

Could the physicalist not respond that the reason w is not a duplicate *simpliciter* is that although there does not exist a non-physical particular in the actual world there is a non-physical property exemplification in the actual world? This seems like a hopeless rejoinder to me. In the case that the physicalist grants that there is non-physical property exemplification in the actual world, i.e. property exemplification irreducible to physical property exemplifications, he should assume that exemplifications of this property nomologically supervene on exemplifications of physical properties. To deny *this* is to accept that there can be a difference in exemplifications of mental properties without a difference in exemplifications of physical properties: mental properties would constitute an *utterly autonomous* realm of properties. Surely, the physicalist finds this wanting (cf. Francescotti 1998, 52). By accepting nomological supervenience, however, the physicalist undermines his rejoinder because then he assumes that there can be no difference in the exemplifications of whatever properties without a difference in the exemplifications of physical properties.

2. A refutation of physicalism

The refutation of physicalism which I want to focus on is derived from the work of Stephen Priest and Thomas Nagel (cf. Göcke 2008a). It is directed against the mentioned entailment of the thesis of physicalism that any minimal physical duplicate of the actual world is a duplicate *simpliciter* of the actual world.

My argument starts with the phenomenological observation that "out of all the people there have been, are and will be, you yourself are one of them" (Priest 1991, 220). That in this sense "someone is oneself" (Priest 2006, 161) means that "one of those persons is the locus of my consciousness, the point of view from which I observe and act on the world" (Nagel 1986, 56). When "Benedikt" denotes the human being Benedikt Paul Göcke the point is that it is "a striking and puzzling fact" (Priest 1991, 220) that Benedikt's life happens to be the one which *I myself* live. This fact is striking and puzzling because "given a complete description of the world from no particular point of view, including all the people in it, one of whom is [Benedikt Göcke] something has been left out, something absolutely essential remains to be specified, namely which of them I am" (Nagel 1986, 54).

Based on this phenomenological observation we can draw metaphysical conclusions. As Nagel says, "it can seem that as far as *what I really am* is concerned, any relation I may have to [the human being Benedikt] [...] must be accidental and arbitrary. I may occupy [Benedikt] or see the world through the eyes of [Benedikt], but I can't be [Benedikt]. [...] From this point of view it can appear that 'I am [Benedikt Göcke]', insofar as it is true, is not an identity but a subject-predicate proposition"(Nagel 1986, 55). Setting aside the likely physicalist peremptory reaction, I see no reason why one should not take Nagel seriously. On the contrary, Nagel gives us all we need in order to refute the (physicalistic) entailment, and by the same token to refute the thesis of physicalism elaborated above. This refutation hinges on the fact that it is not an *essential* property of what I really am that it lives the life of Benedikt: there is a possible world which is a minimal physical duplicate of the actual world but not a duplicate *simpliciter* of the actual world such that in that world I live the life of the human being Thomas Nagel. What in the actual world is the entirety of Thomas Nagel's mental and physical life is in that minimal physical duplicate of the actual world the entirety of mental and physical life of myself.

Of course, metaphysically you could also be the subject of what are actually the mental and physical states of the human being Benedikt, indeed, metaphysically you could have lived my life. As Priest says: "I might not have been that psycho-physical human being born in a certain place at a certain time in England who authored this note. That very psycho-physical human being might well have existed, but it could have been someone else. It is an extra fact about that individual that I am that individual" (Priest 1999, 210).

3. What I really am

If my thesis of what physicalism consists in is correct, then it is refuted. There is a minimal physical duplicate of the actual world which is not a duplicate *simpliciter* of the actual world, and this is inconsistent with the truth of physicalism as I construe it. In this section I present considerations concerning the nature of what I really am. These considerations lead to a sketch of theological idealism in the next section.

I continue with the insight that "from no non-indexical description of the world, no matter how complete, may we validly derive the conclusion that I am part of it" (Priest 1999, 210). Recurring to Priest I push this point further: if no such description entails that I myself am part of the actual world, then "it follows in a fairly precise sense that *I am out of this world*" (Priest 2000, 152). Based on a complete non-indexical description of the world, there is nothing in the world with which I could be identified. However, if I myself am out of this world but *yet here is this world which I experience*, then we should assume that in the same way in which I am out of this world the world is *inside* me: the actuality of the actual world is occurring within myself (cf. Göcke 2008b).

Pertaining to this train of thought, what can we say about the nature of what I really am? I discuss the following thesis: *What I really am is a phenomenological space.* Phenomenological space "is like the inside of a sphere with one's own being as its interior. Thoughts and experiences, including experiences of physical objects arise and subside within it. It is the zone where *being and phenomenological content* coincide" (Priest 2000, 153, my italics).

This thesis might be alienating but it does great explanatory work.[3] It explains some of the trouble philosophers had in observing a self because being a phenomenological space in which the world is occurring it is only natural that I cannot observe myself: everything I can perceive and observe is occurring *within* the phenomenological space. Secondly, that we are phenomenological spaces explains why consciousness is always given for a self: there simply is no experience to happen outside phenomenological spaces and by happening within a phenomenological space experiences are (reflectively or pre-reflectively) given to a certain self. Finally, based on the assumption that we ourselves are spaces we can explain how a con-

---

[3] In recent literature, Stephen Priest apart, I did not find many who use the notion of *spaces* in order to grasp the nature of what I really am. However, although *prima facie* this terminology might appear alienating, it should not be too difficult to adopt it. I find it much more difficult to suppose that we ourselves should be *bundles*, a term not many a philosopher has problems in deploying.

sciousness utterly devoid of content, as for instance in a meditative state is possible: the way to achieve this state is literally a way of cleansing the space one is of all its contents.

Let us build on the emptiness of mind because it is crucial. Pertaining to the point of view of whoever is in this state it is true that he-himself is neither *this* nor *that* individual mental or physical life. There simply is no thought or emotion to the extent that he himself has had rather *this* than *that* experiences or has *this* rather than *that* body; all such thoughts and emotions would prohibit the continuation of the state.[4] This state of emptiness arguably brings you as close as it gets to the *natural state of yourself* because, as Heidegger might have said, in such a state there is no danger that you lose yourself to the matters of the world surrounding you. What remains is who and what you are when you are not involved in worldly matters.

How is it to be oneself in such a state? *What* you are is a phenomenological space, *how* it is to be oneself in the natural state depends on how the interior of this space *is*. I assume the following: the interior of phenomenological space in this state is pure subjectivity or unmoved intellect. *Pure* subjectivity and *unmoved* intellect because there is no particular subjective experience accompanying the subjectivity which is there and there is nothing the intellect is directed upon. There is, for instance, no experience of a body but only the subjectivity which would be involved if there were an experience of a body which I could identify as mine. There also is no information (in Aristotelian sense) of the intellect but only the intellect which could be informed of worldly matters.

Is subjectivity or intellect more basic to the interior of phenomenological space? The question is wrongly put because they are not to be distinguished. The intelligibility of the actual world is the presence of subjectivity and *vice versa* because the world is saturated with subjectivity if and only if the world informs the intellect in one way or another.[5]

---

[4] Within Christian theology such a state is often called the cloud of unknowing. As Pseudo-Dionysius describes it: "Here, renouncing all that the mind may conceive, wrapped entirely in the intangible and the invisible, he belongs completely to him who is beyond everything. Here, being neither oneself nor someone else, one is supremely united to the completely unknown by an inactivity of all knowledge." (Pseudo-Dionysius 1987, 137 (1001A)).

[5] I find this thesis very plausible but also very hard to argue for, particularly in such a short essay. But here is an example: I can experience a certain hand to belong to my body if and only if my intellect in one way or another is informed that this hand in fact is mine. And very often, a certain experience of my body just is the information that whatever part of my body the experience is about is in fact part of my body.

4. Theological Idealism

We are phenomenological spaces the interiors of which are pure subjectivity and unmoved intellect. The actuality of the actual world is within the phenomenological space in which we consist and the world's intelligibility is not to be distinguished from its saturation with subjectivity. These considerations are hallmarks of idealism. I now develop some consequences and sketch a thesis of theological idealism.

Because the actuality of the world is occurring inside oneself it is metaphysically impossible that a world is actual without occurring in phenomenological spaces. If there is no phenomenological space in which the world is actual, then there is no world which is actual (cf. Göcke 2008b). The idea that a possible world is actual while not occurring inside a phenomenological space seems to be due to the fact that it is logically consistent to describe a world in which there are no human beings. But in order for this claim to carry weight we would have to be mere human beings which on the present account we are not.

Am I arguing for a solipsism? I grant that this suggestion might have a solipsistic ring; however, it seems to me that solipsism does not follow as a matter of necessity. Although the world's actuality is the world's occurring in a phenomenological space it does not follow that the same world cannot be actual simultaneously within different phenomenological spaces. It seems, though, that only an idealistic interpretation of the theological notion of creation can explain this.

Because (following Priest 2000, 153) I identify the soul with phenomenological space, we can address the actuality of the world within a phenomenological space as the actuality of the world within the soul. That a world is actual within the soul is what I call God's creative act. Assuming that there is more than one soul we can explain how it is possible that the same world is actual within each of us by using the following *motif*: in the same way in which the light of a candle may illuminate different rooms simultaneously, so God creates the same world to occur within different souls. God's creation of the world causes the actuality of one world within all souls. I call this *theological idealism*. It is *idealism* because the actuality of the world is its occurring within the soul, it is *theological* idealism because God is precisely the cause of the actuality of the world we share.

While philosophical accounts in the vicinity of philosophical realism more or less take the actual world as primitive and try to explain how we fit into this world, theological idealism proceeds the other way around. It takes as a more or less primitive fact that we are phenomenological spaces and based on this it explains the actuality of the world within each of us as God's creative act. When I say that God creates the same world within each of us what I do not mean is that there is only one soul. Above I mapped sets of particulars onto possible worlds in which they exist and exemplify properties. Besides that I left the notion of world unspecified. Starting with a subjective notion of worlds I end by stating some consequences and hints concerning a further elaboration of the worlds of theological idealism.

A subjective world is the world at the centre of which I find myself in fact to reside, the sum of phenomenological being I encounter, and another subjective world is the world at the centre of which you find yourself in fact to reside. Each subjective world is numerically distinct from any other subjective world. This is to say that God cannot create the same world within each of us by creating the same subjective world within each of us; without it being the case that there is only one single soul. Within the present account of theological idealism what it means for God to create the same world within each soul is that the subjective worlds God creates constitute what is otherwise known as the objective world and what would better be termed the *intersubjective* world. The unity of this intersubjective world grounds the difference between subjective worlds. The intersubjective world is the *lowest common denominator* of subjective worlds.[6] It is the lowest common denominator because only what in a certain sense is common to all subjective worlds is part of the intersubjective world. This is why the natural sciences describe the world from no particular point of view: not because they reject points of view but rather because they describe the world as it is for each point of view. This is also why language (perhaps better: *logos*) is a fundamental element for the constitution of an intersubjective world. Heidegger, it seems to me, was on the right track

---

[6] I am firmly on Husserl's territory here. Cf. for instance Husserl (2002, 90 [§ 48]): "Man kann [...] einsehen, dass, was für ein Ich erkennbar ist, *prinzipiell* für *jedes* erkennbar sein muss. Wenn auch *faktisch* nicht jedes mit jedem im Verhältnis der ,Einfühlung', des Einverständnisses steht und stehen kann, wie z.B. wir nicht mit den in fernsten Sternenwelten vielleicht lebenden Geistern, so bestehen doch, prinzipiell betrachtet, *Wesensmöglichkeiten der Herstellung eines Einverständnisses*, also auch Möglichkeiten dafür, dass die faktisch gesonderten Erfahrungswelten sich durch Zusammenhänge aktueller Erfahrung zusammenschlössen zu einer einzigen Geisterwelt (der universellen Erweiterung der Menschengemeinschaft). Erwägt man das, so erweist sich die formal-logische Möglichkeit von Realitäten außerhalb der Welt, der einen räumlich-zeitlichen Welt, die durch unsere aktuelle Erfahrung fixiert ist, sachlich als Widersinn."

when he said that "language is the clearing-concealing advent of Being it-self" (Heidegger, 1993, 230).[7]

REFERENCES

Francescotti, R. M. (1998): Defining 'Physicalism', In: *Journal of Mind and Behaviour*, vol. 19.
Göcke, B. P. (2008a): Priest and Nagel on Being Someone: A Refutation of Physicalism. In: *The Heythrop Journal*, vol. 49.
Göcke, B. P. (2008b): God, Time, and Soul in Swinburne and Priest, In: *New Blackfriars,* Online early.
Hellman, G; F. Thompson (1975): Physicalism: Ontology, Determination, and Reduction, In: *Journal of Philosophy*, vol. 72.
Husserl, E. (2002): *Ideen zu einer reinen Phänomenologie und phänomenologischen Philosophie: allgemeine Einführung in die reine Phänomenologie*, Tübingen: Max Niemeyer. [unveränd. Nachdruck der 2. Auflage 1922]
Heidegger, M. (1993): *Basic Writings. From Being and Time (1927) to The Task of Thinking (1964)*. New York: HarperCollins Publishers.
Jackson, F. (1998): *From Metaphysics to Ethics. A Defence of Conceptual Analysis*. Oxford: Oxford University Press.
Moser, P.; J.D. Trout (1995): Physicalism, Supervenience and Dependence, In: *Supervenience. New Essays*, edited by E. Savallos and Ü. Yalcin. Cambridge: Cambridge University Press.
Nagel, T. (1986): *The View from Nowhere*. Oxford: Oxford University Press.
Priest, S. (1991): *Theories of the Mind*. London: Penguin Books.
Priest, S. (1999): Anima Mea Non Est Ego, In: *The Heythrop Journal*, vol. 40.
Priest, S. (2000): *The Subject in Question*. London: Routledge.
Priest, S. (2006): Radical Internalism, In: *Journal of Consciousness Studies*, vol. 13.
Pseudo-Dionysius (1987): *The Complete Works*. New Jersey: Paulist Press.

[7] I am very grateful to William Hasker, Alexander Norman, and Stephen Priest for dis-cussion of the topics involved.

Religiöses Erleben und Hirntätigkeit

HANS GOLLER

Einleitung

Der Ausdruck ‚Neurotheologie' bezeichnet eine Forschungsrichtung, die sich bemüht, religiöses Erleben ganz von seiner neurobiologischen Grundlage her zu verstehen und zu erklären. Welche neuronalen Prozesse gehen mit religiösem Erleben einher? Was geschieht im Gehirn, wenn Menschen beten, meditieren, religiöse Rituale vollziehen oder an Gott denken?

Mathew Alper betont in seinem Buch *The God part of the brain. A scientific interpretation of human spirituality and god* (2001) folgendes: Wir sollten uns bemühen, die neurobiologische Grundlage des Glaubens an Gott zu verstehen. Es sei höchste Zeit, Spiritualität und Religiosität den Philosophen, Metaphysikern und Theologen aus der Hand zu nehmen und diese Phänomene zu „biologisieren", d.h. sie aus einer wissenschaftlichen Perspektive zu betrachten. Die Antwort auf die Frage nach Gott sei in unserem Gehirn zu suchen. Wir Menschen sind nach Alper so gebaut, dass wir durch Tätigkeiten wie Meditieren, Beten, Singen, Yoga, Tanzen und bei religiösen Ritualen bestimmte Erlebnisse hervorrufen. Alle Kulturen kennen religiöse Erlebnisse und Gefühle wie: Das Gefühl der Einheit, der Zeitlosigkeit, der Grenzenlosigkeit, der Heiligkeit, der Wonne und des tiefen Friedens. In allen Kulturen deute der Mensch diese Erlebnisse als Beweis für eine göttliche oder transzendente Wirklichkeit. Forschungsergebnisse aus den Neurowissenschaften widersprechen dieser Deutung. Religiöse Erfahrungen und spirituelle Erlebnisse korrelieren mit bestimmten neuronalen Aktivitäten. Sie sind, so Alper, nicht die Folge eines Kontaktes mit dem Göttlichen, sondern die Folge der Art und Weise, wie unser Gehirn elektrochemische Impulse interpretiert. Gott ist nicht eine transzendente Wirklichkeit, die da draußen existiert, sondern ein vom Gehirn erzeugtes subjektives Phänomen, das dem Überleben des Menschen dient. Alper nennt das religiöse Bewusstsein eine 'Notlüge' der Natur, die dem Menschen helfen soll, seine Angst vor dem Tod zu mindern. Warum hat der Mensch überhaupt religiöses Bewusstsein entwickelt? Mit dem Bewusstsein des eigenen Selbst kam auch das Wissen um den eigenen Tod. Wir wissen nicht nur, dass wir sterben müssen, wir wissen auch, dass uns der Tod jeden Augenblick ereilen kann. Durch den Glauben an die Unsterblichkeit der Seele transzendiere der Mensch seinen physischen Tod. Im Folgenden stelle ich die empirischen Befunde zur Neurotheologie vor: Andrew Newbergs und Richard Davidsons Untersuchung zum veränderten Selbsterleben in der mystischen Erfahrung, Vilayanur Ramachandrans Untersuchung von Patienten mit Schläfenlappenepilepsie und Michael Persingers Experiment zur Simulation religiöser Erlebnisse. Anschließend gehe ich der Frage nach, welche Schlüsse sich aus den vorliegenden Befunden ziehen lassen.

1. Experimentelle Befunde

Verändertes Selbsterleben in der mystischen Erfahrung
Der Radiologe *Andrew Newberg* und sein inzwischen verstorbener Kollege Eugene D'Aquili an der University of Pennsylvania in Philadelphia fragten sich: Was geschieht im Gehirn im Moment eines intensiven mystischen Erlebnisses? Solche Erlebnisse gehen häufig mit einem veränderten Selbsterleben und einer veränderten Wahrnehmung von Raum und Zeit einher (vgl. Newberg, D'Aquili & Rause 2003; Newberg & Iversen 2003). Newberg und seine Mitarbeiter untersuchten acht Personen, vier Frauen und vier Männer im Alter zwischen 38 und 52, die eine Form tibetisch-buddhistischer Meditation praktizierten. Alle hatten mehr als 15 Jahre Meditationserfahrung, inklusive mehrerer dreimonatiger und jährlicher einmonatiger Exerzitien. Sie meditierten täglich zirka eine Stunde und das mindestens an fünf Tagen der Woche (vgl. Newberg et al. 2001).

Ablauf der Untersuchung
Beispiel: Robert, ein gläubiger Buddhist und Praktiker der tibetischen Meditation meditiert im Labor der Universitätsklinik in einem kleinen dunklen Raum. Nähert sich sein meditativer Zustand dem Höhepunkt, zieht Robert an einer Schnur. Für Newberg im Nebenraum, wo diese Schnur endet, ist dies das Signal, eine radioaktive Substanz in den langen intravenösen Schlauch zu spritzen, der in eine Vene in Roberts linkem Arm führt. „Wir warten noch einige Augenblicke, bis Robert seine Meditation beendet hat und bringen ihn dann rasch in einen Raum in der Abteilung für Nuklearmedizin, in dem eine wuchtige, hochmoderne SPECT-Kamera bereitsteht. Kurz darauf streckt sich Robert auf einem Metalltisch aus, und die drei großen Kristallköpfe der Kamera surren in präzisen, roboterhaften Kreisbewegungen um seinen Schädel" (Newberg, D'Aquili & Rause 2003, 11-12).

SPECT steht für ‚single photon emission computed tomography‘. SPECT misst die cerebrale Durchblutung, besitzt eine relativ gute räumliche Auflösung, erfordert jedoch die Injektion eines radioaktiven Markierungsstoffes. Die funktionelle Magnetresonanztomographie und die Positronen-Emissionstomographie wären zu lärmintensiv. Meditation erfordert eine ruhige und ablenkungsfreie Umgebung. Es dürfte schwierig sein, in einem Scanner zu meditieren.

Newberg und seine Mitarbeiter unterzogen die acht Personen der gleichen Prozedur. Zuerst führten sie 45 Minuten lang ein SPECT-Scanning im Ruhezustand durch, um das Ausgangsniveau (baseline) zu erheben. Dasselbe machten sie bei den 9 Personen der Kontrollgruppe, um das Ausgangsniveau (baseline) der Kontrollgruppe mit dem Ausgangsniveau der Meditationsgruppe vergleichen zu können. Nach der Erhebung des Ausgangsniveaus meditierte jede der acht Personen in ihrer gewohnten Art ca. eine Stunde lang. Während der letzten 30 Minuten der Meditation mit geschlossenen Augen. Nach der Injektion des Markierungsstoffes auf dem Höhepunkt der Meditation, meditierte jede Person noch 10 bis 15 Minuten in derselben Intensität weiter. 30 Minuten nach der Injektion wurden eine halbe Stunde lang SPECT-Aufnahmen gemacht. Später untersuchte Newberg mit derselben Technik acht Franziskanerinnen beim Gebet.

Ergebnisse

Bei praktisch allen Probanden zeigten die SPECT-Aufnahmen in den Spitzenmomenten der Meditation und des Gebetes einerseits eine erhöhte regionale Durchblutung im Frontalcortex (Präfrontalcortex und Orbitofrontalcortex) auf beiden Seiten, und andererseits eine Abnahme der regionalen Durchblutung im linken, oberen Scheitellappen, dem so genannten Orientierungsareal. Je stärker sich die Probanden während der Meditation konzentrierten, desto größer war die Blockierung des Inputs in das Orientierungsareal (Newberg et al. 2001, 119). Die Zunahme der Aktivität im linken präfrontalen Cortex korrelierte signifikant mit der Abnahme der Aktivität im linken oberen Scheitellappen (Newberg et al. 2001, 120). In der Untersuchung wurde nur ein einziger Zeitpunkt während der Meditation betrachtet und nicht die gesamte Meditation. Bei den Franziskanerinnen zeigten die SPECT-Bilder ähnliche Veränderungen, die während der intensivsten religiösen Erfahrung auftraten.

Die Meditierenden beschrieben den Höhepunkt ihrer Meditation als ein Aufgehen des Selbst in etwas Größerem, als ein Gefühl, eins zu sein mit dem Ganzen oder mit Gott, und als den Verlust des normalen Raum-

und Zeitgefühls. „Im Gegensatz zu den Buddhisten beschrieben die Schwestern diesen Moment jedoch meist als ein greifbares Gefühl der Nähe zu Gott und der Verschmelzung mit ihm" (Newberg, D'Aquili & Rause 2003, 16). Im mystischen Erleben, so Newberg, verschwinden die Grenzen zwischen Innen und Außen.

Die Aufnahmen der Hirnaktivität der beiden Gruppen zeigen markante Unterschiede. Bei den Franziskanerinnen war ein Anstieg der Hirnaktivität in ihren Sprachzentren zu beobachten. Das ist auf das Rezitieren von Gebetsversen zurückzuführen. Im Moment der mystischen Erfahrung trat auch bei ihnen eine verminderte Aktivität im Orientierungsareal auf genau so wie bei den Buddhisten. Newberg zufolge überschreiten Augenblicke intensiver religiöser Erfahrung, neurobiologisch gesehen, die Unterschiede der Glaubensrichtungen.

Verändertes Selbsterleben in der Meditation
Meditierende und Betende schalten ihre Sinne für die Außenwelt ab. Das Abstellen neuronaler Impulse bei der passiven Methode zeigt drastische Auswirkungen auf das Orientierungsareal in der linken wie in der rechten Hemisphäre. Das *linke Orientierungsareal* trägt wesentlich zur Entstehung des Selbsterlebens bei. Es erzeugt das räumliche Empfinden des eigenen Selbst. Da es nicht mehr die nötigen Daten erhält, kann es die Grenze zwischen dem Selbst und der Welt nicht mehr definieren. Es kann nicht mehr feststellen, wo der eigene Körper endet und die äußere Welt beginnt. Die Wahrnehmung des Selbst wird damit entgrenzt. Im Grunde gibt es nun überhaupt kein Selbstempfinden mehr, sondern nur noch ein absolutes Gefühl der Einheit, ohne Gedanken, ohne Worte und ohne Gefühle. Der Geist existiert ohne Ego in einem Zustand reiner, undifferenzierter Bewusstheit (Newberg, D'Aquili & Rause 2003, 166). Das *rechte Orientierungsareal* schafft ein Gefühl des physikalischen Raums, in dem das Selbst existieren kann (Newberg, D'Aquili & Rause 2003, 45). Durch die fehlende Stimulation dieses Areals verschwindet der Bezug zu Raum und Zeit und ein Gefühl der Zeitlosigkeit und Grenzenlosigkeit taucht auf.

Im Zustand des absoluten Einsseins selbst ist keine subjektive Wahrnehmung möglich. Es kommt zu einer Auflösung des Raumgefühls, des Zeitgefühls und des Selbstgefühls. Einerseits besteht kein subjektives Selbst, das etwas wahrnehmen könnte, andererseits gibt es nichts Bestimmtes wahrzunehmen. Der Beobachter und das Beobachtete sind ein und dasselbe, es gibt kein „dies" und kein „das", wie der Mystiker sagen würde (Newberg, D'Aquili & Rause 2003, 170).

Wie deutet Newberg seine Untersuchungsergebnisse?
Das absolute Einssein sei neurologisch real. Doch dies bilde natürlich keinen Beweis für eine absolute spirituelle Wirklichkeit. „Indem wir die mystische Erfahrung als neurologische Funktion erklären, wollen wir aber nicht zu verstehen geben, dass sie nicht auch etwas anderes sein könnte. Eines wollen wir jedoch ganz klar signalisieren: Wissenschaftliche Untersuchungen bestätigen die Möglichkeit, dass ein Geist ohne Ego, dass ein Bewusstsein ohne ein Selbst existieren kann" (Newberg, D'Aquili & Rause 2003, 175).

Newberg betont: „Wer spirituelle Erfahrung als 'bloße' neurologische Aktivität abtun wollte, müßte auch all den Wahrnehmungen der materiellen Welt durch das eigene Gehirn misstrauen. Wenn wir aber unseren Wahrnehmungen der dinglichen Welt trauen, haben wir keinen triftigen Grund, spirituelle Erfahrung zu einer Fiktion zu erklären, die 'nur' im Kopf existiert" (Newberg, D'Aquili & Rause 2003, 200-201).

Anfragen an Newberg
Umstritten ist Newbergs Annahme, der Verlust des Selbstgefühls sei auf die Aktivität eines einzigen Hirnareals zurückzuführen. Zur vollständigen Identifizierung des Selbst sind außer dem Orientierungsareal im linken oberen Scheitellappen wahrscheinlich noch andere Hirnstrukturen erforderlich. Vor allem Strukturen in subkortikalen Bereichen, die mit der grundlegenden Selbsterhaltung, der Regulierung des internen Milieus zu tun haben. Newberg äußert diese Vermutung in einer Fußnote (vgl. Newberg, D'Aquili & Rause 2003, 241 FN 18). Antonio Damasio macht darauf aufmerksam, dass das Gefühl des Selbst auf neuronalen Mustern beruht, die von Augenblick zu Augenblick den physischen Zustand des Organismus in seinen vielen Bereichen erfassen. Körperzustände bilden den Urgrund unseres Lebensgefühls (vgl. Damasio 1999, 2000).

James Austin, ein amerikanischer Hirnforscher, führt die Erleuchtung, welche die Zen-Tradition als Überwindung der Ich-Abgrenzung beschreibt, auf die durch die Meditation herbeigeführte Hemmung der Aktivität mehrerer Hirnbereiche zurück. Diese vermitteln das Gefühl des körperlichen Selbst und mit ihm die „Ich-mich-mein-Perspektive". Er nennt den Frontalkortex, die Schläfenlappen und deren Vernetzung mit subkortikalen Strukturen. In diesen Bereichen werde das alte Riechhirn mit dem limbischen System und dem Neocortex verbunden. Austin versuchte in rund dreißigjähriger Forschertätigkeit, außergewöhnliche Bewusstseinszustände im Rahmen der modernen Hirnforschung zu beschreiben. Seine langjährigen persönlichen Erfahrungen in Zen-Meditation und Hirnforschung veröffentlichte er in seinem 844 Seien langen Werk: *Zen and the brain* (1999).

Richard J. Davidson, Professor für Psychologie und Neurowissenschaftler an der University of Wisconsin in Madison, untersuchte die Hirnströme von acht buddhistischen Mönchen, alle Meditationsprofis mit 10000 bis 50000 Stunden Meditationspraxis (vgl. Lutz et al. 2004). Eine Gruppe von 10 Studenten, die ein einwöchiges Training in Meditation absolviert hatten, diente ihm als Vergleich. Bei den Mönchen stellten Davidson und seine Mitarbeiter einen drastischen Anstieg der Aktivität der so genannten Gamma-Wellen während der Meditation fest, und zwar in einem Ausmaß, das bisher noch nie registriert worden war. Die hochfrequenten Gamma-Oszillationen der Mönche waren auch besser koordiniert als die der Kontrollgruppe. Nach Davidson et al. deutet dieser Befund darauf hin, das verstreute Neuronenpopulationen mit hoher zeitlicher Präzision in den schnellen Frequenzen synchronisiert werden. Die Erfahrung des Eins-Seins und die Aufhebung der Differenz von Subjekt und Objekt wären demnach auf das synchrone Schwingen von verstreuten Neuronenpopulationen zurückzuführen. Funktionelle Magnetresonanz-Tomographie-Aufnahmen zeigten erhöhte Aktivität während der Meditation, vor allem im linken Präfrontalcortex, dem ,Sitz' der positiven Emotionen wie Glück. Diese erhöhte Aktivität im linken Präfrontalcortex überschwemmte die Aktivität im rechten Präfrontalcortex, dem ,Sitz' der negativen Emotionen, und zwar auf Grund rein geistigen Trainings. Geistiges Training führe zu bleibenden Veränderungen im Gehirn. Bewusstsein und die gesamte Persönlichkeit lasse sich durch Meditation gezielt beeinflussen.

Für Newberg scheint das Inhaltliche der Religionen, dasjenige, woran geglaubt wird, im Grund keine Rolle zu spielen. Religion ist jedoch nicht mit dem außergewöhnlichen Gefühl geistiger Vereinigung mit etwas Umfassenderem als dem eigenen Selbst gleichzusetzen.

2. Ramachandrans Untersuchung von Patienten mit Schläfenlappenepilepsie

Der Neurologe Ramachandran von der University of California in San Diego fragt: Tragen wir ein 'Gottesmodul' im Kopf? Gibt es im Gehirn einen Schaltkreis, der auf religiöse Erfahrungen spezialisiert ist? Keine menschliche Eigenschaft sei so rätselhaft, wie die Neigung, an eine höhere Macht zu glauben, welche die Welt der Erscheinungen transzendiert (vgl. Ramachandran & Blakeslee 2001). Ramachandran vermutete schon länger, dass der linke Schläfenlappen etwas mit religiöser Erfahrung zu tun hat. Manche Schläfenlappenepileptiker berichten von besonderen intensiven religiösen Erlebnissen, von Ekstase bis tiefster Verzweiflung und von einem Gefühl der Gegenwart Gottes. Ramachandran glaubt, dass die Religionsstifter Schläfenlappenepileptiker waren. Auch die Bekehrung des Apostel Paulus sei auf eine milde Schläfenlappenepilepsie zurückzuführen.

Ramachandran und seine Kollegen untersuchten zwei Patienten mit Schläfenlappen-Epilepsie. Sie zeichneten die galvanische Hautreaktion der Patienten auf während diese auf einem Bildschirm Wörter und Bilder beobachteten. Der Ausdruck 'Galvanische Hautreaktion' bezeichnet die Veränderung der elektrischen Leitfähigkeit der Haut, die durch eine Zunahme der Aktivität der Schweißdrüsen verursacht wird. Sie gilt als ein Indikator für emotionale Reaktionen wie z.B. Angst. Ramachandran und seine Kollegen zeigten den Patienten Wörter für alltägliche Gegenstände (Schuh, Vase, Tisch), vertraute Gesichter (Eltern, Geschwister), unbekannte Gesichter, sexuell erregende Wörter und Bilder (Fotos aus erotischen Magazinen), Vulgärwörter für sexuelle Handlungen, Darstellungen extremer Gewalt (einen Alligator, der einen lebenden Menschen frisst, einen Mann, der sich selbst anzündet) sowie religiöse Wörter und Symbole (z.B. das Wort ‚Gott').

Die beiden getesteten Patienten reagierten mit einer erhöhten galvanischen Hautreaktion vor allem auf religiöse Wörter und Symbole. Ihre Reaktion auf die anderen Reize, einschließlich der sexuellen Wörter und Bilder, die bei normalen Versuchspersonen eine heftige Reaktion auslösen, fiel ungewöhnlich gedämpft aus. Nach Ramachandran findet bei solchen Patienten eine selektive Verstärkung der galvanischen Reaktion auf bestimmte Kategorien von Reizen, wie religiöse Wörter und Symbole, statt.

Dieser Befund ist mit Vorsicht zu genießen, solange er nicht an einer größeren Anzahl von Patienten bestätigt wird. Systematische Untersuchungen liegen bisher nicht vor. Schläfenlappen-Epilepsien gehen nicht notgedrungen mit besonderen religiösen Erlebnissen einher. Der Bonner Neurologe Christian Elger, Direktor des Epilepsie-Zentrums an der Universität Bonn, meint in einem Interview: „Wir sehen hier sehr viele Epileptiker. Aber von einer besonderen Neigung zur Religiosität haben wir nie etwas bemerkt" (vgl. Der Spiegel, 21/2002, 194).

Temporallappenepilepsie wird traditionell auch mit einer Veränderung der Persönlichkeit in Beziehung gebracht. Es gibt das Konzept der so genannten hyperreligiösen 'Temporallappenpersönlichkeit'. Besondere Merkmale dieser Persönlichkeit sind: Das Erblicken kosmischer Bedeutung in trivialen Ereignissen, eine pedantische Sprache, Egozentrik, Beharren auf persönlichen Problemen im Gespräch, paranoide Züge, die Überbeschäftigung mit Religion, die Neigung zu aggressiven Ausbrüchen und Hypergraphie (Tagebücher führen, in denen alltägliche Ereignisse in allen Einzelheiten festgehalten werden). Es gibt nur wenige Menschen, auf die alle diese Charakterzüge zutreffen (vgl. Kolb & Whishaw 1996, 254). Ähnliche Veränderungen der Persönlichkeit werden als Folge von Läsionen des Schläfenlappens beschrieben. In den Diagnoseschlüsseln psychischer Störungen (ICD 10 und DSM IV) findet sich unter den Persönlichkeitsstörungen jedoch keine mit dem Namen 'Temporallappenpersönlichkeit'.

3. Michael Persingers Experiment zur Simulation religiösen Erlebens

Der Neuropsychologe *Michael Persinger* an der Laurentian University in Kanada versucht, durch transcranielle Magnetstimulation religiöse Erlebnisse hervorzurufen (vgl. Persinger 2002). Dazu entwickelte er einen Helm, um schwache komplexe magnetische Felder auf die Hirnhemisphären auszurichten. Die Versuchspersonen (Vpn) sitzen in einem ruhigen Raum mit verbundenen Augen. Eine männliche Vp sagte nach dem Experiment: „Ich hatte den Eindruck, nicht mehr allein im Raum zu sein. Ich hatte das Gefühl, irgendjemand ist im Raum und beobachtet mich".

Die meisten Vpn berichteten von einem „Gefühl der Anwesenheit" eines empfindenden Wesens im Raum. Dieses Gefühl, so Persinger, sei der Prototyp der Gotteserfahrung und zugleich die rechtshemisphärische Entsprechung zum Selbst-Sinn (sense of self) der linken Hemisphäre. Manche Vpn bezeichneten die durch transcranielle Magnetstimulation ausgelösten Empfindungen als übernatürlich und spirituell. Meist gingen diese Erlebnisse mit dem Eindruck, den Körper zu verlassen, mit Aggression und sexueller Erregung einher.

In dem von Persinger (2002) berichteten Experiment nahmen 30 Vpn teil. Weder der Versuchsleiter noch die Vpn wussten um den Zweck der Untersuchung. Ihnen wurde gesagt, das Experiment befasse sich mit Entspannung und dass irgendwann schwache magnetische Felder angewendet würden. Zuerst stimulierte Persinger den rechten temporo-parietalen Bereich der Vp mit einem Magnetfeld gleichbleibender Frequenz ca. 15 Minuten lang. Anschließend richtete er das Magnetfeld auf beide temporoparietalen Bereiche und zwar mit kurzen Magnetfeldimpulsen von etwa 3 bis 4 Sekunden. 80% der Vpn berichteten von einem „Gefühl der Anwesenheit" einer Person im Raum. Dieses Gefühl war am stärksten, wenn Persinger das Magnetfeld auf beide Hirnhälften ausrichtete.

In seinen früheren Experimenten hatte sich gezeigt, dass eine Stimulation der rechten Hirnhälfte (14 Minuten lang) und dann eine bilaterale Stimulation über der temporo-parietalen Region das Auftreten des Gefühls der Anwesenheit begünstigte. Persinger spricht von Hunderten von Studenten und anderen Teilnehmern wie z.B. Journalisten, die er in den letzten fünfzehn Jahren getestet habe. Dabei habe die Magnetstimulation über der rechten Hirnhälfte stets ein Gefühl der Anwesenheit von Gott, Maria und Christus hervorgerufen, und zwar bei Menschen, die an diese Dinge glaubten. Persinger lud auch zwanzig Experten verschiedener Fachbereiche, die sich als Atheisten bezeichneten, in sein Labor ein. Während des Experimentes berichteten diese Personen von einem Gefühl des Losgelöstseins vom eigenen Körper, von einem *Out-of-body*-Erlebnis.

Out-of-body-Erlebnisse können durch elektrische Stimulation im Bereich des Gyrus angularis (Area 39) hervorgerufen werden. Blanke und Mitarbeiter an der Züricher Epilepsieklinik berichten von einer 43-jährigen Patientin, der sie zur präoperativen Diagnose im Bereich des rechten Scheitellappens Elektroden unter die Schädeldecke implantierten. Immer dann, wenn die Ärzte zwei Elektroden im Bereich des (Gyrus angularis) aktivierten, hatte die Patientin ein so genanntes Out-of-body-Erlebnis: Sie sah sich von der Zimmerdecke aus in ihrem Bett liegen. So abrupt wie dieses Erlebnis begann, so schnell verschwand es nach Abbruch der elektrischen Stimulation (vgl. Hoppe 2004).

Religiöse Erlebnisse und der Glaube an Gott sind nach Persinger Artefakte von Aktivitätsmustern im Schläfenlappen. Ihre primäre Funktion besteht darin, die Angst vor dem eigenen Tod zu vermindern. Da Hirnstrukturen und Aktivitätsmuster, die religiöse Erfahrungen bewirken, auch mit sexuellem Verhalten und mit Aggression assoziiert sind, kann der Glaube an Gott zu aggressivem Verhalten gegenüber Andersgläubigen ermutigen. Für das Überleben der Menschheit sei es deshalb sehr wichtig, die neuronalen Grundlagen der Gotteserfahrung und des Glaubens an Gott zu verstehen.

Anfragen an das Experiment
Die Vpn sitzen in einem dunklen Raum. Sie tragen einen Helm, der sur-
rende Geräusche von sich gibt. Sie sollen auf einen von zwei Knöpfen
drücken, wenn sie ein Gefühl der Anwesenheit erleben. Erleben sie dieses
auf der rechten Körperseite, sollen sie den einen Knopf drücken, sonst den
anderen. Dieses Vorgehen birgt die Gefahr in sich, Artefakte zu produzie-
ren. Durch die Instruktionen wird eine Erwartungshaltung geweckt, etwas
im Raum wahrzunehmen. Zum anderen verleitet der dunkle Raum und die
damit verbundene geringe Stimulation des visuellen Systems dazu,
Scheinwahrnehmungen zu erzeugen wie Experimente zur sensorischen
Deprivation zeigen (vgl. Bexton, Heron & Scott 1954).

Persingers Untersuchungen sind umstritten und entsprechen nicht
den in der empirischen Psychologie üblichen methodischen Standards der
Datenerhebung, Datenanalyse und Datendokumentation. Er selbst äußerte
in einem Interview: „Religiöse Erfahrungen stehen außerhalb der Wissenschaft. Wenn Du religiöse Erfahrungen untersuchst, dann setzt Du Deine
wissenschaftliche Reputation aufs Spiel" (vgl. ORF- Sendung vom 10. 02.
2004). Vielleicht ist das der Grund dafür, dass eine Veröffentlichung seiner
Untersuchungsergebnisse in renommierten Fachzeitschriften nicht zu finden ist.

*3. Welche Schlüsse lassen sich aus den vorliegenden Befunden zur Neuro-
theologie ziehen?*

Die zurzeit vorliegenden Befunde über die neuronalen Korrelate religiösen
Erlebens stützen sich auf eine sehr kleine Zahl von Probanden. Newberg
nennt 16 Personen. Ramachandran untersuchte zwei Patienten. Es fehlen
Kontrollbedingungen. Befunde, die auf einer so kleinen Anzahl von Vpn
beruhen, sind nicht aussagekräftig genug. Aus ihnen lassen sich keine weit-
reichenden Schlüsse ziehen. Persingers Experimente sind in Fachkreisen
umstritten.

Religiöses Erleben ist selbstverständlich wie unser gesamtes Erleben,
Verhalten und Handeln von einem funktionierenden Gehirn in einem funktionierenden Organismus abhängig. Ohne funktionierendes Gehirn gibt es
auch kein religiöses Erleben.

Religiöse Erlebnisse sind keine von außen am Gehirn beobachtbaren
Eigenschaften. Neurowissenschaftler können die neurobiologischen Korrelate religiöser Erlebnisse erforschen, jedoch nicht die Erlebnisse selbst. Re-

ligiöse Erlebnisse sind uns, wie das gesamte Erleben, nur in der Innenperspektive, der Perspektive des erlebenden Subjekts, unmittelbar zugänglich. In der Beobachterperspektive der Neurowissenschaft kommen sie überhaupt nicht vor. Sie lassen sich nicht von außen am Gehirn beobachten, auch nicht mit modernen bildgebenden Verfahren. Diese Verfahren eröffnen keinen Zugang zu den Inhalten des Bewusstseins. Man kann mit bildgebenden Verfahren allein keine Gedanken lesen oder feststellen, wie es sich anfühlt, in einem Zustand meditativer Versenkung zu sein.

Die neuronalen Veränderungen, die Newbergs Befunden zufolge mit intensivem Meditieren und Beten einhergehen, besagen nur, dass mystische Einheitserfahrungen etwas mit der Veränderung des Körperempfindens und Selbsterlebens zu tun haben. Neuronalen Zuständen lassen sich darüber hinaus keine bestimmten Bewusstseinsinhalte des Meditierenden zuordnen. Je nach Glaubensüberzeugung kann der Meditierende die Aufhebung seiner Ich-Grenzen als Einssein mit dem Gott des Judentums, des Christentums, des Islam oder aber mit dem östlich verstandenen Absoluten deuten und erleben. Dies alles zeigt sich jedoch nicht in den Hirn-Scans.

Religiöses Erleben ist nicht mit mystischer Einheitserfahrung, meditativer Ich-Entgrenzung, epilepsieähnlichen Visionen und außergewöhnlichen Präsenzerfahrungen gleichzusetzen. Derartige Erfahrungen macht nur eine kleine Minderheit religiöser Menschen. Sie sind nicht repräsentativ für das religiöse Erleben, Denken und Handeln der Mehrheit der Gläubigen.

Ist unser Gehirn eine Art Antenne für Gott oder nur ein Täuschungsorgan? Bringt unser Gehirn bloß ein Trugbild hervor, oder registriert es etwas, was nicht nur von unserem Gehirn abhängt? Es ist eine faszinierende Aufgabe der Hirnforschung, die neuronalen Korrelate zu entdecken, die religiösen Erfahrungen zu Grunde liegen. Zurzeit ist die Hirnforschung allerdings noch weit davon entfernt, genau angeben zu können, welche neuronalen Aktivitätsmuster im Gehirn ablaufen, wenn Menschen religiöse Erfahrungen machen. Nehmen wir einmal an, Neurowissenschaftler könnten uns bereits im Detail sagen, welche spezifischen Gehirnprozesse mit welchen religiösen Erlebnissen einhergehen. Wäre religiöses Erleben damit bereits hinreichend aus seinen neurobiologischen Grundlagen verstanden und erklärt? Wie viel wüssten wir damit, wie es ist, religiöse Erlebnisse zu haben? Und vor allem: Wie viel wüssten wir über deren Wahrheitsgehalt?

LITERATUR

Alper, M. (2001): *The "god" part of the brain: a scientific interpretation of human spirituality and god* (5. Aufl.), New York: Rogue.

Austin, J. H. (1999): *Zen and the brain: Toward an understandig of meditation and consciousness* (2.Aufl.), Cambrige, Mass.: MIT Press.

Bexton, W.H., Heron, W. & Scott, T.H. (1954): Effects of decreased variation in the sensory environment, in: *Canadian Journal of Psychology* 8, 70-76.

Damasio, A. (1999): *The feeling of what happens. Body and emotion in the making of consciousness*, New York: Harcourt Brace & Company.

Damasio, A. (2000): *Ich fühle, also bin ich. Die Entschlüsselung des Bewusstseins*, München: List.

DSM-IV *Diagnostisches und Statistisches Manual Psychischer Störungen* (1998) (Saß, H. & Houben, I), Göttingen: Hogrefe, Verlag für Psychologie.

Hoppe, C. (2004): Gehirn, Geist, Gott - Rätsel, Problem oder Kôan?, in: Marquardt M. (Hrsg.), *RheinReden. Texte aus der Melanchthon-Akademie Köln*, Köln: Primaprint, 83-102.

ICD-10 *Internationale Klassifikation psychischer Störungen* (1994), Kapitel V (F), Klinisch-diagnostische Leitlinien, Dilling H., Mombour, W. & Schmidt, M.H. (Hg.), Bern/Göttingen: Hans Huber.

Kolb, B. & Whishaw, I.Q. (1996): *Neuropsychologie* (2.Aufl.), Heidelberg: Spektrum.

Lutz, A., Greischar, L.L., Rawlings, N.B., Ricard, M. & Davidson, R.J. (2004): Longterm meditators self-induced high-amplitude gamma synchrony during mental practice, in: *Proceedings of the National Academy of Sciences*, November 16, vol. 101, no.46, 16369-16373.

Newberg, A. B., Alavi, A., Baime, M. Pourdehnad, M., Santanna, J. & d'Aquili, E.G. (2001): The measurment of regional cerebral blood flow during the complex cognitive task of meditation: a preliminary SPECT study, in: *Psychiatry Research: Neuroimaging* 106, 113-122.

Newberg, A., D'Aguili, E. & Rause, V. (2003): *Der gedachte Gott. Wie Glaube im Gehirn entsteht*, München: Piper.

Newberg, A.B. & Iversen, J. (2003): The neural basis of the complex mental task of meditation: neurotransmitter and neurochemical considerations, in: *Medical Hypotheses* 61 (2), 282-291.

Persinger, M.A. (1983): Religious and mystical experiences as artifacts of temporal lobe function: A general hypothesis, in: *Perceptual and Motor Skills* 57, 1255-1262.

Persinger, M.A. (2002): Experimental simulation of the God experience: implications for religious beliefs and the future of the human species, in: Joseph R. (ed.), *NeuroTheology: Brain, Science, Spirituality, Religious Experience*, San Jose, California: University Press California, 267-284.

Ramachandran, V. S. & Blakeslee, S. (2001): *Die blinde Frau, die sehen kann: Rätselhafte Phänomene unseres Bewusstseins*, Reinbeck bei Hamburg: Rowohlt.

Zu Fragen der Materialität des Bewusstseins in Schellings Naturphilosophie – Kritik und Aktualität[*]

MICHAEL BLAMAUER

1. Einleitung

Mit dem im Titel angesprochenen Thema der Materialität des Bewusstseins ist zunächst mehr ein Problem als ein Faktum bezeichnet. Dieses Problem bezieht sich auf die Frage nach der Erklärbarkeit und Bedeutung von Selbstbewusstsein und in weiterer Folge auf die Frage nach dessen Platz in der natürlichen Weltordnung. Problematisch ist dieses Verhältnis von Subjektivität und Natur vor allem in Bezug auf den Menschen, da dieser aufgrund seiner körperlich materiellen Verfasstheit Teil der Natur ist, auf das sich sein Menschsein als bewusst erlebendes Wesen jedoch keineswegs reduzieren lässt.

Schellings Naturphilosophie bietet sich nun in der Behandlung dieser Fragen als idealer Ausgangspunkt an, insofern er in seiner Frühphilosophie versucht hat, die Möglichkeit von Selbstbewusstsein in ein prozessuales Naturkonzept zu integrieren. Darin liegt auch seine nachhaltige Bedeutung für den gegenwärtigen philosophischen Diskurs in der angloamerikanischen Philosophy of Mind. Die Grund- und Leitmotive dieses Diskurses werde ich im letzten Teil meines Aufsatzes skizzieren und mit dem schellingschen Ansatz konfrontieren. Dabei will ich versuchen auf einige Parallelitäten hinzuweisen.

2. Schellings Transzendental- und Naturphilosophie

Schelling geht in seinen Überlegungen zum Begriff des Selbstbewusstseins von der logischen Identität des Urteilens bzw. Wissens aus: Wissen ist als ein Akt zu verstehen, in dem der subjektive Vollzug und der vollzogene Inhalt (im Erkenntnisakt etwa der erkannte Gegenstand) sich gegenseitig bedingen. Es stellt sich die Frage, worin die Möglichkeit eines solchen

---

[*] Dieser Aufsatz ist eine Kurzversion der in Blamauer (2006) dargelegten Ideen.

identischen Wissens liegt. Denn in der Reflexion auf es kann nicht gesagt werden, ob der Akt oder ob der Gegenstand für das Wissen verantwortlich ist. Im Grunde genommen fragt also Schelling nach den Bedingungen der Möglichkeit einer adaequatio von intellectus und res. Die ursprünglichste Form einer solchen adaequatio findet Schelling im Prinzip des Ich, dem transzendentalen Selbstbewusstsein. Dieses zeigt sich nämlich bei genauer Analyse als pure Identität. Der Begriff der Identität bezieht sich hierbei auf die Unmittelbarkeit des Selbstgegebenseins des Subjekts in all seinen Lebensvollzügen. Das letzte „Urfaktum" allen Wahrnehmens bin je Ich – jeglicher lebensweltliche Vollzug und sei es selbst das Denken einer abstrakten mathematischen Gleichung ist *jemeinig*. In Anlehnung an Heideggers Begriff der „Jemeinigkeit" des Welterfahrens soll damit gesagt werden, dass jegliches Verstehen eines „ist" (dem Sein der Objekte) immer schon in dem vorgängigen Verstehen eines fundierenden „bin" (der ursprünglichen Selbsterschlossenheit des sich vollziehenden Subjekts) gründet. (Vgl. dazu Fasching 2005) Nur weil ich mich in meinem Erfahren selbst verstehe, d.h. weil mir *Sein* in erster Linie als *jemeines* erschlossen ist, kann ich mittelbar auch Sein verstehen, das ich selbst nicht bin. Es ist unübersehbar, dass Schelling in diesen grundlegenden Überlegungen zur methodischen Bedeutung des Selbstbewusstseins stark an Fichtes Konzept der Tathandlung und deren drei Konstitutionsmomente anschließt. Denn auch Schellings wesentliches Anliegen ist es, wie wir oben gesehen haben, die grundlegenden Objektbeziehungen aus den Selbstvollzügen des transzendentalen Subjekts verständlich zu machen. Was Objektsein besagt, das macht sich das Selbstbewusstsein rein aus sich selbst verständlich: denn es ist nichts anderes als ein beständiges „Sich-selbst-objektiv-Werden", ein Geschehen das an sich schlechthin Nicht-Objektiv ist. (Vgl. Schelling 1856-61. I/3, 345)

Im Anschluss an diesen Begriff des Selbstbewusstseins entwickelt nun Schelling seine ersten systematischen Gedanken zur Naturphilosophie. Im wesentlichen steht zunächst folgende Frage im Mittelpunkt: Wie ist es zu verstehen, dass sich der Mensch als eben jene selbstbewusste Geist-Körper-Einheit niemals bloß als abstrakte Subjekt-Objekt-Identität, sondern jederzeit als organisch-leibliche Einheit erschlossen ist, deren Identität sich auch wesentlich als zweckmäßiges Verhältnis der inneren Ausgestaltung dieses Zusammenspiels von Geist und Körper manifestiert? Kurz: als lebendiger Organismus.

An die obigen Überlegungen zum Status des Selbstbewusstseins anschließend leuchtet es ein, dass alles Verstehen sowohl von Objektivität als auch von Lebendigkeit nur ein mittelbares sein kann, da es nach Schelling immer an mein je eigenes unmittelbares Selbstverstehen, d. h. ein Verstehen *meiner* selbst *als* ein *Selbst* rückgebunden ist. Die Brücke, die nun Schelling in seinen ersten Anläufen zu einer eigenständigen Naturphilosophie vom Subjektiven zum Objektiven oder anders: vom Geist zum Körper zu schlagen versucht, baut auf den Begriff der „produktiven Anschauung" auf. (Vgl. Schelling 1856-61, I/3, 430)

Körper und Geist versteht Schelling weder, wie etwa Descartes, als distinkte Substanzen, noch, wie Spinoza, als zwei Attribute einer einzigen Substanz. Beiden Positionen unterstellt Schelling, dass sie einem vorstellenden Denken entspringen, das auf einer uneigentlichen Herangehensweise an das freizulegende Phänomen fußt: nämlich einer reflexiven Einstellung, die ein ursprünglich Vollzugsidentisches (in unserem Fall die Identität von Geist und Körper) im Akt der Reflexion in zwei Gegenstände spaltet, die sie aber im tatsächlichen Vollzug nie sind. Wie ist nun der Begriff des Selbstbewusstseins als ein „Sich-selbst-objektiv-Werden" mit dem Problem der Geist-Körper-Identität zusammen zu bringen?

Eine Beantwortung dieser Frage ist nur dann möglich, wenn sich zeigen ließe, wie dieses „Sich-selbst-objektiv-Werden" nichts anderes als die ursprüngliche Geist-Körper-Identität selbst ist. Darin liegt der Kern von Schellings transzendentalphilosophischem Naturbegriff und dessen Relevanz für den Begriff des transzendentalen Selbstbewusstseins. Schelling zufolge muss ein Punkt gefunden werden an dem sich die oben angesprochene Vollzugsidentität und zugleich die Möglichkeit der Reflexion auf diese verstehbar machen lässt. Diesen Punkt sieht Schelling im Begriff der „ursprünglichen Empfindung". (Vgl. Schelling 1856-61, I/3, 399) Im Akt des Empfindens lässt sich zwar eine Unterscheidung zwischen Empfinden und Empfundenem nicht treffen[1], aber dennoch bleibt kein Zweifel offen, dass es immer jemeinig ist. Liest man diese These mit Schelling in einem starken Sinne, dann ist dieses Empfinden somit primär als ein Sich-empfinden zu verstehen. Daraus lässt sich folgern, dass sich die Selbsterschlossenheit des Subjekts in ihrem Ursprung als eine leibliche Selbstaffektion vollzieht. Diese leibliche Selbstaffektion als ursprüngliches Sich-

---

[1] So etwa bei einer Schmerzempfindung, wo ich den Schmerz nicht von seinem Empfundenwerden trennen kann. Vielmehr muss gesagt werden, dass der Schmerz nichts anderes ist, als sein Empfundenwerden. Diese Überlegung ist vor allem in jüngster Zeit in den Debatten um das Phänomen des Bewusstseins in der angloamerikanischen Philosophy of Mind unter den Stichwort Qualia forciert worden. Auf diesen Begriff wird in Punkt 3 dieser Arbeit konkreter eingegangen.

empfinden ist nichts anderes als die oben erwähnte produktive Anschauung. Denn in der produktiven Anschauung empfindet sich das Subjekt (Ich) als Produkt, das zweckmäßig ist, ohne zweckmäßig hervorgebracht zu sein. D.h. es versteht sich als lebendiger Organismus. Somit ist auch zu verstehen, weshalb (Selbst-)Bewusstsein für Schelling notwendigerweise immer auch Endlichkeit bedeutet: da es notwendigerweise mit einem materiellen Leib korreliert.

Mit diesem Sich-erschließen (Fichte würde sagen: Sich-setzen) des Subjekts als organische Einheit, setzt das Ich zugleich einen, dieser Einheit äußerlichen Bereich, der aber dennoch vom Selbstverstehen des Subjekts maßgeblich getragen wird. Insofern ist dem Subjekt diese äußere Wirklichkeit auch als organisch zweckmäßige erschlossen. Der produktiven Anschauung kommt also die systematische Aufgabe zu, lebendige Andersheit außerhalb des Subjekts *für dieses* verständlich zu machen und gleichzeitig eine Grenze zwischen Innen und Außen zu etablieren. Mit dem Setzen dieser Grenze wird zugleich ein Raum geschaffen in dem ein endliches Ich anderen individuellen Subjekten begegnen kann. Mit dem Setzen dieser Grenze ist somit der Raum für ein intersubjektives Zusammen, d. h. zu Gemeinschaftlichkeit eröffnet worden.

Haben sich nun aber auch die Fragen nach dem Verhältnis von Geist und Körper und deren Zusammenspiel in zufrieden stellender Art und Weise beantworten lassen?

Schellings Antwort lautet: Nein! Resümiert man nämlich die vorangegangenen Darlegungen, so zeigt sich Folgendes: Schelling weist im Ausgang von der Überlegung einer ursprünglichen Selbstaffektion des leiblich verfassten Subjekts (als seine Selbstkonstitutionsbewegung) auf deren Bedeutung für das Verstehen von objektiver Lebendigkeit „außerhalb" des Subjekts hin. Dieses Konzept stößt jedoch argumentativ an eine Grenze, denn es kann nicht erklären, wie die unhintergehbare menschliche Subjektivität aus ihren organisch-materiellen Bedingungen ihrerseits hervorgehen kann. Dieses Problem der reellen Entstehung des transzendentalsubjektiven Prinzips selbst ließ Schelling in weiterer Folge nicht zur Ruhe kommen. Er erkannte, dass die Schwierigkeiten des Spannungsverhältnisses von Objektivität und Subjektivität von prinzipieller Art waren. Denn eine transzendentalphilosophisch orientierte Argumentationsstrategie, wie sie von Schelling im Anschluss an Fichtes Ich-Philosophie entwickelt wurde, verbietet es *per se* das Problem der Körper-Geist Relation nochmals eigens von einer materialistischen Perspektive aufzurollen. Zumal ergibt sich aus diesem Ansatz notwendig die Unlösbarkeit des Problems eines adäquaten Verstehens der realen Selbsthaftigkeit anderer Lebewesen, insofern er auf der Irreduzibilität der Ersten-Person-Perspektive aufbaut. Diese anderen Lebewesen könnten nämlich, um an eine Überlegung David Chalmers anzuschließen, auch Zombies sein, die ich in meinem erkenntnistheoretischen Zugang zwar als selbsthaft vermeine, darüber aber aus methodischen Gründen keine klare Aussage treffen kann. (Vgl. Chalmers 1996, 96-99)

Aus den eben genannten Gründen sah sich Schelling dazu veranlasst, das idealistisch-transzendentalphilosophische Konzept durch ein materialistisches Konzept einer spekulativen Physik zu ergänzen bzw. zu begründen.

Der Name „spekulative Physik", mit dem Schelling seine materialistisch ausgerichtete Naturphilosophie betitelt, hat seine Wurzel primär in der methodischen Trennung von Transzendental- und Naturphilosophie. Naturphilosophie, nun spekulative Physik, versteht sich als eigenständige, von transzendentalphilosophischen Argumenten völlig freie Wissenschaft. Das Grundanliegen der spekulativen Physik ist es, die transzendentalphilosophischen Argumentationsprinzipien, d.h. die Subjektivität in ihrer objektkonstitutiven Relevanz, durch ein objektiv-materialistisches Konzept einzuholen. Dessen Ziel liegt in der Auflösung der Aporien, die aus einer transzendentalphilosophisch orientierten Argumentation in Bezug auf die Probleme des Körper-Geist Verhältnisses sowie der intrinsischen Selbsthaftigkeit anderer Subjekte resultieren.

Schelling wartet nun in diesem Neuentwurf mit einem Modell auf, das nicht ohne Schwierigkeiten zu verstehen ist. Denn mit der Intention einer objektiven Grundlegung subjektiver Prämissen muss für die spekulative Physik ein Prinzip formuliert werden, das (1) selbst keinen transzendentalphilosophischen Status mehr hat, (2) aber dennoch deren Prinzip aus sich erklärbar macht.

Schellings Überlegung ist nun – skizzenhaft dargestellt – folgende: wenn das Moment irreduzibler Subjektivität in die konstitutiven Momente eines objektiven Prinzips mit eingehen muss, um aus ihm erklärbar zu sein, so kann in weiterer Folge Natur (im Sinn der gegenständlichen Welt, zu der auch der menschliche Körper zählt) einzig als eine Identität von Bedingtem und Unbedingtem rekonstruiert werden. Es lässt sich leicht einsehen, woher Schelling diese Überlegung bezieht, taucht sie doch schon in seinen ersten transzendentalphilosophischen Reflexionen zum Verhältnis von Bedingtem und Unbedingtem (vgl. Schelling 1856-61, I/1, 149-244) auf und lässt sich auch nicht anders als in Analogie zum Modell des

Selbstbewusstseins als „Sich-selbst-objektiv-Werden" begreifen. Aus dieser *Sich selbst objektiv werdenden Natur* soll sich das Zusammenspiel und das Auftreten von Leben und Bewusstsein aus (vermeintlich) anorganischen Entitäten innerhalb eines Evolutionskontinuums bei gewahrter Einheit der Welt (und somit auch der physikalischen Geschlossenheit derselben) erklärbar machen.

Interessant, wie gleichermaßen problematisch ist hier Schellings Ansatz einer dynamischen Atomistik. (Vgl. Schelling 1856-61, I/3, 23) Schellings Naturkonzept fordert für die genetische Erklärung von Bewusstsein die prinzipielle Revision eines Materiekonzepts, das mit der Idee letzter anorganisch materieller Entitäten arbeitet. Er versucht also in der Schlüsselfrage, ob die Welt letzten Endes aus kleinsten Teilchen besteht oder nicht, eine Mittelstellung zu beziehen. Denn wenn das Teilchenmodell vom empirischen Standpunkt des theoretischen Physikers in vielen Hinsichten einleuchtend erscheint, so ist es in Bezug auf die Frage des Körper-Geist Problems, d.h. in Bezug auf die Frage nach dem Status des Bewusstseins innerhalb einer einheitlichen Weltsicht, unhaltbar. Die Gründe für die Unhaltbarkeit einer atomistischen Position in Bezug auf das genannte Problem sind für Schelling folgende: Mentale Phänomene sind keine physischen Phänomene. Wir haben im Abschnitt zu Schellings Subjektivitätsbegriff argumentiert, dass Subjektivität als Bedingung von Bezugnahmen auf Gegenstände selbst nichts Gegenständliches ist, Atome jedoch schon. Damit wäre man gezwungen, zu erklären, wie aus etwas Nicht-Mentalem etwas Mentales entstehen kann, wie aus etwas Objektivem etwas schlechthin Nicht-Objektives entsteht. Schelling orientiert sich deshalb in seinen Überlegungen zum Status der Materie an Leibniz' Monadenbegriff auf den er in seinen Ausführungen zur Materiekonstruktion auch ausdrücklich verweist (vgl. Schelling 1856-61, I/3, 23).

Insofern kann sein Entwurf einer dynamischen Atomistik als materialistische Monadologie interpretiert werden. Materie hat hier als „erstes Produkt" des ursprünglichen Naturprinzips einen seltsamen Zwischenstatus, da sie einerseits materielle Entität ist und andererseits protomentale Eigenschaften besitzt, aus denen dann in weiterer Folge das Auftreten von Bewusstsein in der Kontinuität natürlicher Evolution erklärt werden soll.

Ohne hier auf Schellings konkrete Ausführungen näher eingehen zu können, lassen sich schon aus dem Verhältnis der beiden Argumentationsperspektiven (vom Subjektiven zum Objektiven vs. vom Objektiven zum Subjektiven) deren grundlegende Probleme einsehen, die sich im Wesentlichen auf drei Fragen reduzieren lassen:

1. Was soll potentielle Bewusstheit auf den unteren Stufen der Evolution bedeuten? Anders formuliert: Welche Bedeutung hat der Begriff protomentaler Eigenschaften etwa in Bezug auf einen Stein?
2. Wie kann aus dem Zusammenspiel der dynamischen Atome eine einheitliche Erlebnisperspektive wie die *jemeine* entstehen, wenn Schelling die Differenzen innerhalb der Natur (sowohl analog als auch genetisch) über das Argument der unterschiedlichen relationalen, d.h. funktionalen Organisation der dynamischen Atome begründet?
3. Wie ist der konkrete Übergang von Anorganischem zu Organischem zu denken?

Betrachtet man diese Fragen so ist leicht einzusehen, dass sie der unaufgelösten Spannung zwischen Transzendental- und Naturphilosophie, d.h. dem aporetischen Verhältnis von Bewusstsein und materieller Welt, entspringen.

Im Grunde genommen kann Schellings eigene Einsicht in das Scheitern seiner transzendental- wie auch naturphilosophischen Ansätze, hinsichtlich der Deutung des Verhältnisses von Bewusstsein und materieller Welt als maßgeblicher Anstoß zur Ausarbeitung seiner Spätphilosophie gesehen werden. Denn in beiden Fällen verstrickt sich die Vernunft (wenn sie versucht sich selbst zu erklären) in unauflösbare Widersprüche und Aporien. Dennoch sind aber die negativen Resultate, die eine reinrationale Philosophie liefern kann, als Einsicht in die wesenhafte Unerkennbarkeit eines letzten Grundes und dessen unvordenkliches Walten in allen unseren bewussten, wie auch unbewussten Weltvollzügen (auch denjenigen einer philosophischen Reflexion) in letzter Instanz positiv zu bewerten.

Es handelt sich hier um die Einsicht, dass die Nähe zum Absoluten nur in einem Nicht-Wollen (d.h. Nicht-Erklärenwollen, Nicht-unter-die-Fittiche-des-Verstehens-bringen-Wollen) liegen kann. In diesem Nicht-Wollen wird die Vernunft ekstatisch und erfährt ihren wesensmäßigen Mangel, der ihr eignet: die Unverfügbarkeit des eigenen Grundes, insofern sie sich als Vernunft nicht selbst gesetzt hat. In dieser Erfahrung der eigenen Grenze liegt die Erfahrung des Absoluten, denn ein Innewerden der Grenze ist für Schelling zugleich ein Über-sie-hinaus-Sein und somit beim Absoluten selbst sein.

3. Zur Relevanz der Schellingschen Position zu gegenwärtigen Ansätzen – ein Ausblick auf die *Philosophy of Mind*

Betrachtet man die Probleme, mit denen sich die gegenwärtige Geistphilosophie befasst, so erscheinen die oben erörterten Probleme in Schellings Naturphilosophie von höchster Aktualität. Dies zeigt sich vor allem in aktuellen Diskussionen zur Frage nach der Geist-Körper Identität, dem Primat des Selbstbewusstseins vor jeglichen Referenzbezügen, sowie in der Entwicklung neuerer nichtreduktiver Konzepte, die versuchen materialistische und idealistische Positionen in Einklang zu bringen.

Ich möchte deshalb im Folgenden diesen neueren Positionen eine Referenz erweisen, nicht allein um die Aktualität von Schellings Fragestellung, sondern zugleich auch die Aktualität (und immanente Problematik) der von ihm gelieferten Lösungsvorschläge herauszustreichen.

Die Argumentation solcher Konzepte geht zunächst von der Vorentscheidung aus, dass in dem Versuch einer Beantwortung der Frage, wie denn Körper und Geist in ein und demselben Individuum vereint sein können, eine nicht zu unterschätzende Problematik liegt. Zumeist wird das mit dem Faktum begründet, dass das menschliche Erleben eine Dimension aufweist, die sich keinesfalls mittels funktional-technischer Begriffe beschreiben lässt. Nimmt man dieses Problem genauer in Augenschein, so zeigt sich, dass es sich beim bewussten Erleben überhaupt nicht um eine Art propositionalen Wissens handelt. Dies gilt es im Folgenden näher zu erläutern.

Wie wir uns erinnern hat Schelling das Selbstbewusstsein als eine besondere Form und zugleich irreduzible Bedingung des Weltzugangs eines Subjekts verstanden. Das wesentlichste Charakteristikum des Selbstbewusstseins zeigte sich in der unhintergehbaren Jemeinigkeit meiner Erlebnisse und deren konstitutiver Funktion für mein Welterfahren, insofern sie als notwendige Bedingung für Objektivität überhaupt fungierte. Dieses Selbstbewusstsein in seinem unaufhebbaren Für-mich-Sein manifestiert sich für Schelling primär in der Jemeinigkeit erlebter Qualitäten.

Ganz ähnliche Überlegungen stellt auch Thomas Nagel in seinem programmatischen Essay *Wie ist es, eine Fledermaus zu sein?* an. In diesem Essay erörtert er die Frage nach der Seinsweise des Bewusstseins und dem damit zusammenhängenden Leib-Seele-Problem. Ich werde zunächst eine kurze Zusammenfassung von Nagels Grundintuitionen in diesem Essay geben, um in der Folge auf das Problem der so genannten Qualia näher einzugehen.

Nagel geht von folgender Überlegung aus: Bewusste Erfahrung gibt es nicht nur auf menschlicher Ebene, sondern auch, wie angenommen wird, im Tierreich. Das zeigt uns Beobachtung und Erfahrung. Dieser Zustand bewussten Erfahrens kann am besten folgendermaßen beschrieben werden: „Die Tatsache, daß ein Organismus *überhaupt* bewußte Erfahrung hat, heißt im wesentlichen, daß es irgendwie ist, dieser Organismus zu *sein*." (Nagel 1996b, 136)

Es ist also das Erleben, das die Beantwortung der Frage, wie Körper und Geist zusammenspielen, zu einem Problem macht. Denn dieses Erleben ist immer jemandes Erleben – obwohl dies eine irreführende Sprechweise ist. Denn sie suggeriert, dass es beliebig ist, wer erlebt, wenn wir von subjektiven Wahrnehmungen sprechen – doch so ist es keineswegs. Die Schwierigkeit liegt darin, dass uns dieses Erleben, von dem eben die Rede ist, nur in unserer je eigenen subjektiven und unmittelbaren Weise zugänglich ist und von „Außen" gar nicht erfasst werden kann.

Man könnte nun einwenden, dass auch dieses Sich-anfühlen im Wesentlichen nichts anderes ist als ein materieller Vorgang im Gehirn und insofern gar nicht wirklich existiert. Dass es so etwas wie Bewusstsein bzw. bewusstes Erleben überhaupt gibt und dass ein solches Erleben einen grundlegend anderen Sinn hat als ein materieller Vorgang in meinem Gehirn, zeigt sich vor allem an Phänomenen deren Existenz wesentlich mit der eben beschriebenen Jemeinigkeit des Erlebens verbunden ist: den so genannten Qualia.

Qualia ist der terminus technicus für die Gesamtheit der durch Jemeinigkeit ausgezeichneten Erlebnisqualitäten. Zu diesen so genannten Qualia zählen Farbwahrnehmungen ebenso wie Schmerzempfindungen, Geschmacksempfindungen etc. Mit diesem Faktum, dass Erleben immer eine bestimmte Qualität hat, d. h., dass es sich irgendwie anfühlt ein feines Kribbeln auf der Haut zu spüren im Gegensatz zu dem stechenden Schmerz, wenn ich mich verbrenne, ist auch das „schwierige Problem" (*the hard problem of consciousness*) verbunden. Denn dieses Erleben scheint mit der Tatsache nicht in Einklang zu bringen zu sein, dass wir nicht bloß erlebende sondern auch physisch-materielle Lebewesen sind.

So wäre es etwa sinnlos zu behaupten, Schmerzempfinden sei in letzter Hinsicht nichts anderes als eine bestimmte neurophysiologische Reaktion in meinem Gehirn. Denn der Schmerz und sein Empfinden lassen sich zum einen nicht voneinander unterscheiden, d. h. Schmerzen haben bedeutet, dass es gerade für die jeweilige Person irgendwie ist, den Schmerz zu fühlen. Zum anderen kann dieses Empfinden nicht auf seine materiellen

Grundlagen reduziert werden, da sonst das Phänomen „Schmerz" als solches eliminiert (und somit gerade *nicht* erklärt) werden würde. Zugleich muss natürlich gesehen werden, dass es unumstößlich ist, dass einem solchen psychischen Zustand (zumeist) ein neurophysiologischer Zustand im Gehirn entspricht. Ich sage extra „zumeist", denn es ist durchaus vorstellbar, dass zwar mein neurophysiologischer Zustand darauf hindeutet, dass ich Schmerzen habe, obwohl ich tatsächlich keine fühle. Ebenso ist es möglich, dass ich ein intensives Schmerzerlebnis habe, obwohl der dazugehörige neurophysiologische Zustand nicht realisiert ist.

Folgende Überlegung ist somit durchaus zulässig: Macht es überhaupt Sinn, zu fragen, wie *meine* Erlebnisse wirklich sind? *Meine* Erlebnisse sind es ja gerade nur deswegen, weil sie *für mich* sind, d.h. nur meiner Perspektive zugänglich und demnach auch nur so wirklich. Denn Gefühle, Empfindungen und intentionale psychische Zustände müssen sich der Sache nach aller erst subjektiv manifestieren, um überhaupt zu Bewusstsein zu kommen, d.h. Phänomene zu werden. Es zeigt sich also: Wenn es Qualia gibt, dann kann die Jemeinigkeit des Erlebens kein Schein sein, der aus einer Beobachterperspektive erklärt werden kann.

Damit ist zwar eine antireduktionistische These in Bezug auf die Jemeinigkeit des Erlebens formuliert worden, was jedoch nicht bedeutet, dass eine solche Position notwendig einen Materialismus ausschließt, insofern es unleugbar ist, dass wir biologisch-materielle Wesen sind.

Durch das Geist-Körper-Problem wird man somit notwendig dazu getrieben (ähnlich wie Schelling zur Naturphilosophie) ein Konzept zu erdenken, das beiden Positionen gerecht wird. Thomas Nagel schlägt deshalb, ebenso wie David Chalmers eine Doppelaspekttheorie vor, deren letzte Konsequenz zu einem Panpsychismus führt. (Vgl. Nagel 1996a und Chalmers 1996, 284-287, sowie Seager 1999 und Sprigge 1998) In diesen Überlegungen ist die Affinität zu schellingschen Theoremen unübersehbar. Damit einhergehend spannt sich jedoch auch derselbe Problemhorizont wie wir ihn schon als Resultat von Schellings Argumentation kennen auf. Ich werde im Folgenden kurz auf die Theorie des Panpsychismus eingehen und einige mit ihr zusammenhängende Probleme ansprechen.

Zur Theorie des Panpsychismus gelangt man über folgende Frage: Wie ist es zu erklären, dass der Mensch als organisch materielle Einheit, die mit physikalischen Begriffen beschreibbar ist, primärer Träger der oben beschriebenen bewussten qualitativen Erfahrungen sein kann? Nagel betont, dass es „als eine seltsame und außerordentliche Wahrheit [erscheint], daß bestimmte komplexe – biologisch erzeugte – materielle Systeme, für die ein jeder von uns ein Beispiel ist, reichhaltige nicht physikalische Qualitäten besitzen. Eine Gesamtauffassung der Realität muß dieses Faktum aber erklären können" (Nagel 1992, 92 f.). So ist auch Searle der Ansicht, dass die Frage *Wie können bewusstlose Materiepartikel Bewusstsein hervorbringen?* mit der Frage, wie das Gehirn Bewusstsein generiert, obwohl seine Neuronen, Synapsen und Rezeptoren an sich ohne Bewusstsein sind, vollkommen kohärent erscheint. (Vgl. Searle 1996, 73) Ein möglicher Theoriekandidat der den genannten Prämissen Rechnung trägt wäre der *Panpsychismus.* Diesen definiert Nagel folgendermaßen: „Unter Panpsychismus verstehe ich die Ansicht, daß die grundlegenden physikalischen Bestandteile des Universums – ob sie in lebendigen Organismen vorkommen oder nicht – psychische Eigenschaften haben." (Nagel 1996a, 251) Oder in einer Formulierung William Seagers: *Panpsychismus* „is the doctrine that all matter, or all nature, is itself psychical, or has a psychical aspect" (Seager 1999, 240). Denn: ex nihilo, nihil fit.

Das schlagende Argument, das zur Theorie des Panpsychismus drängt, ist das Scheitern jeglicher Erklärungen für das Entstehen von Bewusstsein aus materiellen Prozessen des Organismus. Es gibt keine wirklich emergenten Eigenschaften komplexer Systeme. Alle Eigenschaften komplexer Systeme resultieren aus den Eigenschaften ihrer Teile bzw. aus der Interaktion zwischen diesen Teilen.

Betrachtet man nun die angeführten Argumentationsstrukturen, so ist ihre Verwandtschaft mit denjenigen aus Schellings Naturphilosophie durchaus zu erkennen. Zieht man nun auch noch folgenden Schluss Nagels aus den gebrachten Argumenten, so scheint darin Schellings Geist gegenwärtig: „Vielleicht haben wir nicht mit zwei vollkommen separaten Schlußketten zu rechnen, sondern es gibt eine, die vom Psychischen ebensogut wie vom Physikalischen auf einen neutralen Grund führt. Rein spekulativ ist folgendes denkbar: Wenn psychische Erscheinungen sich überhaupt aus Eigenschaften von Materie ergeben, so könnten diese sich auf irgendeiner Ebene als gewisse nichtphysikalische Eigenschaften entpuppen, aus denen sich auch die physikalischen Erscheinungen ergeben." (Nagel 1996a, 254)

Nagel nennt diese Eigenschaften „protopsychische Qualitäten". Sie bilden in gewisser Weise den Kernbegriff des Panpsychismus, insofern sie einerseits in aller Materie als gegenwärtig gedacht werden und andererseits als diejenigen Eigenschaften der Materie fungieren, „aus denen sich psychische Qualitäten ergeben können" (Ebd.) sollen.

Diese Annahme protopsychischer Qualitäten – so kohärent sie auch in Bezug auf das Leib-Seele Problem ist – birgt einige Widersprüche in sich. Im Folgenden werde ich abschließend kurz auf diese Widersprüchlichkeiten bzw. Probleme des Panpsychismus eingehen. Damit möchte ich auch meiner Ansicht Rechnung tragen, dass es bis dato keine adäquate Lösung des Leib-Seele Problems gibt – weder im Bereich der Naturwissenschaft noch der Philosophie.

Ein Einwand gegen den Panpsychismus rekurriert auf ein Problem, das schon in der Kritik zu Schellings dynamischer Atomistik angeführt wurde. Die Frage lautet: Wie lässt sich aus der Annahme, dass kleinsten Materiepartikeln *protopsychische Eigenschaften* zukommen, erklären, dass sich aus diesen kleinsten Einheiten von Bewusstsein (Seager nennt es deshalb ähnlich zu Schellings Begriff der dynamischen Atomistik „atomic consciousness" [Seager 1999, 241]) in bestimmter Kombination ein einheitliches Bewusstsein in der Form wie es uns eignet, ergibt? Anders formuliert: Wie können protobewusste Elemente durch bestimmte Organisation eine höhere Form von Bewusstsein in der uns bekannten Form hervorbringen? Wir stehen hier also abermals vor dem Problem des Entstehens von Bewusstsein aus einer bestimmten Anordnung nichtbewusster Materieteilchen. Die Tatsache, dass wir ihnen jetzt eine Form von Proto-Bewusstsein zuschreiben macht die Sache um keinen Deut verständlicher.

Eine weitere Argumentationslücke taucht auf, wenn die Frage nach der Bedeutung des Begriffs „protomentale Eigenschaften" gestellt wird. Denn „proto-mental" deutet auf eine Form von Bewusstheit, die von unserer Erlebnisperspektive verschieden ist. Wenn wir somit zugeben wollen, dass die Materieteilchen mit ihren so genannten protopsychischen Eigenschaften an sich selbst nicht in derselben Form bewusst sind, wie wir es sind (wenn Bewusstsein eine Form von Erlebnisperspektive bezeichnet), so müssten sie unbewusst sein. Wie können aber an sich unbewusste Materieteilchen Bewusstsein erzeugen?

Zu guter Letzt ließe sich gegen die Idee der Protomentalität aus der Perspektive des „gesunden Menschenverstandes" polemisieren (deshalb zähle ich diesen Einwand nicht zu der Liste der Argumente). Die Polemik betrifft die Schwierigkeit, dass die Annahme protomentaler Eigenschaften der Materie mit unserer natürlichen Lebenserfahrung nicht in Einklang zu bringen ist. Denn: Ein mentaler Aspekt des Tisches, an dem ich sitze, oder des Geschirrlappens, den ich zum Abtrocknen der Teller verwende, ist wahrscheinlich nicht ohne Einnahme bestimmter chemischer Substanzen zu erkennen.

4. Schluss

In den vorangegangenen Ausführungen habe ich zu zeigen versucht, dass sich jede nicht-reduktive Theorie, die sich dem Leib-Seele-Problem in seiner vollen Tragweite stellt, notwendig auf das Konzept protomentaler Eigenschaften getrieben sieht. Der Grund dafür liegt in der prinzipiellen Unterschiedenheit der beiden Elemente, Bewusstsein und Materie. Daraus resultiert die Schwierigkeit, dass jeder Versuch einer Reduktion eines der beiden Elemente auf das jeweils andere notwendig mit dessen vollständiger Elimination einhergeht. Dadurch stellt sich im Weiteren das Problem, wie aus dem schlichtweg bewusstlosen Material eine subjektive Perspektive entstehen können soll, die ein grundlegendes Faktum der Welt darstellt.

Sowohl Schellings Naturphilosophie, als auch der Panpsychismus wie er in der aktuellen Debatte zum Körper-Geist Problem präsent ist, sind von der Einsicht geleitet, dass eine Naturalisierung von Bewusstsein absurd und eine Idealisierung der Natur angesichts der Ergebnisse der Naturwissenschaften lächerlich erscheinen. Dennoch sind beide Theorien immanent mit Problemen konfrontiert, deren Konsequenzen ein nicht-reduktives Bewusstseins- und Naturkonzept schlichtweg ad absurdum führt.

Der Panpsychismus sieht sich – wie ich zu zeigen versuchte – mit denselben Problemen konfrontiert, mit denen schon Schellings Naturphilosophie zu kämpfen hatte. Thomas Nagel, einerseits Verfechter, andererseits Kritiker des Panpsychismus, verwies von selbst auf die prinzipielle Schwierigkeit, die sich meiner Ansicht nach jedem spekulativen Naturkonzept früher oder später stellt, das versucht die Fundamente seines originären Verstehen*könnens* ihrerseits nochmals versteh*bar* zu machen. (Vgl. Nagel 1996a, 266)

Denn wie soll sich aus einzelnen protobewussten Entitäten eine einheitliche Erfahrungsperspektive von der Qualität der *jemeinigen* zusammensetzen können? Dieses Problem zeigte sich auch als *die* Grundschwierigkeit im Verständnis von Schellings Naturphilosophie. Während das Resultat der transzendentalphilosophischen Spekulationen in der Einsicht in die irreduzible subjektive Perspektive des Menschen und deren konstitutive Notwendigkeit hinsichtlich objektiver Tatsachen kulminierte, so kann der Anstoß zur Ausarbeitung einer eigenständigen Naturphilosophie im Versuch der Auflösung des damit sich einstellenden Problems der Leib-Seele-Identität im Menschen gesehen werden. Schelling konnte jedoch nicht zeigen, wie es zu verstehen sei, dass der Mensch als *gewordener* zu einem

Bewusstsein kommt, das jedoch nicht als *entstanden* gedacht werden kann. In Schellings Naturphilosophie und deren dynamischer Atomistik, wie auch in der Theorie des Panpsychismus müssen wir den Versuch, bewusstes Leben aus letzten protobewussten Entitäten herzuleiten, als gescheitert ansehen. Denn es bleiben beiderseits die Probleme der Genese einer einheitlichen Erfahrung, die unser bewusstes Leben auszeichnet, und die Frage, was Bewusstsein auf der Ebene protobewusster Teilchen noch besagen soll, offen.

LITERATUR

Blamauer, M. (2006): *Subjektivität und ihr Platz in der Natur. Untersuchung zu Schellings Versuch einer naturphilosophischen Grundlegung des Bewusstseins*, Stuttgart: Kohlhammer.

Chalmers, D. (1996): *The Conscious Mind. In Search of a Fundamental Theory*, New York: Oxford Univ. Press.

Fasching, W. (2005): Wessen ist das Dasein? Zur Frage nach dem Selbst in der hermeneutischen Phänomenologie, in: Vetter, H. / Flatscher, M. (Hg.), *Hermeneutische Phänomenologie – phänomenologische Hermeneutik*, Frankfurt a. M.: Peter Lang, 54-66.

Nagel, T. (1992): *Der Blick von Nirgendwo*, Frankfurt a. M.: Suhrkamp.

Nagel, T. (1996a): Der Panpsychismus, in: ders., *Letzte Fragen*, Darmstadt: Wissenschaftliche Buchgesellschaft, 251-267.

Nagel, T. (1996b): Wie ist es, eine Fledermaus zu sein?, in: Frank, M. (Hg.), *Analytische Theorien des Selbstbewußtseins*, Frankfurt a. M.: Suhrkamp, 135-152.

Schelling, F. W. J. (1856-61): *Sämtliche Werke*, Hg. von K. F. A. Schelling, Stuttgart.

Seager, W. (1999): Consciousness, Information and Panpsychism, in: ders., *Theories of Consciousness. An introduction and assessment*, London u. a.: Routledge, 216-252.

Searle, J. R. (1996): *Die Wiederentdeckung des Geistes*, Frankfurt a. M.: Suhrkamp.

Sprigge, T. L. S. (1998): Panpsychism, in: *Routledge Encyclopedia of Philosophy*, Vol. 7, London: Routledge, 195-197.

Selbstbewusste Gehirne und rekursive Zeit: Die Wiederentdeckung des Geistes im materiellen Element

WILFRIED GRIEßER

Zunächst soll ein kursorischer Durchgang durch die Hirnforschung der letzten Jahrzehnte darlegen, inwiefern im dürren und trockenen Element der Neuronen der Geist sich selbst auslegt und wesentliche Bestimmungen seiner selbst hervorbringt, wenngleich sich dies für die einem materialistisch-reduktionistischen Paradigma folgende naturwissenschaftliche Hirnforschung erst ‚hinter den Kulissen' abspielt. (Wenn ich dabei vom Geist spreche, beziehe ich mich auf idealistische Konzeptionen, die um die Vollzugsform von Selbstbewusstsein kreisen, und nicht auf eine *philosophy of mind*, die mir dazu zu tendieren scheint, Geistiges selbst nur auf atome Kognitionen und kognitive Fähigkeiten von Individuen zu reduzieren.) In einem zweiten Schritt untersuche ich die vieldiskutierten Libet-Experimente auf den darin zum Vorschein kommenden Begriff von Freiheit und Zeitlichkeit und weise auf, dass durch diese Experimente entgegen allen Unkenrufen, die in ihnen das Ende eines jeden philosophischen Idealismus ersehen, sowohl die alltägliche Erfahrung als auch idealistische wie heideggersche Konzeptionen geradezu bestätigt werden.

I.

Schon die Ventrikeltheorie des Anatomen Thomas Soemmering (1755-1830), der mit Kant in Korrespondenz stand und der in der Ventrikel*flüssigkeit* und nicht an einem bestimmten festgelegten Ort des Gehirns den vielgesuchten „Sitz der Seele" erblickte (Oeser 2002, 101-109, vgl. Breidbach 2001), kommt mit Kants Begriff des Selbstbewusstseins, das lediglich die Einheits*funktion* des „Ich denke" darstellt, überein, und auch Hegel dürfte sich auf Soemmering bezogen haben, wenn er in seiner *Phänomenologie des Geistes* in den berühmten Ausführungen zur Schädellehre das Gehirn als „Flüssigkeit" bezeichnet (Hegel 1980, 181). Längst gilt zwar die Hirnrinde als der Ort der Vernetzung, Interpretation und Weiterleitung von Information, aber auch hier konnte sich eine strikte Lokalisationstheorie nie durchsetzen (Oeser 2002). Mehr noch: In dem seit den 1950er-Jahren leitenden Ausgang von neuronalen Netzwerken und einer modularen Organisation der Großhirnrinde wird die Hirntätigkeit zusehends als ein durch Rückkopplung charakterisierter *Prozess* verstanden, dessen „Programme" sich nicht nur verändern, sondern im Zuge ihrer „Betätigung" gleichsam erst entstehen und auf diese Weise die Rede von einem *selbstbewussten Gehirn* nahe legen (Oeser 2002, 244, vgl. Oeser 2006). Bezeichnend ist auch, dass die Tätigkeit des Gehirns im Versuch ihrer mathematischen Modellierung scheinbar nur einem „deterministischen Chaos" verglichen werden kann (Oeser 2006, 60-63), wie dies der Spontaneität und Diskontinuität von *Ich* entgegenkommt. Von daher verwundert es nicht, dass Bewusstsein und Selbstbewusstsein angesichts einer solchen „Selbstmächtigkeit" des Gehirns vielen als bloße Resultate der Gehirntätigkeit erscheinen.

Unterbelichtet bleibt in der Hirnforschung freilich die ‚Rolle' des Ich: Schon deren neuere Terminologie in ihrer Rede von Information, Programmen und Netzwerken scheint in verräterischer Weise der Sozialwelt und ihrer Technologien entlehnt, und ohnedies ist es ein Gemeinplatz, dass Naturwissenschaft nicht nur nicht interessensfrei ist, sondern sich stets in einem ‚Raum' der Interpretation vollzieht. Dennoch übersetzt sie sich nicht in Soziologie, sondern das Phänomen, das gesehen, gefühlt, gerochen, geschmeckt wird, hat sein eigenes Recht. Es ist zwar vermittelt, aber dabei immer ein Resultat, und so steht es nie nur *unter* leitenden Kategorien, sondern seine beanspruchte Unmittelbarkeit ist durch *Aufhebung* der Vermittlung vermittelt. Um ein einfaches Beispiel zu geben: Jeder Messvorgang kommt darin, dass er *etwas* misst und z.B. dessen Länge bestimmt, an sein Ende. Damit investiert sich aber auch dies, dass es *unser* Messen war, welches unter leitenden Fragestellungen, Kategorien usf. erfolgt war, in das Resultat. Das aber bedeutet, dass gerade deswegen, weil die Vermittlung, indem sie *etwas* vermittelt, sich selbst hinter sich lässt und sozusagen „vergisst", auch die von Philosophen zurecht beklagte Selbstvergessenheit der Hirnforschung eine *systematische* ist. Und wegen dieser Selbstvergessenheit erkennt das *Ich* sich in den entdeckten „selbstbewussten" Hirnstrukturen nicht wieder, und wenn, dann bestenfalls negativ, im Sinne eines: „Ich bin *nicht* mein Gehirn", nicht jedoch affirmativ, in der empirisch aufgewiesenen (und zuvor skizzierten) „selbstbewussten" Organisation des Gehirns das Wesen des selbstbewussten Geistes zu erkennen, wie es nicht nur in die Gehirntätigkeit hineingelesen wird und sich aus dieser wieder herauslesen lässt (der Hirnforscher hätte es dann nur mit *sich* zu tun gehabt), sondern vielmehr schon das *Dasein* von Selbstbewusstsein ist. Dennoch wird man von Seiten der Philosophie anerkennen müssen, dass gerade im *reinen*, asketischen Vorgehen der Naturwissenschaft, in ihrer Hingabe, sich in ihren Gegenstand zu versenken, dieser Gegenstand sich *von sich her* als ein Selbstbewusstsein erweist und nicht bloß der Hirnforscher *sein* Selbstbewusstsein in seinen Forschungsgegenstand „hineinliest". Die Selbstvergessenheit einzelwissenschaftlicher Forschung hat also auch einen positiven Ertrag. Doch ungeachtet dieser Näherbestimmung, auf die noch zurückzukommen sein wird, muss man konstatieren, dass Hirnforschung, sobald der Hirnforscher sich, sein Denken, seine Weltbegegnung usw. als bloße Gehirntätigkeit auslegt, auf kurz oder lang selbstreferentiell wird, und gerade dies macht es aus, dass die Biologie sich heutigentags (teils mit Recht) als Universalwissenschaft wähnt und einer Transzendentalphilosophie, die das Ich des Selbstbewusstseins bloß als *Voraus*setzung aller Naturwissenschaft behauptet, überlegen scheint. Alleine, diese Reflexionen sind nicht für die Hirnforschung: Ihr fehlen die kategorialen Mittel, ihren Fund zu begreifen, und so gibt sie im trotzigen Kampf gegen die Transzendentalphilosophie das Gehirn zumeist einseitig als *Ursache* alles Denkens aus und ruft hierdurch ihren Gegner auf den Plan. Damit, dass das Gehirn bloß faktische notwendige *Bedingung* von Selbstbewusstsein sei, kann sie sich angesichts ihres Fundes mit Recht nicht beruhigen, und wenn Philosophie und Hirnforschung sich auf eine Wechselwirkung, eine ‚Interaktion' zweier Entitäten einigen, so bleibt deren Zusammenspiel unklar.

II.

Bevor ich die zuletzt angeführten Gedanken weiter aufgreife, wende ich mich den Libet-Experimenten zu, die einiges von dem Gesagten gut illustrieren (Oeser 2006, 158f.): Bereits 1973 veröffentlichte der amerikanische Physiologe Benjamin Libet Experimente zur Hautreizung, die das verblüffende Ergebnis zeigten, dass die Versuchspersonen das subjektive Erleben eines schwachen Hautreizes auf den Beginn der tatsächlichen Reizung zurückdatierten, obwohl die Ausarbeitung des für eine bewusste Wahrnehmung erforderlichen neuronalen Musters in der Großhirnrinde erst circa eine halbe Sekunde später erfolgte als die Reizung. Weitaus populärer wurden seine 1983 veröffentlichten Experimente zur Willkürbewegung mit ihrem bekannten Ergebnis, dass auch hier die bewusste Wahrnehmung einer Entscheidung circa eine halbe Sekunde später erfolgte als das Entstehen eines Bereitschaftspotentials im Gehirn, wie es in diesem Experiment an die Stelle einer von außen erfolgenden Reizung tritt, und das Selbstverständnis, frei entschieden zu haben, ebenfalls nur durch eine Art Rückdatierung zustande komme. – Bekanntlich wurde und wird aufgrund dieser Experimente vielfach die Willensfreiheit bestritten und als Illusion entlarvt (zur gegenwärtigen Diskussionslage Pauen 2006). Gegen diese Bestreitung hilft auch nicht der Einwand, dass in Libets Experiment gar keine Entscheidung zwischen Alternativen erfolgt sei, außer die, überhaupt an dem Experiment teilzunehmen, denn schon in diesem Experiment kann durchaus die Alternative gesehen werden, zu einem jeweiligen Zeitpunkt den Finger zu heben oder nicht, und spätestens das Experiment von Haggard und Eimer aus 1999 mit der Alternative, den linken oder den rechten Zeigefinger zu heben, zeigte ganz analoge Ergebnisse.

Weit entfernt davon, dem Menschen Freiheit absprechen zu wollen, scheinen mir diese Experimente indes die Art und Weise, wie eine Entscheidungssituation *phänomenal* erfahren wird, geradezu empirisch zu bestätigen: Denn im „Augenblick" einer Entscheidung erfahren wir nur, uns nach vielleicht langem Ringen sozusagen ‚mit einem Schlag' entschieden zu *haben*. So, wie das Jetzt der Zeit kein fixierbares „Atom" ist,[1] sondern *gesetzter* Zeitpunkt, ist auch der Zeitpunkt einer Entscheidung nicht positivierbar; beim Moment der Entscheidung kann man sich ebenso wenig zusehen wie beim Aufwachen oder beim Erschrecken. Das Wahrnehmen einer Entscheidung (so meine These) ist vielmehr die Wahrnehmung dessen und das *Setzen* dessen, sich entschieden zu haben, und nichts anderes zeigt das Experiment. Zurecht sieht daher auch Libet selbst die Willensfreiheit nicht widerlegt. Auch sein bekannter Einwand, es gebe immer noch die Möglichkeit eines Veto, den neurobiologisch eingeleiteten und zum Bewusstsein gelangenden Entscheidungsprozeß abzubrechen (Oeser 2006, 26, 159), hat eine phänomenale Basis: Wenn etwa Stimmungen oder Gedanken unversehens „hochkommen", kann man diesen im weiteren Verfolg nachgehen oder nicht. Und diese Gedanken produziert auch nicht das Gehirn, sondern sie sind durch eine (stets auch über die Biographie des Individuums hinausreichende) Vorgeschichte vermittelt, sind das Ergebnis früherer Gedanken wie auch von „Denkstilen" einer Kultur, so, wie eine Entscheidung gleichsam nie im „luftleeren Raum" erfolgt, sondern durch eine Vorgeschichte vergangener Entscheidungen konstituiert ist, die mitunter erst dadurch, sich *entschieden* zu haben, zum Vorschein kommt. Widerlegt

---

[1] Diese Erkenntnis findet sich bekanntlich schon in den Eingangspassagen der Zeitanalyse in Aristoteles' *Physik* ausgesprochen.

ist durch Libets Experiment nur die Abstraktion der Willensfreiheit als einer welt- und geschichtslosen Selbstmächtigkeit. Mit dem eben Dargelegten kommt dem Experiment indessen sogar das Verdienst zu, die spezifische *Zeitlichkeit* personaler Entscheidung, nämlich das präsentische Setzen eines Sich-Entschieden-Habens, schon in den naturhaft vorgegebenen Gehirnstrukturen aufgewiesen zu haben. Menschliche Freiheit ist hierdurch gerade nicht als Illusion entlarvt, sondern vielmehr gegen den Vorbehalt, eine bloß subjektive Illusion zu sein, gestärkt.

Es lohnt, die in Libets Experiment zutage tretende Zeitstruktur näher zu betrachten: Libets Experimente haben zunächst das negative Resultat, dass (wie schon Kant wusste) im Horizont der linear-chronometrischen Zeitvorstellung, wie sie dem ausdehnungslos-diskreten „Punkt" der abstrakten Willkür als das Moment der Kontinuität zur Seite tritt, so etwas wie Freiheit zunächst nicht möglich scheint. Der sich als Willkür interpretierenden Freiheit steht sogleich die Notwendigkeit der Zeit entgegen, in der sich jeder Anschein, etwas *anzufangen*, in einer endlosen Vorgeschichte verliert.

Das beobachtete Phänomen der Rückdatierung der Hautreizung bzw. des Willensentschlusses geht jedoch (und dies macht den positiven Inhalt aus) konform mit der Zeitauffassung Heideggers, derzufolge das Dasein ein Zukommen auf sein *Gewesensein* ist, so, dass erst das Spätere zeigt, was das Frühere war. Doch auch Kant vermag die Aporie von Freiheit und Notwendigkeit schon in seiner theoretischen Philosophie und erst recht in praktischer Hinsicht aufzulösen, und so ist das Phänomen der Rückdatierung, wie auch Oeser bemerkt (Oeser 2006, 172ff.), sehr wohl mit Kants Konzeption einer Kausalität aus Freiheit verträglich. Aber ebenso verträgt es sich mit Fichtes Sich-Selbst-Setzen des Ichs, welches sein Anderssein (und mithin die Zeitfolge) erst *setzt* – ein Setzen der Zeitbestimmungen, welches bekanntlich gleichsam schon in Kants Vernunftkritik angelegt ist. Spätestens im Horizont hegelschen Denkens vollzieht sich das mit Kants Vernunftkritik anhebende zeitsetzende Bewusstsein als ein Setzen seiner Voraussetzung, die nicht eher erscheint, als sie gesetzt ist, aber gerade hierin auch schon aufgehört hat, ein bloßes *Voraus* zu sein, so, wie sich dies auch bei Heidegger dahingehend ausgesprochen findet, dass das Dasein sich „zukünftig auf sich zurückkommend, (...) gegenwärtigend in die Situation" bringt (Heidegger 1993, 326). – Mithin stehen Ich und Nicht-Ich, Setzen und Voraussetzung, Ich und Gehirn einander nicht bloß gegenüber, und sei es derart, dass das eine Moment das andere vermittelt und hierdurch ein jedes sich selbst, sondern beide resümieren sich zumal in eine

Identität, worin jedes Moment zugleich ebenso sehr das andere Moment *ist*. Berühmte Passagen der *Phänomenologie des Geistes* aufgreifend (die ich hier nicht ausführen kann[2]), lässt sich das Setzen seiner Voraussetzung über eine erkenntnislogische Bestimmung hinaus sogar als ein *Anerkennen* des eigenen Andersseins, das ich schon *bin*, konkret etwa der organischen Natürlichkeit, näher bestimmen. Und hier gilt dann, durchaus im Einklang mit der erwähnten naturwissenschaftlichen „Askese": Indem das *Ich* von sich absieht, sich seiner selbst entäußert und zum *Ding* macht (vgl. Hegel 1980, 130, 190f., 423f.), erweist sich dieses, seinerseits schon *Ich* zu sein.

Ich komme nun auf schon angesprochene Punkte zurück: Die Hirnforschung bringt zwar durch forscherische Askese (oder auch durch bloß unreflektierte Selbstvergessenheit) jene Selbstentäußerung hervor, auf dass ihr ihr Gegenstand als ihresgleichen entgegenkommt, erkennt sich jedoch nicht in ihm und identifiziert nur ganz unbefangen alles Denken und Fühlen mit der Tätigkeit des Gehirns, teils auch aus einem Mangel an philosophischer Bildung, der sich aber dadurch kompensieren ließe, dass sie zu der *Absurdität* fortgeht, ein *bloßes* Ding wie dereinst den *Schädelknochen*[3] als die Individualität des Ich auszugeben. (Vielleicht gibt hier ja der bloße Zahlencode des Genoms Anlass zu einem solchen Fortgang.) Erst darin, sich zu einem vollkommen gemeinen Ding zu machen, liegt die vollständige Entäußerung des Ich, worin es von seinem *Anderen* her seine Freiheit empfängt. Ergreift sich diese Freiheit zunächst nur *ex negativo*, vermittels eines ‚Ich bin *nicht* mein Schädelknochen‘, wodurch das Gegenständliche immer noch als eine andere „Seite" zurückbleibt, die ihr unerkanntes Eigenwesen treibt, so kann innerhalb der Philosophie Hegels erst mit dem *freien Entlassen* der Natur am Ende sowohl der *Phänomenologie des Geistes* (Hegel 1980, 432f.) als auch (und weitaus bekannter:) der hegelschen Logik tatsächlich von einem Anerkennen der eigenen Natürlichkeit gesprochen werden. Dieses Anerkennen, nie nur *Ich*, sondern immer schon „Natur" und Leib gewesen zu sein, kann nun durchaus auch die Bedeutung erlangen, dass *Ich* „nichts anderes" als Gehirntätigkeit sei, ohne dass dies eine äußerliche Identifikation bzw. ein Reduktionismus oder schlicht eine naive Einerleiheit wäre. Sondern das *Ist* in dem Satz „Denken ist Gehirntä-

---

[2] Lediglich genannt seien der Übergang vom *unglücklichen Bewußtsein* in die *Vernunft* oder vom *Gewissen* in die *Religion*. (Zu einer Interpretation vgl. auch Grießer 2005, 519-600.)

[3] Nämlich in Galls „Phrenologie", wenigstens in der Gestalt, wie Hegel sie in seiner *Phänomenologie des Geistes* karikiert (Hegel 1980, 179-192).

tigkeit" ist gesetztes Resultat eines Denkens, das sich in seine eigene Materialität zurückgefunden hat.

Das Gehirn als solches ist dabei nicht nur bloßes Mittel oder Werkzeug, um Ich und Welt zu vermitteln, nicht nur Bedingung von Persönlichkeit und Denken, sondern es hat so etwas wie ein eigenes Selbst, ja es ist in seinem Prozesscharakter selbst schon die daseiende *Vermittlung*, und diese ist nicht erst „zwischen" den Extremen von Ich und Gehirn anzusiedeln. Eben deswegen kann es, auch von der der gegenständlichen „Seite" eigenen Logizität her, zu einem „Gehirn-Mystizismus" kommen, wie er bei manchen philosophierenden Biologen begegnet. Dass das Gehirn als die durch Entäußerung des Ich gesetzte Voraussetzung so etwas wie ein eigenes Selbst ist, ist jedoch nicht dahingehend missverstehen, dass das Ich, wenn es sich, sein Anderssein setzend und anerkennend, zu seiner Gehirntätigkeit *macht*, fortan absentiert ist. Sondern es weiß sich nur auch in seinem Anderssein, in seiner Leiblichkeit, und weiß sich in dieser als nicht allein durch es selbst mit sich vermittelt. Gegen ein zum Mystizismus erstarrendes „selbstbewusstes Gehirn" wird man nicht zuletzt auch einwenden müssen, dass wir unser Gehirn frei und aktiv mitgestalten, durch geistige Betätigung, durch Lernen und Üben (wovon auch jede Demenztherapie Gebrauch macht) – so, wie wir überhaupt unseren Leib und dessen Organe nicht nur aneignend entdecken, sondern stets auch gestalten. Und dieses „Mitgestalten" des Gehirns wird selbst der verschlossenste „Gehirn-Mystizist" kaum auf eine Selbstgestaltung alleine des Gehirns abspannen können.

Ich komme zu einer Schlussbemerkung: Während bei Erhard Oeser, dem ich in vielem folge, das Gehirn als das alleinige und eigentliche Subjekt erscheint, das sich zum Selbstbewusstsein „hochpotenziert", das *setzende* Moment jedoch unterbelichtet bleibt und spätestens dort, wo menschliche Freiheit sich wiederum *nicht* in Gehirntätigkeit erschöpft, unklar bleibt, von woher das *selbstbewusste Gehirn* als je *mein* Gehirn identifiziert werden kann, behält in dem hier Skizzierten nicht nur der philosophische Ausgang vom Ich sein Recht, sondern es scheint mir auch ein Ansatz gegeben, fernab eines neuerlichen Dualismus nunmehr von Ich bzw. Geist und Gehirn Naturwissenschaft und Transzendentalphilosophie in produktiver Weise zu vereinigen.

LITERATUR

Breidbach, O. (2001): Hirn und Bewußtsein – Überlegungen zu einer Geschichte der Neurowissenschaften, in: Pauen, M./Roth G. (eds.), *Neurowissenschaften und Philosophie. Eine Einführung*, München: W. Fink, 11-58.

Grießer, W. (2005): *Geist zu seiner Zeit. Mit Hegel die Zeit denken*, Würzburg: Königshausen & Neumann.

Hegel, G.W.F. (1980): *Phänomenologie des Geistes*. Gesammelte Werke Band 9, hrsg. v. Bonsiepen, W./Heede, R., Hamburg: Meiner.

Heidegger, M. (1993): *Sein und Zeit*, Tübingen: Niemeyer.

Oeser, E. (2002): *Geschichte der Hirnforschung. Von der Antike bis zur Gegenwart*, Darmstadt: Wissenschaftliche Buchgesellschaft.

Oeser, E. (2006): *Das selbstbewusste Gehirn. Perspektiven der Neurophilosophie*, Darmstadt: Wissenschaftliche Buchgesellschaft.

Pauen, M. (2006): *Illusion Freiheit? Mögliche und unmögliche Konsequenzen der Hirnforschung*, Frankfurt / Main: S. Fischer.

Teil 3

Wann sind wir frei? Grundzüge einer kontextualistischen Theorie der Willensfreiheit

PETER SCHULTE

Innerhalb der aktuellen erkenntnistheoretischen Diskussionen nimmt der Kontextualismus – wie er z.b. von DeRose 1999 oder Lewis 1999 vertreten wird – eine wichtige Stellung ein. Auch Theoretiker, die selbst keine kontextualistischen Neigungen haben, sehen ihn als relevante Option, die ernst genommen werden muss. In der Debatte um die Willensfreiheit sieht die Situation anders aus: Hier spielen kontextualistische Ansätze bestenfalls eine untergeordnete Rolle;[1] meist werden sie sogar vollständig ignoriert. Ziel dieses Aufsatzes ist es, zu zeigen, dass die Vernachlässigung des Kontextualismus in der Willensfreiheitsdebatte nicht gerechtfertigt ist.

Der Ausgangspunkt meiner Überlegungen ist der allgemeine, nicht weiter qualifizierte Ausdruck „frei" oder „Freiheit". Ich argumentiere dafür, dass dieser Ausdruck kontextsensitiv ist (Abschnitt 1), und dass die Kunstbegriffe „Handlungsfreiheit" und „Willensfreiheit" als ‚kontextuelle Varianten' des allgemeinen Ausdrucks zu verstehen sind (Abschnitt 2). Anschließend arbeite ich heraus, welche Implikationen diese Überlegung für die Debatte zwischen Kompatibilisten und Inkompatibilisten hat (Abschnitte 3 und 4).

1. Freiheit und Zwang

Freiheit, so eine verbreitete Auffassung, ist die Abwesenheit von Zwang. Wenn es nichts gibt, was mich dazu zwingt, Klavier zu spielen, und ich es dennoch tue, dann ist meine Handlung frei. Das legt folgende Definition nahe:

> (AZ) Die Handlung h eines Akteurs A ist frei *gdw.* es keine Bedingungen x gibt, die A dazu zwingen, h zu tun.

---

[1] Das ist nicht zuletzt deshalb erstaunlich, weil die erste kontextualistische Analyse des „Anders-handeln-Könnens" bereits im Jahr 1979 vorgelegt wurde, vgl. Horgan 1979.

Die Rede von „Bedingungen" ist hier im weitesten Sinne zu verstehen: Prinzipiell kann alles eine ‚zwingende Bedingung' sein. Wenn ein Gangster den Kassierer einer Bank mit einer Pistole bedroht und Geld von ihm fordert, dann ist diese komplexe Tatsache eine Bedingung, die den Kassierer zwingt, das Geld herauszugeben.[2] Wenn ein Sturm aufzieht, der eine große Gefahr für eine in der Nähe kreuzende Seeyacht darstellt, dann zwingt dies den Kapitän der Seeyacht dazu, einen Hafen anzulaufen. Wenn mich jemand an einen Stuhl fesselt, dann zwingen mich meine Fesseln dazu, auf dem Stuhl sitzen zu bleiben, und so weiter.

Dass Zwang mit Unfreiheit verbunden ist, scheint *prima facie* plausibel. Der Kassierer, der dem Gangster das Geld übergeben hat, wird zu seiner Verteidigung anführen, dass er „keine Wahl hatte", dass es ihm „nicht frei stand", anders zu handeln. Ebenso kann der Kapitän argumentieren, wenn er seine Entscheidung gegenüber dem Reeder rechtfertigen muss. Abwesenheit von Zwang scheint also notwendig für die Freiheit einer Handlung zu sein. Doch wenn es nichts gibt, was mich zwingt, etwas zu tun, und ich es dennoch tue – bedeutet das nicht automatisch, dass ich „aus freien Stücken" handle? Auf den ersten Blick spricht also alles dafür, die Abwesenheit von Zwang auch als hinreichend für Freiheit anzuerkennen und damit (AZ) zu akzeptieren.

Es gibt noch eine andere, ebenfalls weit verbreitete Charakterisierung von Freiheit. Sie lautet:

(AK) Die Handlung h eines Akteurs A ist frei *gdw.* A – unter den gegebenen Bedingungen – auch anders hätte handeln können.

Auch (AK) lässt sich gut auf unsere Beispiele anwenden. Weil der Gangster den Kassierer bedroht hat, musste der Kassierer das Geld herausgeben; er konnte nicht anders handeln. Weil der Sturm heraufgezogen ist, konnte der Kapitän nichts anderes tun als den Hafen anzulaufen; und so weiter. Allgemein kann man sagen: Wenn ‚zwingende Bedingungen' vorliegen, dann kann ein Akteur – *aufgrund* dieser Bedingungen – nicht anders handeln; und umgekehrt: wenn er anders handeln kann, dann heißt das, dass keine ‚zwingenden Bedingungen' vorliegen. Die Definitionen (AZ) und (AK) sind also (wenn man den

---

[2] Im Alltag würden wir eher sagen, dass *der Gangster* den Kassierer zur Herausgabe des Geldes gezwungen hat, aber das ist ein Punkt, den wir hier vernachlässigen können.

Ausdruck ‚Zwang' in einem weiten Sinn versteht) miteinander *äquivalent*. Auch diese Tatsache trägt zu ihrer Plausibilität bei, da es in der Regel ein gutes Zeichen ist, wenn man auf unterschiedlichen Wegen zum ein und demselben Ergebnis kommt.

2. Kontextualistische Freiheit

Die vorgeschlagenen Definitionen sind dennoch nicht unumstritten, und auch die Beispiele, die ich zu ihrer Stützung angeführt habe, erscheinen bei genauerem Hinsehen problematisch. Der (Haupt-)Grund hierfür liegt meiner Ansicht nach in der *Kontextsensitivität* des Freiheitsbegriffs.

In der natürlichen Sprache gibt es viele kontextsensitive Begriffe, d.h. Begriffe, deren Extension (und Intension) sich mit dem konversationalen Kontext (‚Gesprächskontext') ändert. Standardbeispiele sind Ausdrücke wie „flach" oder „leer". Eine Schuhschachtel z.B. gilt in alltäglichen Kontexten als „leer", wenn sie keine Schuhe (oder andere Gegenstände gleicher Größenordnung) enthält; in anderen (‚strikteren') Kontexten wird sie nur dann als „leer" angesehen, wenn sie auch kein Füllmaterial (Papier, Styropor, o.Ä.) enthält; in weiteren, sehr speziellen Kontexten – z.B. in physikalischen Diskussionen – kann sie nur dann korrekter Weise als „leer" bezeichnet werden, wenn in ihr ein reines Vakuum herrscht.

Ich behaupte nun, dass es sich mit den Worten „Freiheit" und „frei" ähnlich verhält. Dies werde ich zunächst an einem einfachen Problem demonstrieren, um dann im zweiten Schritt zum eigentlich relevanten Punkt – dem Verhältnis von Willensfreiheit und Handlungsfreiheit – zu kommen.

Kehren wir noch einmal zu dem Banküberfall-Beispiel aus dem ersten Abschnitt zurück. Bei genauerer Betrachtung erscheint unsere anfängliche Charakterisierung zweifelhaft: Ist die Tatsache, dass der Gangster den Kassierer mit einer Pistole bedroht, wirklich eine Bedingung, die den Kassierer *zwingt*, das Geld herauszugeben? *Kann* der Kassierer nicht anders handeln? *Streng genommen* ist es ihm nicht unmöglich, die Herausgabe des Geldes zu verweigern; lediglich die Attraktivität dieser Handlungsoption ist durch die Todesdrohung erheblich vermindert. Ähnliches gilt für das Sturm-Beispiel. Soll man also nur Bedingungen, die eine alternative Handlung im strikten Sinne (physikalisch) unmöglich machen (wie z.B. die Fesseln aus dem dritten Beispiel oben), als ‚zwingende Bedingungen' ansehen?

Diese Frage wird von einigen Autoren kontrovers diskutiert (gewöhnlich im Kontext der Debatte um politische Freiheit, vgl. Steiner 1991, Kukathas 1993, 538ff). Ich denke jedoch, dass es sich hier um eine Frage handelt, die nicht eindeutig beantwortet werden kann. Der Grund dafür liegt in der Kontextsensitivität des Ausdrucks „frei" (bzw. der Ausdrücke „Zwang" und „können"): In gewöhnlichen Kontexten gilt eine Bedingung, die die Attraktivität alternativer Handlungsoptionen erheblich vermindert, als ‚zwingende Bedingung' (und damit als hinreichend für „Unfreiheit" und „Nicht-anders-handeln-Können"), in anderen (‚strikteren') Kontexten muss die Bedingung die alternative Option physikalisch unmöglich machen, damit man von „Zwang" („Unfreiheit", „Nicht-anders-handeln-Können") sprechen darf.

Auch die notorische Frage, *wie sehr* die fragliche Bedingung die Attraktivität der alternativen Handlungsoption vermindern muss, damit von „Zwang" gesprochen werden kann, lässt sich mit Hilfe dieses Modells einfach beantworten: Dies hängt ebenfalls vom Kontext ab. In einem alltäglichen Kontext scheint es korrekt, zu sagen: „Der Kassierer war gezwungen, dem Gangster das Geld zu geben, sonst wäre er getötet worden"; hier gilt die vorgehaltene Pistole als zwingende Bedingung. Wenn wir jedoch eine andere Situation betrachten – ein Situation, in der ein Gangster jemanden mit der Pistole bedroht und von ihm fordert, die eigene Tochter umzubringen – dann würden wir kaum sagen: „Der Vater war gezwungen, seine Tochter zu töten, weil sonst er selbst getötet worden wäre". Im zweiten Kontext gilt (wegen der Schwere der geforderten Tat) ein strengerer Standard; die vorgehaltene Pistole wird nicht mehr als zwingende Bedingung anerkannt. (Dieser Unterschied spiegelt sich auch in der moralischen Bewertung beider Situationen: Während wir den Kassierer nicht kritisieren würden – da man von ihm nicht verlangen kann, für das Geld der Bank sein Leben zu riskieren –, würden wir die Handlung des Vaters moralisch verurteilen.)

Dieser Aspekt der Kontextsensitivität von „Freiheit" wird uns jedoch im Folgenden nicht weiter beschäftigen. Weitaus interessanter für unsere Fragestellung ist eine zweite Form der Kontextsensitivität, die die Relevanz von Bedingungen betrifft. Auf den ersten Blick scheinen die Definitionen in Abschnitt 1 hier wenig Raum zu lassen: In (AZ) ist ausdrücklich gefordert, dass für *keine* Bedingung x gilt, dass x den Akteur A zur Handlung h zwingt, und in (AK) heißt es, dass A nur dann frei ist, wenn er unter *den* gegebenen Bedingungen (allgemein gesprochen) anders handeln kann. Eine Einschränkung auf eine Klasse von relevanten Bedingungen findet hier scheinbar nicht statt.

Doch ähnliches gilt auch für die Ausdrücke „flach" und „leer", die paradigmatischen Beispiele für Kontextsensitivität. Hier kann man folgende Definitionen aufstellen:

(F) Eine Oberfläche ist flach *gdw.* sie keine Erhebungen oder Vertiefungen aufweist,

(L) Ein Behältnis ist leer *gdw.* es nichts enthält.

Auch in (F) und (L) wird über ‚alles‘ quantifiziert: über alle Erhebungen und Vertiefungen in (F) und über alle Gegenstände in (L). Doch der *Bereich* der Quantoren wird vom Kontext festgelegt, und in gewöhnlichen Kontexten ist dieser Bereich auf eine bestimmte Klasse relevanter Entitäten beschränkt (vgl. Lewis 1999, 425). (In gewöhnlichen Kontexten zählen z.B. Sauerstoff- und Stickstoffmoleküle nicht zu den relevanten Entitäten; deshalb gelten Schachteln auch dann als leer, wenn sie solche Moleküle enthalten.)

Ich schlage nun vor, den Ausdruck „frei" in analoger Weise zu verstehen. Gemäß (AZ) ist die Handlung h eines Akteurs A genau dann frei, wenn es keine Bedingung x gibt, für die gilt: x zwingt A dazu, h zu tun. Der Quantorenausdruck „keine Bedingung x" ist dabei jedoch kontextrelativ zu verstehen. D.h., die von (AZ) spezifizierte Bedingung ist in einem Kontext k erfüllt, wenn es keine *kontextuell relevante* Bedingung x gibt, für die gilt: x zwingt A dazu, h zu tun.

Diese Form der Kontextsensitivität lässt sich durch das Verhältnis von Handlungsfreiheit und Willensfreiheit illustrieren. Gewöhnlich wird behauptet, dass der Ausdruck „Freiheit" (bzw. „frei") ambig sei, und dass man diese Ambiguität durch Einführung der philosophischen Kunstbegriffe „Handlungsfreiheit" und „Willensfreiheit" beseitigen müsse. Im Kern ist dies korrekt; allerdings ist der Ausdruck „Freiheit" m. E. nicht ambig, sondern *kontextsensitiv.*

In ‚Handlungsfreiheitskontexten‘ (also z.B. in Kontexten, in denen es um politische Freiheit geht) sind lediglich *externe* Bedingungen relevant – und eine Handlung ist demnach frei, wenn es keine externe Bedingung gibt, die sie erzwingt.[3] In ‚Willensfreiheitskontexten‘ dagegen (also z.B. in

---

[3] Es gibt noch eine andere Verwendung des Ausdrucks „Handlungsfreiheit". Danach gilt: Einem Akteur *steht es frei, h zu tun* gdw. er h tun kann (bzw. wenn er durch nichts

Kontexten, in denen es um moralische Verantwortung geht) wird die Klasse der kontextuell relevanten Bedingungen deutlich ausgeweitet: auch innere Umstände zählen nun dazu (‚innere Zwänge‘, Süchte, Ängste, etc.). Deshalb gelten bestimmte Handlungen von Kleptomanen, Drogensüchtigen und Phobikern in Handlungsfreiheitskontexten als frei (weil die Akteure „tun, was sie wollen"), während sie in Willensfreiheitskontexten als unfrei klassifiziert werden.[4]

Doch *wie stark* wird die Klasse der relevanten Bedingungen in Willensfreiheitskontexten ausgeweitet? Das ist eine schwierige Frage, die ich im nächsten Abschnitt behandeln werde, da sie in einem unmittelbaren Zusammenhang mit der Debatte zwischen Kompatibilisten und Inkompatibilisten steht.

3. Kontextualismus, Kompatibilismus, Inkompatibilismus

Der Übergang von Handlungsfreiheitskontexten zu Willensfreiheitskontexten geht, wie wir gesehen haben, mit einer Ausweitung des Quantifikationsbereichs, d.h. der Menge der relevanten Bedingungen, einher. Man könnte dies auch so beschreiben: In Willensfreiheitskontexten wird der Ausdruck „keine Bedingungen x" (aus (AZ)) in einem strengeren Sinn verstanden; es gelten hier ‚striktere Standards‘ als in Handlungsfreiheitskontexten.

Doch wie strikt die Standards wirklich sind, d.h. wie stark die Menge der relevanten Bedingungen ausgeweitet wird – das ist eine Frage, in der die Meinungen auseinander gehen. Kompatibilisten (die Willensfreiheit und Determinismus für vereinbar halten) setzen bei der Rede von Willensfreiheit *mittlere Standards* voraus: Ihre Aussagen sind wahr in Kontexten, in denen externe und interne Bedingungen, aber nicht alle Bedingungen (im absoluten Sinn) berücksichtigt werden. Inkompatibilisten dagegen (d.h. Theoretiker, die glauben, dass Willensfreiheit und Determinismus unvereinbar miteinander sind) verpflichten sich auf

---

gehindert wird, h zu tun). Beide Verwendungsweisen hängen offensichtlich eng miteinander zusammen: Die Handlung h eines Akteurs A ist frei gdw. es A freisteht, h nicht zu tun.

[4] Der umgekehrte Fall – dass eine Handlung in Willensfreiheitskontexten als frei, in Handlungsfreiheitskontexten dagegen als unfrei klassifiziert wird – kann auch auftreten: dann nämlich, wenn die relevanten Bedingungen die Handlung nicht notwendig machen (was in Willensfreiheitskontexten durchweg gefordert ist), sondern nur die Attraktivität der Alternativen vermindern, vgl. Abschnitt 2.

maximal strikte Standards: Ihre Aussagen sind in Kontexten wahr, in denen wirklich alle Bedingungen (im absoluten Sinn) als relevant gelten. Daraus ergeben sich zwei dialektische Vorteile für den Inkompatibilisten, wenn er mit Kompatibilisten diskutiert:

(i) Der Übergang von laxen zu strikteren Standards wird oft durch Fragen der Form „Ist x *wirklich* F?" eingeleitet. Wenn Rasmus behauptet, dass ein bestimmter Tisch flach ist, und Ole fragt: „Ist dieser Tisch auch wirklich flach?", dann hat das (im Normalfall) den Effekt, dass die kontextuellen Standards angehoben werden: Rasmus wird sich noch einmal genau überlegen, ob die Erhöhungen und Vertiefungen, die er bislang unberücksichtigt gelassen hat, wirklich irrelevant sind, und eventuell wird er sein Urteil revidieren und sagen: „Nein, ein paar kleine Unebenheiten sind schon vorhanden." Eine analoge Situation stellt sich ein, wenn der Inkompatibilisten den Kompatibilisten fragt: „Ist diese Handlung wirklich frei?" Die Frage des Inkompatibilisten übt einen ‚konversationalen Druck' in Richtung strikterer Standards aus, d.h. sie schafft (ceteris paribus) einen Kontext, in dem die inkompatibilistischen Freiheitsurteile wahr sind. Dieser Mechanismus macht es dem Inkompatibilisten leichter, zu behaupten, dass er – im Gegensatz zum Kompatibilisten – von „wirklicher", „echter" Freiheit spricht.

(ii) Die bloße Erwähnung eines determinierenden Faktors macht ihn ‚salient', und hat daher die Tendenz, ihm kontextuelle Relevanz zu verleihen. Da der Inkompatibilist in seinen Argumenten häufig auf die Bedingungen in der fernen Vergangenheit Bezug nimmt, die (in einer deterministischen Welt) unsere Handlungen festlegen, gelingt es ihm (ceteris paribus) diese Bedingungen kontextuell relevant zu machen und damit Kontexte mit ‚maximal strikten' Standards zu schaffen. (Auch dieses Phänomen lässt sich bei Ausdrücken wie „flach" oder „leer" nachweisen. Es klingt z.B. sehr seltsam, zu sagen: „Diese Schachtel enthält Feinstaub, aber sie ist leer". Die Feinstaubkörnchen werden durch ihre Erwähnung zu kontextuell relevanten Gegenständen, und die Aussage „Diese Schachtel ist leer" dadurch falsch.)

Doch diese dialektischen Vorteile sind zweifelhafter Natur. Sie führen zwar dazu, dass der Inkompatibilist in der Debatte „besser aussieht" (weil er durch seine Argumentationsstrategie Kontexte schafft, in denen inkompatibilistische Aussagen über Freiheit wahr sind); doch sie können die kompatibilistische Position nicht in ihrem Fundament erschüttern. (Genauso wenig, wie der Vertreter eines radikalen Begriffs der Leere – der nur Behältnisse, in denen ein absolutes Vakuum herrscht, als leer anerkennt – unsere alltäglichen Urteile über die Leere von Schuhschachteln, Räumen und Keksdosen dauerhaft unterminieren kann.)

4. Kompatibilismus vs. Inkompatibilismus: Sind beide Auffassungen korrekt?

Was folgt aus diesen Überlegungen? Auf den ersten Blick scheint sich eine „ökumenische Lösung" in der Kompatibilismusfrage abzuzeichnen: Schließlich sind in manchen Kontexten – Kontexten mit ‚mittleren Standards' – die kompatibilistischen Freiheitsurteile wahr, in anderen Kontexten – Kontexten mit ‚maximal strikten Standards' – gelten die inkompatibilistischen Freiheitsurteile. Der Streit, so scheint es, kann beigelegt werden. Sowohl die Kompatibilisten als auch die Inkompatibilisten haben recht (und unrecht), je nachdem, in welchem Kontext wir uns befinden.

Doch diese Lösung erscheint suspekt. Der Grund liegt m.E. darin, dass es in der Diskussion um Willensfreiheit unter anderem um die *moralische Verantwortlichkeit* von Akteuren geht. Die Frage, ob ein Akteur für eine Handlung moralisch verantwortlich ist (und ob es folglich moralisch richtig ist, ihn für seine Handlung zu belohnen oder zu bestrafen), verlangt nach einer eindeutigen Antwort: Unser Urteil darf hier, so scheint es, nicht vom Gesprächskontext abhängen.

Der Kunstbegriff „Willensfreiheit" dient m.E. dazu, den kontextsensitiven Ausdruck „frei" zu ‚fixieren': Bei Willensfreiheit handelt es sich um die Art von Freiheit, die notwendig für moralische Verantwortung ist. Dies gibt dem Disput zwischen Kompatibilisten und Inkompatibilisten seinen Sinn zurück: Es geht ihnen nicht um die Frage, ob eine Handlung „wirklich frei" genannt werden kann, sondern – vereinfacht gesagt – darum, ob eine bestimmte notwendige Bedingung für moralische Verantwortlichkeit erfüllt ist. Und diese Frage kann nach wie vor kontrovers diskutiert werden.

Doch wer hat nun eigentlich Recht? Das lässt sich aufgrund der Überlegungen, die ich hier angeführt habe, nicht entscheiden. Ich denke aber dennoch, dass meine kontextualistische Analyse letztlich dem Kompatibilisten nützt, da sie beliebte Argumentationsstrategien der Inkompatibilisten (vgl. Abschnitt 3) in Frage stellt.

LITERATUR

DeRose, K. (1999): Solving the Skeptical Problem, in: DeRose, K./Warfield, T. (eds.), *Skepticism. A Contemporary Reader*. Oxford: Oxford University Press, 183-219.

Horgan, T. (1979): ‚Could', Possible Worlds, and Moral Responsibility, in: *Southern Journal of Philosophy* 17, 345-358.

Kukathas, C. (1993): Liberty, in: Goodin, R./Pettit, P. (eds.): *A Companion to Contemporary Political Philosophy*. Oxford: Blackwell, 534-547.

Lewis, D. (1999): Elusive Knowledge, in: Lewis, D., *Papers in Metaphysics and Epistemology*. Cambridge: Cambridge University Press, 418-445.

Steiner, H. (1991): Individual Liberty, in: Miller, D. (ed.): *Liberty*. Oxford: Oxford University Press, 123-140.

Probleme des Konzepts eines dezentrierten Selbst

EVELYN GRÖBL-STEINBACH

1. Einleitung

Obwohl die philosophische Subjektkritik Tradition hat – denkt man etwa an Nietzsche, der den Grund für die Subjektkonzeption der neuzeitlichen Philosophie in der Angst zu erkennen glaubt, dem Sein ohne zentrierende, Ordnung schaffende Instanz zu verfallen, oder an Horkheimer und Adorno, die im Subjekt und seiner Vernunft ein Herrschaftspotential entdecken, das nicht nur zur Unterdrückung der äußeren, sondern auch der inneren Natur geführt habe –, so erlebt sie doch seit etwa zwanzig Jahren im Zusammenhang mit der Vernunftkritik der postmodernen Philosophie eine dauerhafte Renaissance (Vattimo 1986). Die Kritik geht davon aus, dass das Subjekt nicht mehr als zentraler Punkt gesehen werden kann, als Welt erzeugende und autonome Instanz. Das traditionelle philosophische Konzept des Subjekts gilt als unhaltbar, weil metaphysisch bzw. transzendental. Die Kritik an der Vorstellung eines Zentrums des Subjekts bzw. der Person, also eines (besonders im moralischen Sinne) konsistenten Ich bzw. Selbst wird häufig mit Vorschlägen für ein neues, postmodernes oder nachmetaphysisches Subjektkonzept verbunden, das ich „Dezentrierungskonzept" nennen möchte, weil auf unterschiedliche Weise gegen ein einheitliches, konsistentes und für ein multiples, zentrumsloses, uneinheitliches Subjekt argumentiert wird.

Dieses Konzept eines dezentrierten Selbst möchte ich am Beispiel von zwei Autoren kritisieren, die es in unterschiedlich starken Versionen entwickeln: zum einen Richard Rorty, der die These der Dezentrierung ziemlich kompromisslos und radikal entwickelt (1988). Der Begriff des Selbst wird hier mit Rückgriff vor allem auf Freud und Nietzsche so massiv in Frage gestellt, dass die Vorstellung von einem vernünftigen Subjekt – der Person als einer, die geleitet von Gründen denkt und handelt – nicht mehr zu halten ist. Der Habermasianer Axel Honneth ist der zweite Autor, der eine schwächere Version entwickelt (2000). Er will die Idee der Autonomie der Person dezentrieren, was aber natürlich für das Konzept der Person bzw. ihres Selbst Konsequenzen hat. Rorty und auch Honneth sprechen dabei abwechselnd vom Subjekt, der Person, ihrem Selbst und ihrem Ich. Ich werde gegen das Konzept eines „dezentrierten Selbst" argumentieren. Mit „Selbst" soll hier nichts anderes als eine Person mit einer ganz bestimmten Identität gemeint sein, die sich als diese Person mit diesen bestimmten Eigenschaften kennt und erfährt. Keinesfalls muss eine Philosophie, welche die metaphysische Idee eines substantiellen moralischen Kerns des Selbst oder Ich aufgegeben hat, den Begriff der autonomen Person mit einer konsistenten Identität als ihres „Selbst" fallen lassen. Der Verzicht auf einen solchen Begriff des einheitlichen Selbst oder der Identität einer Person würde alle Möglichkeiten des praktischen Selbstbezuges der Person *konzeptuell* ausschließen. Neben Selbstbestimmung geht es hier um Selbstverwirklichung und Selbstachtung als praktischen Selbstbezügen. Damit aber würde der Begriff der Person seinen Sinn verlieren.

2. Rorty: Die These vom unstrukturierten Ich

Rorty argumentiert gegen die traditionelle alteuropäische Vorstellung von einem rationalen, moralischen Persönlichkeitskern mit Freuds bekanntem Satz vom Ich, das nicht einmal Herr im eigenen Hause sei. Wenn menschliches Handeln stets auch aus Motiven erfolgt, die nicht bewusst sind (Rorty 1988, 38 ff), muss die normative Idee des Menschen als eines sich durch die eigene Vernunft steuernden Wesens verabschiedet werden. Während aber die Psychoanalyse noch an der aufklärerischen Intention fest hält, aus einer zwanghaft, sich selbst unverständlich handelnden eine autonome, mit ihren eigenen verdrängten Triebregungen versöhnte Person zu machen („Wo Es war, soll Ich werden"), verwirft Rorty dieses Ziel einer vernünftigen Selbstbestimmung als Restbestand von Metaphysik bzw. Religion. Seine Thesen lauten:

a) Es gibt kein konsistentes Selbst. Die vielen widersprüchlichen Motive, aus denen Menschen handeln, könnten nicht auf einen das Selbst kennzeichnenden Bestand von Kernmotiven reduziert werden. Menschen seien durch Freud als „etwas Mittelpunktloses" entlarvt worden, als „Zufallsgruppierungen kontingenter und idosynkratischer Bedürfnisse" (1988, 57). Es sei unmöglich, eine vernünftige Ordnung in die Vielfalt der Persönlichkeitsmerkmale und Motive zu bringen. Den Menschen stände vielmehr eine Vielzahl von zutreffenden Selbstbeschreibungen offen, und keine träfe ein wirkliches oder eigentliches Selbst zutreffender als eine andere.

b) Selbstverwirklichung hat kein feststehendes Ziel. Das Ziel der individuellen Lebensführung besteht nicht in der Herausbildung einer vernünftigen, bestimmten moralischen Idealen verpflichteten Identität, sondern in der kreativen Erschaffung einer absolut einzigartigen, unverwechselbaren Individualität (1988, 54ff). Indem die Person stets neue Fähigkeiten und Eigenschaften entwickelt und alle ihr zur Verfügung stehenden Möglichkeiten des Erlebens und der Erfahrung entdeckt, ist Selbstverwirklichung keinem im voraus gegebenen Ideal verpflichtet, sondern nur einer von allen Beschränkungen wie Nützlichkeit und Moral befreiten Subjektivität.

c) Es gibt kein Gewissen (1988, 50f). Auch die traditionelle Vorstellung vom Gewissen der Person als einem Kernbestand an identitätskonstitutiven internalisierten Normen, deren Verletzung Gefühle von Scham und Schuld erzeugt, hält Rorty für ein Stück Weltanschauung religiösen Ursprungs. Hingegen lässt die von Freud und ihm selbst propagierte mechanistische Sicht des Ich verschiedene Ebenen von Motiven zu (etwa innere wie äußere Zwänge), die alle Beiträge zum Handeln der Person liefern; keine Ebene ist als wahrer oder tiefer zu sehen oder als der eigentliche Bestandteil des Ich. Die Frage nach der eigenen Identität hält Rorty somit für unbeantwortbar, weil viele unterschiedliche Antworten hier gleichermaßen zutreffend seien.

3. Honneth: Die These von der Autonomie ohne Zentrum

Die Argumentation von Axel Honneth ist differenzierter. Auch er akzeptiert die moderne Subjektkritik (der Psychoanalyse und der Sprachphilosophie des späten Wittgenstein) und sieht als deren Konsequenz eine Dezentrierung der klassischen Idee der Autonomie (2000, 243). Man kann sich nun fragen, was die Pointe dieser Subjektkritik im Hinblick auf die normative Idee der Autonomie ist. Diese erfordert ein einem normativen Sinn reflexionsfähiges, zurechnungsfähiges Subjekt, das fähig ist, sein Leben ohne Zwang bzw. nicht völlig bestimmt von externen Notwendigkeiten (vgl. Pauen 2004, 60ff) zu führen. Die subjektkritischen Thesen stellen diese Voraussetzungen in Frage, da sie dem Subjekt die Eigenschaften von Bedürfnistransparenz und Bedeutungsintentionalität absprechen.

Bei Kant, dem zentralen Autor der normativen Idee der Autonomie, ist das autonome Subjekt bestimmt als eines, das sich der Herrschaft der praktischen Vernunft zu unterstellen und sich an moralischen Prinzipien auszurichten fähig ist. Die Selbstgesetzgebung des Willens stellt hier den letzten Grund für ein Handeln gemäß dem Maßstab des kategorischen Imperativs dar (Kant 1967, §§ 4-8). Honneth plädiert nun dafür, die Fähigkeiten und Eigenschaften der Person, die dieses klassische Autonomieideal ungeschieden voraussetze, im Hinblick auf drei Dimensionen auszudifferenzieren. Selbstbestimmung beträfe unterschiedliche Aspekte bzw. Facetten des Umgangs mit sich selbst: das Verhältnis zur eigenen Triebnatur (Honneth 2000, 247), das Verhältnis zu den für die Lebensgestaltung bedeutsamen Werten und das Verhältnis zu den Mitmenschen und deren moralischen Ansprüchen. Der Begriff der Autonomie sei also durch drei im Verhältnis zu Kant neue Weisen des Sich-zu-sich-Verhaltens zu bestimmen:

a) Autonomie als Fähigkeit zum authentischen Ausdruck der inneren Natur. Was den Umgang mit der eigenen Triebnatur betrifft, setzt Honneth an die Stelle der klassischen Vorstellung des Sich-durchsichtig-Seins die Fähigkeit zur ungezwungenen Artikulation von Handlungsimpulsen. Autonomie bemesse sich daran, affektiven und triebgesteuerten Impulsen angstfrei sprachlichen Ausdruck verleihen zu können (2000, 247).

b) Autonomie als Fähigkeit zur Distanzierung von orientierenden Werten. An die Stelle der klassischen Forderung nach einer Orientierung der Menschen an einem Telos als einem essentiellen Zweck (also an unveränderlichen objektiven Werten) setzt Honneth die Fähigkeit zur reflektierten Stellungnahme der Person zu den vielfältigen und widersprüchlichen Orientierungen, die ihr Leben bestimmt haben (2000, 248f). Ein selbstbestimmter Umgang mit Wertorientierungen bestünde in der Fähigkeit zur narrativen Darstellung des eigenen Lebens als Kette variierender „starker" Wertungen im Sinne Taylors, d. h. als Abfolge unterschiedlicher Identitäten.

c) Autonomie als Fähigkeit, moralische Prinzipien in der Praxis anzuwenden. Anstatt moralische Autonomie an die Befolgung von allgemeinen Prinzipien der praktischen Vernunft zu binden, fordert Honneth, sie an der Fähigkeit zur klugen und kontextsensiblen Anwendung von Normen zu bemessen (2000, 249f). Autonomie meine dann die Fähigkeit, die Frage, wie in Bezug auf die normativen Ansprüche der Mitmenschen jeweils gehandelt werden soll, eigenständig von Fall zu Fall zu entscheiden.

Honneth möchte also nicht das Konzept des Ich bzw. Selbst als solches aufgeben, sondern schlägt eine neue Idee der Selbstbestimmung vor, indem er die Maßstäbe für den Umgang der Person mit den eigenen Trieben, mit den Orientierungsgesichtspunkten der eigenen Lebensgestaltung und mit moralischen Prinzipien aufspaltet und nicht mehr auf Eigenschaften eines zentrales „Selbst" bezieht. Damit geht es aber doch wiederum um das Konzept des Selbst oder der Person. Dieses Konzept verändert sich, wenn die Fähigkeit, die konstitutiv ist für dieses Selbst: Autonomie, verändert wird.

4. Für ein einheitliches Konzept des Selbst

Ich möchte das Konzept des dezentrierten Selbst in seinen beiden Versionen in Frage stellen, wobei ich ebenso wenig wie Rorty und Honneth die traditionelle Vorstellung vom Selbst als einer Art Kern der Person akzeptiere, einer mentalen Entität, die dem eigenen Bewusstsein introspektiv und unmittelbar zugänglich ist. Meine These lautet, dass eine Person sich nur in der Weise praktisch auf sich selbst beziehen kann, dass sie sich als bestimmte Person versteht, also als Person mit einer ganz bestimmten Identität.

Es stellt sich nun die Frage, wie ein philosophischer Begriff der Person mit einem „zentrierten Selbst" formuliert werden kann. Ein „zentriertes Selbst" soll der Person ein Überlegen und Ja/Nein-Stellungnehmen zu zukünftigen Handlungsmöglichkeiten sowie eine wertende Beurteilung vergangener Handlungen ermöglichen, d. h. das Selbst der Person soll über Kontinuität und Konsistenz verfügen, wobei ich darunter nicht ein logisch widerspruchsfreies Verhältnis aller Handlungsmotive zueinander in einer Biografie verstehe, sondern die Möglichkeit, sich trotz eines Wandels von Überzeugungen in der eigenen Lebensgeschichte und trotz der Möglichkeit eines situativ unterschiedlichen Verhaltens als identische Person zu erfahren.

Ich vertrete wie Honneth einen intersubjektivistischen Ansatz, für den G. H. Mead den Grundstein gelegt (Mead 1934) und den Habermas sprachpragmatisch weiter entwickelt hat (Habermas 1988, 209ff). In der Sozialpsychologie Mead bezeichnet das „Selbst" eine Struktur der Selbstbeziehung. Ich („I", die spontane Vollzugsinstanz der Handlungen) verhalte mich zu mir („me"). Diese Beziehung ist sozial, nämlich interaktiv konstituiert. Eine Person kann sich bei Mead nur in der Weise überhaupt zu sich verhalten, indem sie sich zu anderen verhält und die Verhaltensweise der anderen zu sich mit- oder nachvollzieht. Mead erklärt ihre Genese aus dem Erlernen von Rollenspielen. Indem das Individuum die normativen Erwartungen der anderen übernimmt, entwickelt es die Einstellung von „verallgemeinerten anderen" zu sich. Dies ist das Selbst des praktischen Sich-zu-sich-Verhaltens, das Mead „Me" nennt. Diese Selbstbeziehung ist kein Bezug auf ein vergegenständlichtes Ich, sondern auf ein Ich, dessen Reflexivität aus der wechselseitig verschränkten Perspektive von zwei miteinander in Beziehung stehenden sprachfähigen *Akteuren* erklärt wird (Habermas 1988, 226). Die Fähigkeit zur Verwendung von Sprache muss bereits Mead voraussetzen, denn seine Akteure verhalten sich in der Interaktion zu Zeichen(Gebärden, Lauten, sprachlichen Ausdrücken, sprachlich interpretierten Regeln) als zu etwas für beide Identischem, denn nur so kann sich Ego *in Reaktion* auf das bedeutsame Symbol in gleicher Weise verhalten wie Alter. Das Selbst des praktischen Selbstverhältnisses ist ein in der sprachlichen Interaktion erzeugtes Phänomen (Habermas 1988, 217), insofern handelt es sich beim Sich-zu-sich-Verhalten um eine performative, keine objektivierende Bezugnahme. Das Selbst konstituiert sich im inneren Dialog der Person. Es ist nichts anderes als die Person im Bezugnehmen auf sich.

Allerdings muss, wie Tugendhat betont (1979, 270f), auch der intersubjektivistische Ansatz jene eben erläuterte formale Struktur des Selbst – wie sie etwa auch für das epistemische Selbstbewusstsein vorausgesetzt wird – und das Selbst des praktischen Sich-zu-sich-Verhaltens, das für eine autonome Lebensführung vorauszusetzen ist, unterscheiden: „Als Handelnde sind wir, was wir tun und wollen; und darin haben wir schon ein Selbstverhältnis, das von anderer Art ist als das epistemische." (Tugendhat 1979, 29) Das *praktische Selbstverhältnis* artikuliert sich als Frage, was ich denn eigentlich will, wer ich denn eigentlich bin, was mir wirklich wichtig ist im Leben und wie ich mich sehen muss, um mit mir selbst im Einklang zu leben. Diese Fragen sind stets auf mich als konkrete Person bezogen. Insofern erfordert die autonome Lebensführung ein Wissen der Person, wer sie ist, d. h. was ihre individuellen, ganz persönlichen Eigenschaften sind, ihre Willens- und Handlungsdispositionen. Die Person muss sich kennen. Wenn vom Selbst die Rede ist, ist die Identität dieser Person in ihrem eigenen Verständnis gemeint. Nur Personen mit einer solchen qualitativ verstandenen Identität können wir die Fähigkeit zum autonomen Handeln zuschreiben (Tugendhat 1979, 289f).

Habermas etwa (1973, 229 f) kennzeichnet mit Bezug auf Erikson die Identität des Ich durch eine Einheitlichkeit und Kontinuität der Selbsterfahrung. Die Person kennt bzw. erfährt sich als konsistent in ihrer individuellen Autonomie, d. h. als fähig, in ihren verschiedenen Rollen einen Bestand an individuellen Überzeugungen und Eigenschaften zu behalten und sich mit ihnen zu identifizieren, wobei es vorgegebene Normen/Ansprüche in Frage zu stellen fähig ist und sich darüber im klaren ist, dass die Weise, in der in der es sich in der eigenen Lebensgeschichte organisiert, von ihr selbst abhängt und unverwechselbar ist.

Für eine Einheit oder Konsistenz des Selbst im Sinne einer Synthesefähigkeit von Rollen oder Motiven plädiert auch Tugendhat mit dem Argument, dass etwa bei einer Entscheidung, ob die Person einem Wunsch nachgibt oder nicht, sie diesen Wunsch im Lichte ihrer anderen Wünsche einzuschätzen fähig ist (Tugendhat 2007, 14f). Auch hat jede Person nicht nur unmittelbare Wünsche, sondern Handlungsabsichten, die auf Ziele und Werte ausgerichtet sind, die nur dann realisierbar sind, wenn sie sich mit diesen Werten zumindest für eine gewisse Zeit identifiziert. Ähnlich argumentiert Pauen (65, 77f). Er hält die Rede vom Selbst der Person für identisch mit der Rede von „der Person selbst", womit diejenigen Fähigkeiten und Eigenschaften gemeint sind, die konstitutiv für ein bestimmtes Individuum sind. Neben personalen Fähigkeiten im Allgemeinen, etwa Rationalität als die Fähigkeit, die Konsequenzen des eigenen Handelns vorhersehen zu können und das Handeln an eigenen Zielen zu orientieren, sowie einer Ansprechbarkeit der Person für Normen sind hier die personalen Präferenzen einer Person gemeint, diejenigen „spezifische(n) Überzeugungen, Wünsche und Dispositionen, die eine Person als ein ganz bestimmtes Individuum gegenüber anderen Individuen auszeichnen" (Pauen 2004, 67). Sie konstituieren die Identität der Person, die nicht beliebig auswechselbar ist. Eine Person mit einer bestimmten Identität vermag sich zwar von Teilen ihrer Überzeugungen und Bedürfnisse zu distanzieren, aber nicht von allen gleichzeitig.

Der Begriff des Selbst der Person kann also unter Bedingungen eines nachmetaphysischen Philosophierens als deren Identität reformuliert werden, ohne die Unterstellung der Einheitlichkeit, Konsistenz und Kontinuität dieser Identität aufzugeben.

5. Probleme der Dezentrierungsthese

Erinnern wir uns kurz an die Problemsituation: Es ging den beiden Autoren nicht darum, den Begriff der Person zu verwerfen, sondern ihn auf der Basis der aktuellen Subjektkritik neu zu formulieren. Beide Autoren kritisieren das traditionelle Konzept des autonomen, einheitlichen Selbst, unterstellen aber nach wie vor der Person die Fähigkeit zu verschiedenen Möglichkeiten eines praktischen Selbstverhältnisses.

Mit der These eines dezentrierten Selbst entwickelt Rorty die Idee einer Person ohne Identität. Die verschiedenen unbewussten Motive agieren wie unterschiedliche Personen. Es gibt bei ihm keine für die Person charakteristischen Eigenschaften, die ihre Identität konstituieren. Eine Person kann damit nicht wissen, wer sie wirklich ist und was sie eigentlich will; sie verfügt über kein artikulierbares Selbstverständnis, das ihr ermöglichte, zu ihren widersprüchlichen Bedürfnissen und Motiven Stellung zu nehmen und Wünsche oder Bedürfnisse zweiter Stufe, die sie (auf Grund einer kontinuierlichen Selbsterfahrung als „die und die Person") als *ihre eigenen* wahrnimmt (Frankfurt 1981, 297), auszubilden. Hat eine so verstandene Person die Fähigkeit, selbstbestimmt handeln? Wenn selbstbestimmt zu handeln darin besteht, dass eine Handlung mir als bestimmte Person mit konkreten Eigenschaften zuzurechnen sein muss und dass ich Gründe für meine Handlung angeben kann, die ich in einem ganz persönlichen Prozess des Abwägens von Gründen als die für mich Ausschlag gebenden oder guten Gründe ausgewählt habe, dann ist Rortys Person nicht zu selbstbestimmtem Handeln fähig. Eine solche Person hat aber auch nicht die Fähigkeit, gute Gründe zu finden, die sie persönlich – unter Berücksichtigung von Gegengründen und unter Bedachtnahme auf ihre Vorlieben, Gefühle und Bedürfnisse als die für ihre Handlung Ausschlag gebenden Gründe – gewählt hat, denn auch dieser Vorgang des individuellen Abwägens, Rechtfertigens und Bezugnehmens auf persönliche Eigenschaften und Fähigkeiten würde eine Person mit einer einheitlichen Ich-Identität voraussetzen.

An die Stelle der – moralisch relevanten – Selbstbestimmung setzt Rorty denn auch das Prinzip der Selbstverwirklichung als freier, ungehinderter Entwicklung aller Eigenschaften und Fähigkeiten, über welche die Person verfügen möchte. Rorty hält diese existentiellen Entscheidungen für bestimmte Werte, die mein unverwechselbares Leben zu einem bejahenswerten Leben für mich machen, für völlig privat und keiner Rechtfertigung gegenüber anderen bedürftig. Zweifellos ist ihm darin zuzustimmen, dass Selbstverwirklichung in einem ganz persönlichen, individuellen Herausfinden dessen besteht, was jeweils für eine Person das gute Leben ausmacht. Aber auch das Prinzip der Selbstverwirklichung setzt die Idee der individuellen Person mit einer klaren Vorstellung davon, wer sie ist, voraus, verlangt eine Identifikation der Person mit diesen und jenen konkreten Werten. Charles Taylor hat darauf hingewiesen, dass der Begriff der persönlichen Identität untrennbar mit dem Begriff „starker Wertungen" verknüpft ist (Taylor 1992, 36ff). Der Mensch unterscheide sich von anderen Spezies, nicht bloß dadurch, dass er Wünsche zweiter Ordnung entwickeln kann, sondern dadurch, dass er die Wünsche erster Ordnung mittels starker

Wertungen bewertet. Eine Person kann sich nach Taylor nur als diese bestimmte Person begreifen, weil die starken Wertungen über die Eigenschaften entscheiden, die sie als handelnde Person ausmachen. Wenn jemand auf Grund von Folter oder Gehirnwäsche gezwungen wäre, diese Werte aufzugeben, indem er gegen seine ureigensten Wertvorstellungen handeln müsste, würde seine Identität zerbrechen.

Darüber hinaus muss Rorty seine Person als soziale Monade begreifen. Das Prinzip schrankenloser Selbstverwirklichung ohne Bezugnahme auf die normativen Ansprüche anderer schließt die Möglichkeit der Integration der Person in das Gefüge der Gesellschaft von vornherein aus. Insofern ist mit Tugendhat darauf zu bestehen, dass das Konzept der Identität der Person nicht ohne Bezug auf die Idee der Moral (sowohl im formalen Sinne wie auch in Bezug auf moralische Inhalte) zu formulieren ist (Tugendhat 1993, 33ff). Das Selbstverständnis einer Person enthält stets auch ihr Selbstverständnis als Mitglied der Gesellschaft. Wenn das Selbst als reflektiertes Selbstverhältnis im Nachvollzug der Einstellungen anderer zu sich besteht, wie es der intersubjektivistische Ansatz vorschlägt, dann kann es kein Selbst geben, das nicht die verallgemeinerten normativen Ansprüche der anderen an die eigene Person als verpflichtende Normen internalisiert hat. Mead hat betont, dass Selbstachtung als positive Einstellung sich selbst gegenüber durch die Bestätigung entsteht, die die Person durch ihre Interaktionspartner erfährt. Nur über den Umweg über die Anerkennung anderer kann die Person sich des sozialen Wertes ihrer Identität vergewissern. Eine grobe Normenverletzung wäre dann notwenig begleitet vom vorgestellten Verlust an Wertschätzung oder Verachtung in den Augen der anderen, woraus Gefühle von Scham und Schuld resultieren. Entgegen Rorty benötigt die Annahme eines persönlichen Gewissens also keineswegs ein religiöses Fundament, sondern nur die Idee einer intersubjektiv konstituierten Ich-Identität der individuellen Person.

Honneths Version der Dezentrierungsthese betrifft den Begriff der Autonomie. Für ihn besteht Autonomie a) in der Fähigkeit zum authentischen Ausdruck der eigenen Triebbedürfnisse, b) in der Fähigkeit zur Distanzierung von eigenen „stark wertenden" Lebensentwürfen und c) in der Fähigkeit, moralische Prinzipien je nach Kontext anzuwenden.

Ist aber die Postulierung einer Fähigkeit, sich zu verschiedenen Aspekten der eigenen Existenz in unterschiedlicher Weise autonom verhalten zu können, gleichbedeutend mit der Notwendigkeit einer Dezentrierung des Autonomiebegriffs? Anders formuliert: Kann Autonomie nicht mehr als Fähigkeit einer Person mit einer bestimmten Identität verstanden werden, ihr Verhalten aus Gründen selbst zu wählen, wenn vorausgesetzt wird, dass die Person auch aus ihr selbst undurchsichtigen Motiven als personalen Eigenschaften besteht? Ein selbstbestimmter Umgang mit der eigenen Triebnatur desavouiert diese Anteile der Person nicht, so verstehen wir Honneth, sondern nimmt sie in die Artikulation der eigenen Identität auf, indem die eigenen Impulse kreativ erschlossen und zwanglos artikuliert werden. Aber nichts spricht dagegen, einer Person, die sich als gelegentlich haltlose Trinkerin beschreibt, weil sie ihre Bedürfnisse, maximale Intensitätserlebnisse auszukosten, als eine Lebensform betrachtet, eine konsistente Ich-Identität zuzuschreiben. Genau ihr Selbstverständnis als einer Person mit dionysischen Elementen ist für sie der Grund, ihr Verhalten zu wollen und es sich gelegentlich sogar als Ziel vorzunehmen. Autonom ist also nicht bloß, wie Honneth meint, die Expression des triebhaften Impulses, sondern ganz traditionell die – begründete – Wahl dieses Triebausdrucks als Bestandteil einer bestimmten Identität.

Der zweite Aspekt von Autonomie betrifft die Selbstverwirklichung der Person. Die Fähigkeit zur autonomen Selbstverwirklichung bemesse sich nicht daran, ob eine Person in ihrem Leben konsistente Wertorientierungen verfolge, meint Honneth, sondern nur an der narrativen Fähigkeit, die eigene Lebensgeschichte zusammenhängend ohne Bewertungen darstellen zu können (2000, 249).

Nun erfordert eine kohärente Darstellung der eigenen Biografie tatsächlich eine Distanz zu ehemals eingenommen Wertorientierungen. Trotzdem ist sie damit nicht frei von Wertungen; sie ist überhaupt nur möglich aus der Perspektive jener Werte und Orientierungen, mit denen die Person sich heute identifiziert. Die eigene Biografie kann nicht beliebig interpretiert werden. Dass bestimmte Abschnitte der eigenen Biografie nicht als bloß zufällige Ereignisse, sondern als Beitrag zu einer selbstgewählten Lebensführung gelten können, dazu müssen sie von der betreffenden Person als Realisierung von Wertvorstellungen und längerfristigen Zielen verstanden werden, die sie nur verfolgte, weil sie sie damals für gut hielt. Diese Sicht ist aber auch aus einer späteren Perspektive heraus noch begründbar. Voraussetzung dafür ist ein Selbstverständnis, das Kontinuität einschließt: eine Person, die sich darüber im Klaren ist, wer sie in all ihren lebensgeschichtlichen Wandlungen ist bzw. geworden ist. Nur mit Bezug auf dieses Selbstverständnis kann sie die Zielvorstellungen und deren Veränderung als selbstgewählte begründen.

Der dritte Aspekt, die Fähigkeit, sich moralisch autonom zu verhalten, bemisst sich nach Honneth nicht an der Orientierung an unveränderlichen moralischen Prinzipien, sondern bloß an der kontextsensiblen Anwendung von universalistischen Normen.

Worum es hier geht, sind Fragen der Anwendung moralischer Normen in konkreten Situationen, und dies sind Fragen der Beurteilung ihrer Angemessenheit im Kontext (Günther 1988, 257ff). In einer Situation, in der gehandelt werden muss, steht die Person vor der Aufgabe, eine bestimmte Handlungsweise als die hier und jetzt moralisch angemessene Handlungsweise zu wählen, d. h. die Entscheidung für oder gegen die praktische Anwendung einer moralischen Norm begründen zu können. Wie aber wäre eine solche möglich ohne eigenständige, also selbstbestimmte Stellungnahme zu diesen Normen? Wenn die sensible Anwendung von Normen Ausdruck eines autonomen Verhaltens diesen Normen gegenüber sein soll, dann erfordert sie vor allem anderen doch eine reflektierte Stellungnahme zu ihnen, setzt also Autonomie als Fähigkeit zum distanzierenden Hinterfragen dieser Normen voraus. Die Person muss zuerst beurteilen, ob die Norm auf die Situation passt. Autonomie ist nach unserem Verständnis nicht erst die Fähigkeit zur praktischen Anwendung der Norm in der Handlungssituation, sondern die Fähigkeit zu ihrer Beurteilung als der Situation angemessen oder nicht. Das Urteil, ob die Norm auf die Situation passt, ist aber notwendig als Urteil einer Person mit bestimmten personalen Fähigkeiten und Eigenschaften zu denken, denn von ihnen hängt ab, wie die Person die konkrete Situation und ihre Merkmale einschätzt.

Die Idee der Autonomie bedarf also auch im nachmetaphysischen, nachttranszendentalen Kontext keiner Dezentrierung; egal, ob es die Stellungnahme zu sich, die Wahl und Beurteilung der eigenen Lebensführung oder die Entscheidung für ein bestimmtes moralisches Handeln betrifft: die Fähigkeit, sich im Denken und Handeln autonom zu verhalten, erfordert eine Person mit einer einheitlichen Identität, die sich als diese Person kennt und erfährt.

Die Dezentrierungsthese ist somit in beiden Versionen zurückzuweisen; in der Version von Rorty erweist sie sich als philosophisch selbstdestruktiv, weil sie den Begriff der Person und alle Möglichkeiten des praktischen Sich-zu-sich-Verhaltens eliminiert, in der Version von Honneth erweist sie sich schlicht als nicht stichhaltig.

LITERATUR

Frankfurt, H. G. (1981): Willensfreiheit und der Begriff der Person, in: P. Bieri (Hg.), *Analytische Philosophie des Geistes*, Königstein: Anton Hain, 287 –302.

Günther, K. (1988): *Der Sinn für Angemessenheit*, Frankfurt/Main: Suhrkamp.

Habermas, J. (1973): Notizen zum Begriff der Rollenkompetenz, in: *Kultur und Kritik*, Frankfurt/Main: Suhrkamp, 195 – 231.

Habermas, J. (1988): Individuierung durch Vergesellschaftung. Zu G. H. Meads Theorie der Subjektivität, in: *Nachmetaphysisches Denken*, Frankfurt/Main: Suhrkamp, 187 – 241.

Honneth, A. (2000): Dezentrierte Autonomie. Moralphilosophische Konsequenzen aus der Subjektkritik, in: *Das Andere der Gerechtigkeit*, Frankfurt/Main: Suhrkamp, 237 – 251.

Kant, I. (1967): *Kritik der praktischen Vernunft*, Hg. K. Vorländer, Hamburg: Meiner.

Mead, G. H. (1934): *Mind, Self and Society. From the standpoint of a social behaveiourist*, Chicago: University of Chicago Press.

Pauen, M. (2004): *Illusion Freiheit? Mögliche und unmögliche Konsequenzen der Hirnforschung*, Frankfurt/Main: Fischer.

Rorty, R. (1988): Freud und die moralische Reflexion, in: *Solidarität oder Objektivität?*, Stuttgart: Reclam, 38 –81.

Taylor, C. (1992): Was ist menschliches Handeln? in: *Negative Freiheit?* Frankfurt/Main: Suhrkamp, 9 – 51.

Tugendhat, E. (1979): *Selbstbewusstsein und Selbstbestimmung*, Frankfurt/Main: Suhrkamp.

Tugendhat, E. (1993): Die Rolle der Identität in der Konstitution der Moral, in: W. Edelstein, G. Nunner-Winkler (Hg.), *Moral und Person*, Frankfurt/Main: Suhrkamp, 33- 47.

Tugendhat, E. (2007): Willensfreiheit und Determinismus, in: *Information Philosophie* 1, 7 – 17.

Vattimo, G. (1986): *Jenseits vom Subjekt. Nietzsche, Heidegger und die Hermeneutik*, Graz-Wien: Passagen.

Aus dem Ruder ...
Gehirn und Person
aus systemtheoretischer Sicht

MANFRED FÜLLSACK

Irritationen, wie sie von den Libet-Experimenten (Libet 2004), von der Extended Mind-Hypothese (Clark/Chalmers 1998), von Debatten um Computer-generierte Kommunikationsfähigkeiten (Fuchs 1991, Brosziewski 2003), um Split-Brain-Cases (Baillie 1993) oder auch um die Entnahme menschlicher Organe zu Transplantationszwecken (Stoecker 1999) in philosophische Diskurse eingebracht werden, scheinen die bewährten Konzepte von „Person" und „Gehirn" zur Zeit durcheinander zu wirbeln. Könnte es sein, dass sich darin ein Funktionsverlust der entsprechenden *Formen*, eine „Formkatastrophe" (Fuchs 2004: 26) ankündigt, die darauf hinweist, dass es sich bei diesen Formen um bloß *temporäre Zurechnungen* handelt, die in spezifischen sozialen Situationen den Umgang mit anders nicht zu bewältigenden „Irritationen" erlauben? Und wenn dem so ist, lässt sich die mit diesen Formen assoziierbare Unterscheidung von „Ausführungseinheit" („Person") und „Recheneinheit" („Gehirn") dazu heranziehen, um Erkenntnisse darüber zu erwirtschaften, warum solche Zurechnungen lange Zeit als unproblematisierte Basiskonzepte philosophischer, psychologischer, soziologischer, ökonomischer etc. Überlegungen fungieren konnten und warum sie diese Funktion aktuell zu verlieren scheinen?

Das Folgende wird versuchen, diese Fragen im Anschluss an system- und evolutionstheoretische Überlegungen wenn nicht zu beantworten, so doch zumindest zu beleuchten.

I.

Einfache anatomische Grundkenntnisse legen, wenn im Alltag von Personen die Rede ist, das Bild von *differenziert operierenden Organismen* nahe, deren „Körper" Aktivitäten setzen, die von „Gehirnen" gesteuert werden. Diese Unterscheidung assoziiert heute wohl unweigerlich auch bereits Forschungen zur *Artificial* oder zur *Distributed Artificial*

Intelligence (AI, DAI), in denen Steuerungsleistungen einer „Verrechnungsebene" den Aktivitäten einer „Vollzugsebene" gegenübergestellt werden und die anfallenden Rechenleistungen als Informationen betrachtet werden, die die Möglichkeiten der beiden Ebene auf ein Maß einschränken, das bestimmte Operationen wahrscheinlicher werden lässt als andere. Robert Rosen (1985) hat solche *differenziert operierenden* Systeme als *„Anticipatory systems"* beschrieben, als Systeme, die mithilfe einer *errechneten* Repräsentation ihrer selbst Optionen, die sich ihnen bieten, vergleichen und anhand spezifischer „Erwartungen" oder Zielvorgaben die zur Erreichung dieses Ziels „beste" Option auswählen (vgl. u.a. auch: Leydesdorf 2006: 81f).

In der AI werden solche Zielvorgaben „extern" programmiert, sprich dem System von einem „In*genieur*"[1] auferlegt. Personen zeichnen sich demgegenüber nach gängigen Vorstellungen dadurch aus, dass sie sich ihre Ziele und Zwecke *selbst geben*, dass sie *autonom* operieren. Auch Systemtheorie und DAI plädieren dafür, komplexe Organismen nach dem Muster „autopoietisch geschlossen" agierender, also *sich ihre Zwecke selbst errechnender* Systeme zu fassen.

Schon nur die Rede vom Rechnen ist dabei freilich voraussetzungsreich. Sie beruht auf der Annahme, dass sich auch menschliches Verhalten, so wie das modellierbarer Systeme, als im strengen Sinn „rational", eben „berechenbar" betrachten lässt, dass es im weitesten Sinn Produktivitätskriterien gehorcht und sich damit „letztendlich" immer auf eine *positive Output/Input-Bilanz* zurückführen lässt (u.a. Becker 1976). So man dieser Annahme zu folgen gewillt ist, so stellen sich eine Reihe grundlegender Fragen, allen voran die nach dem „Vorteil" einer solchen *differenzierten* Operationsweise. Denn schon intuitiv dürfte klar sein, dass es sich dabei um eine komplexe und damit kostspielige Sache handelt, die sich, wenn Produktivitätskriterien gelten sollen, in der einen oder anderen Weise amortisieren muss.

Etwas umwegig (weil zirkulär) lässt sich dieser „Vorteil" zunächst dadurch erklären, dass sich evolutionstheoretisch besehen nur verteilt operierende Systeme oder Organismen überhaupt als solche *wahrnehmen* lassen. Punktuelle Prozesse (Ereignisse nach Luhmann 1984: 389), die stattfinden und ohne Folgen wieder verpuffen, mögen in der Natur zwar ungleich höhere Auftrittswahrscheinlichkeit haben. Wahrnehmen lassen sich aber

---

[1] Locker interpretiert: von einem „Geist-Einhaucher", der unübersehbar berühmte Vorläufer hat.

erst Zusammenhänge, die in irgendeiner Weise Folgen haben oder Bestand zuwege bringen und damit für die Mit- oder Nachwelt *beobachtbar* werden.[2] Schon um diesen Bestand zu gewährleisten, um also einem System, etwa durch Zusammenfassung einzelner Prozessschritte zu einem Gesamtprozess[3], die Möglichkeit zu geben, *in der Zeit* zu operieren[4], ist aber verteiltes, also *relativ aufwendiges* Operieren notwendig.

Weil sich die differenzierte Operationsweise dabei erst mit *wiederholter Anwendung* amortisiert[5], legt diese Aufwendigkeit einen spezifischen *Pfad* (eine *trajectory* nach Arthur 1990) als aus der Zukunft zurückwirkende Bedingung ihrer Produktivität fest. Von einem *Beobachter* können deshalb (aus der Zukunft zurückschauend) nur jene verteilt operierenden Systeme wahrgenommen werden, die ein produktives Verhältnis von *Aufwand und Wiederholung* schaffen, die also evolutionstheoretisch besehen überleben, eben weil sich ihre Arbeitsweise amortisiert. Für diesen Beobachter impliziert schon dieser Pfad damit so etwas wie *Identität* des Systems, sprich einen in der Zeit stabilen *Bestand*. Die verteilte Operationsweise wird *für ihn* zu einer *Einheit*, eben zu einem *System*, indem sie zunächst einfach nur, um sich zu rentieren, *wiederholt* zur Anwendung kommt.

„Intern" erfordert dieser Bestand *verteiltes Operieren*, weil sich einzelne Prozessschritte (Ereignisse) nur dann zu einem Gesamtprozess integrieren lassen, wenn der Gesamtprozess als solcher *konzeptioniert* wird, wenn also so etwas wie eine Organisationseinheit dafür sorgt, dass der Prozess im Hinblick auf seine zeitliche Dauer und auf die für ihn relevanten In- und Outputs *informiert* wird. Das System erhält seinen Bestand, indem es als *Identität* errechnet wird.

---

[2] „Vorteile" werden also stets nur *zugerechnet*, werden *retrospektiv* als „Vorteil" *gedeutet* (Füllsack 2006: 27), und zwar von einem *Beobachter*, der hier *vorausgesetzt* wird, dessen Emergenz aber gleichfalls nach den beschriebenen Prinzipien gedacht wird (vgl. u.a.: Leydesdorff 2006: 54f). Die vorliegenden Darstellungen beruhen damit auf einem Zirkel, der in der klassischen Philosophie als „vitios" oder gar „diabolisch", in der Systemtheorie aber als unvermeidbar angesehen wird.

[3] Die ebenfalls erst von einem *Beobachter* (Fn. 2) als analytische Größen unterschieden werden.

[4] Oder genauer: *Zeit zu generieren* (s.u.).

[5] Leroi-Gourhan (1964/1988) hat diesen Umstand am Beispiel des Werkzeugs beschrieben, dessen zeitaufwendige Herstellung sich nur dann rechnet, wenn es *mehrfach* verwendet wird. Ein Hammer, der nur einen einzigen Nagel einschlägt, ist die Zeit nicht wert, die nötig ist, um ihn herzustellen.

Ist die Möglichkeit dazu gegeben, so liegen die „Vorteile" klar auf der Hand. Einzelne Prozessschritte können nun in *ihrer* Produktivität verglichen und im Hinblick auf die „erwartete" Produktivität des Gesamtprozesses gewählt werden. Unter Umständen lassen sich dabei temporäre „Unproduktivitäten" zugunsten *später* (aber jedenfalls innerhalb der Grenzen des Gesamtprozesses) erhöhter Produktivität akzeptieren (Füllsack 2008). Das System steht damit nicht mehr unbedingt jederzeit sofort vor dem Aus, sobald temporär ungünstige Bedingungen vorliegen. Es kann „Durstphasen" durchstehen. Es kann auf veränderte Umweltbedingungen *flexibel* reagieren und damit unter Umständen höhere Überlebenswahrscheinlichkeit generieren als mittels undifferenzierter oder, genauer, mittels weniger differenzierter Operation.

II.

Minimalvoraussetzung dafür ist zum einen ein *Konzept* der eigenen Gesamtoperationsdauer, also bei Lebewesen etwa das einer „Lebenszeit", bei Firmen oder Volkswirtschaften einer Bilanzperiode etc. Zum anderen benötigt ein solches System auch Vorstellungen davon, was die je relevanten In- und Outputs seiner Operationen sind. Beide Voraussetzungen werden in der „Organisationseinheit" (im Gehirn) *errechnet* und fungieren damit als *zeitliche* und *sachliche Rahmenbedingungen*, innerhalb derer und *nur* innerhalb derer (Simon 1964) unterschiedliche Optionen auf ihre Produktivität hin verglichen werden, um so die Vollzugsebene (den *shop floor*, den Körper) mit Informationen über die jeweils produktivste Option zu versorgen.

Die Formulierung „innerhalb und *nur* innerhalb solcher Rahmenbedingungen operieren" meint dabei, dass auch die Errechnung der Rahmen selbst an diese Rahmung gebunden bleibt, dass das System also *rekursiv* operiert (Foerster 1968: 320). Alle Rechnungen des Systems finden auf Basis *seiner* Ressourcen statt, auf Basis dessen, was das System in seiner *eigenen Vergangenheit* erwirtschaftet hat, was ihm aufgrund seiner *bisherigen* Produktivität aktuell zur Verfügung steht, um zum einen seine Aktivitäten zu alimentieren und sie zum anderen eben zu *orientieren*. Das System verwendet immer nur die *Outputs* seiner je vorhergehenden Prozessschritte als *Inputs* seines weiteren Prozessierens. Es operiert „autopoietisch geschlossen", also immer nur im Hinblick auf seine *eigenen* Inputs. Es operiert mit Ashby eigentlich „*ohne* Input". Und es tut dies –

was die Sache noch unanschaulicher macht – auf allen Ebenen seiner Operation.

Was immer dieses System tut, tut es im Rahmen *seiner eigenen Welt*. Und auch seine Organisationsebene rechnet, ebenso wie die Vollzugsebene, stets nur autopoietisch geschlossen, sprich *rekursiv*, also auf Basis der *je eigenen Vorleistungen*. Die Kooperation der Subeinheiten solcher Systeme basiert damit streng genommen niemals auf Kommunikation oder Interaktion im herkömmlichen Sinn, sondern auf reziproker Zur-Verfügung-Stellung von „Irritationen" (Luhmann 1997: 789ff), die erst im Rahmen des *je eigenen Zeithorizonts* und der *je eigenen* In- und Outputvorstellungen „ausgedeutet" werden müssen, um mit den so generierten Informationen den Möglichkeitsraum der eigenen Operationen *einzuschränken* und diese so zu *ermöglichen*.

Dieses „Deuten" muss deshalb als „*Zurechnen*" aufgefasst werden, als „Zurechnen" einer „Bedeutung" zu einer „Irritation", mit der nur mittels solcher „Zurechnung" überhaupt umzugehen ist.

Heinz von Foerster hat dementsprechend im Anschluss an Piaget die Objektkonstruktionen im Zuge des Heranwachsen von Kindern beschrieben, welche in wiederholten Spielaktivitäten etwa von unterschiedlichen Bewegungen und Lagen, die ein Ball beim Spielen einnehmen kann, irritiert werden. Unterstützt durch unterschiedlichste Pfadvorgaben und „Eigenwerte" (vgl. Foerster 1983: 259) entsteht erst in diesen Konfrontationen nach und nach jene „Realität", in der sich Ball und Selbstwahrnehmung des Kindes zu einer situativen Verhaltenskompetenz verweben. Das Kind erkennt nicht einfach durch Beobachten oder Betasten den Ball, sondern *errechnet* durch seine wiederholte Auseinandersetzung mit den entsprechenden Irritationen eine Realitätsvorstellung. Die unterschiedlichen Verhaltensweisen des Balls gerinnen in den wiederholten Spielaktivitäten zu einem *stabilen Konzept* des Balls, das allerdings *nicht beliebig* ist, also auch jeweils völlig anders ausfallen könnte, sondern das ob der unzähligen sonstigen dabei im Spiel seienden Irritationen weitgehend festgelegt ist. Der Ball wird im Ballspiel zum Ball und *nur* zu diesem, und Analoges gilt auch für die Konzepte des „eigenen Selbst" und Anderer als „Personen", die ihrerseits von so etwas wie „Gehirnen" gesteuert werden.

Insbesondere Konzepte wie „Person" oder „Gehirn" bedürfen dabei, um zu solchen zu werden, *sozial angelieferter* Irritationen (Luhmann 1997: 643). Das Prinzip dabei ist dasselbe: *Anticipatory systems* operieren im Hinblick auf spezifische Erwartungen zur Produktivität ihrer Operationen im Horizont ihrer Welt und werden dabei von ähnlich operierenden Systemen in ihrer Umwelt irritiert. So sich diese Irritationen wiederholen und bestimmte Muster ausbilden, knüpfen sich weitere Erwartungen daran. Die Irritationen werden gleichsam in die eigene Welt endogenisiert, indem sie *in* deren Horizont gedeutet werden. Der Irritation wird ein bestimmtes Konzept *zugerechnet*, das sich dann etwa in frühen Stammesgesellschaften als „Mitgesellschafter", „Tauschpartner", bestenfalls „Gast", „Fremder" oder auch „ernstzunehmender Feind", jedenfalls als „Person" von „Nicht-Personen" (und unter Umständen dann „essbaren" Irritationen) unterscheiden lässt. Mit diesen „Personen" kann dann das getan werden, was sich gleichermaßen anhand spezifischer Muster als „Interaktion" bzw. „Kommunikation" auskristallisiert. Und es können ihnen spezifische Verhaltenserwartungen zugerechnet werden, die sie in dem Ausmaß als „Freund", „Partner", „Arbeitskollege", oder „Dieb", „Feind", „Vorgesetzter" etc. konfirmieren, in dem sie diese Erwartungen erfüllen oder nicht, dabei aber jedenfalls den Eindruck erwecken, ihr Verhalten zu *wählen* und in dieser Wahl beeinflussbar zu sein (vgl. Luhmann 1984: 429; 1997: 643). Die so vorbereiteten Konzepte scheinen sich dann auch unter Bedingungen zu bewähren, unter denen die zunehmend problematisch werdende, weil nicht mehr einfach als „gottgewollt" erklärbare Verhaltens*vielfalt* von sich als „vernünftig" gerierenden Identitäten nach Erklärung verlangt, oder auch unter denen sich ungleiche Ressourcenverteilungen in „gottlosen" Aufklärungszeiten „besser" durch „persönliche Leistung", und in Zeiten der *Bildung* durch „persönliche Gehirnleistung", durch „freien, aufgeklärten Willen" etc. erklären lassen und damit soziale Anschlüsse finden.

Kurz, „Personen", ebenso wie „Gehirne", lassen sich unter dieser Perspektive als hoch komplexe Zurechnungen betrachten, die unter spezifischen, insbesondere *sozialen* Bedingungen dafür sorgen, dass mit den Irritationen, denen sie *Form* geben, anschlussfähig, sprich rational umgegangen werden kann. Irritationen unter entsprechenden Umständen (aber nur unter diesen) als „Personen" (oder „Gehirne") zu deuten, bietet verteilt, aber geschlossen operierenden Systemen, die von ähnlich operierenden Systemen in ihren Möglichkeiten *konditioniert* werden, ab einem bestimmten Differenzierungsgrad *unverzichtbare Produktivitäts-vorteile*. Einmal etabliert, stellen sie *Rahmenbedingungen* für die Operabilität solcher Systeme dar, in denen – als Mindestbedingung – die je relevanten In- und Outputs oder auch der Zeithorizont, auf den hin bilanziert wird, festgelegt sind.

Ein entscheidender Punkt dieser Überlegungen ist nun, dass in dieser Weise operierende Systeme als *nicht-triviale Maschinen* aufgefasst werden müssen, die nicht nur im Zuge ihres Operierens spezifischen Output generieren, sondern stets auch die *Rahmenbedingungen* ihres Operierens wieder *verändern*.

III.

Am leichtesten lässt sich dieser Umstand vielleicht in (freilich verkürzender) Konzentration auf den angesprochenen Zeithorizont veranschaulichen. *Anticipatory systems* errechnen auf Basis ihrer Möglichkeiten, auf Basis ihrer, in der *eigenen* Vergangenheit mit *eigenen* Operationen erwirtschafteten Ressourcen, einen Zeithorizont (eine „Lebenszeit"), in dem ihre weiteren Prozessschritte *insgesamt* positiv bilanzieren sollen. Dieser Zeithorizont gibt damit einen *Rahmen* für all die einzeln zu errechnenden *Entscheidungen* des „alltäglichen" Operierens vor, der die Operationsmöglichkeiten des Systems *kanalisiert* und sie genau damit auch erst *ermöglicht*.

Wenn nun dieser Zeithorizont „günstig" gewählt wird, so kann sich dadurch die Produktivität des Systems erhöhen. Dem System stehen so im nächsten Schritt mehr Ressourcen zur Verfügung, die damit auch zur Alimentation der Verrechnungsstelle herangezogen werden können und damit prinzipiell eine Neukonzeptionierung des Zeithorizonts, zum Beispiel eine Ausdehnung in die Zukunft ermöglichen. Wenn auch diese Neukonzeptionierung wieder „günstig" ausfällt, so wiederholt sich dieser Prozess und verändert so sukzessive den jeweils als *relevant* wahrgenommenen Zeithorizont und damit auch das System selbst.

Ein wenig komplizierter, weil nun auch die Relevanzwahrnehmung der In- und Outputs betreffend, wird dieser selbst induzierte Veränderungsprozess, wenn in Betracht gezogen wird, dass er im Prinzip auch die *Vergangenheit* solcher Systeme betrifft. Indem nämlich durch „günstige" Wahl der relevanten Zukunft die Produktivität gesteigert wird, könnte die nun besser alimentierte Verrechnungsstelle nicht nur neue *zeitliche* Aspekte im Hinblick auf die Operationsweise des Systems ausmachen, sondern unter Umständen auch neue *qualitative* Aspekte. Das System kann unter Umständen nun In- und Outputs wahrnehmen, die bisher keine Relevanz hatten, und es könnte sodann beginnen, seine eigene

Vergangenheit auf solche In- und Outputs hin „neu zu durchforsten". Ein gern zitiertes Beispiel dafür stellt etwa der Umstand dar, dass die Industriegesellschaft bis in die 1930er Jahre Erdgas nicht als relevanten Input und bis in die 1970er Jahre Umweltverschmutzung nicht als relevanten Output ihrer Aktivitäten wahrnahm. Seit sie dies nun aber tut, arbeiten Historiker daran, die Geschichte von Erdgas bzw. die der Umweltverschmutzung zu schreiben. Im hier betrachteten Sinn bedeutet dies, dass die Industriegesellschaft, so sie dann noch als solche bezeichnet werden kann, auch ihre eigene Vergangenheit *neu errechnet*. Sie verändert ihr *Referenzsystem*, ihre Möglichkeiten zu operieren und bekommt damit *neue* In- und Outputs als relevant in den Blick. Sie nimmt nun z.B. saubere Luft, reine Umwelt etc. als *relevant* wahr und wird so zu einer post-industriellen oder gar zu einer Wissens- und Informationsgesellschaft.

IV.

Dieser Umstand verkompliziert die vorliegenden Überlegungen. Mit ihm stellt sich die Frage, wie denn, wenn solche Systeme und Systemebenen zum einen stets „autopoietisch geschlossen" operieren, zum anderen nun aber auch noch *in actu* stets ihre eigenen Zustände verändern, überhaupt „Kooperation" (hier wohlgemerkt verstanden als wechselseitige Bereitstellung von „Irritationen"), also die *Integration* von autonomen Teilsystemen zu als „Personen" beobachtbaren Identitäten zustande kommen soll. Zu vermuten wäre, dass die *je für sich* ihre eigene „Welt" berechnenden Systeme aufgrund ihrer beständigen Neuverrechnungen viel zu divers agieren, um jemals auch nur in die Nähe der Möglichkeit von Kooperation zu kommen.

In der Regel dürfte dies auch der Fall sein. Die Mehrzahl der vorstellbaren Teilprozesse und Teilsysteme dürfte viel zu divers agieren, um Kooperation zu erlauben. Auch hier sorgt neuerlich erst evolutionäre Selektion dafür, dass *retrospektiv* (und *nur* so) wahrnehmbar wird, wenn trotz enormer Unwahrscheinlichkeit Kooperation in der einen oder anderen Weise gelingt. Etwas konkreter ließe sich diesbezüglich vielleicht auch mit den „Transaktionskosten" der Kooperation argumentieren. In Rechnung gestellt, dass diese nicht höher (oder zumindest nicht dauerhaft höher) als die durch die Transaktionen zu erwirtschaftenden Gewinne sein dürfen, wenn das System seine Ressourcen nicht vorzeitig verausgaben soll, lässt sich ein Ausdifferenzieren stabiler „Kooperationswolken" vorstellen, in denen die Transaktionen zwischen den Systemebenen *jeweils gerade noch akzeptable* Kosten aufwerfen. Retrospektiv lassen sich abermals nur diese Wolken als solche wahrnehmen und erscheinen damit als *Stabilitäten*, als *Identitäten*, gegenüber jenen Verhältnissen, die aufgrund zu hoher Transaktionskosten eben Kooperation nicht erlauben.

Sobald freilich Kooperation als Zufallsmutation gelingt, kann sie aus sich heraus Anschlussmöglichkeiten generieren, die die Wahrscheinlichkeit für weitere Kooperationen schnell ansteigen lässt. Ein anschauliches Beispiel in diesem Zusammenhang liefern menschliche Interaktionen. An ihnen wird deutlich, wie sehr eine beliebige Handlung oder Kommunikation den Möglichkeitsraum der Gegenreaktion auf ein Maß *vor*einschränken kann, auf dem Anschlüsse, also das Weiterlaufen der Interaktion, überhaupt erst wahrscheinlich werden. Ein simpler Augenkontakt beim Vorübergehen, ein freundliches „Guten Tag", oder auch umgekehrt, ostentatives Wegschauen oder ein schlecht gelauntes Anschnauzen lassen spezifische Anschlussreaktionen des Gegenübers um ein Vielfaches wahrscheinlicher werden als ohne diese *Vorgabe*, die zunächst für das Gegenüber damit nichts anderes darstellt, als eine Reduktion seiner Möglichkeiten. Sofern das Gegenüber aber reagiert und mit dieser Reaktion seinerseits die Möglichkeiten des Anderen einschränkt (und so erst weitere Reaktionen hinreichend wahrscheinlich werden lässt), emergiert „Kooperation" oder, genauer, weil eben stets *voreingeschränkt*, „konditionierte Kooperation", hier also Interaktion oder Kommunikation, wie auch immer diese dann konkret aussehen mag.

Wenn die Outputs dieser Kooperation gespeichert werden können und damit dauerhaft zur Orientierung und im Weiteren auch zur Veränderung der Verhaltensweise der beteiligten Akteure bereitstehen, so schränken auch diese *Vorleistungen* den Möglichkeitsraum weiterer Kooperationen ein. Den Interaktionspartnern steht damit so etwas wie eine gemeinsame *Kultur* zur Verfügung, nach Parsons ein „shared symbolic system", eine *Ordnung* oder „Lebenswelt", in der Normen, Werte, Zwecke, Ziele etc. *bestimmte* Anschlüsse – spezifische Umgangsformen mit anderen Personen oder auch ein ganz bestimmtes Verstehen spezifischer Kommunikationen – wesentlich wahrscheinlicher machen als andere. Wenn als Folge unzähliger, über viele Generationen laufender und dabei selbstverständlich ihrerseits bereits konditionierter und damit spezifischer Kooperationen zum Beispiel als Teil einer solchen Kultur ein Wissenschaftssystem emergiert, das seinerseits die Organisation von Philosophiekongressen wahrscheinlich werden lässt, so können, wie sich gerade beobachten lässt, *extrem unwahrscheinliche* Kommunikationen wahrscheinlich werden – Kommunikationen, die *ohne* diese Rahmenvorgaben mit großer Wahrscheinlichkeit selbst von wohlmeinenden Interaktionspartnern nicht sinnvoll gedeutet werden könnten.

Mit anderen Worten, nur durch fortgesetzte Generierung von Einschränkungen, wird Kooperation unter „autopoietisch geschlossenen", weil rekursiv agierenden und dabei auch noch ihre eigenen Operationsbedingungen beständig neu errechnenden Systemen und Systemebenen *hinreichend wahrscheinlich*, um stattfinden zu können. Das beständige Neu-Errechnen wird gleichsam in den kooperativ erwirtschafteten Voreinschränkungen, in der Kultur der Akteure *vorsynchronisiert.*

V.

Die Akteure werden von ihrer Kultur dabei stets nur in*form*iert (Füllsack 2008), nicht determiniert. Kultur in*form*iert die Akteure im doppelten Sinn von „mit Information ausstatten" und „in Form bringen". Zum einen stattet sie sie mit Informationen aus, anhand derer die Akteure eben *antizipieren* (niemals aber endgültig wissen) können, welche Optionen ihres Möglichkeitsraums für sie sinnvoll, relevant, produktiv etc. sind. Und zum anderen bringt die Kultur diese Akteure auch *in Form*, nämlich zum Beispiel eben in die *Form* von „Personen", in der (und nur in der) sie dann als mögliche Interaktionspartner wahrnehmbar werden.

Die europäische Kultur und in ihr insbesondere die Aufklärung hat ihre Akteure in die spezifische Form von „Vernunft geleiteten", „zurechnungsfähigen", „sprachbegabten", „selbstverantwortlichen" Personen gebracht. Diese Formen bilden heute entscheidende Bestandteile der *Rahmenbedingungen*, unter denen soziale Interaktionen stattfinden. Sie bestimmen damit die *Wahrscheinlichkeit* der Kooperationen von geschlossen operierenden und dabei ihre Operationsbedingungen beständig neu-errechnenden Akteuren.

Diese Akteure agieren dabei ihrerseits im Hinblick auf *ihre Erwartungen*, in *Antizipation,* im *Vorgriff* (als „Kredit") auf eine in *ihrem* spezifischen Horizont zu erzielende Produktivität. Das Beispiel des Quine'schen Feldforschers (Quine 1960/1980), der sich mit sprachlichen Äußerungen Eingeborener konfrontiert sieht, die zu *übersetzen* er keinerlei Hilfsmittel wie Lexikon oder Dolmetsch zur Verfügung hat, führt deutlich vor Augen, wie diesem Feldforscher nichts anderes übrig bleibt, als um

314

Interaktion in Gang zu bringen, im Rahmen seiner Möglichkeiten einen *Vorgriff* zu wagen. Er muss im Hier und Jetzt *unterstellen*, dass, worauf auch immer er *vorgreift*, eine Reaktion bei seinem Gegenüber hervorruft, die ihrerseits so weit *im Rahmen* der Situation bleibt, dass auch auf sie wieder reagiert werden kann. Der Quine'sche Feldforscher tut dies bekanntlich, indem er den Laut „Gavagai", den ein Eingeborener beim Vorbeihoppeln eines Kaninchens äußert, als Sprachausdruck für „vorbeihoppelndes Kaninchen" deutet. Er könnte dabei auch völlig falsch liegen. Dies kann er aber erst feststellen, wenn er durch seine Initialdeutung den Möglichkeitsraum aller weiteren Geschehnisse so weit eingeschränkt hat, dass Interaktionen, in deren Verlauf dann die Falschheit dieser Deutung offensichtlich wird, hinreichend wahrscheinlich werden.

Der Quine'sche Feldforscher operiert also mit *Nicht-Wissen*, sprich *probabilistisch*. Er generiert seine Kooperationsmöglichkeiten mit *Vorgriffen* auf eine noch ungewisse Zukunft, die sich allerdings nur dann überhaupt auch erschließen lässt, wenn in sie eben *vorgegriffen* wird, um so den sonst zu großen Möglichkeitsraum für Interpretationen voreinzuschränken.

Entscheidend dabei ist – und dies wird meines Erachtens bei Quine und auch im Anschluss daran bei Davidson (1983, vgl. Füllsack 2007) nicht hinreichend deutlich –, dass auch dieses Vorgreifen stets in einem *bestimmten Rahmen*, in einem spezifischen Referenzsystem stattfindet. Die Vorgriffe des Feldforschers erscheinen ihm sinnvoll (werden von ihm also mit höherer Erfolgswahrscheinlichkeit belegt als andere), weil seine *Kultur* (zumindest im 20. Jahrhundert, so ist zu hoffen) die Irritation in Gestalt eines Eingeborenen, wenn schon nicht als unmittelbar kommunikabel, so immerhin noch als „Vernunft geleitete", „zurechnungsfähige" und „sprachbegabte" etc. Person zu deuten erlaubt. In dieser *Form* und nur in dieser, sprich nur mit dieser *Voreinschränkung*, erscheint die Deutung des Lautes „Gavagai" als Sprachausdruck für „vorbeihoppelndes Kaninchen" hinreichend plausibel, um sie zu wagen. Nur indem also das „Person-Sein" und damit auch das „Vernünftig-Sein", „Sprachbegabt-Sein" etc. des Gegenübers *vorausgesetzt* wird, und zwar bei Quine in „alteuropäischer" Tradition noch weitgehend *unbewusst* vorausgesetzt wird, lassen sich durch *vorgreifende* Deutung Anschlussmöglichkeiten erzielen, die dann die Deutung verifizieren oder falsifizieren.

VI.

Dass dabei überhaupt vorgegriffen wird, dass also etwa die Form „Person"
auf eine Irritation *zugerechnet* wird, um mit ihr zurande zu kommen, wird
erst im Zuge von „Formkatastrophen", im Zuge des *Dysfunktional-Werden*
solcher Zurechnungen deutlich. Auch dies beleuchten neuere
Diskussionen. Seitdem nämlich *in unserer Kultur* vorstellbar ist, dass
Gavagai-Äußerungen auch von Computerprogrammen generiert werden,
die überdies zu daran anschließenden Interaktionen in der Lage sind, im
Zuge deren sich also der Eindruck einer verständigungsorientierten
Kommunikation einstellt (Eliza, Turing-Test etc.), kann – so wird
eingewandt – keineswegs mehr in jedem Fall davon ausgegangen werden,
es mit Personen, mit menschlichen Kommunikationspartnern zu tun zu
haben. Anders gesagt, die Kultur, in deren Rahmen Rationalität,
Sprachbegabung, Zurechnungsfähigkeit etc. *zweifellos*, und deshalb nicht
bezweifelns*wert*, Personen zugerechnet werden konnte, hat sich nicht
zuletzt mit der Entwicklung der Computertechnologie *verändert*. Der
Rahmen für entsprechende Deutungen hat sich erweitert und damit die
Wahrscheinlichkeit, mit der die Zurechnung „Person" in solchen
Kontexten Anschlusswerte erzielt, entsprechend verringert.

Dies freilich in noch keineswegs dramatischem Ausmaß. In
Alltagskontexten scheint die Zurechnung „Person", ebenso wie die ihrer
Steuereinheit „Gehirn" nach wie vor hinreichend verlässlich zu
funktionieren. In der Philosophie allerdings sorgen Debatten wie die
eingangs erwähnten dafür, dass klassische Formen wie „Person" und
„Gehirn" und damit verbunden auch grundlegendere Konzepte wie
„Vernunft", „Selbstverantwortlichkeit" und vieles mehr ihre Operabilität
einbüßen oder sich zumindest nicht mehr in allen fachspezifischen
Kontexten hinreichend zufriedenstellend bewähren. In der Philosophie
könnte, was hier als „gehirngesteuerte Person" beschrieben wurde, einer
„Neuerrechnung" bedürfen. Andernfalls riskieren die entsprechenden
Diskussionen, so wie die hier thematisierten Formen „Person" und
„Gehirn", *aus dem Ruder zu laufen.*

LITERATUR

Arthur, W.B. (1990): Positive Feedbacks in the Economy; in: Scientific American 262, p.92-99.

Baillie J. (1993): *Problems in Personal Identity*, New York.

Becker, G.S. (1976): *The Economic Approach to Human Behaviour*, Chicago.

Brosziewski, A. (2003): Aufschalten. Kommunikation im Medium der Digitalität. Konstanz.

Clark, A./Chalmers, D.J. (1998): The Extended Mind; in: Analysis 58, 10-23.

Davidson, D. (1983/2005): Eine Koheränztheorie der Wahrheit und der Erkenntnis; in: Davidson, D./Rorty, R. (2005): *Wozu Wahrheit? Eine Debatte*, Frankfurt/M., 46-75.

Foerster, H. (1968): Was ist Gedächtnis, daß es Rückschau und Vorschau ermöglicht?; in: ders. (1993): *Wissen und Gewissen. Versuch einer Brücke*. Frankfurt/M., 299-336.

Foerster, H. (1983): Prinzipien der Selbstorganisation im sozialen und betriebswirtschaftlichen Bereich; in: ders. (1993): *Wissen und Gewissen. Versuch einer Brücke*, Frankfurt/M., 233-268.

Füllsack, M. (2006): *Zuviel Wissen? Zur Wertschätzung von Arbeit und Wissen in der Moderne*, Berlin.

Füllsack, M. (2007): „Kontoführen" in Zeiten des Nicht-Wissens; in: Wahrheit in Zeiten des Wissens. Themenheft der IWK-Mitteilungen 1-2/2007, S. 32-41.

Füllsack, M. (2008): Delayed Productivity. Erkundungen zur Zeitlichkeit „produktiver Arbeit", in: ders. (Hg.) *Verwerfungen moderner Arbeit. Zum Formwandel des Produktiven*, Bielefeld, S. 167-186.

Fuchs, P. (1991): Kommunikation mit Computern? Zur Korrektur einer Fragestellung; in: Sociologia Internationalis 29, 1991/1, S.1-30.

Fuchs, P. (2004): *Der Sinn der Beobachtung. Begriffliche Untersuchungen*. Weilerswist.

Leroi-Gourhan, A. (1964/1988): *Hand und Wort. Die Evolution von Technik, Sprache und Kunst,* Frankfurt/M.

Leydesdorff, L. (2006): The Knowledge-Based Economy. Modeled, Measured, Simulated. Boca Raton.

Libet, B. (2004): *Mind Time. The Temporal Factor in Consciousness*, Harvard.

Luhmann, N. (1984): *Soziale Systeme. Grundriß einer allgemeinen Theorie*, Frankfurt/M.

Luhmann, N. (1997): *Die Gesellschaft der Gesellschaft*, Frankfurt/M.

Quine, W.O. (1960/1980): *Wort und Gegenstand,* Stuttgart.

Rosen, R. (1985): *Anticipatory Systems,* Oxford.

Simon, H.A. (1964): *Models of Man. Mathematical Essays on Rational Human Behavior in a Social Setting,* New York.

Stoecker, R. (1999): *Der Hirntod. Ein medizinethisches Problem und seine moralphilosophische Transformation*, Freiburg.

Stabile Partnerschaften
Über neuronale und politische Subjekte[1]

ULRIKE KADI

Frau Dr. F. ist 62 Jahre alt. Sie wird gegen ihren ausdrücklichen Wunsch mittels sogenanntem amtsärztlichem Parere an die psychiatrische Krankenhausabteilung gebracht, an welcher ich arbeite. Man hat sie in ihrer Wohnung, die als unaufgeräumt und verschmutzt, im einschlägigen Jargon als „sanitärer Übelstand" beschrieben wird, neben einem vermutlich schon einige Tage toten Hund angetroffen. Der sanitäre Übelstand geht wesentlich darauf zurück, dass Frau Dr. F. offensichtlich mit dem Kolostoma, dem künstlichen Darmausgang, der sich nach einer Darmkrebsoperation seit Jahren an ihrem Bauch befindet, nicht mehr adäquat umgeht. Davon zeugen laut polizeilichem Protokoll sowohl der Geruch als auch weit verteilte materiale Bestandteile intestinaler Provenienz in der Wohnung der Patientin.

In der ersten klinischen Exploration negiert Dr. F. jegliches Problem mit dem Kolostoma ebenso wie den Tod ihres Hundes.

Anhand einzelner Momentaufnahmen aus dem Behandlungsverlauf von Frau Dr. F. soll hier etwas jenseits der bekannten Schwierigkeiten und Abgründe gegenwärtiger Gehirndebatten zwischen Neuro- und Humanwissenschaften gesagt werden. Dabei geht es nicht darum, die Wichtigkeit dieser Diskussionen um Fundierungsansprüche, um Methoden der Annäherung an den Forschungsgegenstand, um die Bedeutung von Ausdrücken wie Freiheit oder Autonomie in Frage zu stellen. Allein, der Alltag an einer, zunehmend ökonomischen Zwängen unterliegenden, psychiatrischen Versorgungsabteilung gestattet solche Diskussionen nicht. Stattdessen schwirren dort zwischen den manifest Erkrankten oder Pflegebedürftigen Gespenster herum, Subjektgespenster. Das sind zumeist unsichtbare Gebilde, die aus unterschiedlichen Wissensfeldern stammen und deren zukünftige Rolle nicht geklärt ist. „Das Eigene eines Gespenstes, wenn es das gibt, besteht darin, daß man nicht weiß, ob es, wiederkehrend, von einem ehemals Lebenden zeugt, denn der Wiedergänger kann bereits die Wiederkehr des Gespenstes von jemandem oder etwas bezeichnen, dem

---

[1] Dieser Text erscheint auch in texte.psychoanalyse.ästhetik.kulturkritik.

das Leben erst noch versprochen ist" (Derrida 1995, 159). Das können wir auch für das neuronale Subjekt nicht wissen, das sich in den letzten Jahren vermehrt nicht nur an neurologischen oder psychiatrischen Abteilungen herumtreibt, sondern ebenso auf vielen nicht-medizinischen Wissensfeldern, und dabei z.B. die Rede über die neuronalen Grundlagen moralischen Handelns motiviert.

Das neuronale Subjekt ist nicht das einzige Gespenst, mit dem wir es zu tun haben. Es befindet sich in Gesellschaft von systemtheoretischen Subjekten, von antireduktionistischen Gespenstern phänomenologischer Provenienz, die gegen einen cartesischen Dualismus gerichtet sind, von toten Subjekten, die gar nichts mehr wollen können, von dem Gesetz unterworfenen, juridischen Subjekten, von moralisch autonomen Subjekten, die sich an Kant orientieren, von fühlenden Subjekten, die Hume bevorzugen. Ungenannt und im Alltag kaum benennbar spuken die verschiedenen Gespenster durch die Gespräche, bestimmen Einschätzungen, Planungen, Erwartungen. Dem neuronalen Subjekt kommt unter den verschiedenen Subjekten derzeit eine Sonderrolle zu, was sich in der Akzeptanz neurowissenschaftlicher Erklärungsmodelle weit über einen neurologischen Kontext hinaus ebenso abzeichnet wie in der Realität gegenwärtiger wissenschaftlicher Förderungspraxis. Im Stationsalltag spiegelt sich das neuronale Paradigma in Momenten wider, in denen der Eindruck entsteht, als sei der weitere Weg von PatientInnen vor allem von deren Gehirnfunktion abhängig.

Frau Dr. F. hat viele Jahre als Juristin eine leitende Funktion in einem Unternehmen innegehabt. Aus ihrer Anamnese ist weiters ein jahrelanger Alkoholabusus bekannt, der sie offensichtlich sozial isoliert und außerdem zu ihrer frühzeitigen Pensionierung geführt hat. Sie selbst berichtet nichts über ihre Lebensgeschichte, auch nichts über ihre gegenwärtigen Lebensumstände. Mit steinerner Miene antwortet sie auf Fragen nach der Vorgeschichte stets monoton, es sei alles in Ordnung. Nein, sie könne sich selbst nicht erklären, wie sie ins Krankenhaus gekommen sei. Und sie wolle sofort wieder nach hause.

Die zentrale Schnittstelle

Die Frage nach dem Zusammenhang zwischen neuronalen Veränderungen und dem moralischen Verhalten beschäftigt die neurologische Forschung seit mehr als 150 Jahren. Der antidualistisch orientierte Neurowissenschafter Antonio Damasio stellt eine einzelne Gehirnregion ins Zentrum der jüngst veröffentlichten Zusammenfassung seiner bisherigen Forschungsbemühungen: der ventromediale praefrontale Cortex. Dort finden sich Areale, bei deren Schädigung im Erwachsenenalter das Krankheitsbild einer erworbenen Soziopathie (acquired sociopathy) auftritt.[2] Damasio erwähnt Phineas Gage, einen britischen Eisenbahnvorarbeiter im 19. Jahrhundert, dessen Kopf im Rahmen eines Unfalls von einer Eisenstange durchbohrt wurde und der im Anschluss an dieses Ereignis deutliche Veränderungen seiner Persönlichkeit aufwies. Gage gilt als Paradebeispiel für den Zusammenhang zwischen Persönlichkeit, Charakter, moralischer Disposition und pathologischen Gehirnveränderungen. Im Gefolge einer an diesen Patienten anschließenden 150 Jahre dauernden lokalisationstheoretischen Forschung gilt der ventromediale praefrontale Cortex inzwischen als eine anatomische und funktionale Schnittstelle. Schädigungen im Laufe des Kindesalters, die sich auf diese Region beschränken, ziehen weitreichende Störungen des Erlernens und des Aufrechterhaltens eines allgemein akzeptierten moralischen Verhaltens nach sich. Bei Schädigungen im Erwachsenalter neigen die Probanden in der Folge zu nutzenmaximierenden Entscheidungen. Zu Entscheidungen, die höhere Einsichten erfordern und daher auch längere Zeit in Anspruch nehmen, sind sie nicht mehr fähig. Was ihnen fehlt, ist die Weisheit, eine Kategorisierung und Sedimentierung von vergangener Erfahrung aus einer Vielzahl von Situationen, die Handlungsmöglichkeiten, tatsächlich umgesetzte Handlungen, faktische und emotionale Ergebnisse umfassen.

Frau Dr. F. löst Angst und vereinzelt Gewichtsabnahmen bei ihren MitpatientInnen an der Station aus. Denn Frau Dr. F. bedient sich hemmungslos an den Essensportionen anderer. Kaum hat sie ihre Mahlzeit vertilgt, wendet sie sich den Tellern anderer zu. Scham und Schuldgefühle scheinen ihr völlig fremd. Angesprochen auf ihr Verhalten und konfrontiert damit, dass andere auch essen wollen, negiert sie rigoros, jemals auf fremde Teller gegriffen zu haben.

Frau Dr. F. weist keine eng auf den ventromedialen praefrontalen Cortex beschränkte Schädigung ihres Gehirnes auf.[3] Diese Gehirnregion ist aber offensichtlich mitbetroffen. Damasio postuliert eine geringere Ausprägung sogenannter sozialer Gefühle bei einer Schädigung des

---

[2] Vgl. auch für das Folgende Damasio 2007.
[3] Diagnostisch wurde das Zustandsbild in Zusammenhang mit dem vorbekannten Alkoholmissbrauch der Patientin einem organischen Psychosyndrom zugeordnet.

Areals.[4] Der ventromediale praefrontale Cortex unterhält Verbindungen zu zahlreichen anderen Arealen, unter anderem zu somatosensorischen Rindenarealen der rechten Gehirnhälfte, ohne welche es unmöglich ist, die Position eines anderen im Sinne von „Als-ob-ich-der-Andere-wäre" einzunehmen. Regeln, Gesetze, Gerechtigkeitssysteme kommen in Interaktion mit der Umwelt zustande, pfropfen sich gleichsam auf die rohen Emotionen drauf. Der ventromediale praefrontale Cortex fungiert als eine Art basales biologisches Koordinationsorgan. Damasio betont zwar ausdrücklich, dass es kein moralisches Zentrum im Gehirn gibt. Gleichzeitig modelliert seine Beschreibung den ventromedialen praefrontalen Cortex zu einer Art Verwaltungszentrale für die Rohmaterialien.

Ein neuronales Subjekt mit einer solchen Zentrale ist fassbar, fixierbar. Seine Entscheidungen sind vorhersehbar. Der ventromediale praefrontale Cortex (VMPC) wird zum Kürzel für den Ort, von dem aus unsere ethischen Normen, Regeln und Gesetze angeblich geformt und befolgt werden. Der VMPC ist ein unverschieblicher Ort, ein Zentrum, das einem insgesamt solipsistisch und statisch anmutenden Subjekt gestattet, sich sozial konform zu verhalten. Ein lädierter VMPC korreliert mit sozialer Auffälligkeit seines Trägers.

Das zentral gelenkte neuronale Subjekt taucht gespenstisch immer dann auf, wenn in der Teambesprechung die Rede auf Frau Dr. F. kommt. Sie sei nicht zu halten, wird da gesagt, nicht zu bremsen. Als sei sie ein Pferd ohne Reiter, ein Auto, dem der Fahrer verloren gegangen ist. Denn das intakte neuronale Subjekt verfügt, wie es im psychiatrischen Jargon heißt, über „ausreichende Brems- und Kontrollmechanismen".

Zentrum und Netz

Die französische Philosophin Catherine Malabou macht darauf aufmerksam, dass jede Beschreibung des Gehirns, das wir seit langem als die „Leitungsinstanz par excellence" begreifen, gleichzeitig eine implizite Beschreibung des Konzeptes ist, das wir aktuell über das Funktionieren politischer Systeme haben (Malabou 2006, 51). Frühere Vergleiche, mit denen wir uns die Funktionsweise des Gehirns erklären wollten, zeigen das deutlich, etwa das Gehirn als Telefonzentrale bei Bergson oder das Gehirn als kybernetische Maschine, als alleinstehender Computer (Malabou 2006, 52). Das sind Szenarien mit einem Zentrum, von dem aus geherrscht wird.

---

[4] Vgl. auch für das Folgende Damasio 2007.

Allerdings ändern sich unsere Konzepte politischen Funktionierens. „Die Vorstellung vom Zentrum zerplatzt in Netze" (Malabou 2006, 55). Manche nehmen diese Verschiebung rasch auf – 1985 schreibt Gilles Deleuze vom Gehirn als einem „probabilistischen oder halb zufälligen Raum" (Deleuze 1999, 272). Doch obwohl die Modifikation unserer Vorstellungen von politischer Herrschaft bekannt ist, besteht gleichzeitig der Gedanke vom Gehirn als Zentralorgan weiter, geistert durch zeitgenössische Texte.

Die zunehmend an Bedeutung gewinnenden bildgebenden Verfahren haben zu einer Verfeinerung der Sicht auf das Gehirn beigetragen. Das ist der Grund, weshalb nicht mehr dem gesamten, sondern Teilen des Gehirns eine zentrale Bedeutung zugesprochen wird. So nennt Mark Solms den Präfrontallappen die „Krönung des menschlichen Gehirns", den „Stoff, dem wir unser Menschsein verdanken" (Solms 2004, 293). Mit Vernetzung, die sich im langläufigen Sinn einer Hierarchie und dem Gedanken an ein Zentrum entgegenstellt, hat eine solche Beschreibung wenig zu tun.

Die genannten bildgebenden Verfahren, denen gegenwärtig ein besonders großer Anteil an der Gestaltung unserer Vorstellungen vom zerebralen Funktionieren zukommt, sind teilweise am hartnäckigen Bestehen zentralistischer Ansätze beteiligt. Denn sie liefern Momentaufnahmen einer mehr oder weniger solipsistischen Situation. Stoffwechsel und Morphologie der Gehirne einzelner PatientInnen werden erfasst, nicht deren Verhältnis zu anderen Subjekten. Selbst mittels äußerer Anweisungen von Seiten der UntersucherInnen lässt sich der solipsistische Untersuchungsrahmen nicht sprengen, denn die dabei eingesetzten standardisierten Interventionen können die individuellen, phantasmatischen Bedeutungsmuster der psychischen Repräsentation von Alterität bei einem einzelnen Patienten nicht ausreichend berücksichtigen.

Was die bunten Bilder (noch) nicht zu zeigen vermögen, ist dafür im klinischen Alltag deutlich sichtbar. Das Subjekt ist auch im funktionell anatomischen Sinn auf den Anderen angewiesen. Theoretisch manifestiert sich diese Erkenntnis als eine Verdoppelung des neuronalen Subjekts. Neben dem zentralistisch organisierten neurowissenschaftlichen Subjekt macht sich das Subjekt der neurologischen Rehabilitation bemerkbar. In der Arbeit mit SchlaganfallpatientInnen hat sich herausgestellt, dass die als mehr oder minder starr angesehene Organisation des Gehirns von außen modifizierbar ist. Das gilt in zweierlei Hinsicht: Unter spezifischen Umwelt- und Trainingsbedingungen können dieselben Neuronenverbände neue und andere Funktionen nebeneinander und nacheinander übernehmen, und es können sich neue, funktionale Vernetzungen bilden. Frau Dr. F. ist keine Schlaganfallpatientin. Das bedeutet, dass das Rehabilitationspotential ihres Gehirns deutlich geringer einzuschätzen ist als dasjenige von Patienten mit rezenten Schlaganfällen. Denn die Möglichkeit funktioneller Reorganisation des Gehirns ist in den ersten Monaten nach dem plötzlichen Verlust einer Fähigkeit deutlich größer als später bzw. als nach dem langsamen Verschwinden einer Kapazität. Dennoch sind Ergebnisse der Untersuchungen an SchlaganfallpatientInnen auch für den Umgang mit Frau Dr. F. von Bedeutung. In diesen Studien hat sich nämlich gezeigt, dass der Erfolg rehabilitativer Bemühungen größer ist, wenn die PatientInnen im Rahmen der Übungen mit anderen Personen zu tun haben, wenn also etwa eine Bewegung, die nach einer Lähmung neu erlernt werden muss, gegenüber einer anderen Person durchgeführt wird, einer anderen Person, die der/m PatientIn etwas reicht und möglicherweise noch dazu spricht. Ein rein mechanisches Training mit einer Motorschiene erzielt weit schlechtere Ergebnisse. In ähnlicher Weise sind Erfolge im Sinne einer Wiedergewinnung von im Alltag erforderlichen Fähigkeiten auch für Frau Dr. F. nur in Interaktion mit anderen Personen zu erzielen.

Das neuronale Subjekt der Rehabilitation unterscheidet sich vom neurowissenschaftlichen insofern, als es auf das Angesprochenwerden, den Anspruch, ja das Begehren des Anderen angewiesen ist. Schon die Entwicklung dieses Subjekts bedarf des Anderen. Das zugehörige Gehirn wird vor allem als plastisch, formbar, neu strukturierbar gedacht. Eine solche Vorstellung ist gleichzeitig auch erschreckend: „Wir glauben nicht mehr an ein Ganzes, auch nicht mehr an ein offenes Ganzes, als Innerlichkeit des Denkens; wir glauben an die Kraft des Außen, die sich höhlt, uns ergreift und das Innen anzieht" (Deleuze 1999, 273).

Plastizität und Flexibilität

Malabou zeichnet ein produktives Missverständnis des Ausdrucks Plastizität nach. Ihre Überlegung führt zum dritten Subjektgespenst, mit dem wir es in der Behandlung der Patientin zu tun hatten. Plastizität meint etymologisch (abgesehen von der räumlichen Anschaulichkeit, um die es hier nicht geht) eine Verformbarkeit. Malabou unterscheidet zunächst drei Formen von Plastizität: eine Plastizität der Entwicklung, eine Plastizität der Modulation und eine Plastizität der Wiederherstellung (Malabou 2006, 13f.). Wiederherstellung ist missverständlich. Denn das Wort impliziert eine Rückkehr zu einem früheren Zustand. Und das genau ist nicht gemeint. Vielmehr verbindet sich mit der Plastitizität eine Art Neuschöpfung mit unklarem Ergebnis. Plastizität enthält auch die mögliche Zerstörung. Gemeinsam ist allen Formen der Plastizität, dass sie irreversibel sind. Die neue Form bleibt bestehen, bis der nächste Prozess der Verformung folgt. Eine Rückkehr zur Ausgangsform ist nur über eine neuerliche Verformung denkbar und führt in jedem Fall zu einer neuen Form. Funktional zuvor anders bestimmte Areale übernehmen Aufgaben mit, an denen sie vorher nicht beteiligt waren. Andere, vormals funktionell wichtige Areale verlieren an Wichtigkeit. Es kommt zu Zelltod, Zellwachstum und Zellneuentstehung. Das Ergebnis eines solchen Prozesses ist jedenfalls beim derzeitigen Stand der Forschung unabsehbar.

Anders ist dies bei jener Fähigkeit, mit der die Plastizität bisweilen verwechselt wird: bei der Flexibilität. Ein flexibler Gegenstand folgt äußeren Kräften, behält aber gleichzeitig die Potenz zur elastischen Rückkehr. Flexible Subjekte sind kein Produkt der neurologischen Untersuchung. Das flexible Subjekt kommt vielmehr aus jenem Bereich, mit dem die Konzeption des Gehirns schon immer verbunden ist, nämlich aus dem politischen Bereich. Flexible Subjekte sind erwünscht am kapitalistischen Arbeitsmarkt. Flexibilität ist die Voraussetzung für employability, für die Fähigkeit zum „geschmeidigen Einsatz" (Malabou 2006, 70) erworbener Kompetenzen. „Flexibilität – die Parole der Unternehmen seit den Siebziger Jahren – [bedeutet] in erster Linie [...], den Produktionsapparat und die Arbeitnehmer unverzüglich an die Entwicklung der Nachfrage anzupassen" (Malabou 2006, 71). Die als solche unberechenbare und in diesem Sinn abgründige Plastizität des Gehirns wird gern und oft für nutzenmaximierende Flexibilität gehalten.

Das geschieht wohl nicht zufällig. Malabou jedenfalls hält diese Verwechslung für produktiv, denn sie ermöglicht eine „Gleichsetzung von psychischem Elend und gesellschaftlichem Elend" (Malabou 2006, 75). Dem Leiden an den wirtschaftlichen Verhältnissen entkommt das politische Subjekt, solange es flexibel reagiert. Dem Leiden in seiner Seele soll das neuronale Subjekt entkommen, weil sein Gehirn flexibel agiert. Übersehen wird dabei die spannungsabbauende Funktion von Flexibilität. Die Spannung, die im Fall der Plastizität zwischen Aufrechterhaltung eines status quo und unabsehbarer Veränderung besteht, verwandelt sich im Namen der Flexibilität in eine Frage von Imitation, Leistungsfähigkeit, Anpassung, Reproduktion und Normalisierung (vgl. Malabou 2006, 107).

Malabou behauptet implizit, dass das neuronale Subjekt wie in einer Lacanschen Spiegelbeziehung seine Identität über das Bild des vorherrschenden politischen Subjekts findet. Flexible politische Subjekte werden durch ihr Selbstverständnis als flexible neuronale Subjekte vollständig, ganz und kontrollierbar. Damasios Beschreibung enthält nichts von alledem. In seinen Überlegungen zum neuronalen Unterbau moralischen Verhaltens spielt weder die Plastizität noch die Flexibilität eine größere Rolle. Die Verhältnisse werden stattdessen nach alten hierarchischen Mustern geordnet. Der ventromediale präfrontale Cortex sorgt zentral für Stabilität, weil er beherrschen kann, was ohne ihn unbeherrschbar wäre.

Drei Gespenster

Frau Dr. F. löst mit ihrem Verhalten Ärger aus. Ihre hemmungslose Ess-, um nicht zu sagen, Fresslust irritiert ebenso wie die Uneinsichtigkeit, mit der sie oft mehrmals täglich das Plastiksackerl an ihrem Kolostoma entfernt und Teile der Station mit ihrem Darminhalt bedroht. Das führt im Team zu Fragen nach dem weiteren Procedere: Gibt es kein Medikament gegen die Symptome der Patientin? Kann Frau Dr. F. möglichst bald wieder nach hause entlassen werden, wenn sie sich durch das stationäre Setting stabilisiert hat? Wird sie in der Lage sein, zuhause selbständig und allein zu leben? Oder ist sie vor dem Hintergrund ihrer zerebralen Beeinträchtigung eine Gefahr für ihre Umgebung und sich selbst? Ist sie, um es geradeheraus zu sagen, mit zweiundsechzig Jahren eine Pflegeheimpatientin?

Mit Frau Dr. F. sind alle diese Fragen nicht zu besprechen. Es wird ein Sachwalter bestellt.

Noch immer spuken die verschiedenen Subjekte als Gespenster durch die Gespräche. Drei Subjekte sind dabei dominierend: ein neurowissenschaftliches, autonom gedachtes Subjekt, das seine Selbstbeherrschung nötigenfalls mittels Zufuhr von roborierenden Substanzen wieder erlangen soll, ein flexibles in einem weiteren Sinn politisches Subjekt, das sich den Gegebenheiten anzupassen und schlimmstenfalls auch eine Überstellung ins Pflegeheim adaptiv hinzunehmen hat, und ein plastisches Subjekt, von dem nicht klar ist, was aus ihm wird. Dieses letzte Subjekt flößt den meisten Angst ein, denn es impliziert in Zusammenhang mit der möglichen Zunahme des hemmungslosen Verzehrs von Nahrungsmitteln und dem Stuhlschmieren eine Unkontrollierbarkeit, die jederzeit in eine von Ekel bestimmte Unerträglichkeit zu kippen droht. Das ist wohl der Grund, warum dem plastischen Subjekt und mit ihm der Frage einer möglichen Rehabilitation der Patientin im Verlauf der nächsten Wochen und Monate am wenigsten Interesse entgegengebracht wird, obwohl sie beispielsweise in Stunden, die sie mit dem Therapiehund der Abteilung verbringt, deutlich entspannter wirkt. Flexibles und autonomes Subjekt reichen einander immer wieder die Hand. Wo sich die Hoffnung auf das Funktionieren des einen Subjekts nicht erfüllt, springt das andere ein. Wo sich Frau Dr. F. nicht mehr als autonomes Subjekt präsentiert, wird an ihre Flexibilität appelliert. Das neurowissenschaftliche Subjekt und das politische Subjekt sind in einer stabilen Partnerschaft vereint.

Diese Stabilität beruht auf der speziellen Struktur der beiden Subjekte. Anders als Malabou, die in unseren Vorstellungen über das Gehirn imaginäre Spiegelidentitäten am Werk sieht, ist meiner Ansicht nach davon auszugehen, dass wir in unseren Subjektkonzeptionen verschiedene Positionen abbilden, die uns in unserem Verhältnis zum Anderen und in unserem Verhältnis zum Realen als einer unstrukturierten und vielfach unstrukturierbaren Realität zur Verfügung stehen. Die beiden Subjekte, als die Frau Dr. F. konzeptualisiert wird, entsprechen neurotischen Formationen. Das bedeutet, sie sind Antworten auf die von Lacan formulierte Frage: Was bin ich für den Anderen?[5]

Das neurowissenschaftliche autonom gedachte Subjekt ähnelt einer zwangsneurotischen Subjektstruktur insofern, als der Andere auf ein beherrschbares, kontrollierbares Objekt reduziert wird. Jede Veränderung, jede Intervention, jeder Wunsch, jedes Begehren des Anderen wird als potentielle Störung ausgeblendet. Neutralisierung und Vernichtung des Anderen sind die Extremwerte dieser neurotischen Wunschökonomie. Der ventromediale präfrontale Cortex als Steuerungszentrum ist zwar auf Verbindungen zu anderen Gehirnarealen angewiesen, benötigt Erfahrungen und Interaktionen mit der Außenwelt, aber er ist in erster Linie als Ort gedacht, der koordiniert, ordnet, regelt.

Die zweite Subjektstruktur, das flexible Subjekt, unterhält dagegen ein besseres Verhältnis zum Anderen als zu sich selbst. Es gewinnt sich, indem es sich verliert. Das entspricht der Struktur des hysterischen Subjekts. Es möchte den Anderen vervollständigen, indem es sich als Objekt von dessen Begehren anbietet. Das neurowissenschaftliche autonome und das flexible politische Subjekt tauchen deshalb zusammen auf, weil sie einander perfekt ergänzen und auf diese Weise unsere Konfrontation mit dem dritten, dem plastischen Subjekt verhindern: Das

---

[5] Vgl. auch für das Folgende Fink 1997, 117 ff.

flexible hysterische Subjekt, das dem anderen als Objekt dienen möchte, findet im autonomen zwangsneurotischen Subjekt den idealen Herren, denn dieser benötigt jenes kontrollierbare Objekt, als welches das hysterische Subjekt sich versteht. Die gleiche Sprache sprechen sie jedenfalls, das hysterische und das zwangsneurotische Subjekt, hat doch bereits Freud darauf hingewiesen, dass „die Sprache der Zwangsneurose [...] nur ein Dialekt der hysterischen Sprache" (Freud 1909, 36) ist.

Frau Dr. F. selbst erinnert mehr an ein plastisches, in erster Linie verformtes Subjekt. Ihr Sprechen hat in vielerlei Hinsicht die Verankerung im Anderen verloren. Syntax und Semantik imponieren zwar äußerlich unauffällig. Aber die korrekte Wahl der Worte allein macht das Sprechen nicht aus. Da ist eine Ausdrucksarmut, die sich nicht nur in der Kürze der Sätze zeigt, im Fehlen jeder begleitenden Mimik, im nur selten aufrechterhaltenen Blickkontakt oder im eintönigen Klang ihrer Rede. Sie perseveriert über weite Strecken, wählt vorwiegend Worte, die in an sie gerichteten Fragen schon vorkommen. Und sie kann keinerlei Metaphern bilden und auch sonst nichts mehr übertragen. Obwohl sie immer wieder sagt, nach hause zu wollen, macht wie während eines mehrmonatigen stationären Aufenthaltes keinen einzigen Versuch, dorthin zu gelangen. Als schließlich ein Platz in einem Pflegeheim für sie gefunden wird, wird sie von den Sanitätern in das Transportauto geleitet, ohne Gegenwehr.

Uns lässt sie mit all diesen Gespenstern ratlos zurück.

LITERATUR

Damasio, A. (2007): Neuroscience and Ethics: Intersections, in: *The American Journal of Bioethics* 7(1), 3-7.

Deleuze, G. (1999): *Das Zeit-Bild. Kino 2*, Frankfurt/M.: Suhrkamp Verlag.

Derrida, J. (1995): *Marx' Gespenster*, Frankfurt/M.: Fischer Verlag.

Fink, B. (1997): *A Clinical Introduction to Lacanian Psychoanalysis. Theory and Technique*, Cambridge, Massachusetts, London, England: Harvard University Press.

Freud, S. (1909): Bemerkungen über einen Fall von Zwangsneurose, in: *SA* Bd. VII, Frankfurt/M.: Fischer Verlag 2000, 31-103.

Freud, S. (2000): *Studienausgabe (=SA)*, Frankfurt/.M.: Fischer Verlag.

Malabou, C. (2006): *Was tun mit unserem Gehirn?* Berlin, Zürich: diaphanes.

Solms, M./O. Turnbull (2004): *Das Gehirn und die innere Welt. Neurowissenschaft und Psychoanalyse*, Düsseldorf, Zürich: Walter Verlag.

Biomacht – Gouvernementalität – Biopolitik:

Zur Rezeption foucaultscher Begriffs-Werkzeuge im Kontext der Kritik politischer Sprache und biotechnologischer Entwicklungen

MARIO SCHÖNHART

Aktuelle Entwicklungen – aktuelle Begriffe

Schon ein kurzer Blick auf gegenwärtige Diskurse und Praktiken zeigt, dass die rasanten und sich weiter beschleunigenden biotechnologischen Entwicklungen mit ihren anwachsenden Verheißungen und Möglichkeiten unsere gegenwärtige Ethik und Politik herausfordern und vor ungeheure Probleme stellen. Die ethischen Diskussionen und Publikationen häufen sich – es ist hier ein enormes Wuchern vielfältigster Diskurse zu beobachten. Im Feld der Politik sieht die Situation im Kontext der Konflikte zwischen Kulturen und Regierungsformen sowie zwischen Vernunft und Religion ähnlich aus: Es wird auf allen Ebenen um Perspektiven, Konzepte, Begriffe und Vorgehensweisen gerungen.

Nimmt man eine aktuelle Publikation, die umkämpfte Begriffe auf dem Feld der Philosophie sowie der Politischen Theorie und Praxis darstellt, so findet man dort Folgendes: Dem Begriff „Biopolitik" kommt solche Relevanz zu, dass ihm ein eigener Artikel gewidmet wird. Ebenso findet man die Begriffe „Biomacht" und „Gouvernementalität" im Rahmen der Darstellung von Analysekategorien, an denen sich heute viele theoretische und praktische Auseinandersetzungen entzünden (vgl. Göhler et al. 2006). Interessant ist dabei, dass diese drei Begriffe genau am Kreuzungspunkt von menschlichem Leben und Politik angesiedelt sind und von diesem spezifischen Ort her ihre Brisanz gewinnen. Weiters ist daran bemerkenswert, dass alle drei genannten „Begriffs-Werkzeuge" aus der viel zitierten „Werkzeugkiste" Michel Foucaults stammen. Der französische Denker ist mit seinen Begriffen in den gegenwärtigen ethisch-politischen Kontroversen um Macht, Biopolitik, Regierung und Subjektivierung ständig präsent, obwohl noch Ende der 1970er-Jahre Jean Baudrillard polemisch dazu aufgefordert hatte, Foucault zu vergessen. Im Gegensatz zu

Baudrillard hält Thomas Lemke im Jahr 2007 bezüglich der Rezeption von Foucaults Werk fest: „Am Beginn des neuen Jahrtausends ist die Auseinandersetzung mit dem Werk des französischen Historikers und Philosophen Michel Foucault intensiver denn je, die wissenschaftliche Sekundärliteratur zu seinen Arbeiten kaum mehr zu überschauen." (Lemke 2007, 11) Angesichts der heute nicht zu leugnenden Relevanz der foucaultschen Perspektiven und Konzepte, die sich u. a. an der breiten Auseinandersetzung mit den Begriffen „Biomacht", „Biopolitik" und „Gouvernementalität" zeigt, sei in einem ersten Schritt ein Blick auf deren Auftauchen und Bedeutung in Foucaults Schriften geworfen.

Biomacht, Biopolitik und Gouvernementalität bei Foucault

Der Begriff „Biomacht" taucht bei Foucault an prominenter Stelle in der Collège-de-France-Vorlesung *In Verteidigung der Gesellschaft / Il faut défendre la société* (1975–1976), in *Der Wille zum Wissen / La volonté de savoir* (= Sexualität und Wahrheit I, 1976) und in der Vorlesung, *Sicherheit, Territorium, Bevölkerung / Sécurité, Territoire et Population* (= Geschichte der Gouvernementalität I, 1977–1978) auf. Mit diesem Begriff bezeichnet Foucault einen Machttypus, der nicht wie die Macht der Souveränität über die öffentliche Exekution des Gesetzes und nicht wie die Disziplinarmacht über die Körper der Individuen wirkt. Charakteristikum der Biomacht sei vielmehr, dass sie vermittels des Instruments der Statistik auf die Bevölkerung einwirkt und auf das „Leben" selbst abzielt: „Die Souveränität machte sterben und ließ leben. Nun tritt eine Macht in Erscheinung, die ich als Regulierungsmacht bezeichnen würde und die im Gegenteil darin besteht, leben zu machen und sterben zu lassen." (Foucault 2001, 291) Es geht nach Foucault bei diesem Machttypus darum, das Leben und die biologischen Prozesse der Menschengattung zu erfassen und deren Regulierung sicherzustellen. Die Ära der sich im 19. Jahrhundert etablierenden Biomacht lässt sich an der immer sorgfältigeren Verwaltung der Körper und der verstärkten rechnerischen Planung des Lebens erkennen, an der Erfassung von Geburtenraten, Lebensdauern, Gesundheitsparametern etc. (vgl. Foucault 1983, 135).

Auf diese Weise beginnt, folgt man Foucault, der „Eintritt des Lebens in die Geschichte – der Eintritt der Phänomene, die dem Leben der menschlichen Gattung eigen sind in die Ordnung des Wissens und der Macht, in das Feld der politischen Techniken [...] Der abendländische Mensch lernt allmählich, was es ist, eine lebende Spezies in einer lebenden

Welt zu sein, einen Körper zu haben sowie Existenzbedingungen, Lebenserwartungen, eine individuelle und kollektive Gesundheit, die man modifizieren, und einen Raum, in dem man sie optimal verteilen kann. Zum ersten Mal in der Geschichte reflektiert sich das Biologische im Politischen." (Foucault 1983, 137)

Der zweite hier darzulegende Begriff – Biopolitik – ist untrennbar mit dem Begriff der Biomacht verbunden und taucht nach Lemke schon in den 1920er-Jahren in den Schriften deutscher Polit-Theoretiker auf (Binding; Dennert; Hahn). Die Wortschöpfung Gouvernementalität findet sich schon in den 1950ern bei Roland Barthes in den *Mythen des Alltags* (vgl. Lemke 2007, 13).

Man findet den Begriff der Biopolitik in den Schriften Foucaults in unmittelbarer Nähe zum Begriff der Biomacht in *Der Wille zum Wissen*, in der Vorlesung *In Verteidigung der Gesellschaft* und in den Vorlesungen zur *Geschichte der Gouvernementalität*. Biopolitik bezeichnet nach Foucault „die Weise, in der man seit dem 18. Jahrhundert versuchte, die Probleme zu rationalisieren, die der Regierungspraxis durch die Phänomene gestellt wurden, die eine Gesamtheit von als Population konstituierten Lebewesen charakterisieren" (Foucault 2003, 1020). In diesem Sinn hat es die Biopolitik mit der Bevölkerung als biologischem und politischem Problem zu tun: „Die Fortpflanzung, die Geburten- und die Sterblichkeitsrate, das Gesundheitsniveau, die Lebensdauer, die Langlebigkeit mit allen ihren Variationsbedingungen wurden zum Gegenstand eingreifender Maßnahmen und *regulierender Kontrollen: Bio-Politik der Bevölkerung.*" (Foucault 1983, 135) Es geht in diesem Zusammenhang bei Foucault um die Einführung von Regulationsmechanismen, „die in dieser globalen Bevölkerung mit ihrem Zufallsfaktor ein Gleichgewicht herstellen, ein Mittelmaß wahren, eine Art Homöostase etablieren und einen Ausgleich garantieren können; es geht [...] darum, Sicherheitsmechanismen um dieses Zufallsmoment herum, das einer Bevölkerung von Lebewesen inhärent ist, zu errichten und das Leben zu optimieren" (Foucault 2001, 290).

Der dritte foucaultsche Begriff, der ebenfalls am Schnittpunkt von „Leben" und „Politik" zu verorten ist, d. h. im Kontext der Überlegungen zu Biopolitik und Biomacht, ist jener der „Gouvernementalität". Er leitet sich vom französischen Adjektiv „gouvernemental" („die Regierung betreffend") her und verweist auf Praktiken, die in unterschiedlicher Form auf die Regierung bzw. Leitung von Individuen und Kollektiven zielen (vgl. Lemke 2007, 13). Foucault entfaltet diesen Begriff vor allem in den Vorlesungen zur *Geschichte der Gouvernementalität* und hebt bei seiner

Bestimmung des Begriffs drei Momente hervor: „Mit diesem Wort ‚Gouvernementalität' ist dreierlei gemeint. Unter Gouvernementalität verstehe ich die Gesamtheit, gebildet aus den Institutionen, den Verfahren, Analysen und Reflexionen, den Berechnungen und den Taktiken, die es gestatten, diese recht spezifische und doch komplexe Form der Macht auszuüben, die als Hauptzielscheibe die Bevölkerung, als Hauptwissensform die politische Ökonomie und als wesentliches technisches Instrument die Sicherheitsdispositive hat. Zweitens verstehe ich unter ‚Gouvernementalität' die Tendenz oder die Kraftlinie, die im gesamten Abendland unablässig und seit sehr langer Zeit zur Vorrangstellung dieses Machttypus, den man als ‚Regierung' bezeichnen kann, gegenüber allen anderen – Souveränität, Disziplin – geführt und die Entwicklung einer ganzen Reihe spezifischer Regierungsapparate einerseits und einer ganzen Reihe von Wissensformen andererseits zur Folge gehabt hat. Schließlich glaube ich, dass man unter Gouvernementalität den Vorgang oder eher das Ergebnis des Vorgangs verstehen sollte, durch den der Gerechtigkeitsstaat des Mittelalters, der im 15. und 16. Jahrhundert zum Verwaltungsstaat geworden ist, sich Schritt für Schritt ‚gouvernementalisiert' hat." (Foucault 2003, 820f.)

In Foucaults Genealogie des modernen Staates, die er rund um den Begriff der Gouvernementalität mit Rückgriff auf die Hirtenmetapher und das Theorem der Pastoralmacht zeichnet, geht es also wesentlich um Künste des Regierens und Technologien, die rund um das Konzept „Bevölkerung" etabliert werden. Wesentliche Bedeutung hat der Begriff der Gouvernementalität für Foucault auch als Scharnierbegriff, der zwischen Macht und Subjektivität vermittelt und es so erlaubt, die Verknüpfung von politischen Regierungstechniken und Formen von Selbstpraktiken zu beschreiben. Nach diesem Blick auf die Verortung und Bedeutung der drei Begriffe bei Michel Foucault soll in einem zweiten Schritt Rezeption und Verwendung in den Publikationen dreier gegenwärtiger AutorInnen aufgezeigt werden, um so die breite Verwendung der Begriffe als Analyseinstrumente für aktuelle Problemfelder herauszustreichen. Dabei beziehe ich mich exemplarisch auf Beiträge von Philipp Sarasin, Thomas Lemke und Petra Gehring.

Fatale Metaphern im Kontext von „Biopolitik"

Der 2007 vom Züricher Historiker Philipp Sarasin et al. herausgegebene Sammelband *Bakteriologie und Moderne* trägt den bezeichnenden und auf Foucault verweisenden Untertitel *Studien zur Biopolitik des Unsichtbaren.*

Er versammelt verschiedene Texte, die Einsichten in die Geschichte der modernen Bakteriologie bieten und vor dem Hintergrund des Begriffs „Biopolitik" als wesentliche Beiträge zum besseren Verständnis von bestimmenden Grundkonstellationen der Moderne gelesen werden können (vgl. Sarasin et al. 2007).

Dabei folgen die Herausgeber dem von Michel Foucault im Anschluss an Nietzsche forcierten Konzept einer genealogischen Geschichte des Wissens[1], um die „Bakteriologie in einen von ihrer Erkenntnisproduktion untrennbaren ‚Rahmen' von benachbarten Wissenschaften, anderen Wissensformen, Überzeugungen, Ideologien, Diskursen und Phantasmen sowie von sozialen, politischen, institutionellen und technisch-handwerklichen Verhältnissen zu stellen" (Sarsin et al. 2007, 14). Der Begriff „Biopolitik" spielt in diesem Zusammenhang aus folgenden Gründen eine zentrale Rolle: Ab Mitte der 1880er-Jahre wandelte sich – folgt man der Darstellung der Herausgeber – die Bakteriologie „von einer Laborwissenschaft zu einer ‚epidemiologischen Feldwissenschaft', in der sich Bakteriologie, Politik und Militär verschränkten" (Sarasin et al. 2007, 29). Militärisch-politische Interessen spielten immer mehr in das Feld der bakteriologischen Forschung hinein: „Für viele Kriegshygieniker und Bakteriologen stellte der Krieg [1. WK, M. S.] deshalb auch nicht primär eine beunruhigende seuchenhygienische Grundkonstellation dar, sondern galt vielmehr als eine einmalige Gelegenheit, um verschiedene epidemiologische und immunologische Vorgänge *in vivo*, an ‚riesigem Material' zu studieren." (Sarasin et al. 2007, 30) Nicht zuletzt die im 19. Jahrhundert aufblühende Popularisierung von Wissenschaft und Technik führte außerdem zu Interaktionen von Vorstellungssystemen und zur Wanderung von Metaphern zwischen verschiedenen Diskursen – in diesem Fall zwischen Bakteriologie und Politik (vgl. Sarasin et al. 2007, 31–33). Am Schnittpunkt von moderner Bakteriologie und imperialer oder nationalistischer Politik zeigte sich in diesem Zusammenhang ein ebenso gefährliches wie auch aktuelles Szenario, das durch den Begriff des „unsichtbaren Feindes" gekennzeichnet ist und mit dem Begriff der „Biopolitik" gut erfasst werden kann (vgl. Sarasin et al. 2007, 38–43). So wurde z. B. nach Sarasin im Begriff der

---

[1] Genealogie als „Konzeption von Geschichte, die mit jedem teleologischen Entwicklungsdenken bricht, die keine überzeitlichen Konstanzen und Wahrheiten akzeptiert und die schließlich die Kontingenz, ja radikale Singularität aller historischen Erscheinungen herausstreicht." (Sarasin et al. 2007, 12)

‚Einwanderung'[2] eine von körperfremden Organismen ausgehende Bedrohung in semantischem Zusammenhang mit Feinden, Fremdheit, Migration gestellt: „In dem epistemischen Gegenstand ‚Bakterium' war, mit anderen Worten, von Anfang an ein xenophobes und zuweilen auch rassistisches Imaginäres eingeschrieben" (Sarasin et al. 2007, 39). Die Interaktion von bakteriologischen und politischen Diskursen erlaubte es auf diese Weise, in einem biopolitischen Diskurs Fremde und Feinde als „Bakterien" zu stigmatisieren; so wurden Juden im Kontext des Antisemitismus als „Bazillen" denunziert, die „der desinfektorischen Logik folgend" (Sarasin et al. 2007, 41) ausgerottet werden mussten. „Dabei galten Juden auf dem Hintergrund der Assimiliation wie Bakterien als ‚unsichtbar'; in beiden Fällen war die Unsichtbarkeit mit einer besonderen Hinterhältigkeit konnotiert und galt als eindeutig negativ. Die Voraussetzung für ihre Bekämpfung war daher in beiden Fällen die Herstellung von Sichtbarkeit – das ‚Sichtbarmachen' von Juden mittels des gelben Sterns war auch insofern – und streng analog zur Bakteriologie – eine Technik, die auf Vernichtung zielte." (Sarasin et al. 2007, 41) Mehr oder weniger logische Folge einer rassistischen Biopolitik auf Basis der modernen Bakteriologie war dann die den fatalen Metaphern folgende Ermordung der so genannten „Schädlinge des Volkskörpers" mit Zyklon B, einem Gift, das ursprünglich aus der Schädlingsbekämpfung stammt.

„Genetische Gouvernementalität" – zukünftige Weise des Regierens?

Bezüglich der Rezeption und Weiterführung des foucaultschen Begriffs „Gouvernementalität" im deutschen Diskussionsraum verweise ich hier auf einen Beitrag von Thomas Lemke. Es gilt vorab festzuhalten, dass die Rezeption des Gouvernementalitäts-Konzepts seit den 90er Jahren vor allem über die im englischsprachigen Raum etablierten *governmentality studies* erfolgte. Diese entwickelten sich als „eine eigenständige Forschungsrichtung, die das ‚Raster der Gouvernementalität' für eine kritische Analyse der Gegenwartsgesellschaft und die Untersuchung zeigenössischer Regierungstechniken und politischer Rationalitäten" (Lemke 2007, 14) verwendete.

Lemke selbst wendet das Konzept der Gouvernementalität z. B. für eine Untersuchung der sozialen und politischen Implikationen von Gendiagnostik und Genomforschung an (vgl. Lemke 2007, 129–148). Dabei weist

---

[2] Robert Koch sprach in „Die Ätiologie der Tuberkulose" von einer „Einwanderung der Bazillen" (vgl. Sarasin et al. 2007, 39).

er darauf hin, dass der sich verstärkende Diskurs rund um „genetische Risiken" als Zeichen einer zunehmenden und von ihm so genannten „genetischen Gouvernementalität" zu werten sei. Diese gehorche einem „Wahrheitsregime", das neue differenzierte Repräsentationen von Individuum und Gesellschaft bereitstelle. Die dahinter stehende Machstrategie ziele auf „Individualisierung und Privatisierung gesellschaftlicher Risiken" (Lemke 2007, 19) und bringe so auch neue Formen von Identität hervor: „An die Stelle der Beichte als Selbstentzifferungsverfahren tritt die Analyse des individuellen Genoms, das uns die Ursache für unser So-Sein, die Wahrheit über unsere Identität und die Möglichkeiten für unsere Zukunft aufzeigen soll." (Lemke 2007, 129) Dieses neue „genetische Pastorat", das als „Regierung von genetischen Risiken" zu verstehen sei, verspreche „bei guter Führung" Wohlbefinden, Gesundheit und längeres Leben. „Die prädikative Medizin trägt zur Konstitution eines ‚homo geneticus' bei, der sich Praktiken der Selbstüberwachung und des körperlichen Risikomanagments unterzieht. Sie erfordert ‚verantwortliche' und ‚vorausschauende' Subjekte, welche die genetische Diagnostik in Anspruch nehmen (wollen) und sich den daraus folgenden Entscheidungszumutungen unterziehen" (Lemke 2007, 131). Die von Lemke so gefasste und beschriebene „genetische Gouvernementalität" zeigt einen „völligen Umbau der Topographie des Sozialen" (Lemke 2007, 137), indem sie die Ökonomisierung des Sozialen soweit vorantreibe, dass die Individuen ihren eigenen Körper vor dem Hintergrund des genetischen Wissens als zu verwaltendes „Risikokapital" begreifen lernen, an dessen Optimierung und Effizienzsteigerung sie auch konsequent zu arbeiten haben: „Die Individuen werden angehalten, mit ihrem berechen- und bewertbaren biologischen Kapital auf ‚ökonomische Weise' umzugehen, um höchsten Lebensgewinn zu erzielen und der Gesellschaft möglichst wenig Kosten aufzuerlegen." (Lemke 2007, 138)

Neue Ökonomien im Zeitalter der Biomacht

Petra Gehring publizierte 2006 eine Aufsatzsammlung zur Biomedizin unter dem Titel *Was ist Biomacht? Vom zweifelhaften Mehrwert des Lebens*. Die Autorin setzt sich in diesen Beiträgen mit Konsequenzen des biomedizinischen Fortschritts und dessen Eintritt ins Feld des Politischen auseinander. Sie tut dies unter expliziter Zurückweisung des ethischen Denkrahmens und mit bewusstem Rückgriff auf Foucaults Begriff „Biomacht", der es ermögliche, die epochenspezifische Form der Ordnung der Wirklichkeit, des Einsatzes von Wissen und der Regierung von Menschen zu erfassen:

„Ethik leistet keine analytische Beschreibungsarbeit. Sie überspringt wichtige Vorfragen. Sie reduziert Probleme der Beschaffenheit und der Macht des Gegebenen auf die Frage: ‚Was sollen wir tun?‘ […] Unter dem Titelbegriff ‚Biomacht‘ geht es gerade nicht um die ethische Therapie, sondern darum, gleichsam über die Diagnose, also über Vorfragen, das Wie und Warum der Problematisierungen selbst nachzudenken. Dies sind Fragen philosophisch-politischer und auch historischer Art. Sie drehen sich um die *Herkunft*, die *Gestalt* und die eigentümliche *Macht* der Gegenstände sowie der Argumentationsformen von Bioethik und Biopolitik." (Gehring 2006, 8f.)

Exemplarisch sei hier ein Text hervorgehoben, der sich unter dem Stichwort *Neue Ökonomien* mit der Zirkulation von Körperstoffen und Biodaten beschäftigt (vgl. Gehring 2006, 17–34). Gehring stellt hier dar, wie mit der Entwicklung der biotechnischen Optionen der Gegenwart das Körperinnere sukzessive nutzbar und somit ein ökonomisches Expansionsfeld geworden sei. Der Tatbestand einer verstärkten Kommerzialisierung des Körpers verändere auf dramatische Weise auch den Umgang mit diesem: „Mit der Nutzbarmachung der Substanzen wird der Körper nicht nur finanziell neu, nämlich ‚höher‘ bewertet, sondern es wandelt sich das, was ein lebendiger Körper *ist*. Die individuellen Körper der Menschen werden anders behandelt, anders verwendet, anders wahrgenommen und anders dargestellt […] Nicht mehr die stofflich-sinnfällige, sondern die Immungrenze definiert, was zu welchem Körper gehört […] Das, woraus wir bestehen, kann behandelt werden als eine zirkulationsfähige und eigentümlich ‚todlose‘ Allsubstanz." (Gehring 2006, 17–21) So richtet sich nach Gehring als wesentliches Merkmal der neuen Körperpolitik im Rahmen der Biomacht eine neue Ökonomie der zirkulierenden lebendigen Bio-Materialien und der eifrig gesammelten Biodaten ein. Diese neue Ökonomie des Lebens im Zeichen der Biomacht beinhaltet einen spezifisch neuen Begriff von Leben: „‚Leben‘ ist […] keine lebensweltlich unverzichtbare oder biographische Kategorie, sondern eben jenes hochmoderne Konstrukt, das uns in Gestalt von Biowissenschaft, Biomedizin und Biodaten begegnet – und das unter modernen biotechnischen Bedingungen tatsächlich über seine eigene Form der Wertschöpfung verfügt." (Gehring 2006, 33) Als Gewinn dieses Wertschöpfungssystems kann biologisch gewonnene Lebenszeit verbucht werden. Indem man Biodaten und Bio-Materialien – so Gehring – „nicht nur technisch erschließt und produktiv macht, sondern eben auch lagerbar, übertragbar, verkehrsfähig, macht man perspektivisch Lebenszeit käuflich" (Gehring 2006, 34).

Resümee

Biopolitik, Gouvernementalität, Biomacht – welche Relevanz kommt diesen in aller Kürze vorgestellten Begriffen heute zu? Welche Schlüsse lassen sich aus der aufgezeigten Rezeption dieser Begriffe in aktuellen Forschungen ziehen? Meines Erachtens ist klar ersichtlich, und die Rezeptionsbeispiele untermauern es, dass die angeführten Begriffe ein hohes Beschreibungs- und Klärungspotential in Bezug auf aktuelle – potentiell gefährliche – gesellschaftliche Prozesse haben, in die wir heute als Subjekte involviert sind. Sie zielen als sich ergänzende und teilweise auch überlappende Analyseinstrumente genau auf jenen, nach Foucault so interessanten aber auch gefährlichen Punkt, an dem sich Machtkämpfe, Wissensexplosionen und Subjektivierungstechniken kreuzen. Sie erlauben es, eine erhellende Perspektive auf den brisanten Knotenpunkt von Wissen, Macht und Subjekt zu erlangen, an dem wir uns als handelnde und behandelte Mitglieder der Gesellschaft ständig aufhalten und verändern. Daher kann man mit diesen Begriffen heute *Aufklärung* betreiben. Aufklärung, die hier mit Foucault verstanden wird als eine auf die Gegenwart gerichtete Frageform und Beschreibungskonzeption. Diese hilft uns, die drängende Frage nach dem, was wir heute sind, was heute mit uns geschieht und was dieses „heute und jetzt" für uns darstellt, detaillierter zu beantworten:

Der auf die Wirkungen einer epochalen Konstellation zielende Biomacht-Begriff eröffnet bei Gehring einen noch vor der Ethik liegenden Beschreibungsraum. Die Frage nach dem ethisch vertretbaren Umgang mit einer aktuellen technischen Möglichkeit (Was sollen wir tun?) wird aufgesprengt und um Fragestellungen ergänzt, die in Form einer Genealogie die Herkünfte des Problems ausleuchten. Mit der Frage nach den historischen Bedingungen der Möglichkeit des Problems wird eine fruchtbare Distanz geschaffen und das aktuelle Problemfeld Biomedizin im Sinn einer Aufklärung der Gegenwart mittels neuer Perspektiven sichtbar gemacht.

Der Begriff der Gouvernementalität mit seinem Fokus auf Praktiken der Führung bzw. Regierung von Individuen und Kollektiven erlaubt es – exemplarisch demonstriert bei Lemke – die Interaktionen von Regierung und Selbstführung der Individuen besser zu beleuchten. Er kann, als Analysekonzept eingesetzt, helfen, die Wandlungen der individuellen Selbstwahrnehmung und Selbstbehandlung vor dem Hintergrund neuer Wissensformationen und Regierungspraktiken besser zu beschreiben. Über den Bezug zum Subjekt ist der Gouvernementalitätsbegriff als kritisch-genealogisches Potential von bleibendem Wert.

Der Begriff der Biopolitik mit seinen fatalen Implikationen und Konsequenzen im Lauf der Entwicklung der Moderne, die bei Sarasin et al. exemplarisch an historischem Material aufgezeigt werden, ist auch aktuell ein „heißer" Begriff. Der auf dem semantischen Potential der bakteriologischen Sprache aufruhende Biopolitik-Begriff hatte neben der Kennzeichnung positiver medizinischer Interventionen schon „bei Foucault immer auch eine zweite, dunkle, rassistische Seite" (Sarasin et al. 2007, 43). Der Begriff gewinnt seine bleibende Aktualität durch den Globalisierungskontext mit den vielfältigen imperialen Interessen und Sicherheitsmaßnahmen gegen wirklichen, möglichen und imaginären Terror. Denn politische Diskurse, welche – wie Sarasin es ausführt – mit Metaphern operierten, die „um die Vorstellung des infizierten und zugleich infizierenden Körpers kreisen und ‚Feinde' als ‚Mikroben' oder ‚Parasiten' denunzierten" (Sarasin 2004, 156), sind nicht nur Beispiele der Vergangenheit, sondern Teil unserer Gegenwart. Der Weg von solchen biopolitischen Diskursen zu „ethnischen Säuberungen", zu Isolationsgefängnissen, die von der Öffentlichkeit abgeschottet werden, und zu gefährlichen, biologistischen Denkmustern im Kontext eines naturalistischen Weltbilds ist hier nicht sehr weit. Zusammenfassend soll dazu nochmals Sarasin zu Wort kommen: „Die Geschichte des Nationalsozialismus etwa hat gezeigt, wie populärwissenschaftliche Derivate aus dem bakteriologischen Diskurs die politische Sprache zu formen vermochten, und seit den Anthrax-Briefanschlägen im Herbst 2001 war das im ganzen 20. Jahrhundert virulente Phantasma, dass der Feind eine ‚Mikrobe' sei, weil die Mikrobe ein ‚Feind' ist, wieder mit Händen zu greifen." (Sarasin 2007, 460)

Nach dem Dargelegten ist an dieser Stelle abschließend fest zu halten, dass die von Foucault im Rahmen seiner genealogischen Studien eingesetzten Begriffe „Biomacht", „Biopolitik" und „Gouvernementalität" von hoher aktueller Relevanz sind. Sie erlauben es, Aufklärungsarbeit zu leisten und im Zuge der permanenten Kritik unserer selbst das voranzutreiben, was Foucault eine Ontologie der Gegenwart genannt hat. Sie erlauben es, die – potentiell gefährlichen – transformierenden Macht- und Wissenswirkungen auf uns, unser Selbstbild und unsere Sprache besser in den Blick zu nehmen. Sie erlauben es schließlich, Philosophie so zu treiben, dass sie im Sinne Foucaults und auch Wittgensteins „die Arbeit an Einem selbst" (Wittgenstein 1984, 472) ist.

LITERATUR

Foucault, M. (1983): *Der Wille zum Wissen* (= Sexualität und Wahrheit 1), Frankfurt a. M.: Suhrkamp.

Foucault, M. (2001): *In Verteidigung der Gesellschaft*, Frankfurt a. M.: Suhrkamp.

Foucault, M. (2003): Die ‚Gouvernenmentalität‘, in: ders.: *Schriften in vier Bänden. Dits et Ecrits. 3*, Frankfurt a. M.: Suhrkamp, 796–823.

Foucault, M. (2003): Die Geburt der Biopolitik, in: ders.: *Schriften in vier Bänden. Dits et Ecrits. 3*, Frankfurt a. M.: Suhrkamp, 1020–1028.

Foucault, M. (2004): *Geschichte der Gouvernementalität. 1. Sicherheit, Territorium, Bevölkerung*, Frankfurt a. M.: Suhrkamp.

Foucault, M. (2004): *Geschichte der Gouvernementalität. 2. Die Geburt der Biopolitik*, Frankfurt a. M.: Suhrkamp.

Gehring, P. (2006): Neue Ökonomien: Die Zirkulation von Körperstoffen, die Zirkulation von Biodaten, in: dies.: *Was ist Biomacht? Vom zweifelhaften Mehrwert des Lebens*, Frankfurt a. M.: Campus, 17–34.

Gehring, P. (2006): Zur Einleitung: Was heißt Biomacht?, in: dies.: *Was ist Biomacht? Vom zweifelhaften Mehrwert des Lebens*, Frankfurt a. M.: Campus, 7–16.

Göhler, G. et al. (2006): *Politische Theorie. 22 umkämpfte Begriffe zur Einführung*, Wiesbaden: Verlag für Sozialwissenschaften.

Lemke, Th. (2007): Die Regierung der Risiken – Von der Eugenik zur genetischen Gouvernementalität, in: ders.: *Gouvernementalität und Biopolitik*, Wiesbaden: Verlag für Sozialwissenschaften, 129–148.

Lemke, Th. (2007): Einleitung, in: ders.: *Gouvernementalität und Biopolitik*, Wiesbaden: Verlag für Sozialwissenschaften, 11–21.

Sarasin, Ph. (2004): ‚*Anthrax*‘. *Bioterror als Phantama*, Frankfurt a. M.: Suhrkamp.

Sarasin, Ph. (2007): Die Visualisierung des Feindes. Über metaphorische Technologien der frühen Bakteriologie, in: Sarasin Ph. et al. (eds.): *Bakteriologie und Moderne. Studien zur Biopolitik des Unsichtbaren*, Frankfurt a. M.: Suhrkamp, 427–461.

Sarasin, Ph. et al. (2007): Bakteriologie und Moderne. Eine Einleitung, in: dies. (eds.): *Bakteriologie und Moderne. Studien zur Biopolitik des Unsichtbaren*, Frankfurt a. M.: Suhrkamp, 7–43.

Wittgenstein, L. (1984): Vermischte Bemerkungen, in: ders.: *Über Gewissheit* (= Werkausgabe Bd. 8), Frankfurt a. M.: Suhrkamp, 445–573.

Der Phänomenologische Fehlschluss
Zur Kritik einer phänomenologischen Ethik des Leibes

MARTIN G. WEIß

1. Einleitung

Der Vorwurf, die Neuzeit (allen voran Descartes) habe sich von der „ursprünglichen" lebensweltlichen Erfahrung des Leibes als Wesensmedium menschlicher Existenz zugunsten eines psycho-physischen Dualismus verabschiedet, der den Leib zum bloßen Körper vergegenständliche, stellt einen weit verbreiteten Topos gegenwärtiger phänomenologischer Überlegungen zum Problemkomplex menschlicher Leiblichkeit dar. So moniert Bernhard Waldenfels (2000), dass der heutige Mensch sein Selbstverständnis am Modell von Soft- und Hardware ausrichte; eine Kritik, die Olaf Kaltenborn (2001) aufnimmt und in seiner Studie *Das Künstliche Leben* zur These ausbaut, die Biotechnologien – ebenso wie die KI-Forschung – seien Symptome des verhängnisvollen Strebens des Menschen nach absoluter Herrschaft, das sich auch auf politischer Ebene niederschlage. Der Psychiater und Philosoph Thomas Fuchs (2000) kritisiert das landläufige medizinische Modell des Menschen und fordert eine Rückkehr zur „ursprünglichen" und „eigentlichen" Leiblichkeit.

Problematisch an diesem Konzept ist vor allem der implizite Schluss, die „ursprünglicheren" Etappen der phylo- und ontogenetischen Entwicklung des Menschen seien allein ob ihrer zeitlichen, bzw. sachlichen Vorgängigkeit auch schon das axiologisch Wertvollere, ebenso der Versuch, aus dieser (vergessenen) „ursprünglichen Erfahrung" konkrete bioethische Normen abzuleiten, wie dies etwa bei Gernot Böhme (2003) oder Andreas Brenner (2006) der Fall ist. Denn obschon die phänomenologische Forderung, die Erste-Person-Perspektive als unhintergehbare Bedingung der objektivierenden modernen Medizin nicht außer Acht zu lassen, durchaus ihre Berechtigung hat, bleibt fraglich, in wie weit die per definitionem subjektive Erfahrung dessen, was es für mich heißt, mein Leib zu sein, als Grundlage ethischer Entscheidungen in Bezug auf Dritte dienen könne und woher ihre Legitimation stammt.

Im Folgenden möchte ich daher zunächst einen kurzen Überblick über gegenwärtige leibphänomenologische Positionen unter besonderer Berücksichtigung ihrer (impliziten) ethischen Ansprüche geben, die dann in einem zweiten und abschließenden Teil einer kritischen Betrachtung unterzogen werden sollen. Dabei gilt meine Kritik nicht der phänomenologischen Einsicht des epistemologischen Primats einer präreflexiven ursprünglichen leiblichen Welterfahrung, die als Bedingung der Möglichkeit von Subjektivation und Objektivation jeder Subjekt-Objekt-Spaltung der Sache nach notwendig vorausgeht, sondern lediglich dem „phänomenologischen Fehlschluss", wie ich ihn nennen möchte, der aus dem sachlich Ersten, dem „Ursprünglichen", ein ethisch Erstes macht, also aus einer epistemologischen Einsicht ethische Werte abzuleiten sucht. Denn selbst wenn man mit der Phänomenologie darin übereinstimmt, dass der objektivierte Körper einen geschichtlich konstituierten abkünftigen Modus des Leibes als Medium personaler Vollzüge darstellt, bleibt fraglich, weshalb der Leib und nicht der Körper im Krankheitsfall die Richtschnur bioethischer Entscheidungen abgeben sollte. Zwar mag ich „primär" Leib sein, vor allem wenn dieser „unauffällig" ist und ich in ihm aufgehe, nichts bin als Leib und dieser nichts anderes als ich selbst, doch ist es, wie dies Sartre vorbildlich ausgeführt hat, dem Leib als Leib ebenso wesentlich, sich zuweilen als Körper zu manifestieren, der mir fremd ist und der ich gerade nicht bin, was vor allem in der Erfahrung der Krankheit geschieht. Der Leib ist sowohl der Leib, der ich bin, als auch der Körper, den ich habe, ohne dass man hier eine Wertung zu Gunsten des einen Pols leiblicher Erfahrung, d.h. zu Gunsten des Leibes als Medium, vollziehen könnte, wie dies die Vertreter einer Ethik des Leibes versuchen. Vielmehr gilt es, den von Sartre aufgezeigten widersprüchlichen Charakter des Leib-Körpers auszuhalten, der ich bin und den ich habe. Gegen die Unmittelbarkeit einer angeblich evidenten ursprünglichen Leiberfahrung als Quelle bioethischer Normen scheint es mir wichtig, den dialektischen Aspekt leiblicher Erfahrung nicht zu unterschlagen, auch wenn dies eine „Ethik des Leibes" verunmöglicht.

2. Die Ethik des Leibes

Überall ist von Körperkultur, Fitness, körperlicher Schönheit, zu dünnen oder zu dicken Körpern, vom Körper des Embryos, vom Körper des klinisch Toten, von Organtransplantation und Schönheitschirurgie die Rede, aber was es bedeutet, ein Leib zu sein, scheint vergessen.

So oder so ähnlich ließe sich wohl die Ausgangsthese der wichtigsten Vertreter der Philosophie des Leibes bzw. der Leibphänomenologie, von Hermann Schmitz (1964ff.) über Bernhard Waldenfels (2002) und Elisabeth List (2001) bis hin zu Gernot Böhme (2003), aber auch jüngerer Autoren wie Olaf Kaltenborn (2001), Thomas Fuchs (2000) und Andreas Brenner, zusammenfassen.

Wie jede Gruppe vollzieht auch diejenige der Leibphilosophen die Identitätsstiftung durch die Abgrenzung gegen ein Feindbild. Die Funktion des die eigene Identität sicherstellenden Feindes kommt hier Descartes und im Allgemeinen der Moderne mit ihren technophilen und individualistischen Auswüchsen zu, die als Abfall von einer ursprünglichen originären leiblichen Erfahrung gedeutet wird. Diese Frontstellung gegen Descartes und den modernen Subjektivismus, der dieser Lesart zufolge lediglich die Kehrseite des wissenschaftlichen Objektivismus der Neuzeit darstellt, führt die genannten Autoren oft in die Nähe eines Antimodernismus, der als Reaktion auf die als gleichermaßen subjektivistisch wie objektivistisch gedeutete Moderne sowohl antisubjektivistische Züge eines mythischen Glaubens ans Gegebene, an „das von sich selbst her Zeigende", als auch eines antiobjektivistischen Subjektivismus aufweist, da „das von sich selbst her Zeigende" der phänomenologischen Konzeption zufolge nur in unmittelbarer subjektiver Erfahrung zugänglich ist.

Common sense ist unter Leibphänomenologen die Annahme eines paradiesischen Urzustandes, in dem noch nicht ein rationalistisches Ich in einen mechanistischen Körper eingeschlossen war, das Subjekt noch nicht einen Körper hatte, sondern der Mensch Leib und so noch nicht seiner selbst entfremdet war, wie nach dem rationalistischen Sündenfall, der den Menschen in ein subjektives Ich und einen objektiven Körper zerriss.

Eine wichtige Rolle spielt in diesem Zusammenhang der leibphänomenologische Rekurs auf ein den reflexiven Vollzügen zugrunde liegendes präreflexives Cogito. Merleau-Ponty nennt es das „stumme cogito". Was damit gemeint ist, ist die These, dass mir, damit ich etwas ausdrücklich als etwas, also intentional, erfassen könne, dieses etwas bereits vorprädikativ gegeben sein müsse. Es müsse also so etwas wie eine vorprädikative Intentionalität geben, die auf die „Wahrheit" zielt und sich Merleau-Ponty zufolge in der „Wahrnehmung" ereignet, die eine Sphäre vorprädikativer Erfahrung darstellt: „Dem Wesen der Wahrnehmung nachgehen, heißt davon ausgehen, dass Wahrnehmung nicht nur angeblich oder vermeintlich wahr, sondern für uns definiert ist als Zugang zur Wahrheit" (Merleau-Ponty 1966, 13). Bernhard Waldenfels erklärt diesbezüglich: „Bei Husserl finden

343

wir [...] ähnliches schon in der *V. Logischen Untersuchung*, wo es heißt, Empfinden und Empfundenes sind eins. Eine vorintentionale Erlebnisweise wäre einer Sphäre zugehörig, wo noch nicht ‚etwas als etwas‘ aufgefasst wird [...]" (Waldenfels 2000, 277).

Der Philosoph und Psychiater Thomas Fuchs verweist in diesem Zusammenhang auf die Säuglingsforschung, die gezeigt habe, dass für das Neugeborene ursprünglich kein Unterschied zwischen ihm und der Brust der Mutter bestehe, sondern es diese Unterscheidung erst nach und nach erlerne: „Der Mensch lebt [...] nicht primär in einem subjektiven Innenraum, aus dem heraus er erst die Existenz des Anderen entdeckt, sondern er ist durch seine Leiblichkeit von Anfang an auf sie bezogen. Diese Forschungsergebnisse bestätigen Merleau-Pontys These eines primären ‚Zur-Welt-seins‘ des Leibes, einer präreflexiv gegebenen ‚Zwischenleiblickeit‘, in die der Mensch eingebettet ist, bevor er sich zum denkenden Subjekt entwickelt" (Fuchs 2000, 21f.).

Als weiterer Aufweis der ursprünglichen leiblichen Subjekt-Objekt-Einheit führen Leibphänomenologen unter Berufung auf „Künstler", „Primitive" und Drogenkonsumenten gerne das Phänomen der Synästhesien an, in denen sich die beim rationalistischen Subjekt streng geschiedenen Sinnessphären mischen, so dass Klänge sichtbar und Farben hörbar werden.

Gemeinsam ist den genannten Exponenten der Leibphänomenologie nun, dass der phylo- und ontogenetisch vorgängige Zustand normativ überhöht wird. Diesem phänomenologischen Fehlschluss zufolge heißt „ursprünglich" nicht mehr nur vorgängig, sondern „eigentlich", „wahrhaft", „gut". Dies zeigt sich vor allem an der Begrifflichkeit, mit der die Subjekt-Objekt-Spaltung und die kategoriale Differenzierung beschrieben werden. Die Epoche, die mit Descartes einsetzt und die noch unser heutiges Welt- und Selbstverständnis prägt, wird als „entseelt", „entzaubert", „mechanistisch", „selbstentfremdet", „leibvergessen" gebrandmarkt und der Verlust der ursprünglichen Einheit bedauert. Die wissenschaftliche Weltsicht mit ihrer Verkennung der Lebenswelt wird als abkünftiger Modus, als abstrakte Konstruktion und als Wegbereiterin totalitärer Politik begriffen. So bedauert Waldenfels die Verarmung der Wirklichkeit durch Wissenschaft und Zivilisation als Abfall vom tierischen und kindlichen Ursprung: „Im tierischen und kindlichen Verhalten begegnet uns eine besonders große Verweisungsfülle, eine Vieldeutigkeit, die verloren geht, je eindeutiger die Gegenstände bestimmt werden. [...] Erwachsenwerden heißt, [...], dass die Funktionen der Dinge für uns immer eindeutiger werden, es bedeutet eine Vereindeutigung der Welt. Die Gegenstände werden identisch besetzt mit präzisen Funktionen und büßen damit ihre Polyvalenz ein, die sich in unseren Träumen zurückmeldet oder im Formenspiel der Kunst geduldet wird. Der Rückgang zur Wahrnehmung bedeutet deshalb den Rückgang zu einer Welt, in der die Dinge noch vieles bedeuten können" (Waldenfels 2000, 106). Was sich mit Adorno als (freilich problematische) Befreiung vom Mythos und als Beginn einer rationalen Weltsicht deuten ließe, wird hier als Verlust von Ursprünglichkeit und Vieldeutigkeit gesehen.

Konkreter wird Thomas Fuchs, der in den Neurowissenschaften, der Biomedizin und der Informationstechnologie eine Gefährdung des genuinen Menschseins ortet: „Es dürfte bereits deutlich geworden sein, dass diese Entwicklungen mit einer Entfremdung von ursprünglicher sinnlicher Erfahrung, unwillkürlichen Lebensvollzügen und leibhafter zwischenmenschlicher Kommunikation verbunden sind. Das naturalistische Selbstverständnis des Menschen wirkt auch als Selbstentfremdung bis ins alltägliche Erleben hinein" (Fuchs 2000, 18). Was drohe, sei „eine schleichende Entleerung der Welt von allem, was dieses Subjekt noch sinnlich ansprechen, gefühlshaft ergreifen und persönlich betreffen könnte. Die Wirklichkeit wird dann in der ‚virtual reality' am Ende ebenso technologisch ersetzbar, wie es bereits die Organe des Körpers sind" (Fuchs 2000,18f.).

Dieser technophobe und kulturpessimistische Ansatz wird von jüngeren Leibphänomenologen, wie Olaf Kaltenborn, dann unter Berufung auf Foucault ins Politische gewendet, denn für Kaltenborn stellt die biotechnologische Vergegenständlichung des Körpers und dessen Unterdrückung durch ein selbstherrliches Subjekt lediglich eine Internalisierung der vormals äußerlichen Machtverhältnisse des Absolutismus dar: „Die Exterritorialisierung des Körpers zur Kolonie des Ich […], die vor allem seit Descartes erfolgte und in der starken KI gipfelt, bleibt nicht ohne Folgen für das Selbstbild des Menschen. Denn mit der Exteritorialisierung erfolgte gleichzeitig die Internalisierung jenes absolutistischen Herrschaftsverständnisses und seiner totalisierenden Zugriffsformen auf das Innere des Menschen, wogegen sich der Leib stets von sich aus gesperrt hatte. […] Mit Foucault […] wäre zu vermuten, dass es wohl sogar keine effektivere Methode zur nachhaltigen und dauerhaften Internalisierung des zwingherrschaftlichen und zentralistischen politischen Leitbildes des Absolutismus geben konnte als die als Befreiungsleistung des Selbst gefeierte Fremd- und Selbstobjektivierung des Menschen zu einem Körperwesen über KI und Biotechnik" (Kaltenborn 2001, 165).

Was wie die Befreiung des Ich von seiner Natur aussehe, sei in Wahrheit die Internalisierung der vormals äußeren Machtstrukturen in die Person. Nun herrsche nicht mehr der Souverän über den leiblichen Untertan, sondern das Ich über den Körper. Damit habe die souveräne Macht den Menschen gespalten in ein geistiges ich und einen zu unterdrückenden Körper. Dieser Körper, der immer schon die Quelle des Widerstandes gegen die Macht gewesen sei, weil er sich nicht völlig beherrschen ließ, werde nun mithilfe der Biotechnologien ausgeschaltet. Nach dem Tod des Souveräns, der sich über die brachiale Macht, töten zu dürfen, ohne dass ein Mord begangen würde, definierte, gehe es nun in der Biopolitik darum, die biologische Lebensform selbst zu beherrschen. Angesichts dieser bedrohlichen Entwicklungen bestehe die Aufgabe der Leibphänomenologie darin, den Menschen wieder nach Hause zu führen. Bei Thomas Fuchs heißt es: „Der philosophischen Anthropologie und insbesondere der Leibphänomenologie stellt sich in dieser Situation eine zweifache Aufgabe. Zum einen geht es darum, die ‚Inkarniertheit‘ der Person, ihre Einbettung in die Strukturen und Erfahrungen des Leibes wieder ins gegenwärtige Bewußtsein zu bringen, um so diesem Bewußtsein gewissermaßen eine Heimat im Raum und zugleich dem Erscheinen des Anderen in seinem Leib seine ursprüngliche Evidenz wiederzugeben" (Fuchs 2000, 19) „Es geht also um ein ‚Zuhausesein‘, ein Vertrautsein im doppelten Sinn: die Vertrautheit der Person mit ihrer Leiblichkeit, und die Vertrautheit des Leibes mit der Welt" (Fuchs 2000, 19).

Bei den meisten Leibphänomenologen wird der ethisch-normative Aspekt ihrer Kritik am naturalistischen Weltbild der wissenschaftlich geprägten Neuzeit nicht ausdrücklich thematisiert, vielmehr beschränkt man sich auf die Abarbeitung erkenntnistheoretischer Probleme des Naturalismus, die besonders am Leib sichtbar würden, da sich dieser einer Reduktion auf den in Dritter-Person-Perspektive gegebenen Körper sperre.

Außer einigen kulturpessimistischen Seufzern und verklausulierter Kritik an der modernen Medizin bleibt die Diskussion meist auf diesem eher theoretischen Niveau. Eine Ausnahme bildet Gernot Böhme, der ausdrücklich die Frage nach den praktischen Konsequenzen einer leibphänomenologischen Weltanschauung stellt und deren ethischen Anspruch betont. Im Lichte der modernen Medizin und der Biotechnologie stehe der Mensch heute in der Gefahr, seinen Leib als Wesenmedium persönlicher Vollzüge gänzlich zu verlieren. Immer mehr werde der Mensch nur noch aus der Dritten-Person-Perspektive betrachtet, ja betrachte sich selbst nur mehr aus dieser. Dadurch werde der Mensch sich selbst entfremdet, denn er wisse zunehmend nicht mehr, was es heiße, Leib zu sein: „Angesichts der Herausforderung durch [...] die medizinischen Technologien stellt sich heraus, daß Leibsein eine Möglichkeit innerhalb eines bestimmten Verständnisses von Menschsein ist und daß diese Form von Humanität heute nicht ohne ein Nein gegenüber der beliebigen Manipulation des menschlichen Körpers möglich ist" (Böhme 2003, 35). So stelle sich die Aufgabe einer „Ethik des Leibes" (Böhme 2003, 35). „Die Kernfrage dieser Ethik wird sein, in welchem Maße man sich selbst als natürlich gegeben sein lassen will" (Böhme 2003, 35f.). Doch Böhmes Ethik ist keine theoretische Betrachtung über Gut und Böse, sondern ein konkretes Programm zur Überwindung des cartesianischen Leib-Seele-Dualismus: „Der Cartesianismus mit seiner Spaltung des Menschen in res cogitans und res extensa, in Körperding und denkendes Subjekt, ist nicht einfach eine falsche Theorie, sondern bezeichnet eine Lebensform. Er kann deshalb auch nicht durch Argumente widerlegt, sondern er muss durch eine Form des Lebens überwunden werden" (Böhme 2003, 367).

Böhme beschreibt Natur in Anlehnung an Aristoteles als dasjenige, was von sich selbst aus ist und uns widerfährt, während er den Leib als „die Natur, die wir selber sind" definiert, so dass Leibsein für Böhme bedeutet, in der Lage zu sein, etwas zu erleiden: „Der Kern aller Fragen, die sich hier stellen ist [...], inwieweit Menschen bereit sind, an sich etwas als Natur anzuerkennen und hinzunehmen, bzw. zu verantworten bereit sind, was ihnen von dieser Natur her widerfährt" (Böhme 2003, 38).

Offensichtlich ist auch für Böhme der Leib keine naturgegebene Tatsache, denn dann bräuchte man nicht für ihren Erhalt einzutreten, sondern ein geschichtlich gewordenes Gut, das wir zu verlieren drohen. Doch warum ist die Leiblichkeit wie sie Böhme definiert, also die Fähigkeit, Widerfahrnisse zu erleiden, die Kontingenz, Sterblichkeit, Leidensfähigkeit und der physiologische Verfall, ein schützenwertes Gut?

Einerseits definiert Böhme den Leib als die Natur, die wir selbst sind, und Natur als dasjenige, was sich von sich aus ereignet, was gegeben ist und nicht unserem subjektiven Willen unterliegt. Andererseits betont er, dass der Leib als Natur heute in der Gefahr stehe, durch Technik ersetzt zu werden. Nur weil er in der Gefahr steht zu verschwinden, sind wir aufgerufen, ihn zu erhalten. Handelt es sich bei Böhmes Aufruf zur Rettung des Leibes also darum, aus der (prinzipiell nicht abwendbaren) Not unserer leiblichen Verfasstheit eine Tugend zu machen, oder darum, eine (vielleicht abwendbare) Not um ihrer selbst willen zu erhalten. Kurz: Würde Böhme dazu aufrufen, die Leiblichkeit, d.h. die Tatsache, dass uns Widerfahrnisse ereilen, die wir nicht wollen, auch dann noch zu bejahen, wenn wir diese völlig ausschalten könnten? Oder handelt es sich bei seinem Versuch, die Leiblichkeit zu nobilitieren, lediglich um eine Apologie des Bestehenden? Was hier aufbricht, ist eine Doppeldeutigkeit in Böhmes Leibbegriff, der zugleich objektive Natur und schützenwertes Gut sein soll. Doch entweder ist der Leib Natur, also hinzunehmende normative Gegebenheit, dann braucht er nicht geschützt zu werden, oder der Leib muss bewahrt werden, dann aber ist er nicht Natur, sondern ein gesetzter Wert.

Böhme versucht aufzuzeigen, dass es in praktischer Hinsicht nicht gleichgültig ist, ob man Naturalist oder Leibphänomenologe ist. Denn der Naturalismus führe notwendigerweise in den Utilitarismus. Für den Naturalisten gelte: „Die Entscheidungen bezüglich der eigenen genetischen Ausstattung über bestimmte medizinische Eingriffe bzw. Maßnahmen zur Herstellung der eigenen Schönheit werden an einen herangetragen in der Sicht des anderen, d.h. als Entscheidungen, die man bezüglich des Körpers, eines Körpers, zu fällen habe. Dann können Vor- und Nachteile abgewogen werden, Chancen und Risiken und die vorgesehenen Maßnahmen rational beurteilt werden. Damit ist man bereits im Bereich der utilitaristischen Ethik, die nicht nur die möglichen Handlungen rein instrumentell betrachtet, nämlich als Handlungen zur Hervorbringung des größtmöglichen Glücks, sondern implizit auch den Körper zu einem mehr oder weniger nützlichen Instrument werden lässt. Sie behandelt den Körper nicht als etwas, das wir selbst sind, sondern als ein Vehikel unseres Glücks. Streng genommen ist deshalb die utilitaristische Ethik auch nicht Moral zu nennen" (Böhme 2003, 78f.).

Demgegenüber nehme der Leibphänomenologe sich als Leib ernst, der Leibphänomenologe wisse, dass er selbst es ist, an dem die medizinischen Manipulationen vorgenommen werden und nicht ein abstrakter objektiver Körper. Der Leibphänomenologe lebe die „betroffene Selbstgegebenheit", mit welchem Begriff Böhme das Wissen um die eigene Leiblichkeit näher umschreibt. Böhme zufolge ist das Wissen um die eigene Leiblichkeit aber nicht etwas, das man einfach vorfinden würde, sondern etwas, auf das man sich bewusst einlassen muss, das man übernehmen muss. Leibsein ist nicht ein Faktum, sondern eine Aufgabe. Betroffene Selbstgegebenheit muss man wollen, und da sich diese betroffene Selbstgegebenheit, vornehmlich im Schmerz offenbare, müsse man den Schmerz wollen: „So paradox es klingt: das Fundament des Selbstbewusstseins muss gegen seine eigene Tendenz – die nämlich auf Aktivität und Autonomie gerichtet ist – gewonnen werden. Das heißt, dass sie stets prekär bleibt: Selbstgegebenheit, wie zwingend sie als Erfahrung auch sein mag, man muss sie wollen. Das heißt nicht nur, Erfahrung betroffener Selbstgegebenheit ernst zu nehmen, sondern das heißt auch sich darin üben, ihr Gewicht zu erkennen, ja sogar sie bewusst aufzusuchen. Unter diesem Aspekt erscheinen Schmerz, Krankheit, Müdigkeit und leibliches Versagen in einem ganz anderen Licht. Nicht dass ihnen ihr negativer Charakter genommen wird, aber sie werden doch anders bewertet, nämlich als Chance einer Selbstgewissheit, aus der heraus sich dann die Freiheit des Ich neu entfalten kann" (Böhme 2003, 89).

Der Schmerz, der hier für die Unverfügbarkeit des Leibes überhaupt steht, wird so zum Ursprung des freien Ichs, was sehr an die These von Habermas (2001) erinnert, wonach die unverfügbare Naturwüchsigkeit des Menschen die notwendige Grundlage des autonomen Subjekts bilde.

Bisher blieb Böhme zufolge den Einsichten der Leibphänomenologie allerdings eine breitere Annerkennung versagt; und zwar deshalb, weil immer noch der Cartesianismus das Selbstverständnis des Menschen präge: „Denn dass die schönen Einsichten der Leibphilosophie – das inkarnierte Ich, das leibliche Selbst, die betroffene Selbstgegebenheit – bisher faktisch wirkungslos geblieben sind, liegt ja daran, dass in der Praxis der Cartesianismus herrscht. Man behandelt seinen Körper und seine Organe als etwas Äußerliches, als Instrumente. Wie soll ich auf dieser Basis entscheiden können, ob ich bereit bin, mein Herz durch ein fremdes austauschen zu lassen? Das setzte ja wohl voraus, dass ich überhaupt mein Herz wirklich als meines empfinde. Wenn man aber so gelebt hat, dass man sich mit seinem Herzen identifiziert, dann wird man es auch nicht als bloßes Organ – als Pumpe – ansehen, vielmehr als eine Leibinsel, in der ich meine Lebendigkeit spüre, meine Freude, Niedergeschlagenheit und insbesondere meine Liebe. Was sonst als Herzmetaphorik oder Herzsymbolik bezeichnet wird, wird sich dann als gelebte Wirklichkeit erweisen. Und wenn das so ist, dürfte es nicht leicht sein, das eigene Herz durch ein fremdes ersetzen zu lassen, jedenfalls zur puren Lebensverlängerung würde man das wohl kaum tun" (Böhme 2003, 168).

Aus dem leibphänomenologischen Zugang zum Menschen glaubt Böhme aber nicht nur die Ablehnung der Transplantationsmedizin, sondern auch der Euthanasie und des Freitodes ableiten zu können: „Der Tod kommt zu einem. Ihn bewusst herbeizuführen dagegen heißt die Natur, die wir selbst sind, im letzten zu verleugnen, indem man sie in etwas Gemachtes verwandelt. Der Freitod ist die trotzige Ablehnung von Freuds Einsicht, dass wir nicht Herr im eigenen Hause sind. Was aber noch schlimmer ist:

wer seine Freiheit und Menschenwürde erst eigentlich im Freitod erfüllt sieht, bringt sich gerade um das, was das menschliche Leben ausmacht, den Vollzug dieses Lebens, er bringt sich um den vorübergehenden, den ephemeren Charakter des Lebens" (Böhme 2003, 225)

Der Vorwurf Böhmes an das Projekt der Moderne gipfelt schließlich in dem als Vorwurf gemeinten Satz: „Das Ideal wäre, auf Dauer jugendlich zu leben und dann am Ende kurz und schmerzlos abzutreten" (Böhme 2003, 226).

Böhmes „Ethik des Leibes" scheint aus zweierlei Gründen problematisch. Erstens, weil Böhme versucht, aus der bisher geltenden faktischen Unverfügbarkeit des Leibes dessen normative Unantastbarkeit abzuleiten, womit er in den naturalistischen Fehlschluss zurückfällt, und zweitens, weil er jedes ethische Problem auf subjektives Empfinden reduziert. Damit scheint Böhme die normative Objektivität des ethischen Subjektivismus festschreiben zu wollen. So verständlich im Zeitalter der Gerätemedizin der Rückgang zur persönlichen Lebenswelt sein mag, so problematisch ist er, da die Besinnung auf die Bedeutung der eigenen Leiblichkeit immer nur für einen selbst ethische Relevanz besitzt. Muss ich selbst entscheiden, ob ich mich einer Organtransplantation unterziehen will, kann die Meditation darüber, was dieser Eingriff für mich als Leib bedeutet, durchaus eine Entscheidungshilfe darstellen. Soll ich aber darüber entscheiden, was für einen Anderen das Beste ist, werde ich mit der Besinnung darauf, was es für mich heißt, Leib zu sein, nicht weit kommen. Böhmes Prinzip ist nicht verallgemeinerungsfähig.

Der tiefere Grund für Böhmes Apologie des Leibes als Quelle unbeherrschbarer Widerfahrnisse liegt denn wohl auch nicht im Bedürfnis, Kriterien für ethische Entscheidungen bereit zu stellen, sondern in Böhmes Überzeugung, dass wir uns nur über den Leib des Grundgefühls versichern können, von der Natur getragen zu werden: „Es geht um die Frage, ob die Sorge um sich, die dem Menschen in seiner leiblichen Existenz unausweichlich ist, zu einer Beherrschung und Manipulation seiner eigenen Natur führen muss. Ob nicht gerade dieser Typ von Sorge in seiner Konsequenz das Vertrauen in das Getragensein von Natur untergräbt, nicht nur das Vertrauen, sondern das Getragensein selbst" (Böhme 2003, 364), das für Böhme, ähnlich wie für Habermas (2001), die Grundlage menschlicher Autonomie bildet?

3. Schluss

Das Problem einer phänomenologisch inspirierten „Ethik des Leibes", die vom Leib als „Dritter Dimension" jenseits der Subjekt-Objekt-Spaltung ausgeht und diesen zum Kriterium der Beantwortung biomedizinischer Fragestellungen macht, liegt darin, dass sie die Dialektik des Leibes vergisst, der in sich, wie bereits Gabriel Marcel hervorgehoben hat, zwei Aspekte vereint: Leib zu sein und einen Körper zu haben. Körper und Leib können im ethischen Bereich nicht gegeneinander ausgespielt werden (auch wenn dem Leib als Bedingung der Möglichkeit des Körpers ein sachliches Primat zukommt), sondern müssen in ihrem spannungsvollen Verhältnis ausgehalten werden, worauf vor allem Sartre eindrücklich hingewiesen hat, der bekanntlich zwischen dem Körper als Für-mich-sein (Leib) und dem Körper als Für-Andere-sein (Körper) unterscheidet und festhält, dass der „Körper als Für-sich-sein und als Für-Andere-sein [...] zwei Aspekte des Körpers [darstellt, die] [...] auf zwei verschiedenen und unvereinbaren Seinsebenen liegen, [und] nicht aufeinander zurückführbar sind" (Sartre 1993, 543). Dies zeigt sich vor allem in jenen Fällen, in denen der Leib seinen unauffälligen Charakter des Mediums verliert und „aufdringlich" wird, wenn er sich als eigenständig, widerständig, und fremd manifestiert, wie in Krankheit und Schmerz. Diese genuine Leiberfahrung, in der mir der Leib als Körper gleichsam gegenübertritt, als „Entfremdung" und leibvergessene subjektivistische Vergegenständlichung abzutun und mit erhobenem moralischem Zeigefinger eine Meditation über das eigene Leibsein einzufordern (einschließlich der gelassenen Hinnahme des Schmerzes als eigentlichem Vollzug der wahrhaften leiblichen Existenz), ist nur möglich, wenn man vergisst, dass das Leibsein nur einen Aspekt, und sei er auch der sachlich erste, der Leiblichkeit darstellt. Gerade von einem leibphänomenologischen Standpunkt aus betrachtet ist der Widerstand etwa Böhmes gegen die Praxis der Organtransplantation im Namen des Leibes kaum nachvollziehbar, da es gerade die Leibphänomenologie war, die auf das Phänomen der „Einverleibung" von ursprünglich nicht zum biologischen Körper des Menschen gehörender Elemente, wie Prothesen, Blindenstöcke, Hüten, ja selbst Kraftwagen aufmerksam machte, die durch Gewöhnung und Einverleibung gleichsam zu einem integralen Teil des eigenen Leibes werden. Bei Merleau-Ponty heißt es diesbezüglich: „Ist der Stock [des Blinden] zum vertrauten Instrument geworden, so weicht die Welt der Gegenstände zurück und beginnt nicht mehr an der Haut der Hand, sondern erst am Ende des Stockes. Man mag zu sagen versucht sein:

Im Durchgang durch die vom Druck des Stocks auf die Hand hervorgerufenen Empfindungen konstruiere der Blinde den Stock und dessen verschiedene Positionen, welche dann ihrerseits einen Gegenstand zweiter Potenz vermittelten, den äußeren Gegenstand. Die Wahrnehmung wäre noch stets Lesung derselben Sinnesgegebenheiten, nur vollzöge sie sich rascher und rascher und nach immer feineren Zeichen. Doch die Gewohnheit besteht gerade nicht im Interpretieren des Drucks des Stockes auf die Hand als Zeichen eines äußeren Gegenstandes, da sie uns vielmehr im Gegenteil der Notwendigkeit solcher Interpretation enthebt. Der Druck auf die Hand und der Stock sind nicht mehr gegeben, der Stock ist kein Gegenstand mehr, den der Blinde wahrnähme, sondern ein Instrument, mit dem er wahrnimmt. Er ist ein Anhang des Leibes, eine Erweiterung der Leibsynthese" (Merlau-Ponty 1966, 182).

Wenn selbst ein Stock in die Leibsynthese integriert werden kann, warum sollte dies dann nicht noch viel mehr für ein Herz gelten?

Gerade auf dem Gebiet der Bioethik scheint der Versuch, eine leibzentrierte Perspektive einem angeblich entfremdenden objektivierenden Selbstverständnis entgegen zu setzen, völlig unangebracht. Das Kriterium bioethischer Entscheidungen sollte nicht der Leib darstellen, sondern der Mensch als autonomes Freiheitswesen, dass zwar nur leiblich und als Leib existiert, dessen Freiheitsvollzug aber zuweilen die Herrschaft über seinen Körper verlangt, ohne dass dies einen Widerspruch darstellen würde.

LITERATUR

Böhme, G. (2003): *Leibsein als Aufgabe,* Zug: Graue Eule.
Brenner, A. (2006): *Bioethik und Biophänomen. Den Leib zur Sprache bringen,* Würzburg: Königshausen & Neumann.
Fuchs, Th. (2000): *Leib, Raum, Person. Entwurf einer phänomenologischen Anthropologie,* Stuttgart: Klett-Cotta.
Habermas, J. (2002): *Die Zukunft der menschlichen Natur. Auf dem Weg zu einer liberalen Eugenik?,* Frankfurt/M.: Suhrkamp.
List, E. (2001): *Grenzen der Verfügbarkeit. Die Technik, das Subjekt und das Lebendige,* Wien: Passagen.
Merleau-Ponty, M. (1966): *Phänomenologie der Wahrnehmung,* Berlin: Walter de Gruyter.
Sartre, J.-P. (1993): *Das Sein und das Nichts. Versuch einer phänomenologischen Ontologie,* Reinbeck bei Hamburg: Rowohlt.
Waldenfels, B. (2000): Das leibliche Selbst. Vorlesungen zur Phänomenologie des Leibes, Frankfurt/M.: Suhrkamp.

How the Best Life Possible Can Be Bad

Some Deliberations about Intra-Personal Scope for
Distributive Principles

ANNETTE DUFNER

A standard concern in moral theory is whether particular theories are conducive to violating individuals for the benefit of others. Another concern is whether one should ever violate individuals for the benefit of themselves. This issue is usually discussed within the framework of the debates about autonomy and paternalism. Much less frequently, however, is there a concern whether some theories of personal identity implicitly represent an incentive to violate persons for the benefit of themselves. The purpose of this essay is to show how theories that are usually taken to pay special respect to a person's integrity and autonomy can be seen to encourage self-harming behavior and can result in policies that violate some people's rational preferences.

John Rawls's theory of justice to a significant extent can be said to be based on the inviolability of the person. At the same time, he objects that a competing theory, utilitarianism, does not take seriously the separateness of persons. In part one of the *Theory of Justice*, he writes:

> Each member of society is thought to have an inviolability founded on justice or, as some say, on natural right, which even the welfare of everyone else cannot override. Justice denies that the loss of freedom for some is made right by a greater good shared by others. The reasoning which balances the gains and losses of different persons as if they were one person is excluded. Therefore in a just society the basic liberties are taken for granted and the rights secured by justice are not subject to political bargaining or to the calculus of social interests (Rawls 1999, 24-5).

This passage is known as Rawls' objection against balancing. He objects to the idea that benefits and burdens could outweigh each other across different lives. Then he goes on to attack utilitarianism on the grounds that it endorses such balancing acts. The utilitarian doctrine of maximizing the happiness of all members of society amounts to adopting "for society as a whole the principle of rational choice for one man," so that cross-personal balancing acts are permissible whenever they promote overall happiness.

In this way, he argues, utilitarians do "not take seriously the distinction between persons" (Rawls 1999, 24).

Rawls also believes that only complete altruists would choose a utilitarian society. The reason is that they are the only ones who would best achieve their goal of benefiting others if the overall social benefit is maximized. The greater the overall benefit for all the others, the bigger the accomplishment for the altruist. The problem with the altruist's position, argues Rawls, is that there is no principle by which altruists can choose in cases in which two members of society come into conflict. If everyone wants to do what the other one wants, nothing would ever get settled.

Along the same line, Rawls continues that when utilitarians try to decide what ought to be the principles governing a future society, they imagine dividing like amoeba into all the different members of that society. They will subsequently have a benevolent attitude towards all of them, just like they have a benevolent attitude toward themselves. But again, he argues, benevolence cannot provide a principle of choice for cases in which individuals come into conflict. Two persons can come into conflict in ways in which divided parts of a single individual allegedly cannot.

Critics of Rawls have argued that he is overestimating the potency of his appeal to the inviolability of persons. For example, Dennis McKerlie argued that Rawls's way of putting his concerns as a restriction against balancing according to which it is not permissible to let the burdens to one person outweigh the benefits to someone else is somewhat unfortunate. As an egalitarian Rawls himself must be in favor of the idea that *some* burdens to one person can be outweighed by *some* benefits to others (McKerlie 1988, 210). For example, if there is a society in which almost everybody is very well off, but a handful of people do not benefit from this wealth in any way and are doing very badly, Rawls would support the imposition of a small burden on the well-off in order to help those who are the worse-off. McKerlie eventually comes to the conclusion that Rawls's point comes down to an objection against *unrestricted* balancing. However, in this case the restriction would not necessarily speak in favour of egalitarianism, since there are other distribution theories that object to unrestricted balancing as well. Think for instance of an entirely desert based distribution principle. Such a principle would object to taking away from the deserving in order to give to the undeserving. Also, utilitarians would disagree with depriving the masses of their happiness in order to achieve negligible improvements for the privileged. Moreover, as McKerlie points out, the objection against (unrestricted) balancing might support a rights view like

Robert Nozick's much more than egalitarianism, because there might generally be even less room for balancing in Nozick's rights based view than there is in Rawls's egalitarianism.

Another problem is the following: If it is only unrestricted balancing that is objectionable, then there must be cases of *restricted* balancing that are permissible. This may be plausible, but as soon as such qualifications are built into the claim it becomes less likely that it is really the separateness of persons that determines what is allowed (McKerlie 1988, 210). Rawls presumably thought that the separateness between persons is in all cases equally fundamental. If *some* redistributive balancing acts between people are allowed and others are not, it seems as if there must be a second element other than the separateness of persons at work in the theory that determines in which cases and to what extent balancing is allowed.

McKerlie considers one more possible reading of Rawls that is worth mentioning. He believes an argument could possibly be made according to which the separateness of persons supports *contractualism* as opposed to egalitarianism. This seems to be an interesting line of thought that might be worthy of further investigation. Its plausibility would depend on the claim that only separate persons can legitimately agree to enter a social contract. But again, a contract view does not necessarily have to be egalitarian, which means that this view would not necessarily speak in favour of egalitarianism either.

Derek Parfit tried to view the appeal to the separateness of persons from an even more critical angle than McKerlie. He proposed arguments to the effect that caring less about balancing acts and distributive principles is justified if one holds a reductionist account of personal identity like his own. According to Parfit's reductionism what matters to us when we speak about persons can be reduced to chains of particular experiences or mental states at various points in time. A possible metaphysical fact of personal identity that unifies such chains into the experiences of particular persons does not matter for practical purposes. For Parfit, personal histories are to a large extent temporally disintegrated. As he puts it in *Reasons and Persons*: "A Reductionist is more likely to regard this child's relation to his adult self as being like a relation to a different person" (Parfit 1984, 335).

Parfit agrees with Rawls that utilitarians assign less weight to distributive principles. But he also believes that caring less about them is a reasonable position if one holds his view about personal identity. To establish this, he proposes a twofold argument. According to this line of reasoning, reductionism makes the scope for distributive principles bigger and their weight smaller. For the purpose of the present investigation it should be sufficient to take a closer look only at the claim that the scope of distributive principles should become bigger.

Parfit's reductionism implies that the relevant units for distributive principles should not be persons or persons only, but also the different stages of individual lives. The reason for this is that the psychological continuity and connectedness of persons across time can be very low. There can be almost as much separateness between a senior and his or her own childhood self as between two different persons. This means instead of Joe as the relevant unit for distribution there may actually be "Joe as a child", "Joe as an adolescent" and so forth. As the length of the relevant units becomes smaller, the number of relevant units and thus the scope for distribution becomes larger.

To illustrate this point, imagine that someone must choose between the following two options:

(A) giving Smith 10 benefits at the age of 40, or
(B) giving Smith 5 benefits at the age of 40 and 5 at the age of 50.

If the distribution between the temporal stages of one's life matters, as Parfit suggests, then scenario B might have to be preferred. In scenario B it is not only a single stage of Smith that benefits. Instead, the benefit is spread out equally between the forty year old and the fifty year old. On the other hand, a view according to which the scope of distribution consists in entire lives of persons would have to be indifferent when presented with the two scenarios. The reason is that both scenarios contain an equal number of benefits for the person's life as a whole. The important upshot of Parfit's point is that there is scope for distributive principles *within* people's lives, not just across lives.

For many egalitarians, including Rawls, the morally relevant units for distributive principles are entire lives (Rawls 1975, 18-19). If, however, the scope of distributive principles can be smaller than entire lives, as Parfit suggests, then there are at least two ways in which we can think of the distribution of benefits between persons: Either we take sum total of benefits and burdens in each person's life and compare the difference, or we measure and compare the difference in benefits and burdens at each relevant stage in a person's life. For example, consider the benefits at each stage of the following two lives:

	Person 1	Person 2
Childhood	9	10
Adulthood	11	8
Old Age	8	8
Total	28	26

If the inequality between these two lives is measured by comparing the sum totals at the end of each life, then the inequality between them is 2 (the difference between 28 and 26). If we compare the sum of the inequalities between all the relevant life-stages (1 between the childhoods, 3 between the adulthoods, and 0 at old age), then we have overall inequality of 4.

A full discussion about the best way of measuring inequality is far beyond the scope of this paper. As Larry Temkin (Temkin 1993) and others have shown, there are numerous further issues that would need to be considered. For now it should suffice to point out that the latter way of measuring inequality often provides the more intuitive recommendation for action. Parfit offers an example along the following lines in support of this method (Parfit 1984, 341):

> Person A is now suffering a lot, but suffered little in the past. Person B is suffering a little right now, but suffered tremendously in the past. We only have a painkiller for one of them.

If we take their wholes lives as the basis for our decision we would have to help person B, since B is now suffering less. If we take their suffering at the present time as the basis, then we can help person A, since A is now suffering more. Parfit takes it that most people would find the latter to be the more intuitive course of action.

What we are dealing with then is a case in which applying the principle of equality to entire lives will yield a counterintuitive result. This is because it will favour the person who is now suffering less in order to make the two persons more equal. This is not very effective though. Applying the principle of equality to people's experiences at particular times, however, will achieve what we take to be more intuitive, namely helping the person who now suffers the most, thereby making ideal use of the resources available.

The appeal of the second option might not only depend on efficiency of resources. It seems plausible to say that present neediness of people gives them a claim to our help that is independent of the efficiency of resources or the way their life went in the past. Another advantage of giving

357

relevance to equality between life stages is that it would be easier to practice. We can hardly ever know the sum total of a person's life at any one stage of that life. Basing decisions on facts that will only be known in the future seems to amount to arbitrary guesswork or appeal to statistics that might not be available or even feasible at the time we are confronted with two people in pain.

Parfit has argued that his reductionist account of personal identity helps to justify the intuitive course of action when confronted with the two people in pain. Because the notion of a person can be reduced to a chain of mental states, the temporal stages of the self are by nature more independent from each other than we usually presume and can therefore gain some independent moral status.

However it has likewise been argued that the intuitive response to the example does not necessarily depend on our views about personal identity (McKerlie 1989, 486). Calculating the difference between the lives in the given examples in one way rather than another is arguably independent of any particular view about personal identity. Someone who does not believe in reductionism might also be able to defend the view that we should measure inequalities by adding up differences at particular stages. If both supporters and enemies of reductionism can support the second way of calculating inequalities, then our conception of the person would turn out to be irrelevant to this question.

While it is probably correct that both supporters and enemies of reductionism may calculate inequality by adding up differences between life stages, it is not the case that both could with equal plausibility be in favour of comparing *only* life totals. It seems implausible for reductionists, who believe the relevant selfhood units to be shorter than entire lives, to care only about lifetime equality. Likewise, it seems implausible for a 'whole life' theorist to care *only* about equality of stages. At the very least, they would also have to be somewhat concerned about how the inequalities at stages add up into inequalities between entire lives. Moreover, if inequalities at particular stages are important on the grounds that adding them up will provide a more detailed account of inequalities of entire lives, then the value of life stages would be only instrumental. But if inequalities at particular stages are seen as bad in and of themselves, irrespectively of their contribution to life totals, then the value of a life stage would be intrinsic. A life stages theorist would, of course, endorse the latter. This means one's theory of personal identity is after all to a significant extent relevant to distribution.

It will be useful to look at the issue from one more angle. Both Rawlsian and Parfitian egalitarians are sympathetic to the idea of giving priority to those worse off. We find this idea expressed in Rawls's "difference principle" that inequalities should be arranged so that they are of benefit to the least advantaged (Rawls, 1999, 68). Parfit also suggests a priority principle in *Reasons and Persons* and more elaborately in his article "Equality and Priority" (Parfit, 1997). Interestingly, Parfit's principle of giving priority to the worse off and Rawls's equality principle are not very far apart, since in most cases they reach the same conclusions. If person A is worse off than person B, both principles suggest raising A to the level of B. They only come apart in the so-called leveling-down cases. If it is impossible to raise person A to the level of B, the equality principle would suggest that there is some value in lowering B down to the level of A. The priority view, on the other hand, would not require any leveling down.

Just like the principle of equality, the priority principle can be applied to entire lives or to person-stages. Rawls presumably thought what matters are entire people's lives and that we should assign intrinsic value only, or primarily, to helping the worst-off *persons*, while Parfitians will assign intrinsic value to improving the worst-off *person-stages*. The difference is best exemplified by a case like the following:

> We can improve the worst-off person-stage in a particular community. This person-stage belongs to John at t_1. If we help him, then his condition will worsen somewhat at t_2 so that his life total will in either case remain the same. The worsening at t_2 would not be as bad as his original situation at t_1

Unlike Rawlsians, Parfitian reductionists find it important to intervene in this scenario. For the latter it is not just important to improve the worst lives, it is also important to improve the worst stages of individual lives, because these stages have some independent moral standing. On the other hand, for 'whole lives' theorists who are only interested in improving the worst lives, the information given in the example would not be sufficient to help John.

Consider another example. Imagine someone had to choose between the following two scenarios:

(A) having to endure a burden with the negative value of minus 10 during old age and achieving a positive life total of 100, or
(B) having to endure a burden of minus 5 during old age and achieving a life total of 98.

If improving the worst stages of one's life is important, as Parfit's view implies, then scenario B would have to be preferred. In scenario B the burden suffered is smaller than the burden in scenario A. Also, the life total of 98 in B is still fairly high. A view according to which the scope of distribution consists in entire lives of persons, on the other hand, would have to support scenario B because the life total is higher than in A.

A disturbing feature of the view that only life totals matter or that life totals matter the most is that the most tremendous burdens seem to be outweighed by even the smallest increase in one's life total. The result is a scenario in which people would undergo great hardships in order to achieve minor improvements of their life totals. Moreover, as the case of John suggests, if people subject themselves to great hardships and achieve no change of their life total, then the view remains indifferent. The 'whole lives' view features no device that puts a restriction on these kinds of *intrapersonal balancing acts*. As long as there is reasonable hope to achieve even minor increases in their life totals, people acting on a theory according to which only life totals matter would subject themselves to hardships of any size.

One might object that the argument presented here ignores restrictions inherent in the 'whole lives' view prohibiting such intra-personal balancing acts. The restriction, it seems, would consist in preventing a decline of one's life total, since there are limits to how much hardship one can subject oneself to without endangering one's life total. This objection, however, presupposes a third personal or reflective stance to the entirety of one's own life that cannot be achieved. While people are still living they cannot know to what extent they will succeed in achieving benefits and how their life totals will turn out. Even if they know a lot about their futures and can appeal to statistics about people who are similar to them, there can always be unforeseeable events. In this sense, they would have to base their decisions on facts that can only be known by the time they are dead.

Finally, whole life theorists may also defend their view by arguing that intra-personal distribution is a matter of preference rather than something that should be regulated by a moral theory. It has been shown, though, that endorsing a reductionist account of personal identity can make it at least *rational* to endorse particular distribution patterns within one's own life. Distribution policies on the basis of the 'whole lives' view will subsequently disregard some people's rational preferences.

Moreover, theorists who believe in self-regarding duties or in self-regarding virtues as well as Parfitian utilitarians can argue that intra-personal distribution is not merely a matter of preference or rationality. For them, it can be an *immoral* violation against one's own self to severely exploit some parts of one's life in favour of others.

REFERENCES

McKerlie, D. (1988): Egalitarianism and the Separateness of Persons, in: Canadian Journal of Philosophy 18, 205-26.
McKerlie, D. (1989): Equality and Time, in: Ethics 99, 274-296.
Parfit, D. (1984): *Reasons and Persons,* Oxford: Clarendon Press.
Parfit, D. (1997): Equality and Priority, in: Ratio 10, 202-221.
Rawls, J. (1975): The Independence of Moral Theory, in: Proceedings and Addresses of the American Philosophical Association XLVIII, 5-22; reprinted in Rawls, J. (1999): *Collected Papers,* Samuel Freeman, ed., Cambridge, Mass.: Harvard University Press, 286-302.
Rawls, J. (1999): *A Theory of Justice,* revised edition, Cambridge, Mass.: Harvard University Press.
Temkin, L. (1993): *Inequality,* Oxford: Oxford University Press.

Neuroethics and the Extended Mind Thesis

GERT-JAN LOKHORST

1. The Extended Mind Thesis

The Extended Mind Thesis is the view that the mind is not confined within the skull of individual agents, but extends into the world (Clark and Chalmers 1998). This thesis obviously implies that (1) it makes sense to localize the mind and (2) the mind is not identical with the brain. The Extended Mind Thesis is not to be confused with (1) the Embedded Mind Thesis (the mind is firmly embedded in its environment and tightly coupled to it); (2) Content Externalism (Putnam's and Burge's claim that "meanings are not in the head"); and (3) Rupert Sheldrake's Extended Mind Hypothesis (involving "morphic fields" and other dubious entities). Clark and Chalmers introduce the Extended Mind Thesis by considering the cases of Otto and Inga.

Otto is brain-damaged and relies on his notebook to remember addresses and so on. Inga relies on her memory to remember those addresses and so on. Otto's notebook and Inga's memory play more or less the same functional role. Since Inga's memory forms a part of her mind, Otto's notebook forms a part of his mind, too. Since Otto's notebook is outside Otto's skull, Otto's mind is partially outside Otto's skull, too.

We think that this thesis is bizarre and sounds like language going on vacation. We therefore propose the following re-description of the situation. We would like to suggest that Clark and Chalmers are talking about three distinct systems:

(1) Otto (with his brain damage);
(2) Inga; and
(3) Extended Otto (Otto with his notebook, hands and eyes).

These three systems have three minds in the sense of cognitive apparatus, range of capacities, or some such thing:

(1) Otto's mind;
(2) Inga's mind; and
(3) Extended Otto's mind.

Mind (1) is obviously different from minds (2) and (3), but minds (2) and (3) are similar. Mind (3) is extended, in a sense; it contains the notebook as a part, in a sense. However, *mind (3) belongs to Extended Otto, not to Otto*: Otto by himself does not have an extended mind.

In other words, Clark's and Chalmers's argument can be seen as an instance of a mereological fallacy, a part-whole confusion. Otto is a part of Extended Otto, and not identical with Extended Otto. Otto's mind is a part of Extended Otto's mind, and not identical with Extended Otto's mind. "Extended Otto's mind belongs to Otto" is just as fallacious as:

- "The Chinese room as a whole understands Chinese, so the person within understands Chinese,"
- "Inga can dance, so a part of her brain can dance,"
- "A Turing Machine (TM) has TM capabilities, so the Finite Automaton within a TM has TM capabilities,"
- "Otto and his plane can fly, so Otto can fly," and
- "Otto and his wife can make children, so Otto can make children."

Conclusion: the Extended Mind Thesis can easily be avoided. Otto's mind has no external parts, Inga's mind has no external parts, and Extended Otto's mind has no external parts. Extended ensembles such as Extended Otto may be said to have "extended minds," if one wishes, but people by themselves, such as Otto, do not have extended minds.

2. Neuroethics and the Extended Mind Thesis

Neuroethics is the study of ethical issues related to neuroscience and neurotechnology. Neil Levy (2007a, 2007b) has argued that the Extended Mind Thesis is relevant for neuroethics.
Levy presents the following two principles as foundations for reasoning in neuroethics.

1. The Strong Ethical Parity Principle (EPP Strong): since the mind extends into the external environment (in view of the Extended Mind Thesis), alterations of external props used for thinking are (*ceteris paribus*) ethically on a par with alterations of the brain.
2. The Weak Ethical Parity Principle (EPP Weak): alterations to external props are (*ceteris paribus*) ethically on a par with alterations of

the brain to the precise extent to which our reasons for finding altera- tions to the brain problematic are transferable to alterations to the environment in which it is embedded.

I would argue that EPP Strong is to be rejected because (1) it depends on the Extended Mind Thesis, which one does not have to accept, and (2) it leads *only* to reasoning by analogy, which is notoriously unreliable. For example, consider the following two arguments:

1. "Memory is analogous to a notebook. I may not erase your memory, because I may not destroy your notebook either."
2. "Memory is analogous to a garbage can. I should erase your mem- ory, because I should empty the garbage can, too." ("If I may not erase your memory, I won't empty the garbage can either.")

Which of these two arguments is valid?

EPP Weak is preferable to EPP Strong because (1) it does not depend on the Extended Mind Thesis, and (2) it leads to more than just reasoning by analogy: it leads to reasoning from first principles. For example:

1. "It is wrong to destroy irreplaceable objects. Therefore: you may not destroy the Mona Lisa, and you may not destroy my brain either."
2. "It is good to clean up the rubbish. Therefore: it is good to demolish unused buildings, and it is good to remove unused parts of the brain as well."

These arguments clearly reveal the premises on which they are based. The latter claim may be found objectionable, but it can be avoided by stressing the *ceteris paribus* condition.

3. Conclusions

First, neuroethics is about the brain and not about the mind, so the Ex- tended Mind Thesis can play only a marginal role (it plays no role what- ever in Levy's book). Second, the strong version of the Ethical Parity Prin- ciple is of dubious value because (1) it depends on the Extended Mind Thesis, which is not compelling, and (2) it only leads to inconclusive reasoning by analogy. Third, the weak version of the Ethical Parity Principle is better, but the *ceteris paribus* condition makes it rather impotent.

REFERENCES

Clark, A., and D. Chalmers (1998): The Extended Mind, in: *Analysis*, vol. 58, 7–19.
Levy, N. (2007a): *Neuroethics: Challenges for the 21st Century*, Cambridge: University Press.
Levy, N. (2007b): Rethinking Neuroethics in the Light of the Extended Mind Thesis, in: *American Journal of Bioethics*, vol. 7, 3–11.

Wer bestimmt über die technische Selbstmodifikation des Menschen?

KARSTEN WEBER

Im Folgenden sollen Argumente der Liberalismus-Kommunitarismus-Debatte für die Diskussion der moralischen Legitimität der (bio-)technischen Verbesserung von Körper und Geist genutzt werden. Das verbindliche moralische Gute, das Libertäre und Liberale ablehnen und Kommunitaristen befürworten, ist in der Diskussion um Enhancement in einem allgemein verbindlichen normativen Menschenbild zu sehen, das daran gebunden ist, dass die Sicherung einer einheitlichen Menschheit als erstrebenswertes Ziel angesehen wird, hinter dem individuelle Ansprüche zurückstehen müssten – zuweilen wird das als „Biokonservatismus" (vgl. Bostrom 2005) benannt. Die Frage der moralischen Legitimität des Enhancement soll also zumindest teilweise anhand einer grundsätzlichen Entscheidung, wie weit Rechte eines Individuums gegenüber den Ansprüchen der Gemeinschaft reichen, beantwortet werden.

1. Heilung und Enhancement

Ein medizinischer Bereich, der die Möglichkeit der Verbesserung bzw. Erweiterung (engl.: „enhancement") menschlicher Fähigkeiten verspricht, ist die Entwicklung von Medikamenten, die das zentrale Nervensystem ansprechen. Medikamente, die zunächst die Heilung von Krankheiten versprachen, könnten nämlich in manchen Fällen auch dazu beitragen, bei gesunden Menschen eine Steigerung bestimmter Körperfunktionen oder Fähigkeiten herbeizuführen. Die Rede von Enhancement setzt dabei die Unterscheidung zwischen Gesundheit und Krankheit voraus (Wolpe 2002, 388):

> The first, more philosophical question of enhancement is about categorization: what do terms such as "average" or "normal" functioning, or even "disease" and "enhancement" mean when we can improve functioning across the entire range of human capability? Is the typical, occasional erectile dysfunction that most men experience a "disease" (or at least a condition worthy of medical attention) now that we have a treatment for it? If Prozac can lift everyone's mood, what then becomes "normal" or "typical" affect, and will

grouchiness or sadness or inner struggle then be pathologized? […] The second, related question addresses a broader social concern: should we encourage or discourage people to ingest pharmaceuticals to enhance behaviors, skills, and traits?

Wolpe sieht keine Möglichkeit einer klaren Grenzziehung zwischen Heilung und Verbesserung (Wolpe 2002, 390); für ihn und andere Autoren ist die Unterscheidung rein sprachlicher Natur und objektiv nicht zu treffen (bspw. Gert 2002, 38). Ähnliches gilt für die Festlegung für ein „Normalmaß": Wer bspw. intelligent ist und wer nicht, was ein niedriger und was ein hoher Intelligenzgrad ist, und sogar, welcher Intelligenzgrad wohl wünschenswert sein könnte, ist nicht objektiv gegeben, sondern Ergebnis sozialer Aushandlungsprozesse und gleichzeitig abhängig von existierenden Verteilungen der betrachteten Eigenschaft bzw. Fähigkeit (vgl. Fuchs 2001).

Viele Krankheiten zwingen dazu, dass ein Patient ständig einer Medikation unterzogen werden muss. Selbst wenn dies (weitgehend) nebenwirkungsfrei stattfinden könnte, erzeugte eine solche Behandlung ständige Kosten und wäre im besten Fall lästig. Gentherapie und -enhancement, ebenso die Nutzung von Implantaten (s.u.), versprechen nun, das Problem an der Wurzel zu packen. Wäre es bspw. möglich, jene Gene, deren Defekte eine Krankheit auslösen, zu reparieren, dann – so wird zumindest vermutet – wäre damit auch die entsprechende Krankheit geheilt. Auch hier ist die Grenze zwischen Heilung und Verbesserung natürlich fließend; so bspw., wenn man die Frage stellt, ob eine gentechnisch herbeigeführte Immunität gegen Umweltgifte eine Therapie gegen entsprechende Wirkungen ist oder eine Verbesserung, die das betreffende Individuum in die Lage versetzt, an verseuchten Orten zu arbeiten.

Ein weiterer Anwendungsbereich wird häufig unter dem Titel „Cyborg" (vgl. Haraway 1991) diskutiert – die Verschmelzung eines Menschen mit Implantaten der Informations- und Kommunikationstechnologie. Als Vorteil hiervon wird genannt, dass sich unsere kognitiven Fähigkeiten enorm steigern und bspw. auch neue Kommunikationsformen zwischen Menschen bzw. zwischen Menschen und Maschinen realisieren ließen (Warwick 2003, 133). Anwendungen können wiederum im Bereich der Therapie gesehen werden, bspw. zur Wiedererlangung des Augenlichts oder des Gehörs, aber auch in der Erweiterung und Verbesserung menschlicher Fähigkeiten.

2. Reichweite, Konsequenzen und Betroffene

Statt die problematische Unterscheidung von Heilung und Verbesserung zu treffen, kann gefragt werden, wer von entsprechenden Maßnahmen in welchem Maße betroffen wäre. Dies könnte das Urteil darüber erleichtern, ob gute Gründe dafür existieren, die jeweiligen Personen selbst eine Entscheidung über die Anwendung entsprechender medizin-technischer Maßnahmen treffen zu lassen oder ob es ein legitimes Recht anderer Personen oder Instanzen gibt, sich einzumischen.

Alle Handlungen können Konsequenzen für andere Personen oder Personengruppen nach sich ziehen: Junk-Food-Ernährung, Rauchen oder massiver Alkoholgenuss als Beispiele unter sehr vielen führen oft zu Gesundheitsproblemen, deren Behandlungskosten in einem solidarisch finanzierten Gesundheitsversorgungssystem auch von jenen mitgetragen werden müssen, die einen gesunden Lebenswandel zeigen. Es ist nun das Ergebnis von sozialen Aushandlungsprozessen, ob daher die Versicherungsgemeinschaft ein Interventionsrecht in Bezug auf jene risikobehafteten Verhaltensweisen hat. In Deutschland wird dies zurzeit noch negativ beantwortet; systematisch könnte man argumentieren, dass solche Verhaltensweisen im Zentrum der eigenen Lebensgestaltung stünden und daher eine Sache der eigenen Entscheidung bleiben müssten.

Insbesondere im Fall des genetischen Enhancement ist jedoch zu bedenken, dass dann, wenn genetische Eingriffe auch die Keimbahn betreffen, nicht nur Kosten anfallen, sondern zukünftige Personen von der Durchführung des Enhancement betroffen sein können. Dies betrifft damit zukünftige Generationen in einer Weise, die weit darüber hinausgeht, die von anderen Personen generierten Gesundheitskosten zu tragen. Jürgen Habermas (2001) nahm dies zum Anlass, sich gegen Eingriffe in das menschliche Erbgut auszusprechen, da dies das Sosein zukünftiger Menschen in einer Weise determiniere, dass diese sich nicht mehr als Autoren ihres eigenen Lebens begreifen könnten.

Andere Varianten des Enhancement menschlicher Fähigkeiten und Eigenschaften betreffen jedoch nur indirekt andere Personen. Doch ist zu bedenken, dass damit bspw. bereits vorhandene soziale Ungleichheiten verstärkt werden könnten; ebenfalls ist die normative Kraft des Faktischen nicht zu unterschätzen. Denn wenn Möglichkeiten des Enhancement existieren, könnte der soziale Druck entstehen, diese auch zu verwenden. Ähnliche Prozesse beklagen bspw. Behindertenverbände und deren Mitglieder in Bezug auf PND und PID: Solche Verfahren zeitigten einerseits den normativen Druck auf zukünftige Eltern, physische und psychische Behinderungen verhindern zu müssen; andererseits würde die gesellschaftliche Unterstützung und Akzeptanz behinderter Menschen infrage gestellt, da deren Existenz bei Anwendung von PND und PID vermeidbar gewesen wäre.

Eine Folge des Enhancement, die hier nicht weiter bedacht werden wird, aber zumindest genannt werden soll, ist, dass die Person, die verbessert wird, danach nicht mehr existieren könnte. Es ist nämlich denkbar, dass bspw. mittels Psychopharmaka und/oder informationstechnischen Implantaten für das Gehirn kognitive oder sensorische Leistungen im Falle einer Therapie auf „Normalmaß" gebracht oder gar immens gesteigert werden könnten, doch nach der Behandlung wesentliche Charaktereigenschaften der betreffenden Person verloren gegangen sind oder diese sogar ihre biographische Identität mit der behandelten Person nicht erkennen kann. Auf kognitiver Ebene könnte – bei aller begrifflichen Problematik – dann von (Selbst-)Tötung gesprochen werden.

3. Argumente für und gegen ein verbindliches Menschenbild

Möglichkeiten des medizinisch-technischen Enhancement sind bereits heute in rudimentärer Form gegeben und werden zukünftig wahrscheinlich noch erweitert werden. Gleiches gilt für die ethischen und sozialen Probleme, die mit diesen Möglichkeiten einhergehen, so dass eine Folgenabschätzung und Bewertung von Enhancement dringend geboten scheint. Denn zumindest manche Verfahren zur Verbesserung menschlicher Fähigkeiten und Eigenschaften sind in ihren Konsequenzen beileibe nicht auf das Individuum beschränkt, das sie an sich anwenden lässt. Daher sollen einige Positionen der politischen Philosophie dahingehend untersucht werden, ob sie hier einen Beitrag leisten können.

Üblicherweise werden libertäre und liberale Positionen getrennt diskutiert, wenn es um die Frage sozialer Gerechtigkeit und die Distribution sozialer Grundgüter geht. Andererseits greifen kommunitaristische Autoren ihre libertären und liberalen Gegner ohne größere Unterscheidungen an; es wird dabei argumentiert, dass deren Menschenbild im Wesentlichen gleich sei. Da für die vorliegende Untersuchung Fragen der sozialen Gerechtigkeit nur eine untergeordnete Rolle spielen, wird um der Kürze willen der kommunitaristischen Einschätzung gefolgt.

Zentral für libertäre Positionen wie jener von Robert Nozick ist das Konzept des so genannten Selbsteigentums (engl.: „self-ownership"): Jede

Person gehört sich selbst; sie ist es, die ihren Körper besitzt und vollständig über diesen bestimmen kann. Niemand sonst hat ein Recht, in dieses Selbsteigentum einzugreifen (Nozick 1974, 26 ff., Wolff 1991, 7 f.). Das Selbsteigentum soll eine Schranke für Eingriffe und Übergriffe auf eine Person darstellen, die aus libertärer Sicht möglich wären, wenn man das Selbsteigentum nicht akzeptiere, wie dies bspw. im Utilitarismus der Fall sei. Denn, so argumentieren libertäre Autoren, dort wäre es denkbar, dass andere Personen oder der Staat auf den Körper einer Person Zugriff nehmen dürften, um zur Steigerung des Wohls der größten Zahl oder zur Herstellung von Gleichheit beizutragen. Man könnte sich bspw. eine Situation vorstellen, in der Menschen dazu gezwungen werden, Lebendspenden von Organen durchzuführen, bspw. ein Auge (Wolff 1991, 7 f.), eine Niere, Teile der Leber, Hautstücke oder Rückenmarksflüssigkeit, um anderen Menschen zu helfen. Denn ein Mensch kann in der Regel *ohne* Niere nicht lange überleben, mit *einer* Niere aber schon; ebenso kann man mit *einem* Auge noch sehen, ganz *ohne* Augen jedoch nicht. Nähme man also ein Auge und implantierte es einem Blinden, dessen Augen zerstört sind, so würde dies für jenen einen erheblichen Gewinn an Lebensqualität darstellen, wohingegen der Verlust des Spenders längst nicht so groß wäre – die Nutzensumme wäre somit positiv. Gegen solche Überlegungen wendet sich Robert Nozick als einer der wichtigsten libertären Autoren mit Rückgriff auf Kant und seinem Verbot der Behandlung von Menschen als bloßes Mittel (Nozick 1974, 32). Aus dem Konzept des Selbsteigentums und weiteren Überlegungen zur Entstehung und Legitimation des Staates entwickelt Nozick die Position, dass es dem Staat nur sehr eingeschränkt erlaubt sei, in das Leben seiner Bürger einzugreifen (Nozick 1974, IX): Der Staat dürfe sich nicht in das Leben seiner Bürger einmischen. Insbesondere dürfe er niemanden zu einem bestimmten Lebensstil zwingen, zu moralischen Handlungen anhalten oder sonst bestimmte Verhaltensweisen erzwingen. Der Staat sei auch nicht gehalten, in irgendeiner Weise paternalistisch einzugreifen, wenn eine Person sich selbst schädigt – diese Idee findet sich schon bei John Stuart Mill (vgl. Glover 1983 und Martin 1983). Es ist das Recht und die Freiheit einer jeden Person, das eigene Leben so zu führen, wie es diese Person möchte – dies beinhaltet eben auch das Recht, sich selbst zu schädigen. Kurzum: Libertäre betonen negative Rechte und möchten diese unter allen Umständen gegen Eingriffe anderer Personen schützen.

In Bezug auf die Frage, ob der Staat legitimiert sei, soziale Grundgüter umzuverteilen, herrscht Dissens zwischen Liberalen und Libertären.

Ansonsten jedoch stimmen Liberale zu, dass jede Person selbst das Recht habe, ihren Lebensstil zu wählen und zu verfolgen, wie Rawls (1999, 3/4) gleich zu Beginn seiner „Theory of Justice" betont. Und obwohl hier bisher nur auf Nozick und Rawls Bezug genommen wurde, ist es keine allzu gefährliche Verallgemeinerung, dass viele, wenn nicht gar die meisten, libertäre und liberale Autoren darin übereinstimmen, dass es für ihre Positionen zentral sei, dass die einzelne Person selbst die Autorin ihres Lebens sein soll und sein darf – vielleicht sogar sein muss, um überhaupt Person zu sein.

Nun ist das, was einen eigenen Lebensentwurf oder -stil ausmacht und umfasst, nicht ahistorisch gegeben, sondern wesentlich von wissenschaftlichen und technischen Gegebenheiten abhängig. Vor etwas mehr als hundert Jahren hätte sich ein junger Mensch nicht zum Ziel setzen können, einmal Jetpilot zu sein: Weder existierten strahlgetriebene Flugzeuge, noch Flugzeuge überhaupt. Ebenso hätte sich niemand zum Ziel setzen können, gezielt Veränderungen an seiner eigenen genetischen Ausstattung vorzunehmen, da die dazu notwendigen grundlegenden Erkenntnisse erst in den 1950er Jahren entdeckt wurden. Diese Liste ließe sich nun beliebig fortsetzen. Geht man also davon aus, dass es das Recht einer jeden Person ist, selbst den Fortgang des eigenen Lebens zu bestimmen, so muss dieses Recht dergestalt sein, dass jede Person die jeweils gegebenen Mittel in einer Gesellschaft nutzen können kann, um das eigene Leben selbst zu gestalten, soweit dies nicht mit dem gleichen Recht anderer Personen kollidiert. In näherer oder fernerer Zukunft gehört dann eben die Möglichkeit dazu, dass sich Menschen durch medizinisch-technische Maßnahmen selbst gestalten werden.

Allerdings sollte die Gleichsetzung von libertären und liberalen Positionen in Bezug auf das Thema des medizinisch-technischen Enhancement nicht zu weit getrieben werden – in Hinsicht auf die Frage der Redistribution von Gütern in einer Gesellschaft darf dies schließlich auch nicht getan werden. Libertäre würden Liberalen vorwerfen, dass die Tatsache, dass sie bereit seien, zur Herstellung sozialer Gleichheit in das Selbsteigentum von Personen einzugreifen, bereits einen Schritt darstelle, der logisch darin enden müsse, dass auch Eingriffe in die körperliche Integrität dieser Menschen zur Erreichung jenes Ziel legitimiert würden. Allerdings könnten Liberale gegen diesen Vorwurf entgegnen, dass es nicht ihr Ziel sei, Gleichheit so herzustellen, dass bei einigen Menschen in die körperliche – und vielleicht sogar mentale – Konstitution mit dem Ziel der Egalisierung durch Verschlechterung von Eigenschaften eingegriffen wird, sondern allenfalls Verbesserungen an Benachteiligten vorgenommen werden sollen – und dies natürlich auch nur freiwillig. Doch aus libertärer Sicht wäre es bereits illegitim, dass Menschen durch Eingriff in ihre materiellen Ressourcen an sich selbst keine Modifikationen mehr durchführen könnten, obwohl sie das vielleicht wollten – ein klarer Eingriff in einen individuellen Lebensplan.

Vielen Menschen jedoch bereitet die Vorstellung der technischen Selbstmodifikation sicher große Angst. Dabei ist wahrscheinlich, dass sie nicht einmal die Angst haben, dass andere Personen sich selbst verändern – dies ruft meist eher Ablehnung, Ekel oder ähnliche Empfindungen hervor, so ersichtlich bei Mode, Make-up und Körperschmuck wie Tattoos oder Piercings. Die Angst entsteht dort, wo befürchtet wird, dass solche Eingriffe am eigenen Körper und möglicherweise gegen den eigenen Willen vorgenommen werden könnten. Doch sollten Ablehnung oder Ekel hinsichtlich ihrer sozialen Relevanz nicht unterschätzt werden, denn einerseits können und werden solche zunächst subjektiven Empfindungen oft verallgemeinert in der Form, dass geäußert wird, dass bestimmte Moden oder Ähnliches sich eben nicht mit Anstand und guten Sitten vertrügen und daher verhindert oder verboten werden sollten. Andererseits sind Ablehnung oder Ekel in solchen Fällen oft selbst subjektive Instanzen gesellschaftlich weithin akzeptierter sozialer Normen und Werte, denn es handelt sich um Reaktionen, die durch die jeweils individuelle Sozialisation vorgeprägt wurden. Tendenziell wird Ablehnung dem Neuen, bspw. also neuen Lebensstilen oder Verhaltensweisen, entgegengebracht; hierin drückt sich somit eine prinzipiell konservative Haltung aus. Außerdem kann man bspw. an der Debatte um das richtige Verhältnis zwischen Arzt und Patient oder um aktive und passive Sterbehilfe gut ersehen, dass paternalistische Grundhaltungen durchaus weit verbreitet sind – gerade, aber nicht nur, in religiös geprägten Gesellschaften (Sade 2001, 249):

> Among clinical caregivers, at least in the United States, there is still a strong impulse to focus exclusively on what is medically best for patients. Although this ethic is labeled beneficence, it often crosses the line into paternalism – doing what is medically best for patients even though it is not what they would want for themselves. Patients do not always wish to choose what is medically best, but to act on non-medical values.

Kommunitaristen liefern die intellektuelle Unterfütterung für einen starken Paternalismus. Aus deren Perspektive wird das zentrale Element libertärer und liberaler Positionen abgelehnt oder zumindest doch erheblich abgeschwächt – das Recht auf die Wahl des eigenen Lebensentwurfs. Begründet wird dies mit der sozialen Einbettung einer jeden Person, die nicht einfach aus dem Boden sprieße wie Pilze nach dem Regen, sondern einer Gemeinschaft, ihres Schutzes, ihrer Werte und ihrer Normen bedürfe. Für Kommunitaristen ist das liberale Bild von Personen jenes vom „freischwebenden Ich" bzw. „ungebundenen Selbst", das ohne Bindungen seine Lebenspläne entwickelt (vgl. Sandel 1984). Dem stellen sie die immer schon gegebene Einbettung der Person in soziale Praxen, Normen, Werte und Lebensziele entgegen. Nicht die universelle Durchsetzung frei ausgehandelter Regeln sowie die schon immer vorausgesetzte Gültigkeit von elementaren Rechten sind Voraussetzung des Kommunitarismus, sondern die Einbettung in einen gesellschaftlichen Kontext (Kersting 1997, 399).

Aus libertärer und liberaler Sicht muss der Staat unbedingt moralische Neutralität bewahren; staatliche Institutionen dürften den einzelnen Personen als Mitgliedern des Gemeinwesens keinerlei Vorgaben machen, wie sie ihr Leben führen und welchen Zielen sie sich verschreiben sollen. Ob Menschen religiös sind oder atheistisch, ob sie promisk leben oder sexuell abstinent, ob sie nach Wohlstand streben oder lieber eine ruhige Kugel schieben: all dies liegt aus liberaler und libertärer Meinung in der Entscheidung der Menschen selbst. Der Staat habe nicht die Aufgabe, ihnen hier Vorgaben zu machen oder auf andere Weise in ihr Leben einzugreifen. Nur dann, wenn die jeweiligen Lebensentwürfe zu Kollisionen mit den Rechten anderer führen, sei der Staat verpflichtet, ordnend einzuschreiten. Kommunitaristen wie Alasdair MacIntyre (1994, 124) widersprechen dem jedoch vehement:

> [...] we all approach our own circumstances as bearers of a particular social identity. I am someone's son or daughter, someone else's cousin or uncle; I am a citizen of this or that city, a member of this or that guild or profession; I belong to this clan, that tribe, this nation. Hence what is good for me had to be good for one who inhabits these roles. As such, I inherit from the past of my family, my city, my tribe, my nation, a variety of debts, inheritances, rightful expectations and obligations.

Insbesondere die hier angesprochenen Verpflichtungen gegenüber der Gesellschaft müssten erfüllt werden (Taylor 1992, 209). Kommunitaristen sind daher der Überzeugung, dass „the identity of the autonomous, self determining individual requires a social matrix, one for instance which through a series of practices recognizes the right to autonomous decision and which calls for the individual having a voice in deliberation about public action."(Taylor 1992, 209) Sie betonen damit eher das, was Isaiah Berlin „positive Freiheit" nannte – grob gesprochen Freiheit im Sinne Jean-Jaques Rousseaus, nämlich an politischen Willensbildungsprozessen teilzuhaben; negative Freiheit, die Libertäre und Liberale betonen, ist aus kommunitaristischer Perspektive eher zweitrangig. Da jedoch immer die Gefahr des Trittbrettfahrens besteht – also die Bürger zwar die Vorteile einer wohlgeordneten Gesellschaft genießen, aber nichts dazu beitragen wollen –, sollen der Staat und seine Institutionen bestimmte Lebensformen mehr oder minder sanft erzwingen (Graf 1994, 141; Kursiv im Original):

> [C]ommunitarians argue that the state ought to enforce that morality which is dominant within the community. […] Communitarianism […] gives the state the right to discriminate between different views of the good; the state is entitled to give special treatment to that morality which is dominant within the community.

Bei Abweichungen hätten die Gesellschaft und der Staat als Exekutive des Gemeinwillens das Recht und die Pflicht, sanktionierend vorzugehen (Graf 1994, 144). Die angesprochene dominante Moral umfasst dabei alle denkbaren Lebensbereiche. Ohne Zweifel gehören damit die Möglichkeiten der Selbstgestaltung, die durch medizinisch-technisches Enhancement eröffnet werden, in den Bereich dessen, was als „dominant morality" angesehen werden kann. In der Konsequenz heißt dies, dass Staat und Gesellschaft bestimmen, welche Verbesserungen und Modifikationen moralisch akzeptabel oder inakzeptabel sind und daher geduldet, vielleicht auch gefördert, werden können und welche unterdrückt werden müssen. Im Klartext bedeutet dies, dass aus kommunitaristischer Sicht nicht die einzelne Person entscheiden darf, ob sie medizinisch-technisches Enhancement nutzt, sondern dass die existierenden sozialen Normen, die vorherrschende Moral und die dominante Vorstellung eines guten Lebens die Grenzen individuellen Handelns auch in diesem Bereich setzen.

4. Können, sollen und dürfen Menschen ihr Menschsein hinter sich lassen?

Dass Menschen ihr Sosein hinter sich lassen, ist nicht erst durch Möglichkeiten des medizinisch-technischen Enhancement gegeben, sondern beginnt bei Make-up, Mode oder Körpermodifikationen. Erziehung und Sozialisation zielen ebenfalls darauf, Menschen zu verändern oder zu besseren Menschen zu machen. Ob dabei das Menschsein zurückgelassen wird, ist vor allem eine Frage der Definition, was unter „Menschsein" verstanden werden soll – hier sind immer schon normative Erwägungen im Spiel, rein deskriptive Aussagen sind diesbezüglich schlicht unmöglich. Trotz dieser Definitionsproblematik steht es jedoch nicht wirklich infrage, ob Menschen ihr Menschsein hinter sich lassen *können*. Radikale Modifikationen, bspw. Eingriffe in das Genom oder in das Zentralnervensystem, beinhalten sicher noch lange Zeit unkalkulierbare Risiken, so dass Klugheitserwägungen zurzeit eher gegen solche Maßnahmen sprechen. Wahrscheinlich ist es aber nur eine Frage der Zeit, bis sich Risiko und zu erwartender Nutzen, ob nun subjektiv oder objektiv bestimmt, die Waage halten werden. Dann wird es sicherlich Menschen geben, die medizinisch-technisches Enhancement nutzen werden wollen. Insbesondere Schwerkranke ohne sonstige Alternativen und ohne Hoffnung auf andere Heilverfahren werden auch auf sehr risikobehaftete Behandlungsmethoden zurückgreifen, wodurch wiederum der Anwendung zur gezielten Verbesserung Tor und Tür geöffnet werden wird – allein schon deshalb, weil wie oben bemerkt die Unterscheidung zwischen Therapie und Enhancement bestenfalls fließend ist. Deshalb ist zu erwarten, dass viele Menschen in der Zukunft durchaus der Ansicht sein werden, dass sie diese Möglichkeiten anwenden *sollen*.

Nun bleibt zu klären, ob es den Menschen erlaubt sein sollte, so zu verfahren, ob sie Enhancement durchführen *dürfen*. Hier kann keine einfache Antwort gegeben werden, da diese wesentlich davon abhängt, welche Voraussetzungen getroffen werden. Wie angedeutet, sind diese Voraussetzungen aus libertärer, liberaler und kommunitaristischer Sicht sehr verschieden: Wo libertäre und liberale Autoren die Rechte der einzelnen Person betonen, verneinen Kommunitaristen rundweg die Existenz solcher Rechte (vgl. Tomasi 1991, 521). Letzteres heißt, dass es nicht die Entscheidung des Individuums sein soll, sich für oder wider die Anwendung medizinisch-technischer Verfahren mit dem Ziel des Enhancement zu entscheiden; stattdessen ist das eine Entscheidung, die durch die Gesellschaft und die darin herrschende Moral getroffen wird – dies könnte im Übrigen bedeuten, dass es sogar obligatorisch sein könnte, Enhancement durchzuführen – eine Konsequenz kommunitaristischer Positionen, die ihre Vertreter in dieser Deutlichkeit entweder kaum bewusst ist oder von ihnen so nicht ausgesprochen werden mag. Libertäre und wohl auch die meisten liberalen Autoren würden solche Entscheidungen der einzelnen Person überlassen; aus liberaler Sicht müsste aber möglicherweise darüber nachgedacht werden, ob es sogar ein Recht gäbe, in der Anwendung von Enhancement durch die Gesellschaft unterstützt zu werden, um Ungleichheiten zu verringern und/oder zum Verschwinden zu bringen – die Argumente kommen dann aus der Sphäre distributiver Gerechtigkeit und gehen damit deutlich über das hier Diskutierte hinaus (bspw. Buchanan et al. 2000). So klar die Antwort aus libertärer und wohl auch liberaler Sicht erscheinen mag, so wird sie doch an dem Punkt infrage gestellt, an dem durch Enhancement nicht nur jene Person betroffen ist, die entsprechende Maßnahmen an sich selbst durchführen lassen möchte, sondern auch zukünftige Menschen berührt werden. Denn selbst aus einer libertären Sicht muss nun neu darüber nachgedacht werden, da die Rechte verschiedener Personen mit einem jeweils verschiedenen Seinsstatus gegeneinander abgewogen werden müssen. Dies verweist auf Diskussionen um Generationengerechtigkeit und um die Verantwortung gegenüber zukünftigen Generationen, doch kann diesem Gedankengang an dieser Stelle nicht mehr nachgegangen werden. Und noch ein Argument, das häufig aus kommunitaristischer Perspektive geäußert wird, sollte ernsthaft bedacht werden: Wie jede andere Handlung auch kann das medizinisch-technische Enhancement negative Externalitäten, sprich: Kosten oder Schäden, für Dritte nach sich ziehen. Dies jedoch ist auch aus libertärer und liberaler Perspektive illegitim und muss vermieden werden – letztlich bedeutet dies, im Zweifel der Anwendung medizinisch-technischer Maßnahmen zum Zwecke des Enhancement Grenzen zu setzen. Doch damit befinden wir uns wieder am Beginn der Diskussion, denn gerade die Frage nach diesen Grenzen ist so schwierig zu beantworten.

LITERATUR

Bostrom, N. (2005): In Defense of Posthuman Dignity, in: *Bioethics* 19 (3), 202-214.

Buchanan, A./Brock, D. W./Daniels, N./Wikler, D. (2000): *From Chance to Choice.* Cambridge: Cambridge University Press.

Fuchs, M. (2001): Die Natürlichkeit unserer intellektuellen Anlagen. Zur Debatte um ihre gentechnische Verbesserung, in: *Jahrbuch für Wissenschaft und Ethik*, Band 6, 108-122.

Gert, B. (2002): Should Human Gene Enhancement Be Regulated?, in: *Jahrbuch für Recht und Ethik*, Band 10, 37-46.

Glover, J. (1983): Suicide and Gambling with Life, in: Narveson, J. (ed.): *Moral Issues.* Toronto: Oxford University Press, 29-37.

Graf, G. (1994): Contract Law and the Ethical Neutrality of the State: Some Thoughts about Liberalism and Communitarianism, in: Pauer-Studer, H. (ed.): *Norms, Values, and Society.* Dordrecht: Kuwer, 143-151.

Habermas, J. (2001): *Die Zukunft der menschlichen Natur. Auf dem Weg zu einer liberalen Eugenik?* Frankfurt/Main: Suhrkamp.

Haraway, D. (1991). *Simians, Cyborgs, and Women*. New York: Routledge.
Kersting, W. (1997): *Recht, Gerechtigkeit und demokratische Tugend*. Frankfurt/Main: Suhrkamp.
MacIntyre, A. (1994): The Concept of a Tradition, in: Daly, M. (ed.): Communitarism. Belmont/California: Wadsworth Publishing Company, 123-126.
Martin, R.M. (1983): Suicide and False Desires, in: Narveson, J. (ed.): *Moral Issues*. Toronto: Oxford University Press, 38-42.
Nozick, R. (1974): *Anarchy, State, and Utopia*. New York: Basic Books.
Rawls, J. (1999): *A Theory of Justice*. Cambridge/Massachusetts: Belknap Press of Harvard University Press, revised edition (zuerst publiziert 1971).
Sade, R.M. (2001): Autonomy and Beneficence in an Information Age, in: *Health Care Analysis* 9 (3), 247–254.
Sandel, M.J. (1984): The Procedural Republic and the Unencumbered Self, in: *Political Theory* 12 (1), 81-96.
Tomasi, J. (1991): Individual Rights and Community Virtues, in: *Ethics* 101, 521-536.
Warwick, K. (2003): Cyborg morals, cyborg values, cyborg ethics, in: *Ethics and Information Technology* 5 (3), 131-137.
Wolff, J. (1991): *Robert Nozick. Property, Justice and the Minimal State*. Stanford/California: Standford University Press.
Wolpe, P.R. (2002): Treatment, enhancement, and the ethics of neurotherapeutics, in: *Brain and Cognition* 50 (3), 387-395.

Zu Tode definiert? Irreversibles Hirnversagen und Menschentod

HANS-WALTER RUCKENBAUER

Es gibt ein schöngeistiges Verständnis von Philosophie, welches das denkerische Bemühen des Menschen insgesamt auf einen im Wesentlichen seit den antiken Ursprüngen unveränderten Kanon von Fragen fixiert. Kants vierfache Was-Frage mit sattsam bekannter anthropozentrischer Klimax wird dabei mit Vorliebe als Autoritätsbeleg angeführt. Weniger schöngeistige Konzeptionen sehen in der Philosophie den Ort, wo Fragen von lebensweltlicher Relevanz mit den Mitteln der Vernunft bearbeitet werden. In diesem Sinn erweist sich nicht nur die Praktische Philosophie als eine auf Anwendung bezogene Disziplin. Wobei der Begriff „Anwendung" hier eigentlich in die Irre leitet: Insbesondere in der Angewandten Ethik geht es ja nicht um die Durchführung eines theoretischen Konzepts in einem konkreten Praxisfeld (analog der Anwendung einer mathematischen Formel in der Verfahrenstechnik), sondern um die gedankliche Erschließung, Durchdringung und Aufbereitung eines Bereichs menschlicher Wirklichkeit unter dem Vorzeichen des Handelns und unter dem Anspruch der Rationalität. Über weite Strecken wird dabei die kritische Funktion der Philosophie im Vordergrund stehen: Ihre Anstrengung gilt dem Bemühen, die Fesseln der Ideologien zu lockern und die Macht dominanter Vorurteile zu schmälern. Das geschieht durchaus im Bewusstsein, dass sich manches von dem, was uns heute als unanfechtbar erscheint, vielleicht übermorgen als Vorurteil zu zeigen gibt.

Im Streit um das Hirntod-Kriterium ist meines Erachtens genau diese ideologiekritische Aufgabe gefordert: Anschärfen, worum es geht – Analyse der Begriffe – Unterscheidung und adäquate Bearbeitung der Ebenen. Die Aktualität der Fragestellung verdankt sich weniger neuer philosophisch-anthropologischer Einsichten als der Hartnäckigkeit, mit der sich Hans Jonas' Ressentiment gegen das Hirntod-Kriterium in der Diskussion hält. Ein anschauliches Beispiel dieser Autoritätsgebundenheit gaben vor kurzem die Ausführungen von Werner Theobald, seines Zeichens Ethik-Dozent und Lehrbeauftragter der Medizinischen Fakultät Kiel, zum mühevollen Unterfangen des moralphilosophischen Diskurses: Gerade die Hirntod-Problematik dient ihm als Exempel einer häufig notwendigen Urteilsenthaltung. Die Argumente pro und contra Hirntod-Kriterium seien mit den Mitteln der Vernunft nicht entscheidbar; die Diskussion ende in der Aporie (Theobald 2007, 102-104). Wenigstens wird Jonas' Unterstellung nicht perpetuiert, die Empfehlung der Harvard-Kommission aus dem Jahr 1968 habe den Zeitpunkt des Todes rein aus pragmatischen Erwägungen „umdefiniert", um wachsende Transplantationsbegehrlichkeiten zu befriedigen (Jonas 1987, 219). Nun entsprang die Motivation für das fragliche Gutachten wohl eher der „Triage"-Überlegung, ab wann denn die Behandlungspflicht mit intensivmedizinischem Gerät ende, dessen Verfügbarkeit eine limitierende Ressource darstellt.[1] – Abgesehen davon vernachlässigt die „Jonas-Strategie" nämlich die Unterscheidung zwischen Genese und Geltung. Es mag zwar einhelliger Konsens in der Moralphilosophie sein, dass der Einsatz böser Mittel nicht durch einen noch so edlen Zweck zu rechtfertigen sei, eine ethisch fragwürdige Motivation in der Normgenese brächte deren Geltung jedoch nicht automatisch in Misskredit. Dessen ungeachtet wurde und wird die Diskussion des Hirntod-Kriteriums von Gegnern der Organtransplantation häufig mit makaberen Schauergeschichten angereichert: Die gleichsam zombiehaft „untoten" SpenderInnen würden erst durch die Organentnahme getötet; es handle sich dabei um eine Vivisektion an Sterbenden; der Bedarf an funktionstüchtigen Organen habe in pragmatisch-utilitaristischer Weise eine neue Todesdefinition diktiert und so fort. Dies führt sogar in der Qualitätspresse wie der „Zeit" zu so überspannten Titelformulierungen wie „Frische Leichenteile weltweit" (Nr. 8 / 15.02.2007).

In pragmatischer Hinsicht haben mich Erfahrungen aus Ethik-Seminaren mit Studierenden der Medizin sowie aus Diskussionen mit und Fortbildungen für Ärztinnen, Ärzte und einschlägig Pflegende bewogen, dieses Thema aufzugreifen. Aus diesen Begegnungen blieb mir neben der verständlichen emotionalen Betroffenheit auch ein gerüttelt Maß an begrifflicher Konfusion und standesethischer Verunsicherung in den erwähnten Gruppen in Erinnerung. Abschließend werde ich hinsichtlich der Problematik der Organgewinnung ein Solidaritätsargument entfalten, das in praxi das Modell einer (schwachen und / bzw. erweiterten) Widerspruchslösung legitimiert, ohne mit gemeinhin als pietätlos empfunden Ansprüchen (Stichwort: Sozialpflichtigkeit des Leichnams) oder realitätsfernen Annahmen (Stichwort: Unterstellung der Zustimmung) zu operieren.

---

[1] Vgl. die einleitende Begründung für die Empfehlung des irreversiblen Komas als Zeitpunkt des Todeseintritts im „Report of the Ad Hoc Committee of the Harvard Medical School to Examine the Definition of Brain Death".

Was verursacht die Irritation in der Frage des Todeszeitpunkts?

Gewöhnlich gilt der Moment, in dem die Atmungs- und Herztätigkeit eines Menschen erlöschen, als Zeitpunkt seines Todes. Dies war schon im alten Ägypten mit seinem kardiozentrischen Menschenbild so. Die Feststellung des Todes blieb gerade in Zeiten von Kriegen und Epidemien bis weit in die Neuzeit relativ vage an den Ausschluss von Lebenszeichen wie Herzschlag, Atmung oder spontane Bewegung gekoppelt. Erste erfolgreiche mechanische Wiederbelebungsversuche von Ertrunkenen datieren in die zweite Hälfte des 18. Jahrhunderts; und die Angst, als Scheintote/r begraben zu werden, ist ein Phänomen des späten 19. Jahrhunderts. Heute wissen wir aus der Notfallmedizin, dass der so genannte klinische, durch Kreislaufstillstand verursachte Tod potenziell und in einem sehr engen Zeitfenster noch reversibel ist. Erfolgt keine dauerhafte Reanimation, stellen sich nach und nach die sicheren Zeichen des Todes ein: Totenflecken, Leichenstarre, Verwesung.

Die Möglichkeiten moderner Intensivmedizin, beginnend mit der Entwicklung von Respiratoren zur längerfristigen maschinellen Ersetzung der Atemfunktion Ende der 1950er Jahre, brachten jedoch Verwirrung in diese Jahrtausende alte, überkommene Vorstellung des Menschentodes: Heute kann nahezu jedes Organ für einen mehr oder weniger langen Zeitraum künstlich ersetzt werden – jedes, mit Ausnahme des Gehirns. Anders als andere Organfunktionen ist die Steuerungs- und Integrationstätigkeit des Gehirns nämlich unersetzbar. PatientInnen mit einem „coma depassé" (beschrieben von Mollaret/Goulon 1959) lassen keinerlei Gehirnaktivität erkennen; trotz maschineller Beatmung führt ihr Zustand zwangsläufig zum Herzstillstand. Handelt es sich nun bei Menschen im Zustand dieses irreversiblen Komas, deren Gehirn entweder durch eine schwere direkte Schädigung (Schädel-Hirn-Verletzung, Tumor, Blutung) oder durch Sauerstoffmangel unwiederbringlich zerstört worden ist, um behandlungspflichtige Lebende, Sterbende oder bereits Tote? Angesichts solcher Fragestellungen versuchte das Ad Hoc Committee der Harvard Medical School 1968 das Kriterium des Menschentodes exakter zu formulieren. In Folge wurde das Ende der ärztlichen Behandlungspflicht mit dem irreversiblen Funktionsausfall des Gesamtgehirns festgelegt. 40 Jahre später ist diese Regelung etablierte Praxis in allen westlichen Ländern. Der Nachweis des Hirntodes gilt gemeinhin als erbracht, wenn zwei unabhängige Untersuchungen innerhalb von 24 Stunden zeigen können, dass ein Mensch im tiefen Koma liegt, keine zentralen Reflexe mehr aufweist, nicht mehr spontan atmet und weite, lichtstarre Pupillen hat.

Die Auskunft darüber, was den Tod eines Menschen ausmacht, vermag jedoch die Medizin allein nicht zu geben. Genuin in ihren Bereich gehört ja nur die Sachfrage der Todesfeststellung: Welche Methoden, welche Tests sind geeignet und hinreichend zuverlässig, den Eintritt des Todes zweifelsfrei zu diagnostizieren? Schon die Frage nach einem validen Kriterium des Todes verweist über den Horizont der Medizin hinaus auf eine philosophisch-anthropologische Todesbestimmung, die wiederum ein bestimmtes Verständnis von Menschsein und menschlichem Leben impliziert. Hinter der Wahl des Todeskriteriums steht also nicht mehr die „Prüfung der *Wahrheit* einer sachhaltigen Aussage, sondern [...] die Prüfung der *Adäquatheit* oder *Zweckmäßigkeit* einer Definition. [...] Definitionen sind anthropogen, *man-made*. Anders als Tests und Kriterien, empirische Verallgemeinerungen und Gesetzesaussagen sind sie nicht wahr oder falsch, sondern jeweils nur sinnvoll oder sinnlos, angemessen oder unangemessen, zweckmäßig oder unzweckmäßig." (Birnbacher 2006, 251)

Halten wir fest: Die Irritation vertrauter Interpretationen ist dem medizinisch-technischen Fortschritt nach dem Zweiten Weltkrieg geschuldet. Um mit ihr produktiv umgehen zu können, bedarf es zuvorderst der Klärung des Todesverständnisses aus philosophisch-anthropologischer Sicht.

Was also ist der Tod des Menschen? Anders gefragt:
Welchen Tod stirbt der Mensch?

Die Frage nach dem Tod erledigt sich nicht mit dem Verweis auf ein naturwissenschaftliches Datum – dieses kann nur Beleg für den bereits eingetretenen Tod sein. Mit dem Begriff des Todes verbinden wir individuelle Erfahrungen (natürlich nur mittelbar, aus der Beobachterperspektive), Gefühle, Ängste, kulturspezifische Traditionen sowie religiöse und weltanschauliche Ansichten. Die Verständigung über eine angemessene Begriffsbestimmung ist letztlich ein gesellschaftlicher Prozess. Ein konsensfähiges Ergebnis wird wohl am ehesten dadurch erzielbar sein, dass die Definition aufgrund von sachlichen, intersubjektiv nachvollziehbaren Gesichtspunkten trägt. Deshalb soll die Frage, ob ein Mensch tot ist, von vernünftig begründeten Aussagen abhängen und nicht davon, ob er jemandem als tot erscheint, von jemandem für tot erklärt wird oder gemäß einer lebensweltlichen Überzeugung am Ende gar noch lebt.

Trivialer Weise ist der Tod das Gegenteil von Leben.

Dass der Tod das Gegenteil von Leben ist und es ein Drittes nicht gibt, ist unverzichtbarer Teil unserer moralischen Orientierung. Ein Sterbender ist demnach kein „Halbtoter", sondern ein Lebender. Ist er jedoch verstorben, so heißt das nicht, dass schlagartig kein Leben mehr in ihm sein könnte: Das Absterben verschiedener Organe und Körpergewebe ist ein längerer Vorgang. Ihre partielle „*Noch*-Funktionstüchtigkeit" (Pöltner 2002, 233) ist selbst schon ein Zeichen der besiegelten Desintegration. Lebendig und tot besagen offenkundig Verschiedenes, je nach dem, ob von Lebewesen, Organen, Geweben oder Zellen die Rede ist. Das Gegensatzpaar „Leben & Tod" bezieht sich in unserem Kontext auf ein Lebewesen in seiner Ganzheit. Leben meint seine Existenzweise und nicht bloß eine veränderbare Eigenschaft unter anderen. Anders gesagt: Verlust des Lebens heißt aufhören zu existieren.

Der Mensch stirbt den Tod des Lebewesens.

Wenn es also buchstäblich um Leben und Tod eines Individuums geht, dann gilt nicht nur für den Menschen, sondern für alle höher organisierten Lebewesen: Die Prädikate „tot" und „lebend" werden dem Subjekt „Lebewesen" attribuiert, nicht einem Teil (z. B. Zellverband), einer Funktion (z. B. Stoffwechsel) oder einer Eigenschaft (z. B. Bewusstsein). In gut aristotelischer Tradition meint Leben die „*Selbst*tätigkeit und *Selbst*organisation [eines] Organismus in seiner Einheit" (Honnefelder 2000, 33). Das Ende des Lebens dieses Lebewesens ist demnach genau dann gekommen, wenn seine durch Integration und Steuerung aller Lebensvorgänge bewirkte Einheit aus seiner organischen Mitte heraus irreversibel verloren gegangen ist. Dieses Lebewesen ist tot, unabhängig davon, wie lange seine Krallen noch wachsen mögen,[2] und unabhängig davon, wie lange noch eine gewisse „Lebendigkeit" in einzelnen Organen verbleibt.

---

[2] Das Phänomen, dass die Haare und Nägel eines Toten unter Umständen noch bis zu einigen Tagen nach dem Herz-Kreislauf-Versagen weiter wüchsen, wird heute durch das Schrumpfen der Haut erklärt (vgl. Schöne-Seifert 2007, 132).

Subjekt des Todes ist das menschliche Individuum als leiblich-seelische Ganzheit.

Der Tod ist somit nichts, das nur dem Körper widerführe oder einer geistigen Person. Der ganze Mensch lebt, wächst heran, altert und stirbt. Die Attributionsfrage ist dahingehend zu beantworten, „dass der Tod von einem *Menschen* erlitten wird, nicht nur von einem *Körper* oder einem *Organismus* und nicht nur von einer *Seele* oder einem *Geist*" (Birnbacher 2006, 255). Im Tod endet die leiblich-seelische Einheit des Menschen: Er ist weder zu einer weiteren selbsttätigen Integration der Funktionen seines Organismus fähig, noch kann er Reize seiner Umwelt wahrnehmen, noch in irgendeiner Weise auf sie reagieren. Alle personalen Fähigkeiten – in welchem Grad auch immer dieser Mensch zuvor in der Lage war, sie zu realisieren – sind definitiv zunichte. Mit dem irreversiblen Totalausfall meines Gehirns fehlt „mir" sowohl im körperlichen als auch im geistigen Bereich jede Möglichkeit irgendeines Verhaltens. Als Hirntoter kann ich weder aus meiner Umgebung noch aus meinem Inneren etwas „fühlen, empfinden, wahrnehmen, beobachten und beantworten [...] kann nichts mehr denken, erkennen, entscheiden, erleben und planen, kein Bewußtsein, auch kein Selbst- und Ichbewußtsein mehr haben. Andere Menschen können eine Beziehung nur noch zu [mir], nicht mehr mit [mir] aufnehmen." (Angstwurm 2000, 8)

Zu beachten ist der Unterschied zwischen Leib-Einheit und Organ-Vielfalt: „Mein *Leib als ganzer* ist das *Wesensmedium* meiner weltoffenen Vollzüge." (Pöltner 2002, 232) Ist die dynamische Einheit des Leibes vernichtet, dann hat dieser mein Leib als Leib zu existieren aufgehört. Und da ich mein Leib bin, hätte ich damit zu leben aufgehört; ich wäre tot. Es zeigt sich, dass die Todesdefinition für den Menschen nur ein anthropologischer Begriff sein kann, kein bloß biologischer oder spiritualistischer.

Jeder Mensch stirbt nicht nur seinen eigenen Tod, sondern vor allem nur *einen* Tod.

Der Mensch stirbt nicht nacheinander verschiedene Tode; vielmehr gilt: jemand lebt, stirbt und ist dann tot. Dies soll Missverständnissen vorbeugen, die aus der Rede vom Herz-Kreislauf-Tod, Hirntod, biologischen Tod etc. entstehen könnten. Um die Differenz zwischen der Selbständigkeit des Ganzen und der relativen Eigenständigkeit einzelner Teile bewusst zu halten, könnten wir in Anschluss an Pöltner (2002, 231) statt des Ausdrucks

„Hirntod" sagen: Das irreversible Hirnversagen ist der Tod des Menschen. Die existenzielle Differenz lässt sich markant in folgende Formulierung kleiden: Der Mensch stirbt, Organe oder Gewebe sterben ab. In der noch erhaltenen oder künstlich verzögerten Funktion einzelner Organe „tritt der bereits eingetretene Tod *zeitlich in Erscheinung*" (Pöltner 2002, 234).

Welches Kriterium entspricht diesem Todesverständnis?

Sehen wir uns dazu das „klassische" Todeskriterium an, das auf den Stillstand von Atmung und Kreislauf und den damit verbundenen Stillstand des Herzens abstellt. Für den überwiegenden Teil der Menschheit gilt dies wohl als „normal"; allerdings bezeichnet es längst nicht mehr den Punkt, an dem für jeden Fall der Tod als eingetreten betrachtet werden kann, da der Ausfall von Atmung und Kreislauf und das darauf folgende Absterben der Organe und Zellen durch Beatmung und künstliche Nahrungszufuhr aufgehalten werden können. Hinsichtlich des Erfordernisses der Irreversibilität erweist sich das klinische Kriterium also als unzureichende Abgrenzung. Unter welchen Bedingungen kann man denn überhaupt von der Irreversibilität des Versagens von Kreislauf und Atmung sprechen? Zum Beispiel bei einer durch Unfall bedingten Zerstörung des Herzens in seiner physischen Substanz oder dem Zerreißen von Schlagadern und der damit gegebenen technischen Unmöglichkeit einer Reanimation. Im Allgemeinen ist der Herzstillstand aber erst dann irreversibel, wenn das Gehirn als das zentrale Steuerungsorgan des Menschen vollständig abgestorben ist – dann ist eine Wiederbelebung unmöglich. Denn mit dem Gehirn fällt nicht nur ein spezielles Organ des Menschen aus, sondern die Einheit des Organismus als Grundlage des Vorhandenseins eines menschlichen Individuums ist definitiv beendet. Im Fall des irreversiblen Hirnversagens ist die künstliche Beatmung nicht länger eine Unterstützung von Organfunktionen – denn eine Unterstützung setzte ja die dynamische Leibeinheit voraus –, sondern eine Ersetzung partieller Gehirnfunktionen (Pöltner 2002, 233). Diese Substitution vermag die Funktionstüchtigkeit von Organen oder Organverbänden über eine begrenzte Zeit – das bisherige Maximum liegt bei 107 Tagen im Fall der toten[3] Mutter des „Erlanger Babys" – aufrecht zu erhalten. Folglich handelt es sich dabei um eine Verzögerung des Absterbens von Organen einer/s Toten. Somit ist das Abschalten der Herz-

---

[3] Denn dass eine Schwangerschaft über den Hirntod der Mutter hinaus intensivmedizinisch erhalten werden kann, beweist nicht, dass die betreffende Frau noch als Organismus in funktioneller Ganzheit lebt.

Lungen-Maschine in diesen Fällen kein Sterbenlassen, weil sterben nur jemand kann, der lebt. Es ist vielmehr ein Gebot der Pietät, der Totenruhe, die nur in Abwägung gegen ein höheres Gut verletzt werden darf. Im Lichte empirischer Erkenntnisse erweist sich das Kriterium des irreversiblen Hirnversagens als das zu Ende gedachte Konzept des klassischen, klinischen Herz-Kreislauftodes.

Der Mensch als Organismus ist wie jedes höher entwickelte Lebewesen tot, wenn die Einzelfunktionen seiner Organe und Systeme sowie ihre Wechselwirkungen unwiderruflich nicht mehr zur übergeordneten Einheit des Lebewesens zusammengefasst werden. Mit dem Hirntod ist das Ende des Lebewesens als einer gesteuerten Selbstorganisation eingetreten. Mit dem irreversiblen Ausfall der Funktionen des gesamten Gehirns ist dem biologischen und geistigen Leben der leib-seelischen Einheit Mensch die Basis entzogen. Der Gesamthirntod markiert somit die entscheidende Zäsur zwischen Leben und Tod. Und er wird festgestellt durch bei allen Menschen gleiche körperliche Befunde, unabhängig von der jeweiligen Weltanschauung oder dem jeweiligen Menschenbild inklusive Lebens- und Todesverständnis[4].

Keine Frage: Die Gleichsetzung von Hirntod und Individualtod ist eine Abmachung über den Zeitpunkt, zu dem der Tod als bereits eingetreten betrachtet werden darf. Dies ist nicht deshalb akzeptabel, weil etwa in alter dualistischer Tradition im Gehirn der Sitz der Persönlichkeit zu verorten wäre oder der Mensch auf seinen Intellekt eingeengt würde, sondern weil das Gehirn nach heutigem Kenntnisstand jene Instanz ist, welche die dynamische Einheit des Leibes gewährleistet. Das Gehirn „definiert" den Menschen genauso wenig wie sein Herz. Dass es die unabdingbare körperliche Voraussetzung (nicht nur!) von Bewusstsein und kognitiven Fähigkeiten darstellt, fußt nicht auf einer ideologischen Bewertung, sondern auf der Erkenntnis eines biologischen Sachverhalts (Angstwurm 2000, 9). Mit der irreversiblen Vernichtung der Integrationsfunktion des Gehirns hat der Leib als Wesensmedium personaler Vollzüge aufgehört zu existieren. Der Mensch, der sein Leib ist respektive jetzt war, ist somit tot, selbst wenn das Absterben seiner Organe künstlich verzögert wird.

Gegner der Gleichsetzung des irreversiblen Hirnversagens mit dem Tod des Menschen argumentieren, dass es wider jede Plausibilität sei, einen Menschen, dessen Herz noch schlägt und der einen warmen, gut durchbluteten Körper hat, als tot zu bezeichnen. Geradezu rührend mutet

---

[4] Wie vielfältig der religiös-rituelle Umgang mit dem Tod kulturgeschichtlich ausfällt, belegt die luzide Typologie in Hödl (2007).

das Bemühen dieser Gruppe von KritikerInnen des Hirntod-Kriteriums an, die vertraute Phänomenologie des Todes zu bewahren, vor allem das Fehlen von Atmung und Puls/Herzschlag sowie die Leichenkälte und -blässe – allesamt jedoch auch traditionell unsichere Todeszeichen. Nun mag es schon zutreffen, dass ein/e hirntote/r Organspender/in auf den ersten Augenschein den Eindruck ungebrochener Lebendigkeit vermittelt. Die Entscheidung, ob ein Mensch tot ist oder lebt, sollte allerdings dadurch bestimmt sein, was wir von ihm wissen, und nicht dadurch, wie er uns erscheint. Umgekehrt würden wir ja auch nicht dem bloßen Augenschein vertrauen, wenn wir einen Menschen bleich und leblos am Straßenrand liegend vorfinden: „Er sieht aus wie tot, folglich handelt es sich um eine Leiche und deshalb ist von Erste-Hilfe-Maßnahmen Abstand zu nehmen …" Eine solche Überlegung ist so absurd, dass sie uns real wohl kaum in den Sinn kommt. Selbstverständlich würden wir uns vergewissern, ob dieser Mensch tatsächlich bereits tot ist oder ob er sich nicht vielleicht in einem Schockzustand wegen hohen Blutverlusts befindet etc.

Wer die Phänomenalität im Zuge der postmortalen Organpflege – also wahrnehmbare Erscheinungen wie Atmung, Körperwärme, reflektorische Muskelkontraktionen – an die Stelle des Wissens um den definitiv eingetretenen Zerfall des für das Leben dieses Lebewesens konstitutiven Zentralorgans setzt und so auf das Fortbestehen des Am-Leben-Seins beharrt, vertritt zudem einen latenten Dualismus zwischen Leib und Seele, Körper und Geist. Keineswegs möchte ich in diesem Zusammenhang die enorme psychische Belastung klein reden, welche die Vorbereitung und Durchführung der postmortalen Organentnahme für alle persönlich oder professionell Betroffenen mit sich bringt. Es steht für mich außer Diskussion, dass hinsichtlich der Aus- und Fortbildung sowie der supervisorischen Begleitung aller professionell Tätigen noch längst nicht alle Desiderate erfüllt sind. Der Handlungsbedarf besteht jedoch nicht in Sachen „Todes-Kriterium".

Von der Pflicht zu spenden

Mit einem Ausblick auf eine Ethik der Organgewinnung vom menschlichen Leichnam schließe ich: Der Umgang mit einem toten Menschen steht fraglos unter der Forderung der Pietät und fortwirkender Rechte der verstorbenen Person. Allerdings schränken die bestehenden Rechtsordnungen das postmortale Selbstbestimmungsrecht im Interesse der Allgemeinheit doch deutlich ein, nämlich einerseits durch Bestattungsgesetze, die die Art des Umgangs mit dem menschlichen Leichnam dem Belieben der Verstorbenen und ihrer Angehörigen entziehen, und andererseits durch hoheitliche Direktiven hinsichtlich einer Obduktion oder des Infektionsschutzes. Diesbezüglich ist jeder vorausverfügte Widerspruch wirkungslos; Widersetzung seitens der Angehörigen wird sanktioniert. Damit soll der relativ weite Spielraum angedeutet sein, der dem Gesetzgeber zur Verfügung steht, um die Zurückstellung der Interessen Einzelner zugunsten der Fürsorge für andere einzufordern.

Pietät erweist nicht nur der Person Respekt, die dieser Leichnam einmal war, sondern schließt auch ein entsprechend feinfühliges Eingehen auf die Bedürfnisse der trauernden Angehörigen ein. Im gezollten Respekt spiegelt sich die Vorstellung der Handhabung, die wir uns für den Leichnam wünschen, der wir einst sein werden. Die Gewissheit eines ehrfurchtsvollen Umgangs mit den Toten stellt sicherlich ein hohes Gut für das soziale Gefüge dar. Allerdings gilt es das Spannungsverhältnis zu Forderungen mitmenschlicher Solidarität zu beachten und sorgsam abzuwägen. Gegebenenfalls haben das Prinzip der Hilfestellung und damit die Möglichkeit einer Entnahme von Organen meines Erachtens den Vorrang vor dem Interesse, den Leichnam möglichst unversehrt der Erde oder dem Feuer zu übergeben. Und zwar genau dann, wenn es sich um dringend benötigte lebenswichtige Organe handelt. Deshalb vertrete ich die These: Das Prinzip der zwischenmenschlichen Solidarität in Verbindung mit einem Notstandsargument scheint mir einen (schwachen) Anspruch der Gesellschaft auf lebenswichtige Organe Verstorbener zu rechtfertigen.

Wobei „Anspruch der Gesellschaft" von der ebenfalls diskutierten „Solidarpflichtigkeit des Leichnams" zu unterscheiden ist. „Solidarpflichtigkeit" meinte ja so etwas wie einen Besitzanspruch der Gesellschaft auf den Leichnam. Dieser käme jedoch rasch in Konflikt mit der bereits erwähnten Schutzfunktion der Gesellschaft unter dem Titel der Pietät. Würde man zudem die Solidarpflichtigkeit des Leichnams konsequent zu Ende denken, liefe dies auf ein uneingeschränktes und möglichst effizientes „Ausschlachten" aller für Forschung und Therapie verwertbaren Leichenteile hinaus. Ich denke, dass dies weder aus dem Solidaritätsargument begründet werden kann, noch dass dies wünschenswert oder gar gesellschaftlich konsensfähig ist. Eine Solidarpflichtregelung im strikten Sinn verwirft auch die Stellungnahme des Nationalen Ethikrats in Deutschland, weil sie „ein tiefer Eingriff in das Selbstbestimmungsrecht der Betroffenen und möglicherweise darüber hinaus in ihre Glaubens- und Weltanschauungsfreiheit" (Nationaler Ethikrat 2007, 32) wäre.

Allerdings schießt es meines Erachtens über das legitime Ziel des Selbstbestimmungsschutzes hinaus, deshalb gleich jede Form von Solidaritätsargumenten von der ethischen Analyse auszuschließen, wie dies Schöne-Seifert tut (2007, 142). Unter dem Solidaritätsargument verstehe ich auch nicht wie Pöltner (2002, 227) die bloße Präsumtion, dass der/die Tote bei Lebzeiten die Zustimmung zur postmortalen Organexplantation aus sozialer Verantwortung heraus gegeben hätte. Zu Recht wurde dagegen eingewandt, dass dies eine zu großzügige Unterstellung sei, bedenkt man, wie wenige Menschen sich Zeit ihres Lebens über solche Fragen eine Meinung bilden. Für den unterschobenen mutmaßlichen Willen werden sich daher schwerlich (oder nur in Ausnahmefällen) Anhaltspunkte im Leben des Verstorbenen finden. Diese realitätsferne Annahme ist in meinen Augen auch gar nicht nötig. Nur eine sehr kleine Anzahl alltagsgesunder Menschen beschäftigt sich eingehender mit für sie lebensbedrohlichen Situationen. Dennoch vertrauen sie fraglos darauf, dass die Solidargemeinschaft in Gestalt diverser Rettungsdienste im Falle des Eintritts einer solchen Situation – gleichgültig, ob durch Krankheit, Fahrlässigkeit oder Unfall verursacht – alle zu Gebote stehenden Hilfsmaßnahmen auf dem jeweilige Stand der medizinischen Wissenschaft und unabhängig von ökonomischen Abwägungen ergreift. Diese aus der Sicht des Einzelnen berechtigte Erwartung hat nicht nur die anteilsmäßige Beteiligung an der Finanzierung des Gesundheitswesens zur Folge, sondern impliziert meines Erachtens zudem eine grundsätzliche Bereitschaft, lebenswichtige Organe postmortal zur Verfügung zu stellen, ohne dass dazu eine mutmaßliche Willensbildung fingiert werden müsste. Dieses Argument charakterisiere ich insofern als schwach, als es unmittelbar nur für lebenswichtige Organe geltend gemacht werden kann. Weiterreichende Explantationen bedürften daher eines expliziten Zeichens der Zustimmung (idealiter seitens des Verstorbenen – sprich: Spenderausweis – oder unter Umständen auch vermittelt über die Hinterbliebenen). In diesem Zusammenhang erhält der Ausdruck „Spende" wieder begriffliches Gewicht: Eine Spende beruht auf Freiwilligkeit, die Spendebereitschaft kann nicht generell unterstellt werden. Die Berücksichtigung von Forschungszwecken wäre nur durch eine explizite Erklärung zu Lebzeiten legitim.

Weiters gebietet es die Achtung der Selbstbestimmung, den erklärten Widerspruch zu einer Organentnahme am eigenen Leichnam im Sinne der über den Tod hinaus wirkenden Personenrechte ausnahmslos zu respektieren. In jedem Fall sind Hinterbliebene angemessen von einer geplanten Explantation zu informieren und Möglichkeiten eines würdevollen Abschiednehmens einzuräumen. Sofern Angehörige einen triftigen Bezug zu früheren ablehnenden Willenskundgaben des Verstorbenen vorbringen, möge diesem Einspruch im Sinne eines erweiterten Modells stattgegeben werden. Allerdings ist zu bedenken, dass die Angehörigen in diesem Fall nicht Entscheidungsträger sind, was die existenziell angespannte Situation der Trauer und des Verlusts eines nahen Menschen vermutlich sogar entlastet. Um eine Schädigung des gesellschaftlichen Ansehens der und den damit verbundenen Vertrauensverlust in die Transplantationsmedizin zu vermeiden, erscheint es zumindest diskutabel, selbst bei einer offensichtlich angehörigeninduzierten Ablehnung auf die Organentnahme zu verzichten.

Eine letzte Klarstellung: Genau genommen handelt es sich bei dem formulierten „Anspruch der Gesellschaft" um die legitimen Interessen einzelner lebensbedrohlich geschädigter Menschen im Warten auf den eigenen Tod oder eine erfolgreiche Transplantation. Um mögliche „Aasgeier-Szenarien" zu verhindern, braucht es für diese Grenzsituationen klare Regelungen, die von gesellschaftlich legitimierten Institutionen vollzogen werden. Insofern entspricht die gewählte Formulierung der Situation in höchst angemessener Weise.

LITERATUR

Angstwurm, H. (2000): Der Hirntod als sicheres Todeszeichen des Menschen und als eine Voraussetzung der Organentnahme, in: Firnkorn, H.-J. (Hg.), *Hirntod als Todeskriterium*, Stuttgart: Schattauer, 7-10.
Birnbacher, D. (2006): *Bioethik zwischen Natur und Interesse*, Frankfurt/M.: Suhrkamp.
Hödl, H. G. (2007): Dancing on the Corpses' Ashes. Zur Typologie von Ritualen in Zusammenhang mit dem Tod, in: Heller, B. / Winter F. (Hg.), *Tod und Ritual. Interkulturelle Perspektiven zwischen Tradition und Moderne*, Berlin: LIT.
Honnefelder, L. (2000): Ethische Beurteilung des Organtransplantationsgesetzes, in: Firnkorn, H.-J. (Hg.), *Hirntod als Todeskriterium*, Stuttgart: Schattauer, 32-35.
Jonas, H. (1987): *Technik, Medizin und Ethik. Zur Praxis des Prinzips Verantwortung*, Frankfurt/M.: Suhrkamp.
Nationaler Ethikrat (2007): *Die Zahl der Organspenden erhöhen – Zu einem drängenden Problem der Transplantationsmedizin in Deutschland*, Berlin.
Pöltner, G. (2002): *Grundkurs Medizin-Ethik*, Wien: Facultas.
Schöne-Seifert, B. (2007): *Grundlagen der Medizinethik*, Stuttgart: Kröner.
Theobald, W. (2007): Der numinose Imperativ. Eine Kritik gegenwärtiger Ethikansätze, in: *Information Philosophie* 35/1, 97-105.

Zur Psychodynamik des Philosophierens

JOSEF EHRENMÜLLER

Seit 10 Jahren leite ich (als Psychoanalytiker) *themenzentrierte psychoanalytisch orientierte Selbsterfahrungsgruppen* für PhilosophiestudentInnen am philosophischen Institut der Universität Wien. Insgesamt waren das bisher 40 Gruppen mit im Schnitt 7 bis 8 TeilnehmerInnen je Gruppe. Der Rahmen dafür ist eine Einführungsübung von Univ. Prof. Josef Rhemann, zu der ich sie – in der offiziellen Funktion als Tutor – begleitend anbiete. Thematische Schwerpunkte sind dabei die Umstände des Beginns des Philosophierens sowie die psychische, soziale und geistige Entwicklung der Einzelnen bis hin zum Philosophiestudium.

1. Voraussetzungen und Bedingungen des Philosophierens

In der Philosophiegeschichte finden sich diesbezüglich verschiedenste Mutmaßungen, wobei jeweils kognitive, affektive oder soziale Aspekte hervorgehoben werden, wie folgende Beispiele zeigen:

- Für Hegel ist eine „Entzweiung" im Sinne des Erfahrens von Gegensätzen der „Quell des *Bedürfnisses der Philosophie*". Die Philosophie dient dann dazu, die „zerrissene Harmonie" (Hegel 1970, 20) wiederherzustellen. Dabei macht Hegel ausschließlich kognitive Aspekte geltend, die Erfahrung einer „zerrissenen Harmonie" verweist jedoch offensichtlich auf die zusätzliche Beteiligung affektiver Faktoren.
- Für Platon (Theaitetos 155 d) und Aristoteles (Metaphysik I c 2, 983 a) sind bekanntlich Verwunderung und Staunen der Ausgangspunkt, womit sie den affektiven Aspekt hervorheben.
- Theunissen wiederum betont soziale Faktoren: „Vermutlich wird der Mensch nur dann ein Philosophierender, wenn er in irgendeiner Weise aus dem Zusammenhang der Menschen entweder von Geburt an herausgestellt ist oder durch Erfahrung ausgesondert wird." (in: Schickel 1980, 21) Ähnlich hatte auch Platon an Hand seines Freundes Theages einen Zusammenhang zwischen Kränklichkeit und Philosophieren hergestellt (Politeia 496 b-c).

2. Ergebnisse aus den Gruppen

Bei ca. 80% der TeilnehmerInnen an den Selbsterfahrungsgruppen sind es Probleme und schwierige Lebensumstände, die den jeweiligen Anlass (aber nicht die Ursache!) zum Philosophieren bilden. Solch problematische Umstände können sein: schwierige Familienverhältnisse, Probleme in der Peergroup (Schulklasse, Freundeskreis), existenzielle Erfahrungen (Krankheiten, Tod von nahen Angehörigen etc.).

Bei ca. 20% ist ein anregendes und förderndes Umfeld entscheidend oder sind keine Auffälligkeiten in der Entwicklung festzumachen.

Schwierige Lebensumstände sind deshalb nicht als Ursache anzusehen, weil alle Menschen im Zuge der Entwicklung mehr oder weniger belastende Situationen durchleben, aber nur ein sehr geringer Teil, der zur gedanklichen Reflexion und zum Philosophieren neigt, solche Situationen unter anderem auf diese Weise verarbeitet. Als eigentliche Ursache eines stärkeren Interesses an der Philosophie nehme ich spezielle kognitive Fähigkeiten in Verbindung mit bestimmten affektiven Faktoren (Staunen, Neugier, Ängste etc.) an, die zu dieser Neigung führen.

Mit diesen Ergebnissen aus den Gruppen kann ich solchen Generalisierungen wie jener von Theunissen, dass *alle* Philosophierenden eine Aussonderung erfahren haben müssen, eindeutig widerlegen, wenn dies auch auffällig oft der Fall ist.

Die erwähnten großteils schwierigen Lebensumstände sind sehr häufig begleitet von

- *Außenseitererfahrungen*: wenn jemand durch andere aktiv ausgegrenzt wird (z. B. in der Schulklasse oder im Freundeskreis).

- *Gefühl des Andersseins*: obwohl dies meist so bezeichnet wird, handelt es sich um kein Gefühl, sondern um eine kognitive Verarbeitungsstrategie einer als unangenehm erlebten Erfahrung, von anderen zur Gänze oder in für die jeweilige Person wichtigen Bereichen, Bedürfnissen und Interessen (z. B. dem Interesse für Philosophie) nicht verstanden und angenommen oder gar abgelehnt, ausgelacht und zurückgewiesen zu werden. Der reaktiv erfolgte Schluss, „anders als die anderen" zu sein und insofern gar nicht verstanden werden zu können, schafft ein vermeintliches Verstehen der unangenehmen Situation, wodurch erlittene Kränkungen und Enttäuschungen leichter ertragen werden können.

- *Rückzug* und *Einsamkeit* sind – zumindest über Phasen hinweg – als Reaktion auf diese unangenehmen Erfahrungen häufig die Folge. In typischen Verläufen führt dies z. B. dazu, dass die Betreffenden mehr Zeit mit Büchern als mit Menschen verbringen und sich eventuell schon philosophischer Lektüre zuwenden.

3. Mangel an Anerkennung

Diese Entwicklung ist mit einem *Mangel an Anerkennung* verbunden. Anerkennung erachte ich als menschliches Grundbedürfnis: Ein positives Selbstwertgefühl kann sich nur entwickeln und aufrecht erhalten werden, wenn wir von uns wichtigen Bezugspersonen Anerkennung in Form von Verständnis, Bestätigung, Wertschätzung, Liebe usw. erfahren, wenn wir uns von diesen angenommen fühlen können, so wie wir sind, mit unseren Eigenschaften, Bedürfnissen, Interessen, Einstellungen, Verhaltensweisen. Ist das – auch nur in Teilbereichen – nicht ausreichend der Fall, so führt dieser Mangel an Anerkennung zu Selbstwertproblemen in Form von Verunsicherung, Selbstzweifeln, Minderwertigkeitsgefühlen usw. bis hin zu depressiven Zuständen.

Dieser Zustand mangelnder Anerkennung wird bei den angehenden PhilosophInnen sehr häufig in recht produktiver Weise bewältigt, wobei eine *charakteristische Psychodynamik* in Gang gesetzt wird:

Anstatt sich zu integrieren und sich den anderen, von denen diese Entwertung erfahren wird, anzupassen, werden diese im Gegenzug ebenfalls abgewertet. Deren Interessen (Sport, Mode, Partys, Smalltalk etc.) werden als oberflächlich, stumpfsinnig, unreflektiert abqualifiziert. Dagegen wird die Beschäftigung mit „wichtigen" Dingen, mit den wesentlichen Fragen des Lebens, Lektüre, Reflexion, Wissen etc. hoch bewertet.

Bei den TeilnehmerInnen zeigt sich diesbezüglich ein *signifikanter Geschlechtsunterschied*: Den jungen Männern gelingt es offenbar viel leichter, sich in dieser Weise von den anderen abzugrenzen und eigene Wege einzuschlagen, während die jungen Frauen häufig die eigenen Bedürfnisse und Interessen hintanstellen und sich über längere Zeit noch zu integrieren versuchen. Das hat zur Folge, dass sie umso länger mit Minderwertigkeitsgefühlen und Selbstwertproblemen zu kämpfen haben.

4. Hohes Ichideal und Schamgefühl

Psychoanalytisch gesehen entwickelt sich bei den angehenden PhilosophInnen ein *hohes Ichideal*, an dem sie sich nun aufrichten und messen. Dadurch können die Minderwertigkeitsgefühle überwunden und der

Selbstwert stabilisiert werden. Die Anerkennung durch die – abgewerteten – anderen wird nicht mehr gebraucht und gesucht. Stattdessen entsteht eine Abhängigkeit von einer inneren Instanz, dem hohen Ichideal.

Ergebnis ist ein *labiles Gleichgewicht*: Positives Selbstwertgefühl und Wohlbefinden können nur aufrechterhalten werden, wenn den hohen Anforderungen dieses Ichideals Genüge getan wird. (Wir haben eine beständige hohe Messlatte in uns, an der wir uns zwangsläufig messen.) Geschieht dies unzureichend, sind erst wieder Selbstzweifel, Minderwertigkeitsgefühle und Schamgefühle die Folge.

Diese psychodynamische Entwicklung zeitigt ein *charakteristisches „Symptom"* in der Philosophie: Mit der Selbstzuschreibung, „Philosoph" bzw. „Philosophin" zu sein, ist ein sehr hoher Anspruch verbunden (im Unterschied etwa zu Medizin oder Psychologie, aber ähnlich wie im künstlerischen Bereich). Dies ist begleitet von – oft nur unbewusst vorhandener – Angst, diesem Anspruch nicht zu genügen, und Schamgefühl (als Kehrseite des hohen Ichideals). Gerd Achenbach schreibt dazu: „Wir denken zu hoch von der Philosophie, als dass wir uns ohne Scham ‚Philosophen' nennen könnten – und: wir denken, unter diese Perspektive gerückt, zu schlecht von uns selbst." (1984, 18), und bringt damit die Spannung zwischen hohem Ichideal und realem Ich auf den Punkt. Er meint also, dass wir, wenn überhaupt, nicht ohne begleitendes Schamgefühl von uns selbst sagen könnten, dass wir Philosoph bzw. Philosophin seien. Dahinter steht die Angst, dass jemand diesen Anspruch kritisieren oder zurückweisen könnte mit dem Hinweis, Philosoph sei nur jemand, der schon Bedeutendes geleistet habe, in die Philosophiegeschichte eingegangen sei oder Ähnliches.

Im Gegensatz zur normalen Entwicklung, in der dieses in der Pubertät regelmäßig zu findende – mit verschiedensten Werten und Inhalten gefüllte – hohe Ichideal später relativiert und mehr oder weniger abgebaut wird, bleibt es bei Philosophierenden erhalten oder wird nicht selten sogar weiter verstärkt. Verschiedene Faktoren tragen dazu bei:

• Ein auf die Erfahrung mangelnder Anerkennung zurückgehendes stärkeres Bedürfnis nach (gleichgesinnten) Vorbildern und Identifikationsfiguren.

• Durch die Art des Philosophiestudiums, bei dem wir uns nicht nach und nach die Wissensbestände aneignen (wie bei den Einzelwissenschaften), sondern die „großen Philosophen" studieren, die uns gleichzeitig mehr oder weniger als Ideale und Leitbilder erscheinen, an denen wir uns zwangsläufig messen, und dies umso mehr, als wir schon mit einem stärkeren Bedürfnis nach solchen Vorbildern an sie herangehen.

• Durch die Weitläufigkeit und den Umfang des Gegenstandes sowie damit verbundene Ansprüche (Philosophie als „Königin der Wissenschaft" ist ein heute zwar weniger strapaziertes, aber immer noch sehr wirksames Motiv).

5. Die Thales-Anekdote

Die hier dargestellte Dynamik wird direkt oder indirekt durch die ganze Geschichte der abendländischen Philosophie hindurch immer wieder thematisiert, exemplarisch in der *Thales-Anekdote*, die von Platon eingeführt und in der Folge vielfach zitiert und abgewandelt wird:

> Sokrates: Wie auch den Thales, o Theodoros, als er, um die Sterne zu beschauen, den Blick nach oben gerichtet in den Brunnen fiel, eine artige und witzige thrakische Magd soll verspottet haben, daß er, was am Himmel wäre, wohl strebte zu erfahren, was aber vor ihm läge und zu seinen Füßen, ihm unbekannt bliebe. (Theaitetos 174 a)

Hans Blumenberg hat sich in *Das Lachen der Thrakerin* dieser Anekdote gewidmet und sie als „Urgeschichte der Theorie" (so der Untertitel seines Buches) bezeichnet, unter anderem deshalb, weil Platon gerade Thales, den „Begründer der Philosophie" (1987, 13), als Protagonisten dafür auserwählt hat. Blumenberg benennt hier zwei Aspekte der Lächerlichkeit:

1. Das philosophische Interesse und die damit verbundenen Beschäftigungen sind für die Magd (= das Volk) unverständlich und befremdlich. Als weitere Illustration dazu eine von Wittgenstein beschriebene fiktive Szene:

> Ich sitze mit einem Philosophen im Garten; er sagt zu wiederholten Malen „Ich weiß, daß das ein Baum ist", wobei er auf einen Baum in unsrer Nähe zeigt. Ein Dritter kommt daher und hört das, und ich sage ihm: „Dieser Mensch ist nicht verrückt: Wir philosophieren nur." (*Über Gewißheit*, Nr. 467)

2. Die „Figur des zerstreuten Professors", der ob seiner Konzentration und Beschäftigung mit den Dingen des Alltags nicht zurecht kommt, wirkt lächerlich und wird zum Gespött.

Blumenberg hat in seiner Untersuchung über 40 Varianten dieser Anekdote im Laufe der Philosophiegeschichte ausgemacht und fragt sich selbst, warum sie so attraktiv für Philosophen und Philosophinnen sei, wo diese doch dabei ausgelacht und verspottet würden. Er erkennt den „Dienst der Anekdote am Selbstbewusstsein der Philosophen", kann sie aber nur mit einer „spezifischen Anmaßung" in Verbindung bringen, „die die Philosophie (...) seit ihren Anfängen (...) charakterisiert" (1987, 160). Vor dem Hintergrund der aufgezeigten Dynamik wird dieses Phänomen verständlicher:

Es hat eine *innere Umwertung* stattgefunden. Diese – vermeintlichen oder tatsächlichen – Unzulänglichkeiten werden nicht mehr als Schwächen oder Mängel erlebt, sondern gelten nun als Auszeichnung. Sie sind eine Bestätigung für die Beschäftigung mit den wesentlichen, grundsätzlichen Fragen des Lebens und eine Konsequenz der Geringschätzung oder gar Verachtung von Alltäglichkeiten. Jene, die darüber lachen, zeigen damit nur ihr eigenes Unverständnis und sind „am Ende selbst lächerlich geworden" (ebd., 161). Der dadurch bewirkte Mangel an Anerkennung wird im Gegensatz zu früher nicht oder kaum mehr als Kränkung empfunden, sondern dient als Bestätigung der eigenen Überlegenheit. Es handelt sich beim Erzählen der Thales-Anekdote in gewisser Weise um eine Reinszenierung der von vielen einstmals selbst erlebten Situation, die bei den angehenden Philosophen und Philosophinnen kränkend und deprimierend erlebt wurde, und leistet somit einen „Dienst am Selbstbewusstsein der Philosophen". Dabei sind so unangenehme Erlebnisse wie die geschilderten Außenseitererfahrungen nicht Voraussetzung für diese Dynamik, sondern verstärken diese nur in ihrer Intensität und Tragweite.

Verschiedene *Varianten der Thales-Anekdote* verschärfen noch diese *Dynamik der gegenseitigen Entwertung*, die sich aus mangelnder Anerkennung entwickelt. Das Gefühl der Überlegenheit wird dabei zusätzlich akzentuiert und direkt zum Ausdruck gebracht. Ein paar Beispiele sollen dies illustrieren:

• Aristoteles etwa hebt in seiner Version hervor, dass Thales durch seine astronomischen Kenntnisse eine reiche Olivenernte vorausgesehen habe und dadurch mittels entsprechender Investitionen „einen Haufen Geld verdient (hat) zum Beweise, dass es für die Philosophen ein Leichtes wäre, reich zu werden, dass das aber nicht das Ziel sei, dem ihre Bestrebungen gälten" (Politik A 11, 1259a 6-18).

• Hegel zitiert zunächst die Anekdote in der Version des Diogenes Laertius, in der Thales in eine Grube fällt, und ergänzt dann mit aggressivem Unterton, dass die Menschen, die darüber lachten, nicht begriffen, „dass die Philosophen über sie lachen, die freilich nicht in die Grube fallen können, weil sie ein für allemal darin liegen, – weil sie nicht nach dem Höheren schauen" (Hegel 1971, 196).

- Für Heidegger wiederum ist „der Sturz des Philosophen das Kriterium dafür geworden, dass er sich auf dem richtigen Wege befindet" (Blumenberg 1987, 149). Denn Philosophie sei „immer etwas Verrücktes" (Heidegger 1962, 1) und „jenes Denken, womit man wesensmäßig nichts anfangen kann und worüber die Dienstmägde notwendig lachen" (ebd., 2).

Schon Platon betont diese innere Umwertung und bringt viele Beispiele für die Unfähigkeit und das Versagen im Alltag – wenn auch oft in karikaturhafter Übertreibung –, die nunmehr als Auszeichnung und als Bestätigung für die Konzentration auf das Wesentliche gälten.

6. Höhlengleichnis

In mustergültiger Weise bringt Platon diesen Wertungsdiskurs mit gegenseitiger Entwertung im *Höhlengleichnis* (Politeia, 514 a - 517 a) zum Ausdruck. Der Weg der Erkenntnis erscheint aus der Sicht derer, die gefesselt in der Höhle verharren, als Verirrung und Irrweg. Denn jener, der diesen beschwerlichen Gang aus der Höhle auf sich genommen und das Licht (der Erkenntnis) erblickt hat, kommt aus deren Sicht „mit verdorbenen Augen" zurück und sieht – zumindest vorübergehend – sogar schlechter, weshalb er ausgelacht wird. Umgekehrt wertet jener die anderen mit ihren „Schattenspielen" ab und hat kein Interesse mehr, sich mit solch oberflächlichen Beschäftigungen abzugeben.

7. Produktivität der Außenseiterrolle

Die Außenseiterposition oder die Randstellung aufgrund mangelnder Anerkennung, die auf dem Weg zum Philosophieren zunächst sehr unangenehm erlebt wird, kann in der Folge jedoch in der philosophischen Tätigkeit produktiv umgesetzt und ausgelebt werden. Die mit dieser Position verbundene Distanz und der kritische Blick von außen scheint ein charakteristisches, wenn nicht wesentliches Merkmal philosophischer Herangehensweise und Existenz zu sein. So sieht etwa Axel Honneth im Außenseitertum eine „geistige Quelle der Gesellschaftskritik" (2002, 50), während für Michael Hampe die Außenseiterrolle charakteristisch für jedes Philosophieren ist. Er unterscheidet – im Sinne der Idealtypen von Max Weber – drei Funktionen bzw. Arten von Philosophie:

1. die Funktion des Richters,
2. die des Propheten und charismatischen Lehrers und
3. die des Narren.

Der gemeinsame Nenner dieser drei Arten ist *die* Funktion der Philosophie, nämlich die Kritik. Und alle drei teilten „die Gemeinsamkeit, daß sie ihre Funktion nur deshalb erfüllen können, weil sie *Außenseiter* in der Gesellschaft sind" (Hampe 2000, 3). Der Richter (als Beispiele nennt Hampe u. a. Locke und Kant) steht so wie der Prophet (etwa Marx und Nietzsche) über dem Geschehen, während sich der Narr (Sokrates und Feyerabend) als der Unterlegene oder der belächelte Außenseiter positioniert, sich insgeheim aber genauso über diejenigen stellt, denen er einen Spiegel vorhält. Ein Aspekt von Überlegenheit ist damit allen Funktionen gemeinsam und notwendige Begleiterscheinung philosophischer Tätigkeit.

8. Die Anerkennungsfrage bleibt prekär

Die hier gezeigte Dynamik macht verständlich, dass bei den PhilosophInnen die Frage der Anerkennung auch in der Folge mehr oder weniger prekär bleibt. Zusätzliche, bisher noch nicht erwähnte Faktoren spielen dabei eine wichtige Rolle:
- Der teilweise *Verzicht auf gesellschaftlichen Umgang*: Wir sind soziale Wesen und daher auf sozialen Umgang angewiesen, aus dem wir verschiedentlich Befriedigung und Anerkennung beziehen. Wenn wir darauf verzichten, weil wir z. B. mehr Zeit mit Büchern verbringen, so vergeben wir uns Möglichkeiten der Anerkennung.
- Die *starke affektive Besetzung von* und Identifizierung mit *philosophischen Theorien und Überzeugungen*: Dadurch fühlen wir uns schnell persönlich angegriffen und in Frage gestellt, auch wenn nur unsere Positionen und Argumente kritisiert werden. Außerdem ist dadurch der Kreis der Menschen, mit denen wir uns austauschen und von denen wir Anerkennung bekommen können, stark eingeschränkt. Daraus entsteht kompensatorisch ein übermäßiges Bedürfnis nach Gleichgesinnten, wodurch es typischerweise zu innigen Verbindungen aufgrund tatsächlicher oder projizierter Übereinstimmungen kommt, gefolgt von radikalen Brüchen, wenn dann doch Differenzen sichtbar werden. Beispiele dafür sind etwa die vo-

rübergehenden Freundschaften von Lukacs und Bloch oder von Freud und Jung. Diese Problematik zeigt sich auch in der Bildung von elitären Zirkeln von Eingeweihten, die ein Gefühl der Überlegenheit vermitteln. Philosophische „Geheimsprachen" sind hier förderlich und dienen nicht zuletzt dem Ausschluss all derer, die dieser Sprache nicht mächtig sind.

9. Schluss

Abschließend sei noch einmal darauf hingewiesen, dass das Bedürfnis nach Anerkennung, damit verbunden Probleme sowie daraus resultierende Psychodynamiken und Wertungsdiskurse universelle menschliche Phänomene sind. Dennoch glaube ich gezeigt zu haben, dass sie sich im Bereich philosophischer Tätigkeit aufgrund verschiedener Faktoren in spezifischer Form und Ausprägung darstellen. Ich bin auch überzeugt, dass sich die Ergebnisse am Wiener Institut für Philosophie in ähnlicher Weise auch in allen anderen philosophischen Instituten des westlichen Kulturkreises mehr oder weniger finden lassen. Dafür spricht die wiederkehrende Thematisierung dieser Dynamik durch die ganze westliche Philosophiegeschichte hindurch. Zusätzlich möchte ich auf eine Studie von Wolfgang Kellner et. al. (1990) hinweisen, in der Tiefeninterviews mit AbsolventInnen des Instituts für Philosophie der Universität Klagenfurt durchgeführt worden, und in der ähnliche Probleme und psychodynamische Motive zu Tage getreten sind.

LITERATUR

Achenbach, G. (1984): *Philosophische Praxis: Vorträge und Aufsätze*, Köln.
Blumenberg, H. (1987): *Das Lachen der Thrakerin. Eine Urgeschichte der Theorie*, Frankfurt am Main.
Hampe, M. (2000): Propheten, Richter, Narren und ihre Philosophien. Unveröffentlichtes Vortragsmanuskript.
Hegel, G. W. F. (1970): Differenz des Fichteschen und Schellingschen Systems der Philosophie, in: *Werke* in zwanzig Bänden, Band 2, Frankfurt am Main.
Hegel, G. W. F. (1971): Vorlesungen über die Geschichte der Philosophie I, in: *Werke* in zwanzig Bänden, Band 18, Frankfurt am Main.
Heidegger, M. (1962): *Die Frage nach dem Ding*, Tübingen.
Honneth, A. (2002): Die mythischen Mächte zerstören. Gesellschaftskritik im Zeitalter des normalisierten Intellektuellen, in: Neue Zürcher Zeitung, 9./10.3.2002, S. 49f.

Kellner, W./Ratschiller, K./Wank, H. (1990): Endbericht zum Pilotprojekt: Philosophie im Kontext von Studium, Beruf und Alltag: Exemplarisch an den Erfahrungen der Philosophieabsolventen der UBW-Klagenfurt 1975-1987, Klagenfurt.

Schickel, J. (Hg.) (1980): *Grenzenbeschreibung. Gespräche mit Philosophen*, Hamburg.

Wittgenstein, L. (1984): Bemerkungen über die Farben. Über Gewissheit. Zettel. Vermischte Bemerkungen. In: *Werkausgabe*, Band 8, Frankfurt am Main: Suhrkamp.

Kurzbiographien der Beitragenden

Karl Acham, geb. 1939 in Leoben, Studium der Geschichte, Germanistik und Philosophie in Graz, 1971 Habilitation im Fach Philosophie (über „Grundlagenprobleme der Gesellschaftswissenschaften"); zwei erste Listenplätze für ord. Professuren an ausländischen Universitäten (Bern 1974, Bochum 1977); lehrt seit 1975 als ordentlicher Professor Soziologie sowie Sozialphilosophie und Wissenschaftstheorie an der Sozial- und Wirtschaftswissenschaftlichen Fakultät der Universität Graz, war von 1983-85 deren Dekan. Arbeitsschwerpunkte sind die Theorie, die Ideengeschichte sowie die Wissenschaftslehre der Sozialwissenschaften; zahlreiche Bücher, Buchbeiträge und Aufsätze zu diesen Themenbereichen liegen von ihm vor. Er ist wirkl. Mitglied der Österr. Akad. der Wissenschaften und Träger des Österreichischen Ehrenzeichens für Wissenschaft und Kunst.

Ansgar Beckermann, geb. 1945, studierte Philosophie, Mathematik und Soziologie in Hamburg und Frankfurt am Main. Er war Professor für Philosophie in Göttingen und Mannheim. Seit 1995 ist er Professor an der Universität Bielefeld. Er war Mitglied zweier ZiF-Forschungsgruppen und gehörte zu den Koordinatoren des DFG-Schwerpunktprogramms *Kognition und Gehirn*. Seine Hauptarbeitsgebiete sind die Handlungstheorie, die Philosophie des Geistes, die Erkenntnistheorie und die Philosophie der Willensfreiheit.
Publikationen: *Gründe und Ursachen* (1977); *Descartes' metaphysischer Beweis für den Dualismus* (1986); *Einführung in die Logik* ([2]2003); *Analytische Einführung in die Philosophie des Geistes* ([3]2008); *Das Leib-Seele-Problem* (2008); *Gehirn, Ich, Freiheit* (2008); Sammelbände zur Handlungstheorie, zum Problem der Emergenz und zum Thema *Klassiker der Philosophie heute* sowie zahlreiche Aufsätze.

Michael Blamauer, geb. 1976, Studium der Philosophie an der Universität Wien, 2005 Promotion zum Dr. phil.; seit 2005 Lehrbeauftragter am Institut für Philosophie der Universität Wien.
Publikationen: *Subjektivität und ihr Platz in der Natur. Untersuchung zu Schellings Versuch einer naturphilosophischen Grundlegung des Bewusstseins*, Stuttgart: Kohlhammer 2006, weitere Veröffentlichungen im Bereich der Phänomenologie.

Katja Crone, Dr. phil. Katja Crone, geb. 1970, Studium der Philosophie und Literaturwissenschaften in Montpellier, Hamburg und London, wissenschaftliche Mitarbeiterin am Institut für Philosophie der Humboldt-Universität zu Berlin sowie an der Berlin School of Mind and Brain. Wichtigste Publikationen: (2005) *Fichtes Theorie konkreter Subjektivität*, Göttingen: Vandenhoeck & Ruprecht; (2006) 'Gedächtnispillen': Mögliche Auswirkungen auf das Selbstverständnis von Personen, in: J. Ach/A. Pollmann (Hg.) *No Body is Perfect*, Bielefeld: transcript, 233-252; (2007) Vorbegriffliches Selbstbewusstsein bei Kant?, in: J. Stolzenberg (Hg.) *Kant in der Gegenwart*, Berlin/New York: de Gruyter, 149-165; (im Erscheinen) (Hg. mit R. Schnepf/J. Stolzenberg) *Über die Seele*, Frankfurt/Main: Suhrkamp.

Sabine Döring, Promotion 1997 an der Universität Göttingen; Habilitation 2005 an der Universität Duisburg-Essen; 2004-2008 Dozentin am King's College London und an der University of Manchester; seit April 2008 Professorin für Praktische Philosophie an der Eberhard-Karls-Universität Tübingen.
Publikationen in Auswahl: *Ästhetische Erfahrung als Erkenntnis des Ethischen: Die Kunsttheorie Robert Musils und die analytische Philosophie* (Paderborn: mentis 1999); *Gründe und Gefühle: Zur Lösung „des" Problems der Moral* (Berlin: de Gruyter 2009); *Philosophie der Gefühle* (Frankfurt am Main: Suhrkamp 2009); Aufsätze zu Emotionen, Praktischer Rationalität und Ethik u. a. in The Philosophical Quarterly, Dialectica, Emotion Review, dem Oxford Handbook of the Philosophy of Emotion und dem Blackwell Companion to The Philosophy of Action.

Annette Dufner has received her MA from the University of Karlsruhe, Germany. She is currently working on her PhD at the University of Toronto, Canada. Her research interests include normative ethics and personal identity theory.

Eva-Maria Düringer, geb. 1980, studierte Philosophie, Neuere und Neueste Geschichte und Anglistik an der Albert-Ludwigs Universität Freiburg und der Philipps Universität Marburg, wo sie 2005 den Titel der Magistra Atrium erhielt. Zudem verbrachte sie ein akademisches Jahr als visiting student an der University of Washington in Seattle und erlangte den Titel 'Master of Arts in Philosophy' nach einem einjährigen Programm in angewandter Ethik an der Universität Linköping in Schweden. Seit 2005 promoviert sie an der University of York in England, wo sie auch als teaching assistant tätig ist.

Josef Ehrenmüller, geb. 1962 in Linz, Studium der Medizin in Wien (Promotion 1988), anschließend Psychoanalyseausbildung im Wiener Psychoanalytischen Seminar sowie Studium der Philosophie (Sponsion 2002, Thema der Diplomarbeit: „Zur Psychodynamik des Philosophierens"), arbeitet seit 1995 als Psychoanalytiker in freier Praxis, seit 1997 als Tutor am Institut für Philosophie der Uni Wien, derzeit Arbeit an einer Dissertation zum Thema „Zur Psychologie der Philosophie".

Manfred Füllsack, Univ.Doz. Dr., lehrt Sozialphilosophie und Sozialtheorie an der Universität Wien und anderen akademischen Einrichtungen, mehrfache Forschungs- und Lehraufenthalte insbes. in Russland und den USA. Forschungsschwerpunkte: Ar-

beit, Wissensarbeit, System-, Spiel- und Netzwerktheorie, computerbasierte Multi-Agenten-Systeme.
Publikationen u.a.: *Zuviel Wissen? Zur Wertschätzung von Arbeit und Wissen in der Moderne* (Berlin 2006); *Auf- und Abklärung. Grundlegung einer Ökonomie gesellschaftlicher Problemlösungskapazitäten* (Aachen 2003); *Leben ohne zu arbeiten? Zur Sozialtheorie des Grundeinkommens* (Berlin 2002); in Kürze erscheint: *Arbeit. Eine Begriffsgeschichte* (Wien 2009).

Martina Fürst, geb. 1976, studierte Philosophie und Italienisch an der Karl-Franzens-Universität Graz, Universitá di Siena und Univerza v Mariboru. 2008 Promotion zur Doktorin der Philosophie. Dissertationstitel: „Qualia als Grundlagen des Bewusstseins. Eine eigenschaftsdualistische Theorie". 2006 Lehrauftrag am Institut für Philosophie der Universität Maribor; 2007 wissenschaftliche Mitarbeiterin und seit 2008 Lehrbeauftragte am Institut für Philosophie der Universität Graz. Sie ist Editorial Assistant der Grazer Philosophischen Studien. Publikationen u.a.: „Qualia and Phenomenal Concepts as Basis of the Knowledge Argument", in: *Acta Analytica*, Vol.19 (2004), Epistemology, Philosophy of Mind, pp.143-152.; „The Qualia of Conscious Intentionality", in: Bohse H., Walter, S.(Hg.), *Selected Papers Contributed to the Sections of GAP.6*, Paderborn: Mentis 2007.

Volker Gadenne, geb. 1948 in Mannheim; Studium der Psychologie, Philosophie und Wissenschaftstheorie; Professor für Philosophie und Wissenschaftstheorie an der Universität Linz.
Publikationen: *Bewusstsein, Kognition und Gehirn*, Bern 1996; *Wirklichkeit, Bewusstsein und Erkenntnis*, Rostock 2003; *Philosophie der Psychologie*, Bern 2004

Igor Gasparov, geb. 1972, 1995 Diplom in Geschichte und Deutsch der Staatlichen Universität Woronesch; 2000 B.A. Hochschule für Philosophie München; 2007 Verteidigung der Dissertation in Ontologie und Erkenntnistheorie an der philosophischen Fakultät der Staatlichen Universität Woronesch; unterrichtet Philosophie und Bioethik an der Staatlichen Medizinischen Akademie Woronesch.

Benedikt Paul Göcke, geb. 1981, Westfälische Wilhelms-Universität Münster, Philosophisches Seminar.
Publikationen: Göcke et al. (2005), „Kontraintuitive Konsequenzen aus Franz von Kutscheras modallogischer Kausalkonzeption", in: Christoph Halbig, Christian Weidemann (ed.): *Franz von Kutschera: Analytische Philosophie jenseits des Materialismus*. Münster, London: LIT Verlag; Göcke et al. (2007): „How to Kripke Brandom's Notion of Necessity", in: Bernd Prien, David Schweikard (ed.): *Robert Brandom. Analytic Pragmatist.* Frankfurt, Paris, Lancaster: Ontos Verlag; Göcke (2008): „How to Heckle Swinburne on God and Time", in: Sebastian Schmoranzer,

Christian Weidemann, Nicola Mößner (ed.): *The Philosophy of Richard Swinburne*. Frankfurt, Paris, Lancaster: Ontos Verlag,

Hans Goller, geb. 1942, Studium der Philosophie, Klinischen Psychologie und Theologie, zurzeit Univ.-Prof. für Christliche Philosophie an der Universität Innsbruck.

Wolfgang L. Gombocz, geb. 1946, Dozent am Institut für Philosophie der Geisteswissenschaftlichen Fakultät der Karl Franzens-Universität Graz, Buchpublikation: *Die Philosophie der ausgehenden Antike und des frühen Mittelalters*, München (Beck Verlag 1997)

Wilfried Grießer, geb. 1973, Studium der Mathematik, der Philosophie sowie der Psychologie und Pädagogik, 2004 Promotion sub auspiciis praesidentis zum Doktor der Philosophie, Lehrauftrag am Institut für Philosophie der Universität Wien. Veröffentlichungen (Auswahl der wichtigsten Arbeiten): *Geist zu seiner Zeit. Mit Hegel die Zeit denken*, Würzburg, Königshausen & Neumann 2005; *Die Erforschung der chemischen Sinne. Geruchs- und Geschmackstheorien von der Antike bis zur Gegenwart*. Frankfurt / Main u.a., Peter Lang, 2006 (gemeinsam mit Sabine Krist); „Zeit und Dialektik in Paul Natorps *Philosophischer Systematik*", in: Wiener Jahrbuch für Philosophie, Band XXXVII / 2005, 131-148; „Hegel und die Daseinsanalyse. Anregungen zu einer Begegnung", in: Daseinsanalyse. Jahrbuch für phänomenologische Anthropologie und Psychotherapie 23 (2007), 227-245.

Evelyne Gröbl-Steinbach, verh. Schuster, ist Professorin für Sozialphilosophie und politische Theorie an der Johannes Kepler Universität Linz. Arbeitsschwerpunkte: Ethik, Kritischer Rationalismus, Pragmatismus sowie Kritische Theorie. Zahlreiche Aufsätze über Habermas. Neuere Publikationen: „Methodenstreit oder Ideologiedebatte- ein Rückblick auf den Positivismusstreit", in: I. Jarvie, K. Milford, D. Miller (Hgs.), Karl Popper, An Centenary Assessment, Vol. 3, 165-180, Ashgate, Bodmin/Cornwall 2007; „Soziale Welt und Realismus in der soziologischen Theorie", in: A. Balog, H. Schülein (Hg.), *Soziologie, eine multiparadigmatische Wissenschaft, Verlag für Sozialwissenschaften*, Wiesbaden 2008, 47-62.

Christian Hiebaum, geb. 1969, Dozent am Institut für Rechtsphilosophie, Rechtssoziologie und Rechtsinformatik der Karl-Franzens-Universität Graz, Arbeitsgebiete: Rechtstheorie und politische Philosophie; jüngste Publikation: *Bekenntnis und Interesse*, Berlin (Akademie Verlag 2008).

Wolfgang Huemer, geb. 1968, studierte Philosophie und Germanistik in Salzburg, Fribourg, Bern und Toronto. Wissenschaftlicher Mitarbeiter an der Universität Erfurt (2001–06), seither *ricercatore* an der Universität Parma. Forschungsschwerpunkte: Philosophie des Geistes, Erkenntnistheorie, Sprachphilosophie und Philosophie der Literatur. Publikationen: *The Constitution of Consciousness. A Study in Analytic Phenomenology* (Routledge 2005); gem. mit J. Gibson (Hg.), *Wittgenstein und die Literatur* (Suhrkamp 2006); gem. mit J. Gibson und L. Pocci (Hg.), *A Sense of the World. Essays on Fiction, Narrative, and Knowledge* (Routledge 2007); gem. mit A. Burri (Hg.), *Kunst denken* (mentis 2007); „Husserl and Haugeland on Constitution", *Synthese*, 2003; „The Transition from Causes to Norms: Wittgenstein on Training", *Grazer Philosophische Studien*, 2006.

Michael Jungert, geb. 1980 in Nürnberg, Studium der Philosophie, Geschichte und Biologie an den Universitäten Bamberg und Erlangen-Nürnberg, 2006-2007 wissenschaftlicher Mitarbeiter am Lehrstuhl für Philosophie I der Universität Bamberg, seit Oktober 2007 Kollegiat und Promotionsstipendiat im DFG-Graduiertenkolleg Bioethik am Interfakultären Zentrum für Ethik in den Wissenschaften (IZEW) der Universität Tübingen sowie Lehrbeauftragter am Lehrstuhl für Philosophie I der Universität Bamberg. Arbeitsgebiete: Anthropologie, Angewandte Ethik, Philosophie des Geistes und Wissenschaftsphilosophie.

Ulrike Kadi, geb 1960, Lehrbeauftragte für Philosophie am philosophischen Institut der Universität Wien, Ärztin in einem psychiatrischen Krankenhaus mit Versorgungsauftrag, Details und Publikationen unter phaidon.philo.at/kadi

Gert-Jan Lokhorst, born 1957, studied medicine (M Med Sci degree, 1980) and philosophy (MA degree, 1985, Ph D degree, 1992). He has worked in philosophy, logic, artificial intelligence and the history of the neurosciences and currently carries out research in neuroethics at the Section of Philosophy, Faculty of Technology, Policy and Management, Delft University of Technology, the Netherlands. He is a member of the editorial board of the recently-launched journal Neuroethics (Springer).

Winfried Löffler, geb. 1965, Studium der Philosophie, Rechtswissenschaften und Theologie in Innsbruck, Habilitation in Philosophie 2004 in München, ist Außerordentlicher Universitätsprofessor am Institut für Christliche Philosophie der Universität Innsbruck. Wichtigste Publikationen: *Einführung in die Religionsphilosophie*, Darmstadt 2006; *Einführung in die Logik*, Stuttgart u.a. 2008.

Michael Raunig, geb. 1979, hat in Graz Philosophie sowie Deutsche Philologie studiert und ist an der Akademie für Neue Medien und Wissenstransfer der Universität Graz beschäftigt; seine Diplomarbeit (2002) vollzieht eine Kritik an Robert Brandoms Inferentialismus, die Dissertation (2006) behandelt „Motivation und Formen des Antirepräsentationalismus". Interessensschwerpunkte liegen in der analytischen Philosophie des Geistes, in den Kognitionswissenschaften, in weiten Bereichen der Philosophie des 20. Jahrhunderts sowie in der Medienphilosophie.

Hans-Walter Ruckenbauer, geb. 1970, Ass.-Prof. am Institut für Philosophie an der Kath.-Theol. Fakultät der Karl-Franzens-Universität Graz; Schwerpunkte: Geschichte der Philosophie (19. Jahrhundert; Friedrich Nietzsche und Umfeld); Anthropologie; Medizin- und Pflegeethik.
Publikationen: *Moralität zwischen Evolution und Normen. Eine Kritik biologistischer Ansätze in der Ethik*, Würzburg: Königshausen & Neumann 2002 (Epistemata 308); *Paul Rée. Der Ursprung der moralischen Empfindungen*, Bonn: DenkMal 2005 (Nietzsche Denken 4) [zus. mit Hans-Joachim Pieper]; gem. mit Reinhold Esterbauer und Elisabeth Pernkopf (Hg.), *WortWechsel. Sprachprobleme in den Wissenschaften interdisziplinär auf den Begriff gebracht*, Würzburg: Königshausen & Neumann 2007.

Eberhard Schockenhoff, geb. 1953, 1972-1979 Studium der Theologie in Tübingen und Rom, 1986 Promotion bei Alfons Auer in Tübingen, 1989 Habilitation, 1990-1994 Professor für Moraltheologie in Regensburg, seit 1994 Professor für Moraltheologie an der Albert-Ludwigs-Universität Freiburg i.Brsg.
Veröffentlichungen: *Ethik des Lebens. Ein theologischer Grundriß* (1993); *Naturrecht und Menschenwürde. Universale Ethik in einer geschichtlichen Welt* (1996); *Zur Lüge verdammt? Politik, Medien, Justiz, Wissenschaft und die Ethik der Wahrheit* (2000); *Wie gewiss ist das Gewissen? Eine ethische Orientierung* (2003); *Grundlegung der Ethik. Ein theologischer Entwurf* (2007); *Theologie der Freiheit* (2007).

Mario Schönhart, geb. 1976; Studium der Kath. Fachtheologie und Religionspädagogik in Graz; Studienassistent am Institut für Philosophie an der Kath.-Theol. Fakultät der Universität Graz; Diplomarbeit zum Subjektbegriff bei Michel Foucault.
Publikation: „Zur Transformation von psychiatrischen Konzepten und Begriffen nach Michel Foucault", in: Esterbauer, Reinhold / Pernkopf, Elisabeth / Ruckenbauer, Hans-Walter (Hg.): *WortWechsel. Sprachprobleme in den Wissenschaften interdisziplinär auf den Begriff gebracht*, Würzburg: Königshausen & Neumann 2007, 183–193.

Peter Schulte, geb. 1977, studierte Philosophie und Germanistik in Tübingen, Chapel Hill und Bielefeld und ist zurzeit Doktorand und wissenschaftlicher Angestellter an der Universität Bielefeld. Zu seinen Arbeitsschwerpunkten gehören die Rationalitätstheorie, die Philosophie des Geistes, die Ontologie und die Metaethik.

Thomas Szanto, geb. 1979 in Budapest, Studium der Philosophie und Germanistik in Wien und Paris; 2005 bis 2007 Doktoratsstipendium der Österreichischen Akademie der Wissenschaften; 2006/07 Junior Visiting Fellowship am Institut für die Wissenschaften vom Menschen (IWM), Wien; 2005 und 2006 Lehraufträge an der Medizinischen Universität Graz (Medizinethik). Zurzeit ist er Lehrbeauftragter am Institut für Philosophie der Universität Wien und arbeitet an einem Dissertationsprojekt zum Thema „Bewusstsein, Intentionalität und Mentale Repräsentation".
Publikationen u.a.: „Realismus, Anti-Realismus oder Nicht-Realismus? Dummett und Husserl zur neueren Realismusdebatte." (im Erscheinen); „What 'Science of Consciousness'? Towards a Phenomenological Critique of Naturalizing the Mind" (2006); „Naturalizing Intentionality? A Husserlian Contribution to the Internalism/Externalism-Debate" (2006).

Sven Walter, geb. 1974 in Pirmasens, Philosophiestudium an den Universitäten Bonn, Saarbrücken und an der Ohio State University, Dissertation 2005 an der Universität des Saarlandes zum Thema „Physicalism and Mental Causation: An Argument for Epiphenomenalism", 2005-2007 wissenschaftlicher Mitarbeiter an der Abteilung für Philosophie der Universität Bielefeld mit einem Projekt zum Thema „Evolutionäre Anthropologie: Kann die Biologie die Kultur erklären?", seit April 2007 Heyne-Juniorprofessor für Philosophie des Geistes am Institut für Kognitionswissenschaft der Universität Osnabrück. Hauptarbeitsgebiete: Philosophie des Geistes, Philosophie der Biologie und angrenzende Grundfragen der Metaphysik.
Publikationen: Ko-Herausgeber des *Oxford Handbook of the Philosophy of Mind* (Oxford University Press 2009, zusammen mit Ansgar Beckermann und Brian McLaughlin) und eines Bandes zu *Phenomenal Knowledge and Phenomenal Concepts: New Essays on Consciousness and Physicalism* (Oxford University Press 2007, zusammen mit Torin Alter); *Mentale Verursachung: Eine Einführung* (Paderborn: mentis); weitere Aufsätze in Fachzeitschriften (u.a. in *Erkenntnis, Philosophical Psychology, Canadian Journal of Philosophy, Journal of Consciousness Studies, Grazer Philosophische Studien*).

Karsten Weber, geb. 1967, Studium der Philosophie, Informatik und Soziologie, Professor für Philosophie an der Universität Opole/Polen, Honorarprofessor für Kultur und Technik an der Brandenburgischen Technischen Universität Cottbus/Deutschland, Privatdozent für Philosophie an der Europa-Universität Viadrina Frankfurt (Oder)/Deutschland.
Publikationen: „Wer bestimmt über den Tod? Interventionsrechtete von Familienangehörigen und anderen Personen", in: Rothärmel, S.; Schmidt, K. W.; Wolfslast, G. (Hrsg.): *Familie versus Patientenautonomie? Zur Rolle der Familie bei Behandlungsentscheidungen*, Arnoldsheiner Texte, Nr. 138. Frankfurt/Main: Haag+Herchen 2006;

„The Next Step: Privacy Invasions by Biometrics and ICT Implants", in: *Ubiquity. An ACM IT Magazine and Forum*, 7 (45) 2006.

Martin G. Weiss, geb. 1973, leitet das FWF-Projekt *The Dissolution of Human Nature* innerhalb der *Forschungsplattform Life-Science Governance* der Universität Wien und ist Universitätsassistent am Philosophischen Institut der Alpen-Adria-Universität Klagenfurt.
Publikationen (Auswahl): *Gianni Vattimo. Einführung. Mit einem Interview mit Gianni Vattimo*, 2. verbesserte Auflage, Wien: Passagen 2006; *Die menschliche Natur im Zeitalter ihrer technischen Reproduzierbarkeit*, Frankfurt/M.: Suhrkamp 2008; „Biopolitik, Souveränität und die Heiligkeit des nackten Lebens. Giorgio Agambens Grundgedanke", in: *Phänomenologische Forschungen Band 2003*, 269-293; „Subjektivität und Herrschaft im Kontext von Biopolitik und Gentechnik", in: *Phänomenologische Forschungen* Band 2007, 230-250.

Lutz Wingert ist Professor für Philosophie an der Eidgenössischen Technischen Hochschule (ETH) Zürich und Mitglied des *Zentrums für Geschichte des Wissens* der Universität und der ETH Zürich. Publikationen und Forschung zu Fragen der Erkenntnistheorie, der anthropozentrischen Philosophie des Geistes, der Ethik und der politischen Philosophie